LES CHEMINS
DE L'INNOCENCE

TAYLOR CALDWELL

LES CHEMINS DE L'INNOCENCE

PRESSES DE LA CITÉ
9797 rue Tolhurst, MONTRÉAL H3L 2Z7 Tél.: 382-5950

Le titre américain de cet ouvrage est:

THIS SIDE OF INNOCENCE
Traduction et adaptation de Régine GUEIT
COPYRIGHT 1946 par REBACK + REBACK

COPYRIGHT by © Presses de la Cité, 1947

COPYRIGHT © PRESSES DE LA CITÉ-MONTRÉAL 1983

ISBN 2-89116-186-6

CHAPITRE PREMIER

JEROME LINDSEY songeait que les nouvelles désagréables arrivaient invariablement quand le temps était exécrable et son humeur de même.

Hier, l'air de New York était d'une grande douceur, bien que ce fût la mi-décembre, et le ciel ensoleillé s'irisait dans une brume dorée. C'était une toile de fond qui convenait à son entrain : une exquise jeune femme, particulièrement désirable, promettait de succomber le soir même. Hier donc, Jérôme se sentait tout pétillant d'exubérance et paraissait beaucoup plus jeune qu'aujourd'hui. Maintenant, une impression de sénilité l'habitait, une sénilité mêlée de diverses sensations d'angoisse. Il était sur le point d'admettre que le champagne ne lui convenait pas. Cet aveu plébéien hantait une tête qui donnait des symptômes inquiétants, comme si elle était — Dieu sait comment — passée sous une voiture. La dame aussi avait eu le dessous. Elle avait été plus maniable que Jérôme n'avait espéré, et il lui en voulait. Il souhaitait qu'elle eût montré plus de réserve...

Le temps s'accordait avec l'humeur et l'état de Jérôme. Le vent hurlait aux fenêtres, Le pavé était gras et de rares passants se hâtaient sous leurs parapluies aux luisances blafardes.

Le courrier, non plus, ne lui apportait aucun rayon de réconfort, tandis qu'il s'attardait à son café. Il y avait quelques invitations sans intérêt et le gros de la masse se composait de factures. D'un air dolent qui plissait ses traits fripés, il les regarda sans les ouvrir et les jeta au panier. Jim, son domestique, les récupérerait plus tard et en ferait un petit tas pas gênant sur son bureau. En attendant, il n'avait cure d'y jeter un regard. De même qu'il n'avait cure de se regarder lui-même, car l'image eût immanquablement suggéré qu'il portait plus que ses trente-quatre ans et qu'il était beaucoup moins séduisant que quand il n'avait pas mal aux cheveux.

Il n'était pas encore rasé. Il ne pouvait souffrir de se raser

9

après une nuit particulièrement agitée. Cela ne faisait qu'accroître ses prémonitions que son crâne allait s'effriter.

Ses yeux larmoyaient, brûlants, ensablés, douloureux. Il cligna des paupières et se pencha pour examiner une ou deux lettres qui restaient, à la lueur de la lampe d'albâtre. Il y en avait une de sa sœur Dorothée. Il fronça le sourcil et il allait la metttre de côté pour la lire à une heure moins pénible, quand il remarqua l'épaisseur de l'enveloppe. Ce n'était pas l'habitude : une mince feuille de papier suffisait à Dorothée (cette unique feuille demandant à Jérôme un effort mental considérable). Mais la curiosité eut raison de sa répugnance instinctive et il ouvrit la lettre, en criant à Jim d'apporter encore du café.

Hilltop Riversend New York.

15 décembre 1868.

Mon cher Jérôme,

Par le même courrier, tu recevras une lettre de papa avec ce que tu prendras pour d'heureuses nouvelles, selon ton insouciance habituelle. Je crains qu'elles n'éveillent guère qu'un intérêt passager chez toi, car tu n'as jamais montré cette sollicitude et cette loyauté à la famille qui sont si importantes dans la vie de notre cher papa.

Je tiens à t'assurer que seuls, mon agitation et mon désespoir me poussent à t'écrire, car bien que frère et sœur, nous ne sommes pas des amis l'un pour l'autre. Ma conscience me trouble parfois ; j'ai le sentiment d'être coupable. De quatre ans ton aînée, c'est à moi que notre chère maman t'a confié, avant d'être rappelée à Dieu. Ai-je failli à mon devoir ? As-tu des reproches à me faire que tu tais par délicatesse fraternelle ? Mais non, je ne crois pas, car la délicatesse n'a jamais été ton fort. Et, plaise à Dieu, je ne suis sûrement pas responsable de ton cynisme, de ta vie déréglée, de tes extravagances et de ton manque de conscience, sans parler de cette sottise d'aspirer à une carrière artistique.

Il faut reconnaître que tu as pris peu d'intérêt aux affaires de la famille, ces dernières années, à cause de tes pérégrinations à travers l'Europe, de tes longs séjours à New York, Boston ou Philadelphie et de ton commerce avec ces « gens du monde » sans probité et sans considération sérieuse pour les problèmes du monde. J'imagine donc que la nouvelle du remariage de ton cousin Alfred va tout juste te faire hausser le sourcil. mais, je t'en conjure, accorde un instant d'attention à ce que cela signifie.

« Bon Dieu ! s'exclama Jérôme, en se tordant de rire, est-ce que cette andouille d'Alfred va épouser Dorothée en fin de compte ? » Il se rapprocha de la lampe qui brillait d'un éclat plus vif dans le crépuscule de décembre.

Quand j'ai commencé cette lettre pénible, qui me coûte tant à écrire, je me suis fait une règle sévère de ne pas te faire de remontrances, ni de te parler de choses qu'il vaut mieux oublier. Mais afin de mettre de l'ordre dans mes idées, je me vois obligée de te rappeler qu'en dépit de tes trente-quatre ans, tu n'as pas cru bon de contracter mariage avec une jeune fille de notre milieu et que tu as maintes fois déclaré à papa que tu ne te marierais jamais, que jamais tu ne lui donnerais ces petits-enfants qu'il désire avec tant de silencieuse patience. Si j'ai quelque reproche à faire à papa, c'est d'être si tolérant envers toi et de te montrer une affection qui m'effare. Jamais il ne t'a imposé une ligne de conduite que quiconque, doué de sensibilité et de dévotion filiale, eût observée de lui-même. Il t'a laissé gaspiller 75.000 dollars que grand-mère Holden t'avait laissés, bien inconsidérément, et cela sans le moindre reproche, réellement convaincu dans sa tendresse que tu étais un garçon doué. Néanmoins, comme les années passaient, j'ai vu sa tristesse et ses regrets, bien qu'il ne t'en ait jamais touché un mot, j'en suis certaine. Au contraire, il t'a envoyé de gros chèques de temps en temps, sur ta demande impérative, sans doute.
Tu m'as dit une fois que, puisque papa avait adopté le fils de son frère, Alfred, cela te dégageait de toute responsabilité ; que maintenant papa avait un fils qui remplirait ses devoirs envers la famille. Je fus effrayée de ton indifférence, mais je gardai le silence. J'ai certes pour Alfred l'affection d'une sœur (et même davantage, pensa Jérôme) *et je me réjouis qu'il ait rempli ces dernières années de paix et de réconfort. Je pense que tu es de mon avis. Mais le premier mariage d'Alfred avec Martha Winchester n'eut comme issue que ce pauvre petit Philippe qui n'a ni la force, ni la possibilité physique de donner plus tard des petits-enfants à papa. A la mort de Martha, il semblait que tous nos espoirs dussent disparaître.*

« Mais pas les tiens, pensa Jérôme avec une ironie méchante. Pauvre vieille Dotty ! »

Nous avons chéri Philippe ; j'ai été comme une mère pour lui et il nous l'a bien rendu, comme s'il comprenait que sa difformité était une déception pour nous. Alfred ne montrait aucun désir de se remarier et nous acceptâmes notre paisible existence.

« Pas toi, Dotty : tu le poursuivais nuit et jour, de la manière la plus distinguée, naturellement ! »

Et alors (l'écriture devint si agitée qu'elle était à peine lisible et que des marques suspectes en diluaient l'encre çà et là), *comme un coup de tonnerre dans un ciel serein, Alfred annonce son intention de se remarier.*

« Ah ! Ah ! s'exclama Jérôme, en donnant plus de flamme à la lampe. Ça commence à devenir intéressant. En fin de compte, ça n'est pas avec Dotty. Dieu merci ! » Une expression de méchanceté, de cruauté assouvie, brilla sur son visage.

Naturellement, papa et moi fûmes abasourdis Comprends bien que je n'étais pas inquiète, au contraire. Riversend est convenablement pourvu de femmes d'âge et de situation convenables, car, après tout, Alfred a trente-neuf ans. Je passai en revue tous les partis possibles, et Alfred se contentait de faire non de la tête en souriant. Il n'avait pas l'air très à son aise : il ne cessait de jeter des regards à papa, d'un air qui implorait par avance le pardon et l'indulgence.
Alfred se mit à nous raconter une invraisemblable histoire qui me glaça. Il paraît qu'une certaine demoiselle sans famille, une véritable étrangère, s'adressa à lui, il y a quelques mois, pour un secours financier (tu sais qu'Alfred est vice-président de la Banque, maintenant). Cette demoiselle qui, à ce qu'on murmure, a un passé des plus médiocres, sinon sinistre (et ce doit être vrai, car elle en parle rarement) est native de Thorntonville, cette misérable bourgade à trente milles d'ici. On l'avait engagée comme institutrice pour l'école rurale à quarante dollars par mois. Elle affirme qu'elle n'a que vingt et un ans, mais je suis sûre qu'elle a bien davantage, car non seulement elle a un air dur et intrigant et une expression déplaisante à l'extrême, mais elle a une hardiesse de langage et de manières qui indique quelques bonnes années de plus. Sa toilette est inacceptable chez une institutrice, d'une qualité et d'une façon qui dépassent ce que son salaire pourrait lui permettre, bien qu'elle déclare faire ses vêtements elle-même d'après des patrons. Je lui accorde ce point, par charité, bien que mon cœur parle différemment.

« Il n'y a aucun doute », se dit Jérôme.

Quand l'effet de stupeur se fut dissipé, je m'en allai seule à Thorntonville pour m'enquérir sur place de cette jeune per-

sonne qui se nomme Amalie Maxwell. A ma grande horreur, mes premiers soupçons se trouvèrent justifiés. Son père était un métayer ivrogne et sa mère faisait des ménages et la lessive pour les bonnes familles de l'endroit. Elle est morte il y a dix ans. Le père fut arrêté pour ivrognerie et soupçonné de nombreux vols et il fut envoyé en prison où il mourut il y a sept ans, laissant sa fille âgée de quinze ans (si ses dires sont exacts) se débrouiller toute seule. On s'attendrait à ce qu'une personne de cet âge, consciente de sa situation, se fût rangée et, par le travail et l'humilité, eût essayé d'effacer son passé et de s'élever dans l'estime de ses maîtres. Mais il n'en fut rien. Elle décida de se faire institutrice. Elle déclare que, dès sa plus tendre enfance, elle était peinée par l'ignorance des pauvres, et qu'elle se destinait à y porter remède par son propre labeur. Quand je lui fis remarquer que Dieu, en sa sagesse, assigne à chacun son rang dans la vie et qu'il est impie d'intervenir, elle me rit grossièrement au nez.

La grossièreté, je peux le dire maintenant, est sa caractéristique dominante. Elle n'a ni réserve, ni savoir-vivre, ni maintien, ni grâce. Elle tient un langage qu'aucune femme délicate et bien élevée ne tiendrait. Elle a l'effronterie d'un homme sans éducation et je l'ai souvent entendue jurer comme un valet d'écurie. Alfred, dans son engouement, la trouve amusante et reposante et il en raffole en quadragénaire qu'il est, comme si elle était sa fille. Passant toute mesure, ne m'a-t-il pas demandé d'être « une mère pour cette enfant », bien que je n'aie que trente-huit ans et que je sois de trop bonne maison pour m'associer à quelqu'un d'aussi vulgaire.

« Ce brave imbécile d'Alfred ! » s'écria Jérôme, tout réjoui.

J'ai remarqué que, parfois, elle le déconcerte et il a conscience de quelques lacunes, sans quoi il ne m'eût point fait cette demande absurde et insultante, de même que celle d'enseigner à Amalie les éléments de la bienséance. J'ai promis de satisfaire à ces exigences et, ravalant l'affront et mon chagrin, j'ai invité la jeune personne à séjourner à la maison jusqu'à son mariage, qui a été fixé à la semaine de Noël. Elle a renoncé assez facilement à sa mission d'éducatrice des pauvres, ce qui prouve son hypocrisie et son astuce et elle occupe maintenant l'appartement rose.

Pour te prouver son manque total de délicatesse, je te dirai qu'elle a accepté mille dollars de la main d'Alfred et elle est partie avec moi pour New York s'acheter un trousseau, c'est-à-dire une garde-robe tapageuse : de ces chapeaux ! de ces robes osées !

Et quelles couleurs! Pas du tout ce qui convient à la femme d'Alfred Lindsey. Quel manque de goût et de tact! Il y a entre autres une certaine robe du soir rouge, dont il vaut mieux ne pas parler.

Jérôme, je t'implore de comprendre. Tu connais Alfred, sa droiture, son intégrité, sa pondération, son sens du devoir et des responsabilités, son dévouement à papa, sa position à la Banque. Et songe alors à cette fille, sortie on ne sait d'où, avec un père ivrogne et une mère blanchisseuse, en passe de devenir la femme d'Alfred. Je t'assure que si cette créature avait montré quelque humilité, si elle avait manifesté qu'elle aimait vraiment Alfred et qu'elle se préparait à être une épouse dévouée, docile et reconnaissante, j'aurais pu lui pardonner et m'attacher à elle en sœur aînée. Mais si incroyable que cela puisse paraître, son attitude indique que c'est Alfred qui est l'heureux élu, que c'est Alfred qui a été distingué par la Providence pour bénéficier d'une chance extraordinaire; modérément attirée par la personne d'Alfred, il a fallu à cette demoiselle des mois d'une cour assidue et bien des supplications, pour qu'elle consente à devenir sa femme. Je sais que tu vas rire, incrédule et outré, et que tu mépriseras cette créature pour ses mensonges et son impudeur. Lorsque, cachant ma douleur et mon sentiment, je lui demandai pourquoi elle avait finalement consenti, elle me répondit en riant : « Ma chambre est si froide en hiver et j'en ai assez de n'avoir de la viande qu'une fois par semaine. »

Pense, Jérôme, à ce que signifie tout cela. Elle sera la femme d'Alfred, la mère de ses enfants qui hériteront de la Banque. Tu as depuis longtemps affirmé à papa que tu ne voulais aucune part active, que rien ne te persuaderait de vivre à Riversend. Mais je t'en supplie, pense à cette femme, aux enfants qu'elle aura, en tant qu'héritiers de cette Banque, fondée il y a si longtemps par notre arrière-grand-père qui était cousin issu de germain avec lord Brandon. Peux-tu supporter cette intruse, cette fille perdue? Est-ce que cela ne remuera pas ton indifférence que de songer à ces enfants comme les dépositaires de notre fortune et de notre prestige familial? De quoi hériterons-nous, nous, les authentiques descendants de notre arrière-grand-père? Nous serons dépouillés et mis à la rue par les enfants d'une femme dont la charité interdit de parler plus avant.

Jérôme leva les yeux et regarda devant lui pour la première fois de sa vie.

« C'est trop fort! » gronda-t-il, le sourcil menaçant. Sa main chercha machinalement la boîte à cigares en argent, près de son coude. Il prit un cigare sans l'allumer. Un beau solitaire scintillait à son doigt. Bon Dieu ! C'était une affaire qu'il ne fallait pas prendre à la légère. C'était terriblement sérieux. Il ne se souciait guère de la Banque, tant que les chèques arrivaient régulièrement. Mais arriveraient-ils aussi régulièrement après la mort de son père ? Quel imbécile de n'y avoir pas songé avant ! C'était une inconcevable sottise et ce n'était pas une erreur de jeunesse : il avait trente-quatre ans. Il n'y avait aucune excuse pour ce manque de clairvoyance. Une aventurière, pardi ! Une traînée, une gourgandine, qui entrerait dans la vieille demeure, régenterait la maisonnée et mettrait la main sur l'argent. Quel démon tourmentait ce grand imbécile d'Alfred ? Et qu'avait donc son père ?

Alors son regard irascible et troublé tomba sur l'autre lettre. C'était de son père justement. Il jeta les nombreux feuillets de la lettre de Dorothée sur le parquet et saisit l'autre missive. Ses mains étaient agitées d'un léger tremblement chronique : pour la première fois, il en fut agacé. Il vit ses deux doigts de la main droite jaunis de nicotine et eut une grimace. Il fit sauter le cachet et commença de lire. La lettre, relativement courte, était empreinte de dignité paisible. Involontairement, la figure livide de Jérôme s'adoucit et il lut, sans remarquer le bout de papier vert qui s'échappait des pages :

> Mon cher Jérôme,
>
> Je t'envoie les mille dollars que tu me demandes, et je pense que cela te suffira pour quelque temps. Mais, mon petit, n'hésite pas à m'en demander davantage si c'est nécessaire, même si ta rente habituelle n'est due qu'en février. Je t'écris pour t'inviter à un mariage. Est-ce une surprise ? Tu sais que j'ai toujours pressé Alfred de se remarier et c'était mon secret espoir qu'il demanderait notre Dorothée qui est le soutien de ma vie et qui est sérieusement qualifiée pour être la femme d'Alfred. Je ne crois pas violer le sanctuaire de son cœur en disant qu'elle a toujours été très attachée à Alfred. Elle est si dévouée pour le jeune Philippe. Ce mariage eût été l'idéal.
>
> Mais, apparemment, ce ne devait pas être. Il a choisi une toute jeune femme, l'institutrice du village. A mon regret, elle n'est pas native de Riversend et n'est pas de famille considérable. En outre, elle est beaucoup plus jeune qu'Alfred, de dix-sept ans pour être exact. J'aurais fait un autre choix si cela avait dépendu de moi, mais on ne s'insurge pas contre le fait accompli. Toutefois, je ne m'afflige pas trop. Amalie est une jeune fille vivante et originale, elle a beaucoup de talent pour la peinture et joue du piano avec un sentiment étonnant. Ses dons sont naturels et absolument incultes. Elle est d'une intelligence et d'un esprit

surprenants et me distrait pendant des heures entières, ce qui est très aimable de sa part (mon invalidité me rend un peu trop casanier). Je dirais qu'un peu plus de retenue dans ses manières ne serait pas pour me déplaire ainsi qu'un peu plus de raffinement dans son maintien et son langage. Mais je suis vieux et il est possible que mon goût ne soit plus de mode. Depuis la guerre, la jeunesse a acquis une liberté qui n'était pas admise de mon temps et les femmes, en particulier, affichent une hardiesse qui étonne. Sans doute paraissais-je inquiétant aux yeux de mes parents et je me souviens effectivement que mon père me prédisait toujours un sort funeste.

Le milieu où a grandi Amalie ne me préoccupe pas. Elle est pleine de vie et de santé et elle est très fine. Je prévois qu'elle me donnera les petits-enfants que j'ai si longtemps désirés. Ils seront avenants et même beaux, car elle a beaucoup de prestance et un visage adorable. Bien que Dorothée le démente avec véhémence, je trouve une ressemblance chez Amalie avec le portrait qui est dans la bibliothèque. Les yeux sont de même couleur (bien que ma grand-mère eût une certaine douceur d'expression que ne possède pas Amalie) et c'est la même splendeur de cheveux noirs et bouclés ; de plus, il y a une étonnante similitude dans le port de la silhouette.

J'espère vivement que tu pourras venir à Riversend pour le mariage. Je sais qu'Alfred et toi ne vous êtes jamais appréciés ni aimés dans votre jeunesse. Mais j'espère que le temps aura atténué cette animosité et que vous vous retrouverez avec d'agréables sentiments fraternels. Vous ne vous êtes pas vus depuis bientôt cinq ans, n'est-ce pas ?

Quant à moi, je ne me suis pas senti très bien depuis l'assassinat de M. Lincoln. J'avoue que ce fut un coup terrible pour moi, car c'était un ami, si tu te souviens. Mais je peux sortir une heure par jour en voiture et cela sans trop de fatigue. Je contemple l'avenir du pays avec plus d'optimisme que par le passé. Nous discuterons de tout cela. J'avoue que j'attends ton arrivée, puisque je ne t'ai pas vu depuis bientôt deux ans.

Tu ne me parles plus de ta blessure à la jambe. Je suis inquiet. Je n'ai pas oublié comme j'étais fier de toi quand tu étais capitaine au Premier de Ligne de New York, non plus que mon inquiétude terrible pendant ces années de guerre.

Dorothée fait préparer ton vieil appartement et je compte ferme que tu me feras le plaisir de venir quelques jours avant Noël. Pourras-tu ?

Ton père affectionné,

William LINDSEY.

Jérôme posa la lettre de son père sur la table près de lui, mais la paume de sa main tremblante s'y attardait avec douceur. En vérité, le pauvre vieux était tout ébranlé. Comme à son habitude, il faisait contre mauvaise fortune bon cœur, mais on lisait la tristesse entre les lignes. Seigneur, quelle calamité !

Jérôme se leva. Il chancela un peu, car une douleur lui taraudait le crâne. La porte s'ouvrit et un petit homme rabougri apparut — figure comme une noix et crâne complètement chauve, expression rusée, pleine d'astuce et de drôlerie. Le personnage en sobre livrée noire avait la prestesse et l'agilité du singe.

— Jim, dit Jérôme, fais les bagages. Nous partons pour un mariage, à moins que je ne puisse l'empêcher... Et puis, au diable les moyens, je l'empêcherai ou j'en crèverai.

CHAPITRE II

LE TEMPS doux des deux premières semaines de décembre avait été emporté dans les spirales fumantes d'une tempête de neige. Les nuages roulaient au-dessus des montagnes en un bouillonnement tumultueux. Riversend était tapie au débouché de la vallée, troupeau de petites maisons, de petites boutiques mornes d'où émergeaient quelques belles demeures. Çà et là, une lueur jaune et timide vacillait derrière des rideaux, et les becs de gaz, au coin des rues, oscillaient comme la flamme d'une bougie dans un courant d'air, montrant par à-coups les arêtes vives des tas de neige. D'instant en instant, le village donnait l'impression de s'enfoncer davantage, comme une bête en peine qui se terre en son trou.

Le toit de la gare avait une charge de dix-huit pouces de neige étincelante comme du sucre dans la lumière des lanternes qui se balançaient près des voies. Le train de New York ralentit et s'arrêta le long du quai. Un signal retentit et deux voyageurs seulement descendirent. Le train s'ébranla avec un long gémissement. Les voies luisantes étaient vides : la tempête reprit en triomphe ses positions.

Les voyageurs, courbés en deux, firent irruption dans la chaleur malodorante de la salle d'attente, tapant des pieds, s'essuyant les yeux et se frottant les joues.

— Eh bien, dit Jérôme Lindsey en regardant d'un air sombre alentour, personne n'est venu à notre rencontre, à ce que je vois. Ils ont dû pourtant recevoir mon télégramme : je l'ai expédié il y a deux jours...

Il déposa le petit chien qu'il tenait dans ses bras, tandis que Jim se déchargeait des bagages sur le plancher taché de jus de chique.

— Tu te souviens du télégramme, Jim ?

— Bien sûr que je m'en souviens. Monsieur disait : Arriverai avec domestique mardi train du soir.

Il s'arrêta, regardant son maître d'un air espiègle.

— C'était mardi que vous avez dit, pas vrai ?

— Mardi, parfaitement.

Jim gloussa :

— Eh ben, c'est lundi aujourd'hui. Mardi, c'est demain.

— Le diable m'emporte ! Pourquoi ne m'as-tu pas rappelé quel jour nous étions ?

— Monsieur, ç'a été quand on était presque arrivé que monsieur a dit que le télégramme parlait de mardi. Jusque-là, j'avais pensé que c'était le lundi.

Jérôme se mit à rire :

— Nous voilà dans le pétrin, je crois. — Puis, d'une voix agacée, il cria : — Mais bon Dieu, où est passé le chef de gare ?

La porte s'ouvrit dans une rafale de neige. Un gros homme courtaud entra en jurant. C'était un inconnu pour Jérôme.

— Qu'est devenu le vieux Thomson ?

— Il est mort il y a un an, monsieur. Je suis son neveu. C'est moi qui le remplace. Vous êtes arrivés par le train ?

— Naturellement. Ecoutez, mon brave, on devait m'envoyer une voiture de Hilltop : je suis Jérôme Lindsey, mais il n'y a personne.

L'homme tira promptement sa casquette d'un geste servile :

— Bien content de vous connaître. On devait venir vous chercher, que vous dites ? J'ai rien vu.

Jérôme releva les basques de sa pelisse avec lenteur et précaution, examina l'unique banc d'un air soupçonneux et s'assit. Le petit chien bondit sur ses genoux et se pelotonna contre lui. C'était un animal à longs poils fauves et soyeux, à l'œil torve, injecté de sang. Se sentant en lieu sûr, il se mit à gronder à l'adresse du chef de gare.

— Gentille petite bête, fit celui-ci, mal à propos. — Il soupira :
— Vous pouvez pas y aller à pied, dans cette tempête et cette neige.

Jérôme jeta un regard significatif vers son domestique qui continua à se frotter ostensiblement les mains près du poêle ventru :

— J'suis jamais venu par ici, j'connaîtrais pas le chemin. J's'rais dedans jusqu'au cou avant un quart de mille. On r'trouv'rait mon cadavre au p'tit jour.

La figure du chef de gare s'illumina soudain :

— J'ai trouvé, monsieur ! Il y a la charrette de Hobson qui apportera le lait dans une demi-heure, pour le train de Syracuse. Il ne l'rate jamais, même que le diable y serait. Pour sûr, la charrette n'est pas bâchée et ça s'ra pas drôle, mais c'est mieux que rien, pas vrai ? La ferme est à un mille de Hilltop, et pour pas grand-chose, y vous mènera au pied de la montée. Y pourra pas grimper plus haut. rapport au temps.

— Charmante perspective! remarqua Jérôme, qui caressait la tête du chien. Mais nous ne pouvons rester là jusqu'à demain soir... Votre ami Hobson ne pourrait pas avertir mon père?

Thomson hocha la tête:

— Vu le temps et que ça va de pire en pire, un traîneau arriverait pas. Et même qu'il arriverait, comment qu'y retournerait? Non, monsieur, mieux vaut partir avec Hobson pendant qu'on peut passer.

Il jeta un seau de charbon dans le poêle. Le chien eut peur et se mit à aboyer avec frénésie.

— Sale petite bête, dit Jérôme en le flattant. Allons, tais-toi, Charlie!

La lampe à pétrole se balançait à petits coups au plafond sale. Le poêle craquait. Le vent battait lourdement contre les fenêtres. On voyait la neige s'accumuler sur l'appui. Thomson commença d'un air affligé:

— Eh oui, la température descend aussi. Il n'y a que trois audessus. Dans une heure, ça sera pire. De quoi crever!

Il souleva le pot de grès qui fumait sur le poêle et lança d'un air jovial:

— L'café est prêt. Vous en prendrez bien une tasse, monsieur, ça réchauffe, par ce temps.

Maussade, Jérôme regarda le pot, mais renifla en même temps l'odeur.

— Oui, merci, j'accepte. — Il se frotta les lèvres de sa main gantée. — Je crois que nous n'avons pas le choix. Il faudra partir avec Hobson. C'est infernal!

Il rejeta sa magnifique pelisse d'un air sauvage et cueillit quelques poils de chien sur son pantalon de fin drap noir. Le chef de gare, tout en lavant une tasse dans un seau d'eau près du guichet, le regardait à la dérobée... C'était sans doute le fils de New York, celui qui menait la vie à grandes guides, l'artiste, à ce qu'on disait. Celui qui venait jamais voir le Vieux Monsieur, et qui laissait son cousin prendre sa place et tout l'argent. Un sale caractère, d'après ce qu'on en voyait. Un qui parlait de haut et qui avait des manières d'aristo. Un type de la ville. quoi! Regardez ce pardessus couleur feuille morte avec de la fourrure, comme une femme. Et puis de la fourrure dedans aussi. Fichtre! Et les gants et les souliers pointus et astiqués et les guêtres grises. Et la canne avec une boule en or, et des diamants pleins les doigts, maintenant qu'il enlève ses gants Ces gens de la ville avec leurs manières... Et il a un domestique, un valet de pied, qu'ils appellent ça...

Il essuya furtivement la tasse avec un torchon sale. Il vit Jérôme plongé dans ses rêveries maussades et reprit plus étroitement son étude. Un foutu caractère, pour sûr. Sec comme un manche à balai. Pas de viande sur les tibias ni sur la figure... Et ces gros sourcils froncés ! J'aime pas ses yeux, bien que les femmes, à ce que je crois, doivent les trouver à leur goût. Elles doivent aimer aussi ces petites oreilles bien collées et ces beaux cheveux noirs bouclés... Non, j'aime pas ses yeux. Sûr qu'il doit être mauvais avec un cheval ou avec un homme quand rien l'en empêche... Où est-ce qu'il a pêché ce nez en bec d'aigle ? Le Vieux Monsieur, Dieu le bénisse, a pas un nez comme ça et Mlle Dorothée non plus. Sa bouche est mauvaise aussi, même quand il sourit. Sa vraie nature, c'est comme qui dirait un fouet, ça vous tombe dessus sans qu'on s'y attende et pas de main morte... Et cette couleur aux joues, c'est sûrement pas le sirop de grenouille qui l'y a mise. J'ai connu des buveurs dans le temps...

Jérôme fixait le feu d'un air sombre. Sans tourner la tête, il dit tranquillement :

— J'espère que le tableau vous plaît, mon ami.

Le chef de gare, interloqué, rougit, les yeux ronds. Jérôme regardait le poêle sans bouger, caressant son chien d'un geste régulier.

— Je m'excuse, balbutia Thomson. J'étais curieux de...

— Eh bien, continuez, bon Dieu, et satisfaites votre curiosité. Où est le café ?

Tremblant d'indignation, Thomson versa le liquide brun et fumant dans la tasse, y fit tomber un peu de sucre et remua avec une cuillère de fer. Il l'apporta à Jérôme. Charlie grogna. Jérôme prit le café avec lenteur et le huma d'un air soupçonneux. Il but une gorgée, fit la grimace, mais but encore. Les deux autres le regardaient avec intérêt.

— Et toi, Jim ?

Jim s'inclina vers le chef de gare, qui le détestait franchement.

— Puisqu'il n'y a pas de thé...

— Il n'y a pas de thé, coupa Thomson, qui se sentait plus sûr avec le domestique. On l'aime pas par ici. Mais il reste encore du café. Vous pouvez en prendre si ça vous chante. (C'était un Anglais, celui-là ; eh bien, le diable l'emporte ! Un Anglais ne le ferait pas à l'influence avec un brave gars d'Américain.)

— Du café, mais oui, bien sûr, minauda Jim.

L'air d'une belette, pensa Thomson, à qui le mépris rendait la confiance.

Jérôme alla vers la fenêtre. Thomson observa qu'il boitait un peu de la jambe droite. Est-ce qu'on ne racontait pas qu'il avait été officier pendant la guerre et qu'il avait été blessé ? C'est vrai qu'il avait l'air d'un militaire : la carrure, la manière de marcher, cet air d'autorité... Il devait en faire voir à ses hommes, le salaud ! Quand même, c'était pas un type intéressé pour laisser tout cet argent de la Banque lui échapper. Pourtant si lui, Jack Thomson, connaissait quelque chose qui ne trompait pas, c'étaient bien ce nez crochu et cette gueule de brochet. Est-ce qu'il s'excitait sur l'argent maintenant, ou bien est-ce qu'il venait tout simplement pour le mariage ? C'était pas le type à se balader dans le pays à cette époque de l'année, juste pour un mariage, pour ce qu'il aimait son cousin surtout. On racontait qu'ils ne s'entendaient pas. Le diable s'amenait toujours quand il y avait de l'argent. Et c'était bien le diable en personne, pas d'erreur !

Jérôme, la tête penchée, grattait délicatement le givre pour regarder au dehors. Le chien trottina vers son maître. Jérôme le regarda en souriant. Thomson en fut tout surpris. C'était un sourire amusé et charmant qui montrait de fortes dents éclatantes. Jérôme ramassa le chien et retourna à sa place. Il était détendu et nonchalant. Il gratifia Thomson d'un autre sourire aimable.

— Vous habitez Riversend ? C'est drôle, je ne me souviens pas de vous. Mais j'ai été longtemps absent.

— J'ai habité Thorntonville jusqu'à la mort de mon oncle.

Le nom de Thorntonville frappa Jérôme. Il réfléchit :

— Mais alors vous connaissez miss Maxwell ? la jeune fille que doit épouser mon cousin ?

Thomson se rapprocha :

— Bien sûr, je la connais ! Un beau brin de fille !

La voix avait une certaine familiarité qui déplut à Jérôme. Il détourna la tête et pinça les lèvres. Jim dressa ses oreilles de faune et grimaça d'intérêt. Son crâne chauve luisait sous la lampe.

Il y eut du bruit dehors et la porte s'ouvrit violemment. Un gros fermier en casquette entra. Charlie, sans quitter les genoux de Jérôme, éclata en aboiements furieux.

Thomson, soulagé, se tourna vers le nouveau venu :

— Te voilà, Bill. Est-ce que tu retournes à la ferme ce soir ?

Bill, sans se gêner, dévisageait les étrangers. Il marmonna :

— Bien sûr ! La bourgeoise a ses rhumatismes, elle peut pas traire le matin. — Il questionna du regard le chef de gare.

— Parce que ces messieurs doivent monter à Hilltop. On devait leur envoyer une voiture, mais personne a bougé. Tu as de la place dans ta carriole ?

Bill, interdit, resta bouche bée. Puis il dit :

— C'est pour le mariage ? Il hocha la tête et ajouta : Y a pas de bâche. Vaut mieux attendre demain matin pour avoir une voiture ou un traîneau. Oui, un traîneau vaudrait mieux.

Jérôme se dressa en empoignant son chien.

— Nous partirons avec vous, Bill, si vous voulez bien.

CHAPITRE III

LA CARRIOLE cahotait, geignait, patinait à travers un enfer de mugissantes ténèbres. La lanterne brimbalante éclairait des tourbillons de lucioles blanches, mais ne révélait ni la route enneigée ni les grands sapins. Les deux chevaux ahanaient et le vent rejetait la buée de leur souffle le long de leurs flancs. La voiture aurait pu être un petit bateau à la dérive sur de grandes lames noires. Les voyageurs se cramponnaient au siège et se cachaient la figure dans le col de leurs vêtements. Les mains et les pieds s'engourdirent rapidement et le froid gagna les membres. Sous un pan du manteau de Jérôme, Charlie, qui pleurait, s'était pelotonné bien au chaud, entre les cuisses maigres. Les bagages cognaient, ballottés à l'arrière de la voiture.

Toute conversation était impossible. On avait le souffle coupé. Pas de couverture pour s'abriter. La paille glacée sous les pieds ne faisait qu'augmenter le malaise.

Il fallut deux heures pour parcourir les cinq milles. Jérôme jurait tout bas. La neige qui fondait au contact de ses épaules semblait s'infiltrer jusqu'aux os. Quel imbécile de s'être lancé dans cette aventure! Il aurait une pneumonie avant le matin, s'il avait la chance d'arriver. Parfois la voiture patinait pendant plusieurs minutes et les chevaux, arc-boutés, hennissaient dans leur effort. Bill Hobson faisait claquer son fouet, criait, souffrait avec les bêtes, mais n'osait s'arrêter, ne fût-ce qu'un instant.

Jérôme n'avait pas séjourné à Riversend depuis qu'il était venu en convalescence, plus de cinq ans auparavant, sur les instances de son père, et le séjour n'avait pas été des plus heureux. Quand il en parlait à ses amis, il se plaisait à dire avec une ironie mélancolique que Riversend était l'endroit le plus morne qu'on pût imaginer, que sa famille était d'un pharisaïsme bourgeois insupportable et que, contrairement à la croyance établie, il était des endroits au monde où le temps s'était arrêté : Riversend entre autres. Pendant plus de trente ans, la population n'avait pas doublé. Riversend se flattait de n'avoir que dix-huit mille âmes, y compris les fermes du territoire. Cependant, des villages, dans un rayon de quelques milles, s'étaient élevés à la dignité de communes et quelques-uns étaient devenus de petites villes. Cette stagnation était peut-être due à la bourgeoisie sotte et casanière, hostile à l'industrie nouvelle, méfiante envers les étrangers et qui, détestant le changement, sombrait dans l'apathie. Certainement, Riversend décourageait l'entreprise. Par exemple, durant la guerre, une société étrangère au pays avait désiré construire une fabrique de couvertures pour l'armée, car la rivière était une voie de pénétration vers d'autres villes et la main-d'œuvre était abondante. Après de longs pourparlers, l'aristocratie locale refusa le terrain pour bâtir et laissa entendre aux « étrangers », avec une politesse étudiée, que l'on apprécierait leur départ. La banque de famille de Jérôme prit une part active dans ce refus. La vraie raison, pour Jérôme, était que les puissants de l'endroit avaient pensé que de bons salaires pourraient monter la tête aux ouvriers et créer des difficultés aux patrons.

— Nous voulons garder intacte l'atmosphère idyllique de Riversend, disait le maire à ses amis. Il y a dans la vie autre chose que les usines, les hauts salaires et l'agitation. Conservons le cachet « vieille Amérique » à notre petite ville.

Le fait que les pauvres de Riversend n'appréciaient pas cette belle occasion de rester affamés et mal vêtus importait peu, naturellement. Les filles des fermes et celles du village servaient dans les massives demeures bourgeoises pour moins de huit dollars par mois. On avait d'excellents jardiniers, valets d'écurie et cochers pour dix dollars et la nourriture. L'aspect féodal du village et des fermes ravissait les propriétaires de plantureux domaines. Douillettement nichée dans sa longue vallée en paliers, protégée par de hautes collines, Riversend semblait destinée à passer sa vie dans un rêve. Elle n'avait qu'une inquiétude : la jeunesse, qui avait été manifestement créée par une sage providence pour servir ses maîtres, montrait une fâcheuse tendance à quitter le village et les fermes pour de lointains bourgs ou cités afin de trouver de l'ouvrage dans les travaux publics. La faute en était au nouveau chemin de fer. Les possédants de Riversend avaient lutté désespérément pour empêcher l'installation de l'embranchement, et le succès leur semblait assuré jusqu'au jour incroyable où le « Vieux Monsieur », William Lindsey, avait soudain déployé son ancienne énergie et demandé que la ligne passât par le village. Ses amis en étaient restés stupéfaits. Il avait depuis des années délégué ses pouvoirs à son fils adoptif et neveu, Alfred Lindsey, et n'était jamais intervenu dans sa gérance ou ses décisions. Cependant, en cette occasion, sa voix frêle s'était élevée comme un ordre d'outre-tombe. Après quoi, il était retombé dans son silence d'arthritique.

Les pires prophéties se réalisèrent et la jeunesse capable commença de quitter Riversend pour des emplois plus lucratifs.

Jérôme se trouvait à Riversend lors de cette controverse et s'était follement amusé. Il se plaisait à voir son frère adoptif contrarié. Alfred n'était pas un imbécile et il soupçonnait avec beaucoup de justesse que Jérôme avait été pour quelque chose dans le passage du chemin de fer à Riversend. Le « Vieux Monsieur » aimait son vrai fils, et bien qu'Alfred n'eût jamais élevé la voix ni fait un geste pour détourner l'affection de son oncle pour Jérôme, il regrettait que son cousin eût tant de pouvoir sur son père. Chaque fois qu'il intervenait dans les affaires de la communauté une catastrophe s'ensuivait.

Alfred était réellement peiné de cet antagonisme congénital. Il avait de tout temps été d'une politesse scrupuleuse envers Jérôme, désireux de lui témoigner une affection réfléchie, juste et tolérante. Malgré cela, il était évident que, depuis son enfance, Jérôme était méchamment hostile à Alfred, qu'il s'amusait à taquiner, à choquer avec une cruauté mesquine. Toutefois, quand M. Lindsey avait adopté Alfred, Jérôme n'avait rien dit, pas même écrit pour protester. Il n'avait pas témoigné le moindre intérêt. Alfred avait été profondément intrigué, car un mot de Jérôme eût incontinent détourné M. Lindsey de son idée. Dorothée avait suggéré que Jérôme se désintéressait de la Banque et de la communauté, mais Alfred ne pouvait guère le croire. Jérôme ne demandait-il pas d'énormes sommes à son père, qui les lui envoyait ? N'était-il pas dépensier, écervelé, jouisseur ?... Alfred, fils adoptif, hériterait des biens par moitié, empiéterait sur la part de Jérôme ! L'indifférence de celui-ci était inexplicable.

Alfred pensait souvent que si Jérôme renonçait pour toujours à venir à la maison, la vie serait très agréable ; il se reprenait alors sévèrement, jugeant cette pensée indigne de son loyalisme inné et de son robuste sens de la justice. Une seule chose le troublait profondément : la haine de Jérôme ; tous les autres n'avaient pour lui qu'affection, estime et respect. Jérôme, questionné, n'avait répondu que par un éclat de rire. Cependant, Alfred continuait d'écrire à son cousin, avec une affection paisible, tout ce qui pouvait intéresser l'exilé. Jérôme ne répondait pas et Alfred le soupçonnait de ne pas lire ses lettres. Il poursuivait néanmoins sa correspondance à sens unique, car sa conscience ne lui eût pas permis d'y renoncer.

Agrippé au banc de la charrette, Jérôme, pensant à toutes ces choses, se mit soudain à rire très fort. Le rire se perdit dans la tempête, mais Jim et le chien sentirent le corps secoué par l'hilarité.

Jim remuait des pensées de son côté. Il était au service de Jérôme depuis trois ans, et bien que ses gages fussent payés avec la plus grande fantaisie, sa fidélité n'en était pas ébranlée. Il avait le respect anglais pour l'aristocratie authentique. De plus, quand Jérôme était en fonds, il était prodigue de cadeaux et Jim n'avait jamais oublié la bonté inquiète, l'affection inlassable, avec lesquelles Jérôme l'avait soigné, pendant une maladie. Jim n'était pas scandalisé par les écarts de conduite de son maître. Il fallait s'y attendre chez un homme jeune, et, par son esprit et son astuce, il s'ingéniait à tirer son maître d'embarras. A vrai dire, il aimait sans réserve sa vie précaire et pleine d'imprévu et n'eût pas changé pour une place sûre et deux fois mieux payée. « Faut prendre du bon temps dans la vie, et la vie est une vraie pantomime avec M. Lindsey. Pas deux jours pareils avec lui ! »

Jim, tout transi qu'il fût, ne regrettait pas d'être venu. Personne ne saurait s'occuper de Jérôme comme lui en cas de pneumonie. Jim regarda la nuit noire d'un air féroce. « Qu'on s'avise d'aller autour du lit. Il « leur » montrerait, il « les » mettrait dehors, « ils » pouvaient en être sûrs ! »

La carriole fit une embardée soudaine, tituba et s'immobilisa.

— Nous voilà arrivés, cria le fermier. J'peux pas aller plus loin.

Jim ne devait jamais oublier cette longue et tortueuse ascension dans la neige, la tempête, la nuit. Seules les secousses du bras de Jérôme contre le sien maintenaient le contact avec la vie. Il pataugeait dans la neige jusqu'aux genoux ; parfois, il glissait et tombait dans un trou. Les lumières se précisaient. Bientôt, elles furent si proches qu'on pouvait voir leur rayonnement jaune se jouer sur la route blanche et une masse noire se dégager, énorme, au-dessus des tas de neige.

Maintenant, la couche de neige était plus uniforme et de toute évidence on avait une allée sous les pieds. Pas à pas, haletant, glissant, jurant, les deux hommes se frayèrent un chemin vers une grande porte en plein cintre. Jérôme heurta l'huis du poing. Charlie, au fond d'une des grandes poches de son maître, se mit à aboyer avec sa fureur dérisoire.

Une lumière parut au judas de la porte. On tira les verrous. Méfiante et peu rassurée, une jeune femme passa la tête.

— Ouvrez donc. Je suis M. Lindsey. Ouvrez, vous dis-je !

Jérôme poussa la porte avec rudesse et Jim vit un grand hall dallé et lambrissé, une haute horloge qui luisait dans une lumière chaude, un escalier monumental. Un feu d'énormes bûches flambait à l'extrémité opposée. Un grand portrait ornait la cheminée.

— Où est mon père ?

La servante, apeurée, s'enfuit. Les deux hommes étaient seuls. Jérôme se tourna en souriant vers son domestique :

— Eh bien, nous voilà chez nous. Ce feu a l'air sympathique.

Jim le suivit avec empressement. Ses mains ridées étaient bleuies et crispées de froid. Les bagages abandonnés dégouttaient sur le carrelage luisant. Charlie jappait en bondissant autour de son maître, ses yeux rouges pleins d'adoration. Puis il partit à l'aventure en reniflant d'un air soupçonneux. Jérôme regardait autour de lui avec une satisfaction non déguisée :

— Toujours pareil ! Rien n'est changé ! Seigneur, que je suis content d'être ici après ce voyage ! Ses yeux s'arrêtèrent sur le portrait qui leur souriait : « C'est ma mère, Jim. »

Jim regardait le portrait avec courtoisie : Une bien jolie femme, mais elle ne ressemblait pas à son maître.

Une porte s'ouvrit à droite et Jérôme se retourna avec un sourire charmant, pensant voir son père. Mais une jeune femme entra et, voyant ces deux inconnus, s'arrêta court. Le sourire de Jérôme disparut et il se mit à fixer l'arrivante.

— Vous êtes Jérôme, sans doute, dit-elle. Nous ne vous attendions que demain... M. Lindsey sait-il que vous êtes ici ?

Le ton réservé et hautain déplut à Jérôme. Il ne répondit pas. Charlie s'était précipité avec des aboiements féroces. Du bord de sa jupe, elle balaya l'animal d'un air de dédain. Jim la regardait à la dérobée, ses yeux de singe allumés... Ça devait être la fille dont M. Jérôme lui avait parlé. Pas commode, et fière avec ça. Charlie, indigné, retourna en grondant se mettre en sécurité aux pieds de son maître.

Elle se dirigea vers la cheminée, répétant avec une certaine impatience :

— M. Lindsey sait-il que vous êtes là ? Sinon, j'irai le prévenir. Il est descendu dîner ce soir.

La voix grave et lente était pleine de charme. Eclairée par le feu et par le lampadaire de l'escalier, elle posait un regard interrogateur sur Jérôme, comme si déjà elle était la maîtresse de cette grande maison et lui, l'intrus. Jérôme gardait un silence têtu et mauvais.

Alors, elle sourit, d'un sourire éblouissant.

— Excusez-moi, je suis Amalie Maxwell.

Jérôme s'inclina ironiquement, puis se mit à la fixer avec une effronterie méprisante. Elle ne souriait plus, mais soutenait son regard sans broncher, en une attitude provocante.

Le vent tambourina dans la cheminée et le feu flamba plus fort, projetant sa clarté soudaine sur Amalie Maxwell. Jérôme regardait toujours, immobile. Son mépris fit place à un étonnement fasciné... Quelle figure ! Quelle allure ! Et tout ça pour ce morceau de bois, cet emplâtre d'Alfred !

Amalie était grande, si grande que ses yeux étaient presque au niveau de ceux de Jérôme. D'une allure superbe, elle était mince, mais de formes pleines, adroitement mises en valeur par une robe drapée de velours gris, au col et aux poignets de corail. Les minuscules boutons qui allaient de la taille au col étaient de corail également. Le corsage s'ajustait sur des seins d'un modelé étonnant et épousait amoureusement une taille parfaite, pour disparaître dans les draperies de la jupe. Les épaules pures étaient impeccables. Le port était royal, mais sans raideur.

Connaisseur en beauté féminine, Jérôme admirait, stupéfait. Très lentement, il leva les yeux et rencontra son regard. Elle souriait maintenant d'un sourire sombre et sûr. Quels yeux ! D'un bleu violet, vifs et pétillants d'intelligence, mais dénués de douceur et de tendresse, ils étaient frangés d'épais cils noirs. Le front bas était blanc au-dessus des noirs sourcils lisses ; le nez était court et droit, aux narines arrogantes : la bouche, plutôt grande et épaisse, d'un rouge humide, était une bouche dure, trop ferme, trop résolue pour une femme. Jérôme, qui poursuivait son examen aussi ouvertement que s'il se fût agi d'une statue, faisait mentalement la critique du visage. Ce n'était qu'amples méplats vigoureux, d'un type héroïque. Malgré la pâleur transparente, il y avait trop de force dure là-dessous, pensait-il, trop de connaissance de la vie. En dépit de sa surprenante beauté, c'était un visage de lutteuse dont l'expression était antipathique.

Jérôme finit par conclure que cette femme admirable, étonnante, inouïe, ne lui déplaisait pas, mais il la détestait à première vue ; oh ! il connaissait ce genre de filles : des femmes à la dérive, sans protection, obligées de lutter, qui ne connaissaient pas la pitié et n'en attendaient pas. Il les avait vues à Londres, à New York, à Paris ; de dures catins qui savaient ce qu'elles voulaient et qui le prenaient sans scrupules. Il ne les avait jamais admirées, quoiqu'il en eût tiré du plaisir et qu'il appréciât leur esprit et leur sagacité naturels et leur absence d'illusions. Un homme ne s'ennuyait jamais en leur compagnie et, s'il était astucieux, arrivait toujours à les conquérir. Elles étaient attirantes, infiniment amusantes et émoustillantes. Mais un homme averti ne les épousait jamais.

Elle tendit franchement la main à Jérôme, comme un homme, et Jérôme la prit, après un moment d'hésitation chargé de sens. La main était grande et blanche, d'une douceur inattendue, et les doigts d'un beau modelé. A l'annulaire de la main gauche étincelait une émeraude magnifique. « La bague de ma mère », se dit Jérôme, et quelque chose l'étreignit comme une colère froide et violente.

Alors, elle sourit de nouveau et les grands méplats durs se fondirent en un dessin ravissant de douceur et d'ironie. Elle secoua légèrement la tête comme pour dire non. Ses cheveux épais, noirs et comme vernissés, descendaient en vagues vers un chignon bas sur le long cou blanc où se jouait la lumière du feu.

Où avait-il déjà vu ce visage, ces cheveux, ces seins ? Il se le demandait. Puis, surpris et irrité de nouveau, lui aussi secoua la tête comme pour dire non. Il était ensorcelé par la lettre de son père. La ressemblance entre cette femme et son arrière-grand-mère était une illusion.

D'une voix pleine d'insolente nonchalance : — N'avez-vous jamais été à New York ? Il me semble me rappeler...

Elle retira sa main. Il n'avait pas eu conscience de la tenir si longtemps.

— Non, je n'ai jamais séjourné à New York.

La porte sculptée s'ouvrit soudain et Alfred s'avança, la main tendue, s'exclamant :

— Jérôme ! Par exemple ! Ton télégramme disait mardi. Etait-ce une erreur ? Oh ! ces bureaux de poste ! Grands dieux ! Comment es-tu venu par cette tempête ? Tu es trempé jusqu'aux os. Comment vas-tu, Jérôme ?

Jérôme se tourna vers lui en souriant avec aisance. Ce vieil Alfred ! Toujours le même avec sa cordialité appliquée et sa simplicité bonhomme. Trois ans depuis que Jérôme ne l'avait vu. Non, Alfred n'avait guère changé. Il était un peu plus grand que Jérôme, mais paraissait plus petit parce que plus large. Le col raide et la grande cravate blanche semblaient trop étroits pour l'encolure puissante. Il portait un habit discret de drap noir, d'une coupe savante et recherchée. Le visage large et anguleux, dépourvu de couleur, était ferme, résolu et franc. Il eût fallu un observateur perspicace pour déceler l'expression d'étroitesse implacable. Nombreux étaient ceux qui trouvaient que c'était une bonne figure de chrétien, reflétant de belles vertus. Jérôme la trouvait terne et morne à l'excès. Les yeux gris pâle, entre les cils clairs, n'étaient certes pas très vivants, en dépit de leur franchise résolue. Jérôme trouvait qu'ils ressemblaient aux agates de sa jeunesse, avec leurs stries jaunes. Ils ne révélaient rien d'un esprit solide, sans détours et dépourvus d'imagination. Le nez bien fait, court et large, aux narines épaisses, dénotait l'insensibilité. La grande bouche mince, outre l'intégrité, trahissait une tendance au sectarisme et à l'entêtement.

Jérôme le traitait souvent « d'ascétique et infernal puritain » et la description était d'une exacte méchanceté. Il y avait dans toute la personne une dignité froide et une force inébranlable. Des cheveux châtains, très durs, étaient coupés court sur ses tempes larges et sur sa grosse tête ronde. Il dédaignait les ornements, et ses seuls bijoux étaient une très belle perle dans sa cravate, des boutons de manchettes en perle également et une chaîne de montre d'un beau travail, étalée sur son gilet de satin noir.

Il avait un plaisir sincère, malgré sa réserve, à revoir son cousin. Il prit la main volontairement molle de Jérôme avec enthousiasme, surmontant une légère hésitation de prudence. Il était toujours gêné avec Jérôme et essayait de se rattraper par un excès d'affabilité guindée.

— Fais-toi voir. Comme tu as bonne mine après cet affreux voyage ! Comment es-tu venu ?

Il sursauta. Il n'avait pas remarqué le chien, qui se mit à gronder et à aboyer.

— Un chien ! Je pense... J'espère...

— Oh ! il est habitué à vivre dans une maison. Il ne s'oubliera pas, sois tranquille !

Miss Maxwell rit doucement. Alfred se rappelant qu'elle était là, tout confus, se tourna vers elle.

— Amalie, ma chérie, c'est mon cousin, Jérôme Lindsey.

Elle s'inclina d'un air sardonique.

— Nous avons fait connaissance, Alfred.

— Miss Maxwell, ma fiancée, poursuivit Alfred, maladroit, et sa joue pâle se colora.

Jérôme lui donnait toujours le sentiment qu'il ne savait pas comment se comporter. Jérôme s'inclina vers la jeune fille.

Alfred reprit d'un ton cérémonieux :

— Amalie, voulez-vous appeler un domestique et faire monter le valet de Jérôme avec les bagages dans l'appartement qui a été préparé ?

Amalie alla vers la porte de droite et Jérôme la regarda avec une admiration furtive. Quelle démarche royale, et pourtant si jeune et si vive ! Puis il fut piqué. Ces deux-là assumaient déjà le rôle de maîtres de maison dans la vieille demeure des Lindsey. Il changerait tout cela bientôt.

— Veux-tu monter dans ta chambre, aussi, pour te changer ?

Jérôme regarda ses souliers mouillés et le bas humide de son pantalon.

— Non, je veux voir mon père, d'abord.

Il jeta son chapeau, son manteau et sa canne à Jim, qui les attrapa avec adresse, fourra Charlie sous son bras et se dirigea vers la bibliothèque.

— Tu prends le chien ? demanda Alfred, désapprobateur, car il détestait tous les animaux.

— Certainement. Pourquoi pas ?

La rougeur d'Alfred s'accentua, mais il laissa Jérôme ouvrir la porte et le précéder dans la bibliothèque.

CHAPITRE IV

L'IMMENSE pièce, confortable mais austère, était obscure et chaude avec, çà et là, une lumière douce qui brillait sur le vieux chêne. Les murs étaient tapissés de livres, les pieds s'enfonçaient dans la moquette rouge sombre, les sièges et les rideaux formaient une harmonie en noir et rouge. Devant l'énorme cheminée de marbre noir où flambaient de grosses bûches, s'étalait une grande peau d'ours blanc.

Deux personnes étaient assises devant le feu, dans un silence amical, la tête tournée vers la porte. L'une d'elles était un vieillard grand et maigre, une canne posée sur les genoux. L'autre, si petit qu'on eût dit un enfant, se leva : on vit alors que c'était un bossu d'une quinzaine d'années.

D'une voix calme, mais forte et vibrante, le vieillard s'écria :

— Jérôme ! Jérôme, mon enfant ! et tendit sa longue main fine.

Jérôme s'empressa. Avec un naturel parfait, il se pencha sur son père et baisa la joue creuse.

— Papa ! dit-il simplement.

Les deux hommes se regardaient dans les yeux avec un sourire, tandis que leurs mains resserraient leur étreinte.

— Mon cher, cher enfant ! Comme je suis content de te voir ! Assieds-toi près de moi et laisse-moi te regarder.

Cherchant un siège du regard, Jérôme rencontra les yeux sombres et graves du jeune Philippe Lindsey, le fils d'Alfred. Il y eut un silence.

— Tu grandis, Phil, dit Jérôme, se forçant à la cordialité.

Il n'éprouvait aucune hostilité envers l'enfant, seulement un sentiment de pitié et de dégoût maladifs. On lui avait dit, une fois, que Philippe lui ressemblait. Il en avait été révolté. Où était la ressemblance dans ce petit visage creux, blême, tout empreint de sérénité spirituelle ? Dans les yeux, peut-être, et Jérôme se rendait volontiers cet hommage : grands et sombres, pétillants d'intelligence, ils brillaient d'un feu soutenu sous le vaste front vigoureux, d'une extrême blancheur. Les cheveux épais, noirs et bouclés, étaient aussi ceux de Jérôme. Mais la ressemblance s'arrêtait là. Qui pouvait regarder ce corps difforme sans répugnance ? Jérôme s'appliquait toujours à détourner son regard de la bosse, et affectait une affabilité joviale quand il s'adressait à l'enfant.

— Merci, oncle Jérôme, dit Philippe, non sans difficulté, car il se souvenait que, seule, la loi faisait de Jérôme son oncle, et qu'ils étaient en réalité cousins issus de germain.

Jérôme tira un siège près de son père et s'assit, oubliant aussitôt l'enfant. Philippe s'éloigna timidement, et s'installa à l'écart, aussi effacé que possible.

M. Lindsey examinait le visage de son fils et soupira en voyant le teint brouillé et les cernes qu'avait mis la débauche sous les yeux hardis et durs.

— Tu vas bien, Jérôme, n'est-ce pas ? Dis-moi que tu vas bien !

— Oh ! je vais toujours bien, répliqua Jérôme, d'un ton dégagé. Et vous-même ?

M. Lindsey abaissa son regard sur ses mains nouées d'arthritisme et ses jambes infirmes.

— Ça ne me gêne pas beaucoup, ni souvent. Mais ça m'empêche de marcher. Enfin, je n'ai pas à me plaindre.

Il sourit. Le père et le fils ne se ressemblaient pas. M. Lindsey avait le visage pâle et maigre d'un natif de la Nouvelle-Angleterre, intellectuel et réservé, d'une dignité aimable, de grands yeux bleus, pleins de finesse et de douceur racées. Les cheveux, blancs et lisses, étaient aplatis sur le crâne maigre et dégageaient les tempes ciselées, ainsi que les oreilles grandes et bien ourlées. Jadis, ces cheveux avaient été blonds. La bouche, grande et droite, exprimait la bonté, la timidité et l'ironie douce. C'était la grand-mère paternelle qui avait donné à Jérôme et à Philippe cette complexion latine ; ce n'était pas de cette dame que venaient la sérénité de M. Lindsey, son courage tranquille et son objectivité.

Il tenait la main nerveuse entre ses doigts secs et parcheminés. Il ne se décidait pas à la lâcher.

— Je suis content de te voir à la maison, enfin !

La maison !

Le visage de Jérôme se rembrunit. C'était sa maison et sa maison deviendrait l'héritage d'un homme détestable, dépourvu d'imagination, d'une gueuse et d'un misérable infirme. Il ne le supporterait pas. Il mettrait fin à ces manigances et rapidement.

Mais voulait-il vraiment vivre ici, dans l'austère sapinière, avec le vent et le feu de l'âtre comme seuls compagnons ? Voulait-il vraiment s'emmurer, loin de toute distraction, contemplant éternellement les mêmes livres, faisant quotidiennement la même promenade dans le parc solitaire et désolé, cherchant le soleil aux fenêtres de la véranda et prenant éternellement ses

34

repas dans la grande salle à manger lambrissée, toute luisante d'argenterie ? Voulait-il de cette paix hors du temps, de cette pesante atmosphère de formalisme cultivé, mais routinier ? Quelque chose en lui se cabrait de souffrance. Cependant, les trois étrangers ne devaient pas vivre là. Il sentait remuer en lui une rancune ancienne et maladive. Il leva les yeux. Son père le fixait avec une expression étrange, comme s'il lisait ses pensées. Le vieillard avait ce don déconcertant. Ses yeux limpides s'étaient comme assombris de tristesse.

— Comment va ta peinture ? dit-il.

Jérôme fit un effort pour sourire :

— Ça va bien. Je ne vends rien, comme vous savez... Je ne veux pas vendre. Je donne à mes amis... A propos, j'ai apporté deux tableaux, un pour vous et l'autre comme... cadeau de mariage. — Son sourire se fit désagréable. — J'ai rapporté la miniature de maman, d'après laquelle j'ai fait le portrait. Vous verrez tout ça plus tard.

D'un air absent, il ajouta :

— Je n'ai jamais aimé le portrait de maman dans le vestibule.

La porte s'ouvrit et Alfred et Amalie entrèrent. Alfred s'arrêta sur le seuil, scrutant du regard son oncle et son cousin. Puis, comme s'il repoussait une pensée indigne de lui, il releva la tête et suivit sa fiancée. Jérôme, après une hésitation voulue, se leva pour lui offrir un siège. Elle s'assit avec grâce, le remerciant d'un salut ironique, mais sans le regarder. D'un air heureux, elle se tourna vers le feu, comme si elle était seule, laissant Jérôme fulminer, debout près d'elle. Alfred dit :

— Je viens d'apprendre par ton domestique que tu n'as pas dîné, aussi ai-je commandé qu'on t'apporte une collation ici, près du feu.

— Excellente attention de ta part, fit Jérôme, poliment. Mais je préférerais simplement un whisky-soda.

Alfred fit comme s'il n'avait pas entendu.

— Tu n'aimerais pas te changer avant de dîner ?

— Est-ce que je suis tellement sale ?

Alfred pinça ses lèvres pâles :

— Mais pas du tout, pas du tout.

Jérôme se rassit près de son père. Alfred, qui avait rougi, se mit à tisonner le feu. Amalie regardait les flammes. M. Lindsey, sentant le malaise, tira sa montre et dit :

— Presque neuf heures !

Amalie, sans bouger la tête, dit de son air distrait :

— Philippe, n'est-ce pas l'heure d'aller vous coucher ?

Tout le monde avait oublié Philippe, tapi dans la pénombre. A l'appel d'Amalie, il s'avança courtoisement vers le groupe devant la cheminée. Il s'inclina devant M. Lindsey et Jérôme, puis devant son père et Amalie.

— Bonne nuit, grand-père. Bonne nuit, oncle Jérôme. Bonne nuit, papa. Bonne nuit, miss Amalie.

Jérôme ne put retenir un sourire à l'ordre des noms et regarda Philippe avec plus d'intérêt.

Est-ce que le pauvre bossu en voulait aussi à cette femme ? Mais, à sa surprise, il vit Philippe regarder Amalie avec une espèce de douceur passionnée. Elle leva la main et toucha le bras mince. Instinctivement, l'enfant se rapprocha. Le vigoureux regard au reflet de violette se posa sur lui, étrangement doux et compréhensif.

— Bonsoir, mon petit Philippe !

Elle l'attira vers elle et, avec une affection sincère, posa un baiser sur la joue transparente. Il s'appuya sur son épaule un instant, puis, avec un salut, s'en fut sans bruit. Amalie le regarda partir d'un air songeur. Les yeux d'ambre clair d'Alfred s'allumèrent soudain d'un désir réprimé, mais terriblement violent. « Tiens, tiens, se dit Jérôme, ricanant en son for intérieur, les choses en sont là ! » Mais, passant à un autre sujet, il dit :

— Où est ma sœur ?

Ce fut M. Lindsey qui répondit :

— Dorothée garde le lit avec la grippe. Elle a voulu aller en ville hier, et le temps était très mauvais. Mais elle est sans doute impatiente de te voir.

— J'ai fait prévenir Dorothée, dit Alfred. Vous avez raison, mon oncle, elle a demandé à voir Jérôme, quand il aura dîné.

Son attention fraîchement aiguisée à l'endroit de la famille, Jérôme vit que le regard d'Alfred pour M. Lindsey était sans hypocrisie dans sa douceur grave et affectueuse, que son amabilité envers le vieillard était dictée par une sollicitude sincère et un respect profond. Jérôme n'en fut pas touché. Autrefois, il avait apprécié comme un soulagement cette tendresse sincère. Elle l'avait délié de toute responsabilité, lui avait permis de vivre à sa guise, certain que le vieillard était en bonnes mains. Mais, maintenant, il enrageait en secret. Une espèce d'indignation déraisonnable bouillait en lui.

Un domestique entra avec un grand plateau d'argent où étaient disposés du thé, du sucre, de la crème épaisse et un magnifique pâté en croûte. Jérôme déploya la vaste serviette blanche et commença de manger avec un appétit candide, tout en riant et parlant à bâtons rompus avec son père.

— Vous auriez dû vous douter que j'arriverais pendant la pire tempête de la saison.

Il vit qu'Amalie l'examinait avec une ironie froide, comme

si elle le connaissait parfaitement avec son égoïsme, sa brutalité, son insouciance, ses folies, ses vaines cruautés. Il s'arrêta de manger pour fixer sur elle un regard plein de méchanceté. Elle n'en fut pas troublée. Avec nonchalance, elle leva la main pour caresser le camée de corail. « Nous sommes deux de même espèce, semblait-elle dire, ses yeux brillant à travers les cils. Nous nous comprenons. »

Il retourna à son pâté, en la détestant plus que jamais. « Ah ! ma belle, se dit-il, tu te réjouis d'être bientôt maîtresse de la maison de mon père, de ma maison, n'est-ce pas ? Tu feras la dame, tu régenteras les domestiques, tu donneras ton avis, tu règneras, hein ? Eh bien ! c'est ce que nous allons voir. »

Amalie eut un léger sourire et tourna son beau visage vers le feu.

Rassasié, Jérôme laissa enlever le plateau et demanda du whisky. Alfred donna l'ordre d'en apporter, sans autre commentaire. Jérôme se versa un petit verre et ajouta une larme de soda au liquide ambré.

— Personne ne me tient compagnie ?

Il fut stupéfait d'entendre Amalie répondre d'une voix tranquille :

— Si, moi.

Elle tendit la main.

Jérôme sourit d'un air déplaisant à l'adresse d'Alfred, qui rougit copieusement. M. Lindsey prit Charlie sur ses genoux et se mit à le caresser comme si de rien n'était.

— Avec plaisir, répondit Jérôme.

Il remplit un autre verre, attendit qu'Amalie lui signifiât de s'arrêter. Mais elle ne dit rien jusqu'à ce que le verre fût presque aussi plein que celui de Jérôme. Celui-ci se renversa dans son fauteuil.

— Excellent whisky, commenta-t-il. Tu manques beaucoup de choses, Alfred, en ne buvant pas. N'est-ce pas, mademoiselle ?

— Vous dites vrai, dit Amalie, en le regardant franchement.

Etait-elle complètement dénuée de tact ? Personne ne lui avait donc dit que les femmes ne buvaient pas de whisky ou de liqueurs, en compagnie des hommes, tout au moins ? Elle n'était pas sotte. Ne pouvait-elle feindre un peu de décence, de bonne éducation, ne fût-ce que pour elle-même, pour son avenir ?

— Vous trouvez des vertus digestives au whisky, mademoiselle ? demanda-t-il sur un ton d'extrême politesse.

Il sentit, plutôt qu'il ne vit, Alfred réprimer un mouvement.

— Des vertus très efficaces.

— Ça rend la vie supportable, suggéra Jérôme.

— Presque, fit-elle sur le même ton.

— Mais il faut en prendre régulièrement pour en éprouver l'effet salutaire.

Elle tourna vers Jérôme un regard éclatant de mépris.

— Ça, je n'en sais rien. Mais sans doute pourriez-vous m'éclairer.

M. Lindsey leva la tête et son regard alla lentement de son fils à la jeune femme. Ses minces sourcils gris se froncèrent légèrement.

— Alors, dit Jérôme, vous n'avez donc pas besoin d'oublier la vie, bien souvent ?

Elle le considéra en silence, la lèvre retroussée.

— Moi, j'ai du courage. Tout le monde ne peut pas en dire autant, n'est-ce pas ?

Jérôme ne répondit pas. Il fit tourner le verre dans ses doigts. Ses yeux se portèrent sur Alfred et, rencontrant son regard navré, il eut un rire silencieux. Alfred se redressa dans son fauteuil. Ses prunelles se rétrécirent, on vit soudain qu'il était homme capable d'une violence implacable.

« Le diable t'emporte ! pensa Jérôme, qui ne recula pas devant ce regard, mais le rendit avec un mépris virulent. Je n'insulte pas sans raison la femme que tu aimes. J'essaie seulement de révéler à ta stupidité jusqu'à quel point cette femme manque de pudeur. »

M. Lindsey dit tranquillement :

— Je n'ai jamais souscrit à la sottise qui veut que les femmes soient différentes de l'autre moitié de l'humanité. La femme est issue de l'homme et l'homme est né de la femme. Si, de temps en temps, Amalie a envie d'un verre de whisky ou de tout autre chose, ça la regarde, et je lui souhaite du plaisir. J'ai changé d'avis, Jérôme, je crois que je vais vous tenir compagnie à tous les deux et que nous boirons au proche mariage.

Alfred, d'une voix contrainte, fit remarquer :

— Père, le médecin vous a défendu l'alcool.

A quoi M. Lindsey répliqua calmement :

— Il y a des moments où un homme doit boire pour le bien de son âme et d'autres choses également importantes.

Après le toast, Jérôme se leva et salua tout le monde.

— Maintenant, veuillez m'excuser, je vais monter voir ma sœur. Nous avons beaucoup de choses à discuter... Il y a bien longtemps que nous ne nous sommes vus.

— Faites-lui mes compliments, s'il vous plaît, dit Amalie. Je lui souhaite beaucoup de plaisir dans cette conversation.

CHAPITRE V

CARESSANT la tête du chien qu'il avait fourré sous son bras, Jérôme monta le grand escalier de chêne en sifflant distraitement. Jadis, il n'avait eu que mépris pour l'air « collet monté » des grandes pièces sombres, de cet escalier monumental, mais, regardant avec des yeux neufs, il se prit à admirer leur atmosphère élisabéthaine, leur dignité austère. Porté par goût vers la délicatesse, la recherche exquise, il avait trouvé la solidité de la vieille demeure oppressive. Mais, maintenant, il appréciait l'impression de sécurité inébranlable que donnait le massif édifice. Il lui portait une affection bourrue et sa jalousie échauffée regardait alentour, l'œil sévère et le front rembruni.

Non, aucun étranger ne parlerait en maître ici. Des étrangers, des intrus, qui rempliraient la maison de son père de leur progéniture ? Eh bien ! pas tant qu'il avait des droits dessus.

Il fit une pause au second palier. Mais avait-il des droits ? Son père connaissait trop bien son naturel inconstant pour l'avoir pris au sérieux quand il avait déclaré qu'il ne voulait pas entendre parler de la maison, que rien ne le pousserait à y vivre. Lui-même se méfiait des caprices de son tempérament et il était toujours secrètement irrité quand on le prenait au mot, surtout quand cela présentait des inconvénients ou qu'il avait changé d'avis. Cependant, il ne pouvait pas aller trouver son père et lui dire d'un air penaud : « Vous ne m'avez pas pris au sérieux ? Après tout, j'ai parlé à la légère, j'étais jeune et je ne savais pas. » C'était bougrement embarrassant. Et même aujourd'hui, il ne savait pas exactement ce qu'il voulait. Tout ce qu'il savait, c'est qu'au lieu du mépris sarcastique et anodin, il éprouvait, à l'égard d'Alfred, un sombre dégoût et une haine féroce.

Appuyé contre la robuste balustrade du dernier palier, il regardait le vestibule plongé dans la pénombre. Bizarre, qu'il se rappelât ce texte appris à l'école du dimanche : « Celui qui ne règne pas sur son esprit est comme une ville sans remparts. »

La phrase, lettre morte dans sa jeunesse, le frappait maintenant par son sens maléfique. « La ville sans remparts ! » Oui, il était comme une ville insouciante, tumultueuse et dissolue, offerte à l'invasion d'un inexorable ennemi. Il méprisait la sentimentalité et, cependant, il se prenait à penser : « J'ai été comme Esaü et les deux autres, en bas, vont s'envoyer le festin — à moins que je ne les en empêche.

Puis il se souvint de Dorothée. Il sourit. Amusant de penser qu'à cette heure, il considérait Dorothée comme une alliée, elle qui avait été son pire détracteur, son ennemi inconciliable. Mais les ennemis qui ont un adversaire commun se rapprochent fréquemment pour unir leur effort.

Il se remit à siffler et, parcourant le vaste couloir lambrissé, arriva à la porte de Dorothée. Il attendit avant d'entrer, afin d'assurer un sourire aimable sur sa figure. Chose facile, car il savait feindre et pouvait même se jouer la comédie à lui-même quand il le désirait.

Il frappa brusquement au vantail sculpté. Il entendit la voix calme, enrouée maintenant, qui lui disait d'entrer.

La grande chambre chaude était presque noire ; le rougeoiement du feu et la lueur d'une veilleuse permettaient seuls d'y voir. Des odeurs de vinaigre et de moutarde remplissaient l'air étouffant. Au milieu de la pièce trônait l'énorme lit à baldaquin, avec d'amples couvertures et du linge immaculé. Les tentures rouge sombre, rejetées à la tête du lit, montraient Dorothée relevée sur ses oreillers. C'était le lit de son arrière-grand-mère et elle y tenait avec une énergie farouche, car elle aimait le passé et détestait le présent.

— Eh bien ! Jérôme, fit-elle d'une voix altière où il retrouvait la note d'hostilité automatique masquant une prudence soupçonneuse. Entre donc et ferme la porte. Il y a un tel courant d'air. — Elle eut une toux rauque et porta son mouchoir à ses lèvres. — Et ne t'approche pas trop près de moi. Je sais que c'est une sottise, mais le docteur Hawley affirme que ces rhumes accompagnés de fièvre sont contagieux. Je n'y crois pas, mais, néanmoins, je dois lui obéir. Là, entre le feu et moi, s'il te plaît, pour que je puisse te voir sans fatigue.

Le frère et la sœur ne s'étaient pas vus depuis cinq ans, mais auraient pu s'être rencontrés le matin même. Il s'assit, le chien sur les genoux. D'un ton offensé et incrédule, Dorothée dit :

— Comment, un chien ? Tu sais bien que je ne veux pas de chien ici. Tu n'y penses pas. Il faut le mettre à l'écurie tout de suite. J'espère qu'il ne mord pas. Il grogne de manière bien déplaisante.

Jérôme répondit d'un ton aimable :

— Oh ! non, ma chère Dorothée, il ne mord pas et, s'il grogne, c'est à cause de cet affreux bonnet que tu as sur la tête. C'est une charmante petite bête. Je le déteste, mais il n'a pas l'air de s'en apercevoir, n'est-ce pas, Charlie ?

Le chien lui lécha la joue, en continuant toutefois de fixer Dorothée avec une hostilité vigilante et étonnée.

Evidemment, cette femme, dans son lit, était d'aspect plutôt formidable.

Brune de peau comme Jérôme, elle avait aussi les yeux noirs, mais plutôt petits, un regard intimidant et d'expression revêche. Le nez était long et fin, très aquilin, aux narines arrogantes. La bouche sévère, dépourvue de toute douceur féminine, dénotait l'intolérance et les lèvres minces et décolorées se pinçaient durement. On savait dès l'abord que c'était une femme à principes, intègre, sans imagination ni bienveillance, ni compassion. Elle imposait par la seule force de son caractère austère et son excessive rigueur. Jérôme l'avait toujours trouvée très amusante et il était le seul qui osât lui rire au nez. Même son père, à qui elle était très attachée, la redoutait sans toutefois encourir de reproches (elle l'aimait tant) et il s'efforçait de ne jamais la contredire et de calmer son humeur. Il considérait avec regret que Dorothée avait presque toujours raison.

Elle était de ceux qui n'oublient et ne pardonnent jamais et, son opinion faite, elle était incapable d'en changer. Une preuve irréfutable du contraire devenait une offense personnelle et elle gardait son opinion première, sûre d'être délibérément trompée. Si Dorothée avait jamais menti, ni elle ni les autres ne s'en étaient aperçus et elle considérait un mensonge comme à peine moins grave qu'un meurtre. Cependant, comme bien des gens de son espèce, elle pouvait se montrer naïve et sensible à la flatterie. Mais, seul, Jérôme le savait et en profitait sans vergogne. Une fois où il avait eu besoin d'argent pour payer une dette honteuse, il lui avait dit qu'elle était une « aristocrate » et, comme elle en était intimement persuadée, elle s'était délestée pour lui d'une somme considérable. Fermement convaincue que sa façon d'agir était la meilleure, elle l'imposait implacablement aux autres, pour leur bien. Comme elle avait en général raison, cela ne lui gagnait pas l'affection de ses victimes. Pieuse, d'une probité empesée, elle ne pouvait supporter les gens de caractère indulgent. Elle considérait cela comme de la faiblesse.

Jérôme avait toujours été sa croix, sa malédiction. Depuis sa tendre enfance, il s'était dressé contre elle, s'était moqué d'elle. Les punitions les plus sévères n'avaient aucun effet sur lui. Il échappait à tout contrôle, comme une anguille visqueuse. Elle ne l'avait jamais compris et, comme elle n'avait jamais pu le dominer ou l'intimider, sa déception s'était muée en une haine secrète et inavouée.

Ils se regardaient et pensaient à toutes ces choses. Les yeux de Dorothée étaient bordés de rouge et Jérôme pensa que le rhume n'en était pas seul la cause. Dorothée souffrait. Elle vit qu'il l'examinait avec un léger sourire et elle releva la tête avec hauteur. Elle dit :

— Tu as l'air en bonne santé, Jérôme.

Puis, après un silence :

— Je suis heureuse de te voir à la maison.

— Et moi, dit-il avec douceur, je suis heureux d'y être.

Elle le regarda entre ses paupières d'un air soupçonneux et, voyant qu'il ne mentait pas, son visage s'éclaira de surprise. Subitement, comme si elle était seule, elle apparut sans défense et vulnérable.

D'une voix entrecoupée, comme si elle avait perdu la maîtrise d'elle-même, elle dit :

— Tu aurais dû venir plus tôt ; tu... tu m'as manqué.

Jérôme la regardait dans un silence chargé d'émotion. Elle en eut conscience et leva vivement les yeux. Alors, il dit :

— Oui, oui, je sais, tu as raison, Dotty.

Son visage eut un tressaillement automatique à ce diminutif qu'elle détestait, puis, chose étonnante, elle dut sentir ce qu'il contenait d'affection naturelle, de solidarité familiale, car ses paupières battirent rapidement et elle détourna son profil décharné.

— Tant mieux, Jérôme, merci.

Ils se regardèrent dans un long silence. Jérôme prit un cigare dans son étui d'argent. Dorothée l'observait. Elle se força à dire :

— Fume, Jérôme, si ça te fait plaisir, mais envoie la fumée vers la cheminée.

Elle soupira. Jérôme alluma son cigare et se carra, heureux, dans son fauteuil.

« La pauvre », pensa-t-il, avec une sympathie compatissante qui ne lui était pas coutumière. Mais sa perspicacité lui fit voir qu'elle n'était pas l'ennemie d'Alfred, pas encore tout au moins ; Alfred, parfaitement inconscient de sa passion pour lui, de son dévouement à son endroit, n'avait provoqué chez elle ni fureur ni humiliation et elle n'avait, par conséquent, conçu aucun désir de revanche. Il avait pris ce sentiment absolu comme une chose parfaitement normale et avait offert en retour une robuste affection, purement fraternelle. Bien qu'ils fussent à peu près du même âge, Alfred la considérait comme de beaucoup son aînée et éprouvait souvent pour elle un respect filial. Cette attitude amusait Jérôme et attristait M. Lindsey. Ils avaient cru fermement qu'Alfred arriverait à aimer Dorothée qui avait vécu dans cet espoir. S'il y avait eu d'abord la timide petite Martha et, maintenant, cette femme terrible, Alfred n'en était pas responsable. Il était simplement la victime de femmes intrigantes et de leurs charmes trompeurs...

Il caressait la tête du chien, attendant que Dorothée parlât. Et puis, tout d'un coup, il fut envahi par un malaise aigu, comme un croc qui le déchirait. Il n'avait jamais éprouvé cela. Il avait toujours vécu insouciant et la souffrance était une sensation nouvelle, mais pénible. « Qu'est-ce que j'ai ? se demanda-t-il. Serais-je déjà las d'être ici ? » Il allait se lever, poussé par cette émotion insolite, quand Dorothée parla :

— As-tu vu cette... euh... cette femme, Jérôme ?

La voix calme avait pourtant une note de souffrance et de dégoût.

— Oui.

Elle se pencha vers lui, d'un geste rapide :

— Est-ce que j'ai raison ? N'ai-je pas été injuste ?

Il pensa : « Est-ce que je suis malade ? Aurais-je pris mal dans cette sacrée charrette ? » Debout, le dos au feu, tête baissée, il dit :

— Tu as raison, Dotty, tu n'as pas été injuste.

Il jouait avec sa chaîne de montre, tout en fixant les dessins du tapis. Une nouvelle sensation s'était emparée de lui, une espèce de rage aveugle. Sans quitter des yeux le tapis, il dit :

— Il faut mettre le holà !

Dorothée retomba sur ses oreillers et se mit à pleurer sans retenue.

— Mais comment faire, Jérôme ?

D'une voix irritée, il cria :

— Je n'en sais rien. Pourquoi papa et toi n'avez-vous rien tenté ? Vous deviez vous en douter. Ça n'est pas tombé du ciel comme ça, n'est-ce pas ?

Bousculant la chaise, il se rapprocha encore et se rassit.

— Tu vas me dire tout ce que tu sais. Comment l'a-t-il connue ? Tu m'as vaguement parlé d'une histoire d'argent...

Elle ne l'avait jamais vu si intéressé et si sincèrement remué et bien que ce fût pour elle un réconfort, elle en éprouvait de la timidité. Ses paroles sonnèrent comme des excuses, comme si elle lui demandait pardon par avance :

— Ne m'en veuille pas, Jérôme. J'ai sans doute manqué de finesse. Mais comment pouvais-je penser ?... Qui aurait cru qu'Alfred agirait avec aussi peu de discernement ? Papa non plus ne pouvait s'en douter... Ce fut si soudain. Tu sais qu'Alfred fait partie du conseil d'administration de l'école : il avait dû y rencontrer cette femme, mais il n'en avait jamais parlé.

— En somme, il cache bien son jeu, coupa Jérôme, acerbe.

— Oh ! non, je t'en prie, Jérôme, ne sois pas si sévère. C'est injuste pour Alfred. Il n'avait pas dû la remarquer au premier abord.

Il l'observait et fut vaguement surpris de la voir rougir soudain. Elle se détourna de lui et dit gauchement :

— Peut-être suis-je un peu injuste. Il faut que je sois juste, même envers elle. Vois-tu, elle prenait pension chez un fermier du nom de Hobson. Des gens pauvres, des gens de rien, sans doute, car ils ne pouvaient payer les intérêts de l'hypothèque que détient notre Banque. Hobson avait déjà fait appel à ce pauvre Alfred. Il y avait tellement d'enfants, disait-il en manière d'excuse, comme si ces enfants étaient la faute d'Alfred.

Jérôme ne put s'empêcher de sourire.

Dorothée poursuivit avec une indignation croissante :

— Alfred essaya d'être juste. Mais que pouvait-il faire ? Il y avait de gros arriérés. Alfred était responsable vis-à-vis des déposants et il fit son devoir. Il informa le fermier que la Banque avait le regret de faire saisie. Mais il se montra généreux : la Banque ne procéderait à la saisie qu'après la moisson.

— Seigneur, s'exclama Jérôme, quelle extrême générosité !

La figure revêche de Dorothée s'empourpra.

— Pourquoi ce ton ? fit-elle, piquée. Après tout, comme je l'ai déjà dit, Alfred était responsable vis-à-vis des déposants. et la moisson s'annonçait très belle. En attendant, le fermier et sa famille avaient un toit et ce n'était que justice que ce misérable fasse la moisson et paye quelque chose de ses dettes : il devait à la Banque plus de trois cents dollars.

Elle attendait un commentaire de Jérôme, mais il gardait son sourire sardonique. Elle continua en s'échauffant :

— L'homme eut l'imprudence de suggérer à Alfred qu'on lui permette de rester comme métayer. Mais Alfred avait déjà un acheteur pour la ferme et il refusa comme il le devait.

Jérôme regardait son cigare et les cercles de fumée grise.

— Je vois, dit-il doucement. Alors miss Amalie est venue voir Alfred pour implorer grâce.

— Comment le sais-tu ? demanda Dorothée avec une surprise candide.

Jérôme rit.

— Oh ! je suis malin. J'ai toujours été un type astucieux. Alors c'est comme ça que ça s'est passé. Ce qui m'intéresse maintenant, c'est de savoir si Alfred s'est dégelé et a accordé grâce.

La violence amenuisa les traits de Dorothée :

— Tu vois le pouvoir qu'elle a sur lui. Comme elle l'a flatté, trompé, dominé ; c'est ce qui est si terrible, si dur à comprendre ! Au mépris de son sens du devoir, après les cajoleries de la demoiselle, il a permis au fermier de rester. Non content de cela, — tu ne me croiras pas, Jérôme, — il a prêté de l'argent aux Hobson, leur a acheté une pleine charrette de vêtements, a rempli leur garde-manger et leur a envoyé un docteur et rien moins que le nôtre, le docteur Hawley. N'est-ce pas incroyable ?

— Oui, dit Jérôme très tranquillement.

Et, après un long silence :

— Ça me semble incroyable.

— Mais ce n'est pas tout, Jérôme, cette femme semble avoir été très habile. Elle dit à Alfred qu'elle était malade, qu'elle avait passé de nombreuses nuits à soigner ces gens répugnants. Que fait l'ensorcelé, dis-moi ? Et bien, voilà : comme président du Conseil d'administration, il ordonne à cette créature de rester à la ferme pour se reposer et il force le Conseil à lui payer son traitement.

— Est-elle vraiment malade ?

Dorothée le regarda en fronçant le sourcil, évidemment prise au dépourvu par cette question impertinente. Elle dit sèchement :

— C'est ce qu'elle a dit à Alfred. Je crois que c'était simplement de la paresse : c'est une grande gaillarde, débordante de santé... Alfred a essayé de m'intéresser à la famille et pour lui faire plaisir je suis allée les voir. — Elle toussota. — Nous avons trouvé Amalie couchée. Pour être juste, disons qu'elle avait un peu de rhume. Elle avait l'air malade, mais sans doute, c'était un faux-semblant. La famille lui semblait très attachée, mais tu sais comme ces gens-là jouent la comédie. Ils la soignaient. Cela semblait bien suffisant et je ne comprends pas pourquoi Alfred lui envoyait des infirmières.

— Combien de temps fut-elle malade ?

— Depuis Noël jusqu'au printemps. Elle n'est pas retournée à l'école, sauf le dernier mois. C'est à cette époque qu'elle prit la silhouette à la mode, car lorsque je l'avais vue pour la première fois à l'église, un an auparavant, elle avait l'air tout à fait robuste et solide.

Jérôme se leva et commença à arpenter la pièce lentement :

— Je suppose qu'elle a oublié ses vieux amis Hobson ?

Dorothée s'échauffa de nouveau :

— Ah ! que non, et c'est là une autre preuve de ses instincts vulgaires. Elle va les voir au moins une fois par semaine et leur porte des paniers. Elle a même essayé de me faire engager la fille aînée comme femme de chambre. Je n'ai pas besoin de te dire quelle fut ma réponse.

Dorothée rejeta la tête avec un air de triomphe farouche.

— Ainsi, Alfred et elle sont devenus les anges gardiens des Hobson, dit Jérôme sur un ton curieusement méditatif.

— Parfaitement. C'est intolérable. Tu peux voir comme il en est toqué. Ça ne lui ressemble pas du tout.

— Pourquoi le fait-il, alors ?

— Il prétend qu'il ne pourra jamais rendre aux Hobson tout ce qu'ils ont fait pour sa chère Amalie. Sans eux, il ne l'aurait peut-être jamais connue.

De nouveau, Dorothée fondit en larmes. Jérôme reprit sa promenade inquiète à travers la pièce. Dorothée le regardait, tordant désespérément son mouchoir. Jérôme se mit à penser tout haut :

— Il faut considérer l'affaire raisonnablement. Le problème ne serait pas résolu en se débarrassant d'Amalie. Alfred veut se marier. Ça le démange. Je doute fort que nous réussissions à le tirer des mains de cette femme. Mais si nous y arrivions, il trouverait quelqu'un d'autre.

— Oui, murmura Dorothée, le rouge montant à ses pommettes.

Jérôme s'arrêta et la regarda bien en face.

— Ce pourrait être toi, dis, Dotty ? Surtout si tu l'encourageais un peu. Pourquoi personne ne le lui a-t-il jamais suggéré ?

Dorothée rougit encore plus vivement. Elle dit froidement :

— Les femmes ne donnent pas d'encouragements de ce genre.

— J'ai pourtant reçu beaucoup d'encouragements de leur part, tu pourrais essayer. Ou bien je pourrais m'en charger. Je suis surpris que papa, qui comprend tout, n'ait rien fait pour influencer Alfred. Il aurait pu dire : « Ecoute, mon garçon, Dorothée sera bien entendu mon héritière. J'aimerais que l'argent reste dans la famille. » Alfred peut être insensible à bien des choses, mais pas à l'argent. Papa m'étonne.

— Tu n'as aucune délicatesse, Jérôme, s'écria Dorothée.

— Qui a jamais eu de délicatesse à propos d'argent ? Sinon les hypocrites ou ceux qui en ont plus qu'assez.

— Tu n'aurais pas la prétention de... t'entremettre ?

Ton et paroles repoussaient la suggestion. Mais Jérôme décela dans la voix une ombre de supplication et d'espoir. Il rit.

— Et pourquoi pas ? Après tout, tu es ma sœur.

— Oh ! Jérôme !

Et de nouveau la protestation avait la couleur d'une prière.

— Alfred est un crétin, vraiment. Comment ne voit-il pas que tu seras la femme rêvée pour lui ?

Dorothée eut un sanglot :

— Ah ! que tu es bon ! Mais tu n'es pas impartial.

Spontanément, elle lui tendit la main. Il s'approcha et la prit.

Elle était chaude et sèche. Il eut encore un mouvement de pitié inusité. Dorothée leva sur lui un regard larmoyant :

— C'est toi, Jérôme, qui me parles ainsi. J'ai peine à le croire.

— Dotty, je crois que tu ne m'as jamais apprécié à ma juste valeur, mais je t'aime à ma manière. — Il lâcha la main. — Parlons sérieusement. Qu'est-ce que tu sais du testament de papa ?

Maîtresse d'elle-même, Dorothée eût reculé d'indignation devant pareille question, eût repoussé la curiosité de son frère par loyalisme filial. Mais maintenant, elle était sans défense. Le visage caché derrière ses mains tremblantes, elle dit :

— Peu de chose... Il a bien voulu discuter de certains points avec moi. Je ne sais pas tout. Mais papa est juste. Alfred aura la maison et le domaine et les meubles, y compris les objets précieux de notre mère, de notre grand-mère et de notre bisaïeule. Tout, tout doit lui revenir. Quant à moi, j'aurai le tiers des revenus de la Banque, tant que je vivrai. Si je me marie, à ma mort, mon mari ou mes enfants, selon le cas, en hériteront. Si je meurs célibataire ou sans enfants, ces revenus retourneront au domaine et à Alfred. Alfred lui-même doit devenir président du Conseil d'administration. C'est assez compliqué...

— Et moi, ma petite Dotty ?

Dotty s'épongea les yeux :

— Papa sait qu'il est inutile de t'intéresser aux affaires. Tu lui as opposé un refus catégorique, tu le sais. Quand il m'a expliqué tout cela, ça m'a semblé juste. Pourquoi est-ce que, à présent, ça ne me paraît plus équitable ?

Désemparée, elle fixa les yeux sur Jérôme et lui tendit encore la main. Il la prit et la pressa.

— Je t'en prie, ma petite Dotty, parle.

D'une voix entrecoupée, elle dit :

— Papa a parlé de l'argent que grand-mère t'a laissé, à toi seul ; je sais qu'il ne trouve pas ça juste. Moi, je n'ai eu que ses perles. Tu étais son favori. Papa croit qu'elle a fait cela illégalement, sous ton influence. Moi, je ne le crois pas, maintenant... Papa disait qu'avec de la mesure cet argent aurait dû te permettre ta vie entière dans le bien-être. Il m'a dit que tu as tout dépensé, il y a longtemps.

Jérôme caressait du pouce la main de sa sœur. Le geste avait une influence hypnotique sur cette femme sans amour, dont le cœur frustré brûlait dans sa solitude depuis trente-huit ans.

— Et alors, Dotty ?

— Toi, tu recevras trois mille dollars par an tant que tu vivras. C'est tout, Jérôme. A ta mort, ton revenu aussi retournera à Alfred.

Jérôme se leva brusquement. Il abaissa sur sa sœur un regard brûlant de courroux :

— Trois mille dollars par an, dit-il à mi-voix, j'en dépense cinq fois plus en ce moment. — Son visage se pinça et se fit mauvais. — Ainsi, on me donne un morceau de pain, un pot de piquette et une ou deux chambres nauséabondes dans une ruelle et c'est tout.

Son apparence effraya sa sœur.

— Jérôme, ne prends pas cet air. Qu'ai-je dit ? Qu'ai-je fait ? Oh ! Seigneur ! Pardonnez-moi. Je n'aurais pas dû parler.

Elle poussa un grand cri et Jérôme, gêné, regarda vers la porte. Il se rassit et essaya de calmer sa sœur.

— Voyons, Dorothée, tu peux être sûre que je n'en parlerai à personne. Allons, prends mon mouchoir. Essuie-toi les yeux. Il ne faut pas perdre la tête si nous voulons arriver à quelque chose. La première chose à faire est d'empêcher le mariage d'Alfred avec cette catin.

— Oh ! Jérôme, crois-tu que ce soit possible ?

— Nous ferons ce que nous pourrons. Il faut que j'y réfléchisse. Quand le mariage doit-il avoir lieu ?

— Le vingt-huit décembre.

Les yeux gonflés de Dorothée se fixèrent sur son frère comme sur un sauveur.

— Il doit y avoir un moyen de l'empêcher. J'y penserai plus tard. Mais il faut se rappeler qu'Alfred cherchera une autre femme. Nous devons diriger son attention vers toi. Quant à moi... — Il regardait dans le vague d'un air farouche. — Il faut que je parle à notre cher papa ce soir.

Il se leva et se força à sourire.

— Je crois que je vais y aller tout de suite. — Il se pencha sur sa sœur et baisa le front humide et ridé. — Chère Dotty, aie confiance en moi et laisse-moi faire. C'est promis ?

CHAPITRE VI

SIFFLANT sans bruit, son chien sous le bras, il alla d'abord à son appartement, qui consistait en un salon douillet, plutôt petit, et en une chambre plus grande qui donnait sur le côté de la maison. Il y avait aussi un cabinet de toilette, installé dix ans auparavant, sur ses instances.

Il avait choisi son mobilier dans ce qui lui venait de sa grand-mère, faisant montre d'un goût délicat. Il aimait la cheminée de marbre blanc sculpté dont la garniture de foyer, d'acier forgé à la main, avait le poli et la patine du vieil argent. Les murs étaient lambrissés de bois clair. Un Aubusson aux teintes fondues et fanées recouvrait le parquet. Les lampes de cristal aux montures dorées brillaient comme des bijoux quand elles étaient éclairées. Une bibliothèque de bois clair était remplie de magnifiques reliures rouge et bleu sombre.

Un feu brûlait tranquillement dans la cheminée ce soir. Devant les flammes dansantes, Jim ronflait d'aise dans un fauteuil Louis XV. Une seule lampe était allumée sur une table près de la fenêtre. La couverture était faite. Jérôme lâcha le chien, qui courut vers le domestique et l'éveilla en lui grimpant sur les genoux.

— Eh bien, tu as pris tes aises. J'espère que tu as bien dormi.

— Monsieur dit vrai. J'ai piqué un petit somme, en attendant. Monsieur veut se coucher ?

— Non, pas encore. Où couches-tu ?

— Au troisième. — La figure ratatinée eut un clignement d'œil. — J'ai une belle chambre, avec une belle fille la porte à côté, sauf votre respect, monsieur.

Jérôme se mit à rire :

— Tâche de te rappeler que nous sommes dans un asile de vertu. Rien à faire pour la bagatelle. Tu peux aller te coucher maintenant. Prends le chien avec toi.

Jim partit, fermant sans bruit la porte derrière lui. Jérôme fit le tour du propriétaire. Il en était venu à détester cet appartement comme le reste de la maison. Il s'était senti prisonnier de cette quiétude luxueuse, de cette vie d'apparat. Il y étouffait. L'ordonnance précise des journées le rendait fou. Même ses livres bien-aimés ne pouvaient ni l'apaiser ni le satisfaire. Mais connaissait-il la satisfaction ? En quittant la paix sévère de la grande demeure, sans désir de retour, il avait emporté avec lui son brasier intérieur.

Maintenant tout lui paraissait charmant et enviable. Avec une espèce de violence, il parcourut les pièces. Cette catin les occuperait sans doute. Ce lit en forme de cygne serait son lit. Elle mirerait son impudent visage dans cette psyché. Elle toucherait ces livres précieux, se reposerait dans ce petit fauteuil doré, près du lit. Sa garde-robe douteuse remplirait cette armoire. Elle tirerait la soie légère des rideaux et contemplerait la noble étendue du parc et le bois de sapins qui lui était si cher.

Il posa la main sur les oreillers et caressa le linge satiné. Elle y poserait sa tête ; sa chevelure noire s'étalerait sur cette blancheur. Ses longs bras pâles reposeraient sur le capiton bleu de ce couvre-pied.

Comme ensorcelé, le regard fixe, Jérôme restait au pied du lit, parfaitement immobile, mais, maintenant, l'étrange douleur dévorante était revenue, d'autant plus cruelle qu'il ne pouvait se l'expliquer. Il dit pour lui-même : « Je ne peux pas le supporter. Je ne le supporterai pas. » Mais les mots ne signifiaient rien : la douleur se fit plus intense. Il voyait vraiment la femme endormie dans ce lit. Il voyait le beau sein soulever la soie ténue. Il se pencha, retenant son souffle. Son cœur battait avec une violence qui l'étouffait et la douleur le tenaillait. Il mit la main sur le sein fantôme et, si puissant était le charme, qu'il en sentait vraiment la chaude et vivante rondeur.

Il resta longtemps ainsi, comme pétrifié. Seul, son cœur vivait, pareil à un animal que la faim rend furieux.

Puis, rompant le charme maléfique, il retourna au salon et, debout devant le feu, se mit à fixer les grottes incandescentes que formaient les charbons. « Qu'est-ce qu'il m'arrive ? » se demanda-t-il.

Une réponse sinistre naissait dans son esprit. Il secoua la tête et se détourna, puis descendit l'escalier pour aller à la bibliothèque.

CHAPITRE VII

COMME Jérôme descendait l'escalier, l'horloge égrena dix coups. La grande maison chaude était plongée dans une quiète obscurité. Le feu de la grille n'était plus qu'un lit de charbons rougeoyants qui palpitaient encore. Quelque part, au-delà des murs de pierre, la tourmente hurlait dans les ténèbres.

William Lindsey était seul dans la bibliothèque, la tête penchée sur un livre, ses jambes douloureuses étendues vers le feu.

Jérôme s'arrêta sur le seuil pour examiner son père. « C'est un étranger », pensa-t-il. Jamais il n'avait senti, sous la bienveillance et la mansuétude de surface, le caractère formidable du vieillard : cette froide inflexibilité patricienne, ce calme imperturbable, cette sévérité inaccessible à la pitié, une austérité romaine. Une tristesse cynique hantait les coins de la bouche, grande et hautaine, dont la réserve même écartait toute facilité émotive.

Jérôme songea à son enfance, à sa prime jeunesse, puis à ses premières années d'homme. William Lindsey avait toujours montré une compréhension des plus bienveillantes à l'égard de ses enfants, ainsi qu'une calme et profonde affection. N'avait-il pas toujours dit : « Votre vie vous appartient. Jugez par vous-mêmes. Tout ce que je pourrai vous dire vous paraîtra suranné et assommant. La Rochefoucauld disait que les vieillards aiment donner leur avis pour se consoler de n'être pas à même de donner le mauvais exemple. De plus, ce qui valait pour moi pourrait être inefficace pour vous-mêmes. Conduisez-vous selon votre propre interprétation de la vie, selon votre sens inné du devoir. »

Il ne s'était jamais montré inexorable dans ses préceptes. Ses jugements n'étaient jamais catégoriques. Il voyait toujours le pour et le contre et reconnaissait, non sans regret, que personne ne savait exactement qui avait raison et qui avait tort. Trouver le moyen terme était le mot de passe de l'homme intelligent. Pour lui, rien n'existait qui fût clairement défini ou immuable.

« Vous aviez tort, pensait Jérôme qui sentait une colère confuse s'emparer de lui. Ce n'est pas une manière d'élever les enfants. Ce ne sont pas des hommes intelligents. Pour leur sécurité même, ils ont besoin de règles infrangibles. Ils n'ont pas l'expérience pour juger ce qui est sagesse ou folie. Une main de fer et non l'aimable philosophie d'un sceptique, voilà ce dont les jeunes ont besoin. » Et Jérôme commençait à se demander si ce n'était pas l'indifférence plutôt que l'amour qui portait un homme à cette mansuétude envers ses enfants.

Son père était devenu une énigme qui l'effrayait, mais, à la lumière de ce que Dorothée lui avait dit, c'était une énigme logique. Ses enfants ne l'avaient jamais connu. Le mystère de sa nature ne leur avait été révélé qu'aujourd'hui. Si le testament leur paraissait incroyable et pas en rapport avec ce qu'ils croyaient être le caractère de leur père, c'étaient eux qui se trompaient et non pas lui qui les avait trompés. William Lindsey n'avait pas changé ; il était resté lui-même. Ses enfants s'étaient pris au leurre de leurs illusions.

M. Lindsey tourna tranquillement une page, leva les yeux et vit son fils dans l'encadrement de la porte. Il sourit :

— Jérôme, mon cher enfant, entre donc. J'espérais que nous pourrions parler un peu ensemble et c'est pourquoi je t'ai attendu ici.

C'était bien la voix calme, affectueuse et paisible, qu'il connaissait. Un élan nostalgique s'empara de Jérôme. Son père l'examinait en souriant d'un air songeur.

— Tu as vu Dorothée ?

— Oui, père.

Il n'avait pas employé le puéril « papa » et cependant le changement était involontaire plutôt que délibéré, et il ne s'en aperçut pas. Mais M. Lindsey le remarqua et ses yeux bleus brillèrent et s'assombrirent. Il déposa son livre.

— Assieds-toi, Jérôme, dit-il avec le plus grand calme.

Jérôme s'assit. M. Lindsey le fouilla du regard. Jérôme avait un air troublé et maussade qui ne lui était pas habituel et que M. Lindsey ne se souvenait pas de lui avoir vu.

— Dorothée va bien ce soir ?

Jérôme haussa les épaules :

— Elle est toute bouleversée par ce mariage.

— Ah ! fit M. Lindsey. — Il se laissa retomber sur ses coussins où son long corps mince s'enfonçait à peine. — Oui, la pauvre petite a toujours cru qu'Alfred finirait par l'épouser.

Jérôme mit longtemps à allumer son cigare. Il était manifeste qu'il ne voulait pas rencontrer le regard droit de son père.

— Que veux-tu, soupira M. Lindsey, voyant que Jérôme ne

parlerait pas, l'homme propose et la passion dispose. Nous ne pouvons en vouloir à Alfred, après tout.

— Non, dit Jérôme, du ton dur et cynique qui lui était habituel. Il ne faut pas perdre de vue qu'Alfred est un imbécile, en dépit de son extérieur raisonnable et solide. Toutefois, j'avoue que je suis surpris de cette nouvelle sottise. Je ne l'ai jamais pris pour un benêt ! J'ai toujours pensé qu'il savait se défendre et voir où était son intérêt.

M. Lindsey s'agita sur sa chaise :

— Veux-tu me donner un verre de xérès.

Jérôme se leva et servit son père.

Portant le verre à ses lèvres et regardant le feu d'un air énigmatique, M. Lindsey dit :

— Tu ne crois pas que ce soit son intérêt d'épouser Amalie ? qu'en sais-tu, tu l'as à peine vue ?

Jérôme eut un petit rire des plus déplaisants :

— Je ne suis plus un enfant, j'ai vu des centaines de femmes de son espèce : Paris, Londres, New York en regorgent. Je les reconnais tout de suite. Mais peut-être pensez-vous qu'une putain mettrait de la vie et du mouvement dans ce milieu raffiné et collet monté ?

La voix de M. Lindsey se fit plus haute pour dire :

— C'est une cruauté indigne d'un gentilhomme que d'employer ce mot abominable. Tu ne sais rien de cette jeune fille. Les conclusions indécentes, que tu tires sans aucun doute de ta propre expérience, pourraient ne pas convenir dans ce cas. L'apparence de la vertu ne présuppose pas la vertu, non plus que l'apparence de... la légèreté ne présuppose pas l'absence de vertu. J'avais cru t'avoir inculqué un certain respect pour toute femme.

— Pas pour les putains.

A présent, Jérôme regardait son père bien en face, mais avec dérision et comme un étranger.

— Et je ne me réjouis guère de penser qu'une putain habitera cette maison, régentera ma sœur et remplira cette vieille demeure de sa douteuse progéniture. La voix s'épaissit vers la fin, car son cœur s'était remis à cogner contre sa poitrine.

— Jérôme ! — Le ton était sévère — Je te défends d'appliquer ce mot à miss Amalie en ma présence.

Il attendit, mais Jérôme resta muet. Sa respiration était haletante, mais son sourire mauvais restait figé sur son visage tandis qu'il fixait son père. D'une voix sans éclat, il finit par dire :

— Je ne l'emploierai plus. Pardonnez-moi. Mais cela ne change rien à mon opinion.

Il se leva.

— Vous croyez vraiment que c'est un mariage d'amour de sa part ?

Il fut surpris d'entendre son père répondre tout naturellement :

— Non. J'ai parlé seul à seule avec elle. Elle m'a dit franchement qu'elle n'avait pour Alfred qu'une affection modérée, mais qu'elle le respectait profondément. Elle m'a dit aussi qu'elle l'épousait pour ce qu'il représentait : sécurité, foyer, argent, position, belles robes, voitures, bijoux. Elle m'a avoué sans une ombre de réticence, et c'est tout à son honneur, que si Alfred était pauvre et sans avenir, elle ne le regarderait même pas. Elle m'a dit également qu'elle avait été tout aussi franche à l'égard d'Alfred. Et je la crois.

Jérôme attendit, car il vit que son père n'avait pas fini. M. Lindsey porta le xérès à ses lèvres et but, impassible.

— Depuis ce moment, je sais que miss Amalie est une femme honnête et sans peur, dénuée d'hypocrisie. C'est alors que j'ai consenti au mariage.

— Et vous ne trouvez pas ces aveux répugnants ? contraires à la décence et à l'honneur ?

M. Lindsey eut un petit rire :

— Quant à moi, je les trouve rassurants et pleins de fraîcheur. Des milliers de jeunes filles de bonne famille font de tels mariages tous les jours, mais sont moins honnêtes dans l'exposé de leurs raisons. J'ai la certitude qu'Amalie fera une honnête femme pour Alfred. Jérôme, tu donnes dans le sentiment et cela me surprend. Crois-tu que tous les mariages sont des mariages d'amour ou devraient l'être ? Mon Dieu, je crains que tu ne sois romanesque et ça me déçoit un peu.

Jérôme serra les dents. Il n'avait rien à répondre. M. Lindsey poursuivit, sur un ton légèrement amusé :

— Tu sais bien que les mariages les plus durables et les meilleurs, chez les Français, sont les mariages de raison, où le sentiment n'entre pas. J'ai découvert que les mariages de cette sorte sont presque toujours solides, rarement décevants. Celui qui nous occupe est un mariage de raison. Alfred veut la jeune fille et elle le prend pour ce qu'il peut lui offrir. Je prédis que ce sera une réussite, sans déception ni catastrophe.

— En dépit de ses antécédents, de sa naissance, de son absence d'éducation et de savoir-vivre ?

M. Lindsey fit tourner son verre dans ses doigts décharnés. Son visage changea d'expression. Il dit d'un air absorbé :

— J'ai considéré ce point-là aussi. Comme je te l'ai écrit, Amalie n'est pas la femme que j'aurais choisie pour Alfred. Je crois que l'origine des conjoints doit être analogue. Je n'ai aucune indulgence pour celle d'Amalie.

— Ah ! nous y voilà enfin ! Dotty m'a raconté l'histoire de cette demoiselle. Vous ne le trouvez pas révoltante ? Vous n'êtes pas démocrate. Vous ne pouvez considérer la fille d'un ivrogne et d'une femme de ménage comme la compagne qui convient à votre fils adoptif... Et puis-je vous demander ce qu'en pensent nos amis ?

Dédaignant les railleries de Jérôme, il répondit avec calme :

— Le moins qu'on puisse dire est qu'ils sont étonnés. Naturellement, leur impartialité souffre du fait qu'ils ont des filles à marier. Qu'Alfred ait choisi une étrangère, une jeune femme obscure qui a dû gagner sa vie, qui a vécu trop librement et qui n'a ni famille, ni argent, ni relations, c'est évidemment un outrage à leurs yeux. Beaucoup ont affirmé qu'ils ne la recevraient pas ; toutefois, je doute que cette hostilité dure longtemps.

— Le résultat est qu'ils battent froid à Alfred, dit Jérôme, l'air réjoui.

— Non, au contraire. — Un sourire sarcastique effleura les lèvres de M. Lindsey. — Ils semblent partager l'avis de Dorothée, à savoir qu'il a été séduit par la beauté et les « manigances » de miss Amalie, ce qui est probablement vrai. Or, on nous témoigne plus de sympathie qu'on ne nous fait de reproches. J'espère que cette acrimonie disparaîtra. D'ailleurs, miss Amalie n'en est pas bouleversée. Toute l'affaire l'amuse : le sens de l'humour est très fort chez elle. C'est une femme très intelligente, d'esprit judicieux et d'un goût surprenant.

— Et vous croyez que cela compense tout le reste ?

Après un moment de réflexion, comme s'il venait de faire une découverte, M. Lindsey répondit :

— Effectivement, c'est une compensation. Je me demandais pourquoi je n'étais pas plus hostile, plus désapprobateur. Maintenant, je sais. Miss Amalie n'est pas une jeune femme comme j'en ai connu dans ma jeunesse, ni même maintenant. Il y a en elle de la force, du courage, de l'intrépidité, aussi bien que de l'honnêteté. Elle ne minaude pas ; elle n'a jamais de vapeurs, elle a une clarté, une rectitude d'esprit qui est comme un vent en rase campagne. Je ne lui ai jamais entendu prononcer un mot de méchanceté voulue, de cruauté gratuite ni de mesquinerie. — Après un silence, il ajouta d'une voix presque basse :

— Si j'étais jeune, je la trouverais irrésistible. Quelle femme !

Il leva les yeux, fit mine de parler, puis garda le silence. Car le visage de Jérôme avait pris une expression étrange, qui suggérait la souffrance, l'inquiétude et le désarroi.

Le jeune homme se leva et s'appuya à la cheminée, à demi tourné vers son père. D'une voix bizarre, il dit :

— J'espère que vous seriez d'accord si je faisais tout mon possible pour empêcher ce mariage ?

— Que peux-tu faire ? Rien. Il y a des choses qu'il faut accepter.

— Si vous interdisiez le mariage, Alfred vous obéirait. Vous avez les moyens de le contraindre à l'obéissance.

M. Lindsey restait silencieux. Il se caressait les mains lentement en se disant : la peur et le danger sont dans cette pièce. Qu'y a-t-il ? Qu'est-il arrivé ? Je sens la violence aussi. Vient-elle de Jérôme ? Que lui importe qui Alfred épouse ? En quoi cela le touche-t-il ? Est-ce une question d'argent ? Peut-être est-ce l'argent. Il dit :

— Je n'exigerai pas l'obéissance. Alfred n'est plus un jeune homme. Il s'agit de sa vie à lui. Je lui reconnais le droit de choisir. Jérôme, veux-tu me faire le plaisir de t'asseoir.

Jérôme se laissa tomber dans son fauteuil et regarda le feu. Sentant le regard de son père sur lui, il se cacha instinctivement le visage de la main.

— J'espère que tu resteras quelque temps avec nous après le mariage. Il y a longtemps que tu n'étais venu à la maison, mon enfant.

Jérôme ne fit pas un mouvement. Abrité derrière sa main, il dit :

— Est-ce que cela vous ferait plaisir si je restais... pour toujours ?

M. Lindsey se redressa sur son siège :

— Si cela me ferait plaisir ? Parles-tu sérieusement, Jérôme ? Jérôme découvrit son visage, qui apparut tout à fait calme.

— Oui, je parle sérieusement. Je suis un peu las de cette vie d'oiseau sur la branche.

M. Lindsey sourit d'un sourire satisfait et rayonnant. Il toucha de la main le bras de Jérôme qui resta insensible à ce geste. Au contraire, il fixa sur son père un regard dur.

— C'est ce que j'ai toujours souhaité, dit celui-ci, mais ces dernières années, depuis la guerre, j'avais abandonné tout espoir.

— J'ai envisagé de vous demander une place dans la Banque, dit Jérôme d'un ton neutre.

M. Lindsey écarquilla les yeux.

— Jérôme, qu'y a-t-il là derrière ?

— Je croyais m'être exprimé clairement. Je suis las de cette existence sans attache. Il me semble que je pourrais m'intéresser à la Banque si j'essayais. Allez-vous m'en donner l'occasion ?

— Cette décision n'est-elle pas bizarre et soudaine ?

— Pour vous, peut-être, mais en venant ici, j'ai réfléchi. Peut-être avais-je réfléchi pendant toute l'année passée, sans bien m'en rendre compte. Depuis que je suis arrivé, j'éprouve un certain contentement. J'avais probablement la nostalgie de la maison sans le savoir.

Le regard était candide. Mais il sembla à M. Lindsey que quelque chose de ténébreux passait sous cette limpidité.

— Tu n'es pas franc avec moi, Jérôme !

— Sacrebleu, monsieur, je suis franc. Est-ce si étrange que l'enfant prodigue désire rentrer dans la maison de son père ?

— Mais tu n'as pas à proprement parler mangé des glands et partagé la litière des pourceaux, pour continuer la parabole.

Le sourire de Jérôme s'épanouit.

— Qu'en savez-vous, père ? Seigneur, je crois que je me mets à faire de la littérature en vieillissant.

Mais M. Lindsey ne répondit pas à ce sourire.

— Tes décisions sont toujours prises à la légère et le métier de banquier n'est pas quelque chose que l'on prend et que l'on laisse à la légère. Il demande de la discipline, du travail, un jugement net, de l'assiduité et beaucoup de réflexion fastidieuse. Tu ne m'en voudras pas si je dis que jusqu'ici tu n'as fait preuve d'aucune de ces qualités, qui, si ennuyeuses qu'elles puissent être parfois, sont nécessaires pour réussir.

— Pourquoi ne pas me mettre à l'épreuve ?

— Que sais-tu du métier ?

— Pour être franc, rien. Mais je peux apprendre, sous l'excellente tutelle d'Alfred. Après tout, je ne suis pas un imbécile et je me flatte d'avoir l'esprit prompt.

— Trop prompt, Jérôme ! — Le ton de M. Lindsey était rêveur.

— Vous ne me l'aviez encore jamais reproché.

M. Lindsey tressaillit douloureusement et dit.

— Je ne t'ai jamais rien reproché. Peut-être ai-je eu tort. Jérôme, rappelle-toi ce que tu as fait de l'argent de ta grand-mère. Je n'ai rien à redire au plaisir, à la joie, aux voyages, aux divertissements ; j'en ai eu trop peu dans ma jeunesse ; j'ai voulu que tu voies le monde et que tu en profites. Je ne croyais pas que tu gaspillerais toute ta fortune dans la poursuite des plus vains plaisirs sensuels. Je croyais que tu avais un certain sens de la mesure. Mais peut-être est-ce que je me trompe. Peut-être dans ta vieillesse auras-tu des souvenirs plus joyeux que ceux de livres de comptes bien en ordre. Peut-être as-tu choisi la meilleure part.

« Au diable votre sens de la mesure, votre tolérance », pensa Jérôme rembruni.

— J'en arrive à douter que ce soit la meilleure part. dit-il.

— Mais tu en as tiré du plaisir ?

— Ce serait de la pose que de le nier. Et pire encore si je

disais que ces plaisirs étaient « vains ». Ils ne l'étaient pas. Ils m'ont procuré des jouissances considérables. Cependant, même le champagne, le caviar et la danse peuvent devenir fastidieux. J'aimerais essayer d'être un citoyen rassis, pour changer !

— Tu te cabrerais bientôt !

— Je n'en suis pas sûr, père ! Du moins, laissez-moi essayer.

— Ta seule incursion dans le domaine de la Banque fut quand tu me conseillas, judicieusement, de faire amener le chemin de fer à Riversend. Je dois reconnaître que je fus surpris, enchanté de ta perspicacité.

— Eh bien, mettez encore ma perspicacité à l'épreuve.

— Je ne doute pas de tes qualités. C'est quelque chose d'autre qui m'inquiète.

— Quoi donc, père ?

M. Lindsey, les yeux clos, répondit comme dans un profond sommeil.

— Je ne sais pas ce que c'est. Je ne sais pas ce qui se cache derrière ta décision. Je ne crois pas que ce soit seulement la nostalgie de la maison ou la lassitude causée par une vie de frivolité, bien que cela soit peut-être pour quelque chose dans ta décision.

Il ouvrit tout grands ses yeux bleus qui brillaient.

— Qu'est-ce donc, Jérôme ?

Son père ne l'avait regardé ainsi qu'en de rares occasions et cela l'avait toujours intimidé. Ce regard lui serrait le cœur, le contraignait à battre en retraite honteusement, le pénétrait dans tous les recoins de son être. Mais il se sentait incapable de répondre tout en sachant que c'était nécessaire.

— Alors, en toute honnêteté, laisse-moi te dire, Jérôme, que la position d'Alfred est imprenable. J'ai pris mes précautions et rien ne peut me faire changer d'avis. Tu ne peux rien contre Alfred.

D'une voix voilée, Jérôme finit par répondre :

— Je ne crois pas lui vouloir du mal. Pourquoi lui en voudrais-je ? Il peut bien prendre ce que, dans votre charité, vous lui avez accordé.

— Bien. Je te crois, Jérôme. Alors qu'y a-t-il ?

Jérôme s'agrippa au bord de la cheminée. Ses mains froides tremblaient.

— Je ne sais pas. — Les mots avaient l'air de s'échapper malgré lui. — Je ne sais pas. Je sais seulement que je veux rester, que je veux me faire une place à la Banque.

— Tu ne voudrais pas rester ici sans cela ?

— Non, il me faut une occupation.

M. Lindsey ferma les yeux.

— En dépit de ma raison et de l'affection que j'ai pour toi, mon instinct me pousse à te demander de partir.

Jérôme ne répondit pas. Il se sentait les genoux faibles et il avait des élancements à sa vieille blessure, comme si elle saignait encore. Sa voix sonna rauque quand il répondit :

— Si vous tenez à ce que je parte, je partirai. Mais je ne reviendrai jamais, jamais. J'en fais le serment.

— Et pourquoi ? T'ai-je offensé, Jérôme ?

— Je ne saurais dire pourquoi, mais je sais que je ne reviendrai plus. Je ne pourrais pas le supporter.

Il y eut un long silence.

— Ne me renvoyez pas, murmura Jérôme.

— Donne-moi ma canne, Jérôme. Merci. Ton bras maintenant. Ah ! je ne suis plus jeune !

M. Lindsey s'était levé et les deux hommes étaient face à face devant l'âtre.

— Reste. Il y aura place pour toi dans la Banque.

Jérôme se força à sourire.

— Je vous remercie. Vous ne le regretterez pas.

— Le regretter ? dit M. Lindsey d'un air songeur. — Il porta sa main fragile à son front. — J'ai peut-être la fièvre ou bien je me fais des idées, mais quelque chose me dit que je ferai plus que le regretter... Non, inutile de m'accompagner. Bonsoir, Jérôme.

Le feu mourait. Jérôme était seul. Il regarda le fauteuil vide de son père.

— Bon Dieu, ça a été dur, dit-il à voix haute.

CHAPITRE VIII

IL était très tard, mais Jérôme n'arrivait pas à se mettre au lit. Le profond silence qui avait succédé à la tourmente ne faisait qu'accroître son agitation, sans qu'il éprouvât cependant le besoin de remuer. Il était debout près de la fenêtre et regardait au dehors sans voir, appliqué à fixer son esprit sur sa souffrance intérieure qu'il craignait d'analyser et de comprendre.

Il tourna lentement la tête pour apercevoir les points d'or des lumières dans la vallée, petites étoiles mouvantes qui, une à une, disparurent tandis qu'il regardait. Bientôt, il n'y eut que la nuit. Il entendait les charbons glisser dans l'âtre, la grosse horloge filer son rouet mystérieux et la vieille maison craquer et se tasser à bruits menus.

Lentement, Jérôme, absorbé en lui-même, finit par s'ouvrir à la scène qui s'étendait sous les fenêtres. Symphonie brillante en blanc et noir sous une lune éclatante lancée comme un disque d'argent à travers le ciel noir. Le noble parc descendait en une coulée jusqu'au bois de sapin. Un grand orme se dressait à mi-chemin, découpant sa dentelle d'ombre sur la neige douce. Des épicéas éparpillés, pyramides d'albâtre brillant, inscrivaient à l'encre noire leur image inverse sur la blancheur miroitante et nacrée des courbes et des étendues vierges.

Malgré son plaisir fasciné, Jérôme, désorienté, en concevait une espèce de terreur. Il croyait assister au commencement d'un monde dans sa sauvagerie originelle, sans percevoir aucun bruit. Il se croyait transporté en quelque monde lunaire dont la beauté terrible, froide comme la mort, s'offrait pour la première fois à l'œil humain.

Il changea de place. Il vit une grande ombre mince glisser sur la neige sous sa fenêtre. Incrédule, il pressa son visage contre la vitre froide. L'ombre grandit, se précisa. Quelqu'un marchait là sans bruit. Ce qui projetait l'ombre apparut. C'était Amalie Maxwell.

60

En jaquette de fourrure, ses mains dans son manchon, tête nue, elle entra dans la symphonie brillante en blanc et noir. Jérôme voyait nettement l'ombre épaisse de sa chevelure qui tombait sur ses épaules. Les yeux étaient deux cavernes d'ombre dans le pur visage éclairé par la lune. Elle était de profil et levait son regard. Et maintenant, elle aussi était immobile comme le monde alentour.

Spontanément, Jérôme se précipita vers l'armoire, en tira sa pelisse qu'il jeta sur ses épaules. Il ouvrit la porte rapidement, mais sans bruit, et s'enfonça dans l'obscurité de l'escalier. Le verrou avait été tiré et il put ouvrir sans le moindre grincement.

L'air pur, stérile et tonifiant de cette nuit de neige l'enveloppa. Il sentit le bondissement de son cœur. Dans sa hâte, il avait fait un faux pas de sa jambe malade où il ressentait des élancements. Même ce malaise était un stimulant. Il se sentait dans une espèce de délire, au cœur d'un monde fantastique, irréel.

La neige craquait sous ses pas prudents. Il voyait les traces des pas d'Amalie, petites, fermes, espacées. Elles indiquaient de grandes foulées et non de petits pas. Derrière elle, sa jupe avait laissé une légère traînée. Elle ne la relevait donc pas, ce qui fit sourire Jérôme.

Il avait marché en rasant la maison, mais il savait qu'en dépit de ses précautions, Amalie, face à lui, ne pouvait manquer de le voir de l'ombre des sapins. Elle ne bougeait pas. La lune tombait en plein sur lui, il se sentait singulièrement exposé et cela l'excitait. Amalie savait-elle qu'il la savait là-bas ? Ou pensait-elle qu'il avait simplement eu envie de sortir comme elle ? Il pouvait presque l'entendre penser. Elle devait sourire complaisamment en le voyant à la merci du clair de lune comme un papillon sur une épingle, alors qu'elle-même se croyait à l'abri des regards. Puis il eut conscience qu'elle ne souriait pas du tout, mais qu'elle le regardait avec la même vigilance qu'un animal pris au dépourvu. Elle ne bougerait pas jusqu'à ce qu'il s'en allât.

Il se décida enfin à suivre les traces sur la pente. Il marchait sans se presser, mettant ses pas dans ceux d'Amalie : c'étaient effectivement de grandes enjambées. Les élancements de sa blessure se faisaient plus vifs et il les ressentait jusque dans la poitrine.

Il s'arrêta soudain. Il s'était peut-être trompé. Peut-être était-elle allée retrouver quelqu'un et n'avait-elle pas le moindre soupçon de la présence de Jérôme ? Un rendez-vous de minuit ? Pour la première fois, il eut conscience du froid intense.

Enfin, avec moins de prudence et plus de rapidité, il continua son chemin. Il s'arrêta : il venait de voir le visage pâle d'Amalie

61

dans l'ombre des arbres, comme un écu d'argent sur fond de sable, qui le regardait fixement. Amalie était seule.

Avançant de quelques pas encore, Jérôme dit : « C'est vous ? » à voix si basse que les paroles n'éveillèrent aucun écho.

La réponse se fit attendre. Allait-elle garder un silence obstiné ? Quel enfantillage ! Puis, d'un ton froid, elle murmura :

— Oui, je suis ici.

Il s'approcha d'elle. Lui aussi, maintenant, était à l'abri des arbres. Si quelqu'un regardait de la maison, il ne verrait rien. Jérôme était si près d'Amalie qu'il aurait pu la toucher.

— Que diable faites-vous ici ?

— Pourquoi m'avez-vous suivie ?

— Mais je ne vous ai pas suivie...

Ce ton, qui voulait être dégagé, feignait la surprise. Mais, d'un air méprisant, elle lui coupa la parole :

— Si. Comment auriez-vous su que j'étais ici, si vous ne m'aviez pas vue de votre fenêtre ?

— J'ai peut-être éprouvé le besoin de me promener, moi aussi. Vos pas se voient sur la neige.

— C'est possible, répliqua-t-elle avec un petit rire de dédain.

Il vit luire le clair visage et sut que des yeux moqueurs lui donnaient congé. La colère obnubilait sa raison, son savoir-faire. Mais il ne pouvait se résoudre à la quitter. Il ne pouvait que garder le silence, en se forçant à soutenir son regard avec un semblant de calme. Avec une simplicité remarquable pour son esprit retors, il dit :

— Je l'avoue, je vous ai vue et je vous ai suivie.

— Pourquoi ?

— Peut-être parce que je voulais vous parler. — Il se sentait le visage en feu. — C'est bizarre, n'est-ce pas ?

Elle fit un mouvement, se détourna de lui et marcha vers la lisière opposée du bois. Jérôme la regarda partir. Sa colère devenait de la rage. Il n'avait plus qu'à retourner à la maison. Pourtant, il se mit à la suivre. Il entendait le murmure des branches qu'elle déplaçait, en faisant tomber de petites plaques de neige, comme des morceaux d'argent dans l'ombre tortueuse. Ils furent bientôt à l'orée du bois au-dessous duquel la pente se faisait plus abrupte pour rejoindre la vallée.

Les grandes branches avaient poudré de neige scintillante les épaules et la tête nue d'Amalie. Elle se tenait très droite, près de Jérôme, tournant vers lui son profil calme, baigné de lune.

— Eh bien ! qu'avez-vous à me dire ?

— Je suis navré de troubler votre promenade, fit-il avec une politesse ironique. C'est évidemment une nuit magnifique. Nous sommes seuls. Le moment est tout indiqué pour parler à cœur ouvert.

— Je vous écoute, cher monsieur. Le fait que j'ai les pieds et les genoux de glace ne vous troublera pas le moins du monde, je le sais.

— Je ne savais pas que les femmes avaient des genoux. C'est un sujet qu'une femme du monde n'aborde pas avec un honnête homme.

Elle eut un large sourire.

— Mais je ne suis pas une femme du monde et vous n'êtes pas un honnête homme, monsieur Lindsey... Et j'ai de vrais genoux qui, pour l'heure, me font l'effet de deux morceaux de glace ; aussi vous prierai-je d'être bref et précis.

— D'accord, dit-il d'un ton sérieux. Puisque nous ne sommes pas entre gens du monde, puis-je vous poser franchement une question ?

— Je vous en prie.

— Pourquoi épousez-vous mon cousin ?

Elle le regarda tranquillement en silence, puis dit :

— Je pourrais éluder la question, vous dire que vous êtes un goujat, par exemple. Je pourrais vous planter là. Vous verriez ainsi que je sais parfois me tenir et vous auriez peut-être meilleure opinion de moi. Mais je ne me soucie pas du tout de ce que vous pouvez penser de moi. Aussi répondrai-je à votre question : j'épouse votre cousin pour ce qu'il peut m'offrir.

Il leva la main en signe de protestation effarouchée :

— Quel langage cru. J'aurais certes pensé que sous la tutelle de ma sœur, vous auriez acquis un certain vernis.

Elle se mit à rire. C'était un rire clair et sincèrement amusé.

— Votre conduite est parfaitement ridicule. monsieur. Vous vous croyez charmant, irrésistible, n'est-ce pas ? Moi, je vous trouve absurde. J'ignore la raison pour laquelle vous m'avez suivie, mais ce n'était certainement pas pour me faire subir un interrogatoire au sujet de mon mariage. Ma curiosité n'est pas satisfaite et j'attends des explications.

Jérôme sentit la main qui lui démangeait. Quel plaisir ce serait de souffleter cette figure ironique. A cette pensée, son cœur bondit et son sang battit la charge. Il se rapprocha. Le sourire d'Amalie s'évanouit et fit place à une expression de vigilance en alerte.

D'une voix trouble, il lâcha :

— Combien voulez-vous pour partir et ne plus revenir ?

Jérôme vit les yeux de violette s'agrandir et l'ombre des cils s'allonger sur la joue blanche. La bouche sombre et pleine était impassible.

Elle dit sans éclat :

— Vous n'êtes pas assez riche pour m'acheter, monsieur.

La splendeur du clair de lune se mit à vibrer en grandes orbes. Il eut un bourdonnement dans les oreilles. « Le vent se lève », pensa-t-il confusément. Le visage d'Amalie s'estompait.

— Je pourrais le devenir, murmura-t-il.

Il savait qu'elle le dévisageait. Elle fit un pas en arrière. Il la suivit. Le paysage se brouillait, s'obscurcissait. Elle continua de battre en retraite, puis elle s'arrêta brusquement, la route barrée par un sapin. Jérôme entendait sa respiration haletante. D'une voix qui tremblait, elle cria « Partez, laissez-moi ! » en levant son grand manchon comme un bouclier devant sa poitrine. Le dos au sapin, elle se ramassait sur elle-même. Jérôme savait qu'elle tremblait. Il étendit la main et lui saisit le bras. A travers la fourrure, il sentit le raidissement de la chair.

La lune, soudain, disparut. Une éclosion de nuages avait envahi le ciel. Les sapins, ébranlés, se courbèrent en gémissant. Tout d'un coup, la tempête jaillit de l'espace et visita la terre. La neige inerte commença de fumer, remplissant l'air de particules cinglantes. Mais il faisait encore très calme sous les sapins.

L'homme et la femme étaient immobiles. Leurs souffles se mêlaient en une pâle vapeur et montaient entre eux.

Il sentait battre le pouls sous la fourrure mince — une camelote. Il serra plus fort avec une espèce d'extase farouche, inexplicable. D'une secousse, il l'attira vers lui, plongeant les yeux dans les siens.

— Partez, Amalie, dit-il avec une douceur passionnée.

Elle tremblait violemment. Elle se voila le bas du visage avec son manchon. Il vit le geste et fit voler le manchon, puis plongea se main libre dans la chevelure épaisse. Il en sentit la chaleur et resserra sa poigne, tordant la masse dans un ravissement furieux, qui mit le visage contre le sien.

Elle ne se débattit pas. Il murmura son nom. Engourdie, elle semblait ne plus avoir de volonté. Même quand il pressa sa bouche contre la sienne, elle ne bougea pas. Ses lèvres étaient froides et lisses et refusèrent de s'animer sous les baisers multiples qui distillaient la jouissance. Il ne lui en voulut pas. Il l'attira contre lui et sentit la chaleur du grand corps élancé, et la poussée des seins sous la fourrure mince. Amalie avait fermé les yeux.

Alors un grand frisson la secoua et, avec une force étonnante, elle écarta l'homme. Surpris, il laissa glisser les cheveux et trébucha de plusieurs pas en arrière. Ramassant le manchon et rassemblant ses jupes, elle fit un brusque demi-tour et s'enfuit. La neige craquait, les branches bruissaient sur son passage.

Il la suivit, écartant les branches alourdies. Quand il atteignit l'autre côté du bois, il vit la silhouette fuyante qui approchait de la maison. Rasant le mur, elle disparut à l'angle. Maintenant, Jérôme était seul dans la tempête qui se levait.

Son cœur battait à grands coups. Il s'appuya des deux mains
sur un tronc rugueux pour reprendre ses forces. Sa jambe blessée le torturait.

Epuisé, très lentement, il gagna la maison. La neige nouvelle
couvrait les pas d'Amalie. « Demain, pensa-t-il, toutes les traces
auront disparu. »

CHAPITRE IX

IL s'éveilla au bruit de rires légers et d'aboiements aigus sous ses fenêtres. Le soleil, passant par l'entrebâillement des rideaux, mettait de longs doigts de lumière sur le tapis. Durant son sommeil, quelqu'un avait rallumé le feu qui pétillait agréablement dans l'âtre.

La porte s'ouvrit et Jim entra, portant un plateau d'argent. Il avait l'air ravi.

— V'là du café et des petits pains beurrés, tout chauds, et puis des œufs au lard, qu'y en a pas de pareils en ville.

Déposant le plateau, il alla tout de suite tirer les rideaux. Les vitres étaient blanches de givre. En bas, Charlie aboyait comme un fou et les rires résonnaient plus fort. Jim sourit d'un air attendri :

— Charlie est en train de s'en payer, dans la neige, avec M. Philippe et miss Amalie.

Bavardant aimablement, Jim habilla Jérôme, morose. Il le rasa avec soin. Il lui frotta les cheveux avec un tonique et les brossa vigoureusement.

— Pas de nouveaux cheveux blancs, monsieur, c'est de la chance. La cravate noire ou bien une des cravates françaises ? Quelque chose de discret pour le matin. Que diriez-vous de celle-là ? — Et il offrit à l'approbation de Jérôme un riche modèle de Paisley. — Ça ira bien avec l'habit brun. Juste ce qu'il faut pour le matin.

Jérôme examina avec attention les vêtements étalés, puis il haussa les épaules.

— Tu as meilleur goût que moi, Jim. On ne s'habille pas beaucoup à la campagne, du reste.

— J'ai entendu parler de la fête de Noël, monsieur. Des chants et des machins comme ça. Tout à fait la province. — Jim soupira. — Ça me rappelle le pays. C'est pas du toc, ça. New York, à côté, c'est de la pacotille. On s'agite, on se bouscule, mais on s'attache pas... Je dois aller dans les bois avec les cochers et les valets d'écurie pour chercher un arbre et rapporter du gui...

Jérôme éclata de rire.

— Va jouer au paysan et grimpe dans les arbres comme le singe que tu es. Ça te fera du bien.

Jérôme passa sa chaîne de montre à son gilet de soie brune et se regarda dans la glace. Il frotta ses joues creuses avec la paume des mains et Jim parfuma d'eau de Cologne un mouchoir qu'il disposa avec coquetterie dans la poche de son veston.

— Tout fringant, commenta Jim. Frais comme la rosée. Monsieur va faire une promenade ?

— Tout à l'heure. Je dois voir mon père avant.

Il jeta un dernier coup d'œil au miroir, puis vit la figure ratatinée de Jim recroquevillée par l'inquiétude.

— Qu'as-tu, Jim ? Qu'est-ce qui ne va pas ? Allons, tu ne m'as jamais rien caché. Qu'est-ce qui te tracasse ?

— Mais rien du tout, monsieur. Je m'excuse.

Et comme Jérôme fronçait le sourcil, il ajouta d'une manière incohérente :

— C'est une idée que j'ai. J'crois qu'y sortira rien de bon, si on reste ici, si on reste longtemps, c'est-à-dire...

— Balivernes ! M'as-tu assez tanné pour que je m'installe et que je fasse quelque chose ? Ici, je me mettrai à la peinture, mais sérieusement. Après les journées à la Banque et pendant les week-ends. Je deviendrai un gentilhomme campagnard et tu ne me reconnaîtras plus.

Jim acquiesça avec un soupir.

Tout en sifflant en sourdine, Jérôme parcourut le couloir bien chauffé qui menait à la chambre de son père.

Il trouva M. Lindsey en robe de chambre rouge, châle gris et bonnet de nuit de laine, installé devant le feu, en train d'inspecter avec lenteur le plateau du déjeuner. Il paraissait très pâle et très las dans la grande lumière de midi qui pâlissait aussi l'éclat du feu. La chambre était un peu à l'image de l'occupant : austère, de couleur sobre, avec seulement quelques tapis d'Orient sur le parquet. Les murs étaient tapissés des livres favoris de M. Lindsey, comme si la bibliothèque, en bas, ne suffisait pas. Le lit à baldaquin était méticuleusement fait.

— Ah ! ah ! voilà ce que j'appelle faire la grasse matinée ! On commence tout juste le petit déjeuner.

— Ça pourrait être le déjeuner tout court, dit M. Lindsey en soulevant l'un des couvercles. — Il regarda son fils et son visage ridé et parcheminé s'éclaira d'un sourire. — Bonjour, mon petit.

Jérôme posa la main sur l'épaule de son père, qui la toucha de ses doigts froids. Jérôme s'assit. En dépit de son affectueuse gaîté, il sentait une contrainte nouvelle avec son père. Si M. Lindsey la sentait aussi, il n'en trahissait rien et considérait son fils avec sa tendresse coutumière.

— Eh bien ! si c'est le déjeuner, c'est moi qui suis en retard. Mangez, père, je vous en prie. Ça sent joliment bon.

— Oh ! ça peut attendre. En tout cas, je n'aime pas le poisson. Mais Dorothée affirme que c'est bon pour le cerveau. Elle doit trouver que je vieillis.

Ils rirent un instant, oubliant toute contrainte, et se regardèrent avec la tendresse d'autrefois, faite de compréhension mutuelle, d'intimité parfaite.

Toujours souriant, M. Lindsey annonça :

— Ce matin, j'ai parlé à Alfred. Je lui ai fait part de... ta décision. Ça l'a beaucoup intéressé. Il t'a attendu pour en discuter avec toi. Il t'a attendu jusqu'à neuf heures.

— Est-ce qu'il croyait vraiment que je serais levé à cette heure-là ?

M. Lindsey se frotta la lèvre avec l'index, puis dit :

— Les banques n'ont pas changé leur coutume d'ouvrir à huit heures et demie, il me semble. Ou bien croyais-tu qu'on faisait un petit tour vers midi ?

Jérôme fit une grimace exagérée :

— Alors, il faudra que Jim me réveille aux aurores, tous les matins ?

— Loin de là, mais il faudra tenir compte des heures d'ouverture.

Jérôme affecta un air lugubre devant une perspective si peu engageante.

— Mais je te répète, mon cher enfant, qu'Alfred a été très intéressé et heureux.

— Comme de juste. Il aura été très heureux, surtout quand vous avez montré que vous teniez à cette idée.

— Tu es injuste envers Alfred. Est-ce que tu insinuerais qu'il est hypocrite ?

— Non, il n'a pas assez d'imagination pour cela. Ne vous fâchez pas. Je vous accorde qu'il a décidé, après mûre et prudente réflexion, que son loyalisme équitable exigeait qu'il fût heureux de ma décision. Alors... il a été heureux. Il fabrique ses réactions d'après les motifs les plus élevés.

M. Lindsey se frotta de nouveau la lèvre.

— Je passe à un autre sujet. Ne trouves-tu pas que ce soit un peu prétentieux de ta part de garder un valet de chambre à la campagne ?

— Non, je ne trouve pas. D'ailleurs, Jim peut faire autre chose. C'est un cuisinier excellent. Il connaît la cuisine française.

Il a été jockey. Il sait raccommoder aussi. Il est plein de vertus et de commodités. Vous-même le trouverez bientôt indispensable. Il sert à table d'une manière impeccable. En fait, vous pourriez renvoyer la moitié du personnel sans inconvénient. Non que je recommande cette mesure. Jim se sent l'âme paysanne et passera le plus clair de son temps aux écuries à bricoler avec les chevaux. C'est également un bon fusil et j'espère me remettre à chasser.

— Remarquable. Et où est-ce que ce digne homme a appris tout cela ?

— Quelques-uns de ces talents ont été acquis en prison.

— En prison ! s'exclama M. Lindsey.

— Oui, j'allais l'oublier : il a un talent de pickpocket. N'ayez pas l'air si effaré. Il a changé. Comme moi. Et il ne fait plus les poches, maintenant. Il utilise ce talent pour ses dons de prestidigitateur. Il saura distraire les autres domestiques et se faire apprécier.

— C'est à considérer. Il nous faudra prévoir un clapier bien pourvu, alors.

Le ton était ironique, mais sans l'ombre de reproche. M. Lindsey se sentait en forme. Jérôme lui produisait cet effet. Il avait l'œil plus vif qu'il ne l'avait eu depuis des mois.

— Avec ton travail assidu à la Banque, avec la chasse, tu seras très occupé, mon garçon. Est-ce que tu vas abandonner ta peinture ?

— Non, j'espère avoir le temps de tout faire. Vous n'avez pas idée comme je peux être actif, quand je veux. Je n'ai qu'un défaut : je ne peux souffrir une vie ennuyeuse. Est-ce que le métier de banquier est passionnant ?

— Je crois que tu le rendras tel... et c'est ce qui inquiète Alfred. Il considère la Banque comme quelque chose de sacrosaint et toute légèreté à cet égard est un blasphème. Mais, sérieusement, il ne faut pas t'attendre à trouver un cirque dans l'enceinte de cette auguste institution. Il y a beaucoup d'aridité, beaucoup de détails ennuyeux. Et tu n'es pas de ceux qui aiment les détails et l'exactitude. Je crains que tu ne t'ennuies par moments.

Ils se regardèrent un instant en silence. Sans cesser de sourire, Jérôme contracta ses prunelles et dit :

— Ma décision n'a pas varié.

M. Lindsey eut un soupir.

— Je le vois. J'espère seulement que tu ne regretteras rien. J'ai toujours eu peur de ton goût d'accumuler les expériences pour ton jardin d'aventures, de les collectionner pour une délectation future. C'est une habitude chez toi, n'est-ce pas ?

— J'aime me sentir vivre.

M. Lindsey se souleva dans son fauteuil. Il ne souriait plus.

— Et tu as inscrit beaucoup de sottises sous cette aimable rubrique. Pardonne-moi si j'ai l'air d'insister ou de me plaindre. Je veux seulement t'avertir. Tu t'es cru exceptionnel en prenant cette devise : « Aimer la vie ». Comme si le reste du monde la détestait et remplaçait cruellement la joie par le devoir, par pure perversité. Non, mon enfant, il y a beaucoup d'hommes heureux qui connaissent le devoir et le remplissent avec plaisir et qui continuent à aimer la vie. *L'insensé qui parle sans cesse de l'amour de la vie croit que, seul, le vice est aimable.*

— C'est tiré de l'*Essai sur le Sage et l'Insensé*, dit Jérôme. Je le connais, moi aussi. Le sage est heureux quand il mérite ses propres suffrages, l'insensé quand il a mérité ceux d'autrui...

D'une voix douce et détestable, il ajouta :

— Alfred adore vos louanges et, sans doute, en avez-vous été prodigue.

M. Lindsey regarda fixement son fils.

— Tu as toujours méprisé Alfred, mais tu n'avais pas été aussi agressif encore. Serais-tu jaloux ?

Jérôme haussa les épaules.

— Jaloux ? Je n'ai jamais été jaloux de personne, peut-être parce que je suis égocentrique. Mais j'avoue que j'ai toujours trouvé Alfred ennuyeux. Il m'assomme. Il n'a pas de conversation. Je pardonne tout à un homme qui a de la conversation. Vous le nierez peut-être, mais je sais qu'il vous assomme aussi. De quoi peut-il parler en dehors de la Banque ? Durant ces longues veillées d'hiver, de quoi pourrait-il vous entretenir ? De philosophie, de politique, d'art, de religion ? S'il a quelque idée sur l'un ou l'autre de ces sujets, ce doit être bien terne et plutôt mortel. Quelles charmantes soirées vous devez passer ensemble !

M. Lindsey réprima un léger sourire qu'il sentait méchant et injuste.

— Nous avons beaucoup de conversations intéressantes.

— Quel parfait gentilhomme vous faites ! Quelle mansuétude ! Et sur quels sujets pouvez-vous bien être du même avis... ou d'avis contraire ? L'intelligence discursive n'est pas le fait d'Alfred. Vous devez le reconnaître. Et maintenant, une petite citation d'un de mes favoris, Coleridge. Il parle de ceux qui sont affligés d'une « cécité intérieure » : j'applique sans réserve l'expression à Alfred. Comment un homme intelligent et raisonnable pourrait-il parler pendant cinq minutes avec lui sans se rendre coupable de duplicité, sans violer ses convictions les plus intimes, surtout si c'est un homme bon ?

— Il se montrerait charitable, tolérant, tout en se rendant coupable de dissimulation. Les hommes comme toi transforment volontiers le monde en champ de bataille. Moi, je préfère la paix. Surtout dans ma maison.

— Est-ce un avertissement pour moi ?

M. Lindsey se mit à manger avec un plaisir inaccoutumé.

— Il faut reconnaître qu'on ne peut pas t'accuser d'être bouché.

Jérôme se leva et, les mains dans les poches de son pantalon, se mit à arpenter la pièce, les yeux baissés.

— Je crois avoir suffisamment affirmé mon désir de rentrer dans le droit chemin. Je rayonnerai en voyant Alfred. Je n'élèverai pas la voix pour troubler l'atmosphère paisible et vénérable de cette maison. Dussé-je en crever.

M. Lindsey se mit à rire.

— Vraiment ! Quelle heureuse perspective !

Jérôme suspendit sa promenade pour verser le thé à son père. Il n'oublia pas la crème et les trois morceaux de sucre. Les gestes révélaient une tendresse réelle.

— Merci, mon petit. Dorothée pense que ça me fait mal trois morceaux de sucre. Je me sens coupable.

— Les âmes vertueuses ont cet effet sur les civilisés.

— J'ai l'impression que notre conversation est sans bienveillance, voire perfide. Ma mère avait coutume de dire que toute conversation qui pouvait plonger un indiscret dans la confusion ou le ressentiment était indigne d'un honnête homme.

Les deux hommes éclatèrent de rire. M. Lindsey se sentait si heureux que, de lui-même, il suggéra que Jérôme se mît au travail seulement après les fêtes. Jérôme ne fit que de faibles objections. Ils se séparèrent d'excellente humeur.

Jérôme s'en fut faire visite à sa sœur qui était encore couchée. Les rideaux étaient à peine tirés et, dans la pénombre, Dorothée lisait la dernière brochure de *La Trompette de l'Evangile*, pieux organe d'une société missionnaire qu'elle tenait en haute estime. L'odeur de camphre, de lavande et de vinaigre était encore plus forte que la veille et les narines de Jérôme se contractèrent. Il ne se sentait plus d'aussi joyeuse humeur et s'informa gravement de la santé de sa sœur. Elle laissa la brochure et regarda son frère avec une impatience autoritaire que l'espoir rendait plus vive.

— Eh bien ? demanda-t-elle, négligeant la question de Jérôme. As-tu parlé à papa à propos... de cette femme ? Qu'as-tu fait, Jérôme ? Oh ! je t'en prie, laisse le feu tranquille, il fait assez chaud comme ça. Assieds-toi. Je bous d'impatience.

— Je suis désolé, ma chère. Il n'y a rien à faire. J'ai harangué papa pendant des heures... J'ai même offert à la dame en question... un... dédommagement si elle renonçait à ses projets obstinés et cupides. Il n'y a rien à faire. Il faut accepter l'inévitable.

La figure grise de Dorothée se pinça de désolation. Ses mains tremblaient en cherchant son mouchoir et ses lèvres aussi quand elle essaya de parler. Jérôme en était touché bien qu'il eût d'abord éprouvé un plaisir mesquin à voir sa déception. Il sentit de l'admiration pour elle quand, refoulant ses larmes, elle eut un mouvement de tête si volontaire que les ruchés de son bonnet en furent tout ébranlés.

— Mais tu n'as pas parlé à Alfred, dit-elle.

Et sa voix rauque était tout à fait assurée.

— Ma chère Dorothée, il ne faut pas demander l'impossible. Autant demander à un chien de renoncer à un rôti.

— Jérôme, tu es répugnant. Donne-moi mes sels.

Elle appliqua l'âcre flacon à ses narines et eut bientôt les yeux pleins de larmes qui se répandirent sur ses joues.

— Je n'ai guère qu'une ressource, reprit Jérôme, c'est de lui rendre la vie impossible, si bien qu'elle partira d'elle-même. Naturellement, Alfred ne m'en aimera pas davantage pour cela. Ou bien je pourrai la lui montrer telle qu'elle est. J'ai déjà fait pas mal de progrès dans cette direction. Mais il ne faut pas trop compter là-dessus. Un homme décidé à s'encanailler, pardon à épouser un certain genre de femme, a perdu la raison. La gueuse l'a en son pouvoir. Elle regardait mes efforts comme un gros chat satisfait. Non, il ne faut pas trop espérer.

— Il est ensorcelé ! s'écria Dorothée de sa voix enrouée. — Elle s'épongea les yeux. — Oh ! ces sels !

— Naturellement, il se peut qu'il y voie clair après son mariage.

— Mais ce serait trop tard.

Jérôme poursuivait son idée :

— Parfois, on s'aperçoit qu'un pot de confiture a tourné ; mais ce n'est qu'après qu'on l'a goûté et Alfred est décidé à goûter.

— Jérôme !

— Quant à papa, il la trouve à son goût. C'est heureux que papa ait des rhumatismes, ou nous pourrions nous trouver avec une belle-maman considérablement plus jeune que nous et également rapace.

Dorothée était stupéfaite.

— Jérôme, comment oses-tu tenir pareil langage ? N'as-tu pas honte ?

Jérôme haussa les épaules.

— Notre cher papa est encore un homme et l'a toujours été. Ou crois-tu par hasard que nous ayons été engendrés pendant que papa et maman se tenaient la main en échangeant des propos édifiants ? Non, ma chère Dotty, nous pouvons considérer que ç'aurait pu être pire. Nombreux sont ceux qui ont oublié leurs enfants en folâtrant derrière les rideaux de lit avec une putain.

Dorothée devint cramoisie :

— Tu n'es pas seulement odieux, tu es dégoûtant ! — Elle frissonna. — Comment peux-tu parler de papa en ces termes ? Mais tu n'as jamais eu ni respect ni décence.

Jérôme se leva, heureux de s'échapper.

— Soit. Je vais retirer ma méprisable personne de ta présence !

— Attends ! Tu avoues que tu ne peux trouver aucune solution, toi qui étais si sûr de toi hier soir ?

Elle était encore cramoisie et n'osait le regarder, mais son impatience lui faisait provisoirement oublier ses émotions.

— J'ai dit que la situation paraissait désespérée, mais je n'ai pas abandonné tout espoir. Je t'avertis simplement qu'il ne faut pas trop attendre. C'est raisonnable. Mais je pense à autre chose : nous avons une soirée pour Noël. Quand Alfred la verra parmi ses amis respectables et collet monté, cette fille lui semblera soudain impossible. De plus, ces amis, sans aucun doute, exprimeront à Alfred leur mécontentement, leur surprise, leur indignation... Et Alfred, qui est toujours si sensible à l'opinion d'autrui, peut en tenir compte.

Dorothée méditait sur ces propos :

— Oui, murmura-t-elle enfin, il y a peut-être de l'espoir de ce côté. J'y croirais volontiers.

Elle se laissa absorber par ses pensées. Elle voyait les jeunes filles élégantes de leur cercle, pourvues de mères irréprochables et de pères aux fortunes solides. Elle imaginait leur surprise hautaine en entendant le langage inconvenant d'Amalie.

— Quant à l'argent, nous avons de solides espérances. Je vais sauvegarder nos intérêts. J'entre dans la Banque.

— Intéressant, murmura Dorothée, sans faire attention.

Jérôme gagna la porte. Alors seulement, les paroles qu'il venait de prononcer portèrent.

— Quoi ! s'exclama Dorothée, sidérée. Qu'est-ce que tu viens de dire à propos de la Banque ? Ai-je bien entendu ? Tu entres dans la Banque ?

— C'est ce que j'ai dit.

Elle le regarda avec des yeux ronds, stupéfaite et incrédule. Quand elle put parler, elle bégaya :

— Je... je ne peux pas le croire. Toi, Jérôme, entrer dans la Banque...

— Je ne vois pas ce que ça a de tellement ahurissant, dit Jérôme, un peu piqué. C'est notre argent, n'est-ce pas ?

— Mais tu serais impossible à la Banque! Il ne faut même pas y songer.

— Merci pour le compliment fait avec tant de grâce et de tact.

— Tu ne pourras pas y entrer. Papa et Alfred ne le permettront pas.

La pensée même la scandalisait.

— Non seulement papa me le permet, mais c'est une affaire entendue et Alfred est content.

Elle le regardait toujours comme s'il se fût agi d'une créature terrifiante tombée d'une autre planète.

— Mais tu serais absolument... inadapté dans une banque. Notre Banque! Je ne te vois pas à la Banque.

— Mais tu m'y verras, affirma Jérôme, la main sur la poignée de la porte. Tu verras ma séduisante figure penchée sur les grands livres ; tu verras mes jambes s'enrouler gracieusement autour du tabouret. Ce sera un de ces spectacles qui vous réjouissent le cœur. Je serai placé à côté des coffres-forts.

Dorothée était abasourdie. Sa stupéfaction lui faisait oublier son chagrin.

— Si tu es en train de penser que je vais lever le pied avec la galette, tu peux te détromper, ma fille. Car, si séduisant que ça paraisse, Alfred, sans aucun doute, me ferait poursuivre et jeter en prison. Par esprit de justice et d'impartiale intégrité, bien entendu.

— Mais qu'est-ce que tu feras à la Banque ? dit-elle en se laissant retomber sur ses oreillers.

— Je te l'ai dit : je veille au grain. Je vais devenir un banquier si formidable que papa sera impressionné et revisera son testament. Je m'achète une conduite. Je grille d'envie de tripoter les livres. Je ne les quitterai pas des yeux. Je serai plus fort qu'Alfred. Tu verras.

— L'idée est plutôt comique. Je parlerai à papa.

— Merci pour cettte gentillesse. Je t'en prie, parles-en à papa. Il est emballé par mon idée. Et, s'il a quelques appréhensions, tes objections les dissiperont. Le diable m'emporte, je croyais que tu serais ravie.

— Ne jure pas, dit-elle, par habitude.

Allongée sur ses oreillers, elle ramenait ses pensées en déroute sur l'idée saugrenue de Jérôme banquier. Ses arguments l'avaient quand même impressionnée. Elle hocha la tête, l'esprit engourdi.

— Toi, à la Banque, murmura-t-elle d'une voix épuisée. Personne ne se sentirait tranquille...

Jérôme renversa la tête et rit à gorge déployée.

Dorothée fut prise de panique.

— Tu vas ruiner la Banque. Tu vas détruire notre prestige et la confiance des gens. Ils retireront leur argent. Tu fais tout cela pour écraser Alfred, pour le perdre. Perfide ! Lui porter pareil coup, le couvrir de honte et d'opprobre !

Il eut un large sourire.

— C'est bon, je retire mon offre et je retourne à New York. La gueuse aura tout et tu peux te préparer à accéder humblement au poste de première femme de chambre. Et quand papa mourra, toi et moi serons pratiquement sans le sou. Est-ce que cela te séduit davantage ?

Elle en fut tout ébranlée et resta interdite. Il la regardait ruminer ce qu'il venait de dire. Il attendait. Il vit la lutte entre sa rapacité naturelle et son amour pour Alfred, entre sa douleur et sa déception, et sa terreur de ce que son frère pourrait faire à la Banque. Jérôme manifesta sa satisfaction d'un signe de tête. Puis, certain de l'issue, il s'inclina ironiquement et quitta la pièce.

« Pour l'amusement des spectateurs, se dit-il, tout heureux, il n'y a rien qui vaille une femme méprisée, nantie d'une conscience. »

Mis en joie, il retourna dans sa chambre, prit son manteau qu'il jeta sur ses épaules. Les rires et les voix résonnaient toujours gaiement sous ses fenêtres.

CHAPITRE X

L'AIR était tout étincelant de soleil. Les patins du traîneau, qui avait conduit Alfred à la ville, avaient creusé des sillons sur la courbe brillante de l'avenue. Au-delà des jardins et des limites du domaine, les bois unissaient leurs masses sombres où la neige soulignait l'entrelacs des frondaisons. On entendait les chevaux hennir et les poules caqueter du côté des communs. Les vitres du jardin d'hiver flamboyaient. Tous les sons résonnaient comme une musique de cloches, que renvoyait la colline.

Jérôme, debout sous le porche, aspira l'air pur et piquant. Son enfance lui revenait en mémoire : il se demandait si sa luge et ses raquettes étaient encore pendues dans la grange et il eut soudain envie de descendre la pente douce derrière la maison jusqu'à la terrasse. Y avait-il encore le bassin du jardin qui était une si belle piste de patinage en glace bleutée ? Ses patins devaient être rouillés maintenant. Et le ruisseau, issu de quelque source proche de la maison, figé sans doute sur ses rochers moussus. Jérôme voulait tout revoir.

Il entendit de nouveaux éclats de rire et rencontra comme par hasard Amalie et Philippe qui jouaient avec le chien. Charlie ne se sentait plus de joie devant cette étrange chose blanche, si douce et molle et si froide. La tête la première, il plongeait dans les tas de neige, s'y roulait avec frénésie et réapparaissait le museau blanchi et tout ébahi. Alors, il se dégageait et, avec des aboiements éperdus, se précipitait sur ses nouveaux et séduisants amis. Il fut le premier à reconnaître Jérôme. Tricotant de ses petites pattes et jappant nerveusement, il se jeta sur son maître comme pour attirer son attention sur l'inexprimable merveille. Jérôme prit la petite bête qui tremblait de joie.

Philippe et Amalie se retournèrent en souriant

— Oncle Jérôme ! s'exclama Philippe d'une voix timide.

Quelle grotesque petite silhouette en grand manteau brun et chapeau haut de forme ! Mais la figure pâle avait pris des couleurs et les yeux, si pareils à ceux de Jérôme, étaient tout lumineux de joie.

L'éblouissant sourire d'Amalie se modifia subtilement. Il se durcit, se figea. En silence, elle regardait l'ennemi, avec une expression impénétrable. Ses cheveux étaient noués dans un foulard qui ne dégageait qu'une seule mèche sur le front blanc. Elle était plus belle que la veille, dans cette vive et pure lumière ; et de toute sa personne s'irradiaient une immense vitalité, une saine ardeur.

— Bonjour, dit Jérôme d'un ton affable en s'avançant, le chien dans les bras. Quelle splendide matinée ! Charlie est ivre de grand air.

— Il est si gentil, si affectueux, remarqua Philippe.

— Vraiment, il ne t'a pas mordu encore ? Il a mauvais caractère !

Jérôme sourit à l'enfant. Il ne pouvait vaincre sa répugnance pour le pauvre petit, mais la pitié facile qu'il portait au fils d'Alfred lui permettait d'être aimable sans trop de difficulté.

L'enfant se tourna vers Amalie :

— Quelle bonne matinée nous avons passée, n'est-ce pas, miss Amalie ?

— Oui, mais c'est fini, maintenant, dit-elle d'un ton mordant.

Philippe, avec sa sensibilité aiguë, sentit que quelque chose n'allait pas. Son regard passait de Jérôme à Amalie et, comme cette dernière rassemblait ses jupes, il demanda d'une voix suppliante :

— Vous rentrez déjà ?... Vous m'aviez promis d'aller jusqu'aux sapins pour jeter du grain aux oiseaux.

— Eh bien ! allons-y, décida Amalie en relevant ses jupes un peu plus haut.

— Vous venez avec nous, oncle Jérôme ?

— Ma foi oui, dit Jérôme avec un sourire épanoui.

Amalie se raidit, mais elle sourit à l'adresse de Philippe.

— J'avais oublié que j'avais quelques petites choses à faire, mon petit ; aussi, il faut m'excuser. Vous avez votre oncle, du reste. — Elle soupira. — Dites-moi que vous ne m'en voulez pas ?

— Oh ! non, répliqua-t-il, toujours attentif à ne pas faire de la peine. Je le regrette pour moi. Mais vous avez déjà passé des heures avec moi ; il ne faut pas que je sois égoïste.

Il se força à sourire. Elle se pencha et lui mit un baiser sur la joue. Lançant un regard à Jérôme, elle disparut à l'angle de la maison. Elle n'eut pas le temps de voir le salut qu'il lui adressait.

En compagnie de Philippe, il descendit la pente vers le bois. Philippe jetait son grain en silence. Charlie se débattait dans les bras de Jérôme qui finit par le lâcher. Il se remit à patauger avec un plaisir renouvelé, se demandant à quel nouveau jeu on allait jouer.

Ils entrèrent dans le bois. Philippe écarta la neige en un ou deux endroits et, tassant la couche qui restait, disposa le grain. Puis Jérôme et lui regardèrent la vallée qui s'incurvait à leurs pieds. Ils entendirent l'aboiement lointain, mais clair, d'un chien invisible. Charlie pointa les oreilles et éclata en aboiements furieux. Il avançait, reculait, en proie à la plus violente agitation, provoquant l'intrus, l'invitant à se montrer pour partager avec lui sa magnifique aventure. Jérôme suivait ses ébats en riant.

— Il est en délire, parce qu'il s'aperçoit qu'il n'est pas seul de son espèce au monde.

— Ne croyez-vous pas que nous sommes comme lui quand nous faisons cette découverte ?

— Quoi ?

Jérôme dirigea sur l'enfant un regard pénétrant. Quelle drôle de réflexion pour un gamin de quatorze ans !

— Qui t'a dit cela, Philippe ?

— Eh bien, nous parlons, miss Amalie et moi. — La petite figure, marquée par l'introspection et la souffrance patiemment endurée, se colora. Ses yeux s'éclairèrent au nom d'Amalie. — Nous parlons de belles choses. Elle m'aide pour ma musique des heures d'affilée.

— Vraiment ! Elle est excellente musicienne aussi ?

Philippe gratta la neige du bout de son pied.

— Elle ne peut pas lire les notes, à ce qu'elle dit. Mais elle joue merveilleusement et elle a beaucoup d'oreille. Ses critiques sont beaucoup plus justes que celles de M. Baxter, mon professeur. Il vient de Philadelphie passer une semaine à la maison, tous les deux mois. Grand-papa est très bon. Il adore la musique et il dit qu'il veut que je devienne un musicien pour qu'il puisse m'entendre avec plaisir.

— Alors, tu es content d'avoir miss Amalie comme nouvelle maman ?

Philippe tourna son regard lumineux vers Jérôme.

— Oh ! oui, je suis content ! Je suis si heureux ! Quelquefois, la nuit, je rêve qu'elle est partie pour toujours et, le lendemain, je suis malade. Si elle me quittait, je ne pourrais pas le supporter, ajouta-t-il avec une simplicité touchante.

La fine mouche ! Elle avait pris grand soin de se mettre dans les bonnes grâces du pauvre gosse pour en faire un allié. Jérôme fronça le sourcil, mais ne trouva rien à dire.

— Elle m'aide pour tout. Quand mon professeur est parti, elle a demandé à le remplacer. Longtemps avant de venir ici, elle montait tous les après-midi à pied, jusqu'à ce que papa prenne l'habitude d'envoyer la voiture. Elle est si bonne, oh ! si bonne... Je l'aime !

Philippe était écarlate, mais son regard était toujours aussi assuré. Il regardait Jérôme avec orgueil.

« Bonne ! » pensa Jérôme. L'infirme n'avait pas connu beaucoup de bonté apparemment. Alfred accordait à son fils une attention équitable et scrupuleuse. Dorothée considérait comme son « devoir » de s'occuper de Philippe. Son père, qui avait à maintes reprises déclaré qu'il n'aimait pas les enfants, devait se montrer nonchalamment aimable et bienveillant envers le petit, pourvu que celui-ci ne troublât pas trop souvent ses méditations. Mais, de la tendresse, ce serait trop leur demander aux uns comme aux autres. Ah ! la garce ne manquait pas d'astuce ! Mais, en ce qui concernait Jérôme et Dorothée, elle n'avait pas encore trouvé le défaut de la cuirasse.

Philippe soupira :

— Bientôt, il me faudra aller à l'école, en septembre probablement. Je ne voulais pas y aller. Ça m'était désagréable. Mais miss Amalie m'a persuadé qu'il fallait. Elle m'a promis que je passerais toutes les vacances ici et qu'elle viendrait souvent me voir. J'irai à l'école de M. Van Goort à Philadelphie, ce n'est pas tellement loin.

— Oh ! non, bien sûr ! Ce sera très agréable pour toi, Philippe !

Jérôme examina l'enfant avec attention et éprouva une certaine angoisse. Pauvre, pauvre gosse ! Le profil de Philippe était si sensible, si délicat, avec une telle expression de pureté, de patience et de douceur. Marqué par l'intelligence et la méditation assidue, il ne manquait pas de force pourtant. Et la courbe des ailes du nez, ainsi que la fermeté de la bouche, annonçaient la passion. Jérôme, soudain, se sentit attiré. Il se demanda pourquoi.

— Parle-moi encore de miss Amalie ! Vois-tu, je ne la connais presque pas et personne ne me dit rien.

Philippe contemplait la vallée. D'une voix sourde, il répondit :

— Elle était très pauvre, vous savez. Il a fallu qu'elle travaille dur. Elle est très courageuse. Elle rit beaucoup et quand je lui demandai pourquoi un jour, elle m'a dit qu'on avait le choix entre deux choses : rire ou mourir. Elle dit qu'elle préfère rire. Je crois qu'autrefois, j'étais très renfermé. C'est elle qui m'a appris à rire ! — Il poussa un grand soupir. — Miss Amalie, c'est ce qui m'est arrivé de plus beau ; quelquefois, j'ai peine à y croire. Nous jouons ensemble, nous faisons des promenades et elle me raconte des histoires sur les gens qu'elle a connus, ou sur son travail. Mais elle ne déteste personne, c'est bizarre ! Je crois qu'à sa place, j'aurais détesté beaucoup de gens.

Ah ! la rouée ! Il la voyait jouer sur les sentiments de cette âme naïve et cloîtrée, faire étalage de son courage et de sa générosité. Il ne l'avait pas estimée à sa juste valeur. Elle était formidable.

Philippe continuait :

— Miss Amalie est allée à Philadelphie. Elle a vu des opéras et des pièces de théâtre. Naturellement, elle allait au « poulailler », comme elle dit, mais ça n'avait pas d'importance. Elle m'a dit que ceux qui allaient à cet endroit-là étaient les seuls qui apprécient vraiment ce qu'on joue. Ils acceptent d'être mal assis et d'avoir froid pourvu qu'ils assistent à la représentation.

— Quelle femme vraiment remarquable ! dit Jérôme en riant.

Mais Philippe n'écoutait pas. Sa bouche exprimait une passion intense et ses yeux flamboyaient.

— Elle me fait la lecture aussi. Puis nous avons inventé une histoire à nous et parfois elle m'en raconte un chapitre et le lendemain j'en invente un autre. C'est passionnant. Elle est venue me trouver hier soir dans ma chambre avec son nouveau chapitre. Il s'agissait d'un nouveau héros qui a fait son entrée dans le roman. Quelqu'un de très blasé, très mondain, qui se croit tout à fait charmant et spirituel et qui est tout le temps très comique. Nous avons beaucoup ri. Il est tellement prétentieux et il se croit très méchant.

Philippe s'était mis à rire et sa petite figure maigre s'éclairait de plaisir. Il était si absorbé par son récit qu'il ne voyait pas le visage enlaidi de Jérôme. Celui-ci siffla le chien qui obéit à regret en grondant vers l'ennemi lointain. Jérôme le prit dans les bras.

— Ainsi, nous avons un bel esprit à la maison !

— Parler avec miss Amalie est plus drôle que d'aller au théâtre, affirma l'enfant avec ingénuité, tout animé par ses souvenirs.

Quand ils se furent éloignés de quelques pas. les moineaux eurent tôt fait de découvrir le grain. Ils accouraient, pleins de piailleries, et picoraient avec des frou-frous d'ailes. Philippe était ravi. Jérôme ne voyait pas les oiseaux. Ses tempes battaient de fureur mortifiée et haineuse.

— Je crains, dit-il d'un ton indulgent, que miss Amalie ne soit qu'un juge médiocre.

Philippe fut déconcerté par la remarque. Jérôme se mit à grimper la pente. Philippe suivit. Il était silencieux maintenant. Il y avait encore quelque chose qui n'allait pas.

En arrivant à la maison, le jeune garçon s'excusa d'avoir à faire la sieste. Mais Amalie insistait pour qu'il se repose et il s'en trouvait très bien. Jérôme lui donna congé volontiers. Il resta seul dans le vestibule rempli de chaud soleil. Soudain, il dressa l'oreille.

Les portes de la salle de musique étaient fermées, mais il s'en échappait une musique passionnée, d'une ardente douceur. Son oreille exercée saisit immédiatement tous les défauts, les erreurs de technique. Mais le jeu était puissant et ce qu'il perdait en perfection, il le rattrapait amplement par la vérité et l'originalité de l'expression.

Jérôme ouvrit les portes. La salle de musique était austère et froide en dépit de la flambée dans la cheminée de marbre noir. Quelques fauteuils d'acajou galbé, tendus de brocart bleu et rose, se miraient dans le plancher, et, contre le mur, des rangées de chaises dorées étaient prêtes pour les concerts que M. Lindsey pourrait offrir à ses amis. Il y avait une estrade où venaient jouer les artistes de Philadelphie ou de New York. La harpe de Dorothée, à pied de marbre et toute dorée, se dressait à gauche de Jérôme et, tout à l'opposé, il y avait le piano à queue drapé d'un châle de cachemire. La jeune femme au piano, moulée dans sa simple robe brune, était magnifique. La lumière de l'après-midi se posait sur la masse de boucles noires qui lui tombaient sur les épaules. Le buste droit, mais sans raideur, s'inclinait lentement d'un côté à l'autre selon la position des mains. Lèvres entrouvertes, regard lointain, le profil était d'une ferveur recueillie. Amalie était seule, heureuse, sous le charme des sons magiques qui roulaient en cascade sous ses doigts.

Jérôme prit un fauteuil et, apaisant Charlie d'un geste, s'installa, jambes croisées. Il fixa un regard intense sur Amalie, parfaitement inconsciente de sa présence comme de tout le reste.

Telle qu'en elle-même... Ainsi, cette « générosité » et ce « courage » étaient feints. Ici, le voile se levait sur le trouble d'un esprit tourmenté, tout véhément de colère, sur une force effrénée, dressée en un défi contre quiconque barrait la route à son implacable volonté. La musique gardait son pouvoir, mais les dissonances s'accusaient, les accords semblaient plus inexorables. C'était beau, certes, mais d'une beauté rude, sauvage même. Jérôme souriait en caressant distraitement l'oreille soyeuse du chien. Il saisit une phrase, l'entendit répéter et comprit que c'était le thème, d'une intensité primitive et insistante.

Puis le tumulte s'acheva soudain en un crescendo sonore et le silence qui suivit resta tout vibrant de la musique entendue.

Amalie resta au piano dans la même attitude, mais ses mains sur les touches n'éveillaient plus aucun murmure. Puis elle sursauta, car Jérôme venait d'applaudir.

Elle fit brusquement demi-tour et l'intrus vit sa surprise offensée et sa colère.

— Vraiment remarquable, extraordinaire même. Je vous félicite pour le choix de vos professeurs, mademoiselle.

Elle ne répondit rien et se contenta de le regarder. Puis, très posément, elle se leva et ferma le piano.

— Du Beethoven sans doute ? Ou du Wagner ?

D'une voix unie, elle dit :

— Pourquoi ne pouvez-vous me laisser tranquille ?

— C'est une question que je me suis posée, dit-il d'un ton candide. Peut-être est-ce à cause de votre esprit, ou de votre charme, ou de vos dons, ou bien de votre délectable conversation... Ou de vos manières exquises qui me fascinent. Sans aucun doute, ce doit être ça. Vos manières sont tellement... hors de l'ordinaire.

La contrainte qu'elle s'imposa la rendit écarlate et sa voix devint rauque et voilée quand elle répéta :

— Pourquoi ne pouvez-vous me laisser en paix ? Que vous ai-je fait ? Vous ai-je témoigné de l'hostilité ? De quoi suis-je coupable ?

— Vous ne m'avez fait et ne pouvez me faire aucun mal, ma charmante, dit-il d'un air aimable. Mais, puisque nous parlons si franchement, disons que je vous en veux d'être ici. Je vous en veux de passer où passait ma mère. Cela m'offusque de vous voir à son piano. L'idée qu'un jour vous vous assiérez à sa place, au haut bout de la table, m'est insupportable. Je sais que vous me pardonnerez ces sentiments ridicules.

Amalie était devenue toute blanche. Elle souriait, mais son sourire était laid.

— Vous dites que ma présence ici vous offusque ? dit-elle d'une voix haletante. Pourquoi ? Finissons-en une bonne fois. Parce que je suis pauvre et plébéienne ? Parce que j'ai dû travailler pour vivre ? Parce que je n'ai pas de relations ? Parce que le peu que j'ai, je l'ai gagné de mon labeur ? Parce que je n'ai pas crié pitié ni demandé quartier ? Alors, monsieur, vous devez détester la plupart des Américains ? Presque tous doivent vous offusquer.

Il eut un geste alangui.

— Mais, chère mademoiselle, vous m'accusez de sentiments violemment antidémocratiques et c'est injuste ! Qui suis-je pour me permettre de contredire notre admirable Lincoln ? Non, vous vous trompez. Je ne vous en veux pas de votre pauvreté, de votre naissance ou de votre ténacité à gagner votre vie ! Non, non, cent fois non : je vous en veux d'être ce que vous êtes, ce que je sais que vous êtes !

Elle le regarda sans rien dire, mais il vit le regard cruel des yeux violets. Et c'est avec un calme parfait qu'elle demanda :

— Qu'est-ce que je suis ?

Il haussa les épaules et se carra dans son fauteuil d'un air résolu.

— Ecoutez, mademoiselle, vous n'avez pas affaire à un pantin naïf comme Alfred, ni à un gentilhomme campagnard solitaire, comme mon père. Vous n'avez pas affaire à un enfant confiant comme Philippe, mais à un homme qui, ne vous en déplaise, connaît un peu le monde et les hommes et les femmes qui l'habitent.

— Monsieur, je ne vais pas perdre davantage de temps à discuter de ma personne avec vous. Je ne veux pas de querelle. Vous n'en valez pas la peine. Je pourrais vous dire que vous êtes un malappris, un goujat, un sot, mais vous ne me croiriez pas, aussi je vous le répète pour la dernière fois : laissez-moi tranquille, ôtez-vous de mon chemin. Ne m'adressez plus la parole, à moins que l'occasion ne le demande et ceci en présence de tiers. Car, monsieur le bel esprit, si vous continuez à m'importuner, j'en appellerai à Alfred. Je lui dirai que vous me poursuivez, que vous me traquez. Je lui raconterai qu'hier soir vous m'avez poursuivie jusque dans le bois de sapins et que vous m'avez imposé vos répugnants hommages...

Il y eut un silence.

— Vous n'oseriez pas !

— Si, j'oserais. En fait, seule ma charité naturelle et mon amitié pour votre père et votre cousin m'ont empêchée de tout raconter à Alfred ce matin. J'aime la paix, monsieur. Et je voudrais la préserver. Vous troublez ma résolution à vos risques et périls.

Il se leva et laissa tomber le petit chien qui courut avec empressement vers la jeune fille. Jérôme et Amalie étaient face à face. Il s'approcha d'un pas sans qu'elle reculât. Il pouvait voir le pouls qui battait sur le cou blanc. Elle soutint son regard.

— Je vous admire, mademoiselle, j'admire votre courage, votre ardeur combative. Vous auriez dû être un homme. Je crois qu'alors vous m'auriez plu.

Elle ouvrit la bouche pour parler, mais se retint. Son expression était maintenant grave et pénétrante.

— Oui, dit-il, méditatif, je crois que vous m'auriez plu. Nous aurions été amis, car j'admire les gens impitoyables.

— Je suis impitoyable parce que les circonstances m'y ont forcée. Je n'ai pas choisi mes parents, ma pauvreté, ma vie. Mais je me suis élevée au-dessus de tout cela. Je ne lâcherai pas ce que j'ai conquis, et rien ne m'y forcera.

Elle fit un pas de côté pour s'en aller. Il lui saisit le bras d'un geste brutal. Il s'attendait à ce qu'elle se débatte, mais elle n'en fit rien : elle se contenta de le regarder avec mépris.

— Que le diable vous emporte, dit-il entre ses dents. Je ne

peux pas vous laisser tranquille. Je ne sais pas pourquoi. En réalité, je vous déteste et vous méprise. Mais vous avez quelque chose...

Elle sourit.

— Monsieur Lindsey, seriez-vous satisfait de ne jamais me revoir ? Si je partais, vous abstiendriez-vous de me suivre ?

Avec lenteur, il abandonna le bras d'Amalie, mais ses yeux ne la quittèrent pas.

— Non, je ne crois pas.

— Merci, dit-elle avec un signe de tête.

— Je ne sais pourquoi vous me fascinez. Vous êtes belle. En d'autres circonstances, vous me feriez perdre la tête. Je pourrais vous faire une proposition intéressante, Amalie.

Elle devint d'une pâleur extrême. Puis, comme Charlie se tortillait avec insistance à ses pieds, elle se baissa pour le prendre et chacun de ses mouvements était plein de grâce. Le petit chien se blottit sous son menton.

— Monsieur, dit-elle après un long silence, je reconnais que tout ceci est très intéressant, mais n'oubliez pas mon avertissement.

— Je ne vous laisserai jamais tranquille, dit-il d'une voix troublée. Je ne sais pas si je vous hais ou si... L'avenir nous le dira. Car désormais, voyez-vous, je resterai ici.

— Mais c'est impossible ! — Sa voix tremblait.

— Et pourquoi pas ?

Il se rapprocha. Elle rejeta violemment la tête en arrière. Ils se regardèrent dans les yeux.

— Je ne pourrais pas le supporter, dit-elle dans un souffle.

Il lui prit la tête par derrière et l'attira à lui. Mais Amalie, reprenant ses esprits, le repoussa, se détourna de lui avec un léger cri et, rassemblant ses jupes, s'enfuit vers la porte.

Sur le seuil, elle s'arrêta brusquement. Jérôme avait négligé de fermer les portes derrière lui. Dorothée, défaite et sinistre dans sa robe de bombasin noir, se tenait là dans un silence rigide.

Amalie fit un pas en arrière et Jérôme, qui la suivait, s'arrêta aussi. Il regarda sa sœur qui lui rendit un regard glacial.

Amalie s'était reprise. Elle fit un pas de côté et poursuivit son chemin sans un mot. Ils l'entendirent monter l'escalier, en courant, de son pas léger.

— Bonsoir, Dorothée.

— J'ai tout entendu ! — Sa voix résonnait durement. — Tout !

— Parfait, dit-il avec aisance. Tu vois que je fais ce que je peux.

Elle s'anima :

— Misérable ! Je t'abomine !

— Allons donc! Tu es bien ingrate. Tu tires des conclusions inexactes. — Avec un sourire sardonique, il ajouta : — Je croyais que tout ceci avait été entendu entre nous.

Haletante de rage, elle lança :

— Ainsi, elle te tient, toi aussi! J'aurais pu m'en douter.

Ses traits rébarbatifs se convulsèrent. Elle le menaça de son doigt maigre :

— Ne t'approche pas de cette femme, sinon je le dirai à Alfred et à notre père.

Puis elle fit demi-tour, statue de granit noir, et s'en fut.

Jérôme la suivit d'un air indolent dans la bibliothèque. Mais, à part lui, il était inquiet et perplexe.

— Sois donc raisonnable! Désires-tu que j'abandonne la tâche ardue de décider cette femme à partir ?

Dorothée fut secouée d'un frisson. Il vit qu'il ne pouvait plus la tromper et haussa les épaules.

— Vaurien, cria-t-elle d'une voix étouffée. Homme sans scrupule et sans honneur! Tu mens, canaille ! — Elle porta sa main à la poitrine, comme si elle avait une douleur au cœur, et son visage prit une teinte grise. — Je vois maintenant ce que tu essaies de faire. Non seulement tu voudrais ruiner Alfred et saper sa situation, mais tu voudrais détruire ce qu'il croit être son bonheur... — Avec une âpre résolution, elle poursuivit : — Je sais ce que je dois faire. Si Alfred désire épouser Amalie, je ne m'opposerai plus à ce mariage. Je veillerai sur lui, et toi, je te surveillerai constamment. Tu ne pourras plus lui faire de mal, ni même essayer de lui en faire.

— Des menaces, murmura-t-il distraitement. Il semble que je n'ai rien entendu d'autre depuis mon retour !

— Alors, va-t'en. Laisse-nous en paix !

Jérôme rit.

— Il se passe de drôles de choses ici. Je m'attends à voir des fantômes et à les entendre chuchoter. C'est très bizarre. Je ne comprends pas : je suis vraiment inoffensif, je ne souhaite de mal à personne ; au contraire, je désire que chacun m'ouvre son cœur.

Puis, changeant de ton, il enveloppa sa sœur d'un mépris impitoyable :

— Tu es une imbécile, Dotty ; ne crois pas que tu puisses m'effrayer. J'ai l'intention de rester ici. Je serai très prudent, et je resterai.

C'était elle qui avait peur maintenant. Elle battit en retraite, à reculons. Elle le regarda partir, pleine d'appréhensions, pensant en elle-même qu'il y avait quelque chose de terrible en lui, malgré ses sourires. Il était l'esprit du mal.

CHAPITRE XI

QUAND Jérôme descendit dîner, il tenait deux petites toiles sous le bras. Il trouva son père installé devant le feu de la bibliothèque en compagnie d'Alfred, d'Amalie et de Dorothée. La voix grave et monotone d'Alfred discourait avec une calme persistance sur les affaires de la journée. M. Lindsey avait d'abord écouté avec une attention courtoise, mais maintenant, enfoncé dans son hauteuil, il donnait des signes de fatigue évidente et laissait vagabonder son regard. Dorothée, droite et raide sur sa chaise, brodait à gestes rapides avec l'air de résolution farouche qu'elle apportait en toute chose, quelle qu'en fût l'importance. Dans sa robe violette en soie mate, un peu démodée, son bonnet de matrone, tout gaufré sur ses cheveux poivre et sel, elle offrait l'image du bon sens imperturbable. Amalie avait franchement oublié tout le monde. Elle semblait perdue dans une profonde méditation et sa poitrine soulevait à peine le lainage vert sombre du corsage. Elle avait une coiffure sévère qui dégageait les tempes et le front et se nouait en un lourd chignon sur la nuque.

Tous levèrent la tête quand Jérôme entra avec un joyeux « bonsoir ». La figure de M. Lindsey s'éclaira visiblement et il se remonta un peu sur son siège. Dorothée détourna les yeux sans un mot et se moucha. Amalie lui jeta un bref regard, puis se remit à contempler le feu. Mais Alfred se leva, plein de cordialité :

— Eh bien, Jérôme, j'ai appris de bonnes, d'extraordinaires nouvelles !

Jérôme le regarda sans gêne. Il sourit, mais ses pupilles se contractèrent. Oui, Alfred était « content », c'était évident. Jérôme était vaguement déconcerté, malgré son analyse préalable du caractère d'Alfred, cet après-midi même. Il n'y avait pas trace d'hypocrisie dans le plaisir d'Alfred. Il accomplissait son devoir « sacré », comme d'habitude, et étouffait toute appréhension, tout effroi naturels et humains qu'un homme moins vertueux eût ressentis.

— Très gentil de ta part, dit Jérôme poliment.

— Très gentil ? Qu'est-ce que veux dire par là ?

L'œil las de M. Lindsey eut un pétillement. Il posa la main sur le bras d'Alfred :

— Ce sont des félicitations pour ta fortitude chrétienne, mon garçon.

Amalie tourna lentement la tête et l'ombre d'un sourire effleura ses lèvres. Dorothée continua sa broderie avec une énergie accrue. Mais Alfred était réellement perplexe.

— Comment ? dit-il, tournant vers son oncle son bon regard honnête. Quelle fortitude ? Pourquoi aurais-je besoin de fortitude ?

— Je serai peut-être un élève exaspérant ! dit Jérôme essayant, mais en vain, de saisir le regard de son père.

— Je conviens que le métier de banquier ne s'apprend pas en un jour, dit Alfred, non sans ostentation. Toutefois, un homme intelligent et qui a le moindre désir d'apprendre se met rapidement au courant des mystères du métier.

— Mais il y a une certaine atmosphère exotique...

— Exotique ?

Alfred fronça le sourcil et examina la suggestion avec conscience. Puis il rit gauchement et dit :

— Exotique n'est pas précisément le mot qui convient à la Banque !

Jérôme eut un sourire suave :

— Mais tu as parlé de mystères, mon cher Alfred. Le mot ésotérique serait peut-être plus apte à décrire tes labeurs ?

Alfred paraissait complètement dérouté.

— Tu as parlé de mystères, voyons, ajouta Jérôme avec douceur.

Alfred ne répondit pas, mais sa main se crispa sur son genou. M. Lindsey, qui commençait à trouver que la conversation prenait un tour dangereux, intervint rapidement :

— Tu as apporté tes peintures, Jérôme ?

— Oui. Le portrait de maman, comme je vous l'ai dit, et le cadeau de mariage pour Alfred.

Lindsey prit une des toiles et resta silencieux à regarder le portrait qui lui souriait avec une espèce de tendresse lumineuse et secrète.

— Charmant, charmant, murmura-t-il, et pour lui-même il ajouta tout bas : — Ma chérie !

Dorothée brodait avec plus d'ardeur que jamais. Amalie se tourna vers Lindsey. Elle vit ses mains frêles qui tremblaient et se pencha un peu en avant pour voir le portrait. Elle fut saisie de constater la qualité de l'œuvre. Ce mauvais sujet avait donc du génie ? Elle ne put s'empêcher de le regarder à la dérobée et elle eut malgré elle une expression peinée.

M. Lindsey tendit le portrait à sa fille.

— Tiens, le portrait de ta mère, dit-il d'une voix un peu rauque.

Dorothée examina la toile :

— Très ressemblant, mais l'expression est trop frivole. Maman n'a jamais été une femme frivole !

— Elle aimait tout, dit M. Lindsey sans l'écouter. Elle était gaie, gaie comme un papillon, comme un petit nuage au printemps. Elle était trop belle, trop fragile, trop exquise. Quand elle est morte, le ciel et la maison ont perdu leur éclat et ne l'ont plus jamais retrouvé.

Il tenait la toile comme on tient un trésor. Il dit à son fils :

— Mon cher enfant, mon cher enfant, merci. — Il s'éclaircit la voix. — Tu étais si jeune. Comment peux-tu te la rappeler ainsi ? Comment as-tu pu saisir son charme ?

— Il ne peut rien se rappeler, coupa Dorothée d'un ton qui n'admettait pas de réplique. Il imagine tout. Et je persiste à penser que c'est une interprétation très frivole et que je trouve offensante.

M. Lindsey fronça les sourcils et prit un air sévère, mais il se força à parler avec douceur :

— Ma fille, je crois que ta mère et toi n'aviez pas beaucoup en commun...

— Je l'adorais, s'écria Dorothée. — Et maintenant le souvenir d'une injustice ancienne lui revint et l'étouffa de son aigreur. — Mais elle ne m'a jamais comprise ! Je faisais pourtant de tels efforts ! J'étais aussi prévenante que possible ! Je la déchargeais de tous les travaux. Mais elle ne montrait jamais de reconnaissance. Elle ne savait que rire. Pourtant je l'aimais tant !

M. Lindsey eut le cœur serré.

— Et elle t'aimait aussi, ma petite ! Sur son lit de mort, c'est vers toi qu'elle s'est tournée, vers ta force et ta sagesse.

Dorothée cacha brusquement son visage dans les plis de son mouchoir.

M. Lindsey eut un soupir, puis, d'une main hésitante, il tapota le bras de sa fille.

— Voyons, voyons, ma petite, nous connaissons tous ta valeur et nous ne serons pas ingrats.

— Certainement pas, affirma promptement Jérôme.

Il commençait à s'ennuyer et à être inquiet. Bon Dieu, s'il devait s'ennuyer comme cela constamment, il n'y résisterait pas. Il prit l'autre toile, la regarda avec attention, puis l'exhiba

— Mon cadeau de noces, dit-il avec une expression souriante.

M. Lindsey était trop ému pour voir immédiatement de quoi il s'agissait et, quand il saisit le sujet, il eut une petite exclamation de surprise.

Le thème classique était traité d'une façon pour le moins originale. C'était Adam et Eve chassés du Paradis et, bien que la toile fût de proportions réduites, chaque détail était indiqué avec une netteté qui révélait une intention sarcastique et même licencieuse. Au fond, le Jardin nageait dans une lumière banale et molle ; chaque arbre au loin était d'une perfection conventionnelle. Les silhouettes d'Adam et d'Eve luisaient comme de la porcelaine blanche et se détachaient avec une grâce exquise sur le fond sombre des branchages entrelacés. Adam marchait en avant d'un pas rapide, avec une expression d'effroi mêlée de curiosité, traînant par la main l'épouse qui s'attardait. Il avait l'air très pressé, comme les gens qui ont quelque chose sur la conscience. Il portait, conformément à la bienséance, une guirlande de feuilles de vigne, disposées avec à propos. Il avait l'air de dire : Maintenant que nous en avons fini avec ces inepties, parlons peu, mais parlons bien. Il savait ce qu'il voulait, en serrant bien fort la petite main d'Eve. On voyait que le problème qui l'obsédait était de trouver un gîte et de monter une affaire dès que possible.

Mais Eve suivait à contrecœur en dépit de la poigne de son époux. Elle était apparemment très jeune, mais d'une jeunesse avertie et délurée, d'une coquetterie lascive. Ses cheveux dorés flottaient autour d'elle, disposés de manière à ne pas cacher la rondeur des seins, la courbe de la hanche, le renflement d'une cuisse séduisante. Son profil était souriant, sa lèvre accueillante,, et elle se détournait vers l'ange qui gardait la porte.. Eve n'avait de feuilles d'aucune sorte, mais sa main esquissait un geste de protection plutôt licencieux.

L'ange à l'épée flamboyante, au lieu de brandir son arme et de prendre l'air d'un exterminateur, montrait ouvertement qu'Eve lui plaisait. Il souriait et on le soupçonnait presque d'être sur le point de faire de l'œil. Il était beaucoup plus séduisant qu'Adam. Plus grand, plus brun, plus musclé, il avait la grâce alerte d'un soldat au repos. Ses cheveux noirs encadraient un visage débordant de vitalité masculine, aux lèvres pleines et sensuelles. Les mains, sur le pommeau de l'épée, étaient dures et robustes. Les vêtements, bien que lumineux, étaient ceux d'un vibrant guerrier.

En voyant le tableau, on se demandait si ce n'était pas l'ange, au lieu du serpent, qui avait eu avec Eve cette conversation si intéressante sous le pommier. Car l'ange avait un air des plus prometteurs comme s'il murmurait : « On se retrouvera, mon chou, quand je ne serai plus de service, si tu peux te débarrasser de lui. »

Quelque chose dans l'attitude de M. Lindsey, trop silencieuse, trop prolongée, éveilla la curiosité d'Alfred et de Dorothée. Ils tendirent le cou pour voir. Amalie se pencha sur le bras de son fauteuil. Jérôme, avec l'air timide et rougissant d'un garçon qui exhibe son premier « chef-d'œuvre », se tenait au milieu d'eux avec un sourire hésitant et attendait, avec une ardeur touchante, les applaudissements.

Et tout d'un coup la figure sèche et émaciée de M. Lindsey se plissa d'hilarité.

— Seigneur Dieu ! murmura-t-il. — Et il se frotta le nez.

Il regarda Amalie. Elle serrait les lèvres, mais une douzaine de fossettes insoupçonnées se jouaient alentour et des lueurs violettes dansaient dans ses yeux.

Alfred regardait le charmant tableau d'un air maussade. D'un ton froid, il dit :

— Je vois. Le Paradis Terrestre. Je ne croyais pas que tu t'occupais de sujets bibliques, Jérôme. — Puis il rougit d'embarras en examinant Eve et sa nudité impudique, incapable toutefois d'en distraire son regard. Il toussota. — Ce n'est pas un tableau pour des yeux féminins. C'est trop... trop...

Dorothée eut un mouvement de recul sur sa chaise et rougit jusqu'aux oreilles.

Jérôme considéra Alfred avec sérieux.

— Vraiment, dit-il d'un air inquiet, je croyais que la Bible tout entière ne convenait guère qu'aux femmes.

M. Lindsey ne put se contenir davantage. Il éclata de rire ; Il était aux anges. A bout de forces, il se renversa sur ses coussins, les larmes aux yeux. Il essayait bien de se maîtriser, mais dès que son regard se posait sur Alfred, le fou rire le reprenait. Cela devint pire quand Alfred se mit à le regarder avec des yeux ronds, offensé et ne sachant que penser. Car Alfred avait le tableau sur les genoux. Il finit par dire gauchement :

— Merci, Jérôme. C'est... c'est très édifiant. Personnellement, je n'ai jamais aimé les sujets sacrés et je m'étonne que tu aies peint celui-ci.

Jérôme s'inclina.

— J'espère qu'il te plaira. — Il avait l'humilité de l'inférieur que réjouit la louange du supérieur. — Tu pourrais le mettre dans ta chambre à coucher.

M. Lindsey riait encore, mais perdait haleine, car la douleur pointait sous ses côtes. Aux paroles de Jérôme, il se mit la main sur les yeux et dit simplement :

— Miséricorde !

Alfred réfléchit un moment et finit par dire :

— Il me semble que le sujet ne convient guère...

— Mais si, ça convient tout à fait, dit Jérôme avec enthousiasme.

Alfred considéra d'un œil las les murs de la bibliothèque.

— On pourrait peut-être le caser ici.

— Mais comment donc, approuva M. Lindsey d'une voix épuisée.

Jérôme débarrassa Alfred du tableau et le posa sur la table. Pour la première fois, il regarda Amalie. Elle rencontra son regard et détourna immédiatement la tête, mais pas avant que Jérôme ait vu son rire secret et son plaisir évident, malgré les réticences.

CHAPITRE XII

L'ARDEUR à vivre, trait majeur du caractère de Jérôme, malgré l'indolence apparente, s'était bien relâchée pendant les derniers jours qui précédèrent Noël. D'abord, il avait cru que Hilltop était retombé dans le paisible train-train quotidien. Mais, bientôt, il commença à soupçonner une mise en scène. Très subtilement, on lui montrait ce que la vie à Hilltop était en son essence et la leçon était ironique. Au début, il avait pensé : « Comment ai-je pu oublier l'ennui intolérable de cette vie ? » Trois jours plus tard, il se disait : « Ainsi, on me fait la leçon et on me surveille pour voir comment je réagirai à cette rigide béatitude, à cette paix étudiée, hors du temps. »

Il ne s'en fâchait pas et s'amusait malicieusement. Il remarqua qu'il dormait mieux et sans l'aide des sédatifs que les docteurs de New York lui avaient prescrits. Il trouvait plus de plaisir à boire et l'alcool n'avait plus cet effet nuisible qu'il avait fini par accepter comme le prix à payer pour un surcroît de lucidité passagère. Il explorait la campagne, à pied ou en traîneau, avec une vague, mais plaisante nostalgie de son enfance et de sa jeunesse. Il refit la découverte de la bibliothèque paternelle et passa de nombreuses heures de plaisir solide à lire près du feu. Il y avait bien longtemps qu'il n'était resté tranquille plus d'une demi-heure et, depuis des mois, il lui avait été impossible de fixer son attention sur un livre. Il avait constaté avec plaisir que M. Lindsey se tenait au courant de la littérature contemporaine et que les volumes n'étaient pas couverts de moisissure comme il l'avait craint. On trouvait l'*Origine des Espèces*, de M. Charles Darwin, et les *Essais*, de M. Thomas Huxley, l'un et l'autre audacieux exemples de l'esprit nouveau qui fermentait dans le monde scientifique et religieux. Il se mit en devoir de lire les deux réprouvés et, bien qu'il trouvât la lecture ardue au premier abord, il fut rapidement pris par l'intérêt que présentaient les ouvrages et les perspectives qu'ils lui ouvraient. Parfois, il allait trouver son père pour en discuter avec lui, le doigt sur un passage particulièrement provocant de M. Darwin ou de M. Huxley.

C'est ainsi qu'iil s'aperçut que quelque chose se tramait. Il trouvait rarement son père. M. Lindsey « était sorti pour une courte promenade » ou bien « il se reposait selon les ordres du docteur ». Jérôme accepta ces excuses pendant un jour ou deux, puis il eut des soupçons. Son père l'évitait. Il montrait subtilement à son fils que celui-ci ne devait pas compter sur lui pour l'amuser et lui tenir compagnie, que l'ère des conversations stimulantes était définitivement révolue et que les aménités et les distractions offertes à un visiteur ne pouvaient se prolonger pour un habitué.

Le cinquième jour, Jérôme trouvait encore la chose amusante, mais il commença bientôt d'en être offensé. Il ne voyait son père que le soir en compagnie des autres. Alors M. Lindsey l'accueillait avec une affabilité affectueuse que Jérôme trouvait légèrement exaspérante.

Le jeune Philippe n'eût pas été disponible non plus si Jérôme en avait été réduit à rechercher sa compagnie. Il était absorbé par ses études en vue de son entrée au collège en automne. Il l'entendait parfois étudier dans la salle de musique et, une ou deux fois, il avait perçu la voix grave d'Amalie qui faisait la critique de l'exécution d'un passage, mais la porte était soigneusement fermée et son air rébarbatif enlevait tout courage à Jérôme.

Quant à Dorothée, Jérôme ne l'apercevait que de loin, vaquant à ses tâches ménagères, ses clefs cliquetant à sa ceinture. Elle était souvent en compagnie d'Amalie qu'elle instruisait de ses devoirs de maîtresse de maison. Il avait de brèves visions de leurs jupes escamotées par l'angle d'un couloir ; il les entendait discuter du contenu de la lingerie et de la réserve aux couvertures, monter et descendre à pas affairés l'escalier de service. Dorothée, qui avait une fois pour toutes accepté l'inévitable, dressait Amalie avec une farouche énergie. Une fois, en passant devant l'appartement de Dorothée, Jérôme vit la porte ouverte et les deux femmes en tête à tête qui examinaient les livres de comptes. Il en fut attristé.

Il essaya d'accrocher Amalie au passage, mais y renonça quand il vit qu'une servante ou Dorothée ou Philippe était inévitablement à un ou deux pas derrière. Quand elle le rencontrait dans son travail, Jérôme lui adressait un salut ironique de la main auquel elle ne répondait que par un regard sec ou par un mot glacial.

Cependant, ces brèves entrevues ne faisaient qu'accroître l'agitation de Jérôme et son trouble intérieur. Ce devint une nécessité pour lui de la voir ; il hantait les escaliers, guettait le bruissement de ses jupes, le bruit de ses pas. Il se répétait : « Au diable la gueuse ! » et faisait des plans pour sa déconfiture. Mais quand il s'aperçut enfin que la plupart de ses pensées et de ses rêves étaient tout occupés d'elle, sa fureur se transforma positivement en haine torturante. Elle lui avait dit qu'il ne pouvait lui faire du tort et qu'elle ne permettrait pas qu'il lui en fasse, qu'elle avait étudié son plan et qu'il ne pouvait rien contre elle. Il croyait voir un éclair de triomphe méprisant dans ses yeux, quand il la rencontrait dans les couloirs avec ses gardes du corps.

Oui, il ne pouvait rien contre elle. L'adversaire était aussi âpre que lui-même et avait gagné. Mais il se consolait avec la perspective malveillante qu'après cette première manche où elle avait eu l'avantage, il y en aurait d'autres, dans les années à venir, où il aurait son triomphe. Il passait des heures à tirer des plans et cela le réconfortait. Son seul plaisir était le soir, quand un moment avant le dîner et une petite heure après, il pouvait harceler Alfred. Mais soit qu'il fût particulièrement obtus, soit que son caractère inébranlable eût décidé d'être conciliant, Alfred ne prenait jamais la mouche. Il détournait les pointes les plus acérées de Jérôme avec une ténacité impavide ou bien changeait de sujet avec lourdeur. Alors, Jérôme n'appréciait pas le petit sourire de son père, ni l'air franchement amusé d'Amalie, ni la lassitude méprisante de Dorothée. Le pire était quand Alfred essayait, au cours des repas ou de la soirée, de mettre Jérôme un peu au courant de la Banque. Il était alors la proie d'un ennui si accablant qu'il se demandait s'il n'avait pas avalé un de ses sédatifs par inadvertance.

En somme, il conclut que l'entourage lui avait fait une place bien délimitée et avait décidé qu'il s'en accommoderait ou qu'il irait au diable. Il faisait partie de la famille maintenant et ne pourrait troubler l'ordre qu'en partant ou en faisant copieusement l'imbécile. Et il n'en avait pas envie.

Par pur désespoir et pour ne pas sombrer, il se remit à peindre, mais il avait l'inspiration paresseuse et sa main était dépourvue de faculté créatrice. Le poids de la maison, sa tranquillité, sa chaleur silencieuse, les préoccupations individuelles, l'ordonnance unie des journées, tout l'accablait.

Les grands préparatifs à l'occasion de la fête de Noël et du proche mariage vinrent le distraire un peu. Il s'attardait aux portes des deux grands salons qui ne servaient qu'aux jours de fête, et quand le nombre des invités était suffisant. On attachait des touffes de gui au-dessus des portes et l'on mettait du houx dans tous les coins. L'arbre de Noël, déjà dressé devant les fenêtres du levant, vert sombre et froid, remplissait cette atmosphère d'activité de la senteur résinée des âpres solitudes. Jérôme s'offrit à orner l'arbre, mais les servantes le regardèrent d'un air de reproche scandalisé ou de furtif dédain. Il n'avait la permission de rien faire, apparemment.

Il vit descendre des cartons et de grandes malles qu'on transportait en hâte dans les chambres d'Alfred ou d'Amalie. Tout s'affairait autour de lui et plus l'activité croissait, plus il se sentait relégué, pareil à une épave rejetée par le flot. « Je moisis, pensait-il. Je vais bientôt trouver des champignons sur moi. » Il buvait de plus en plus pour s'empêcher de dormir. Il errait comme une brume à travers la maison, une brume de mauvais augure.

Enfin, il eut conscience que les murs même, les domestiques, les portraits, le mobilier, les grands Aubusson des parquets, les livres de la bibliothèque, la lumière du dehors, tout le réprouvait. C'était une réprobation courtoise, légèrement offusquée à la manière d'un monsieur sérieux qui n'apprécie pas la conversation d'un petit garçon indésirable et mal élevé. La maison lui disait qu'elle n'avait que faire de gentilshommes sans emploi qui n'avaient aucune raison d'être, qu'il y avait du travail et que s'il avait un grain de bon sens, il s'y mettrait. La maison n'était pas un endroit pour les hommes durant la journée. Jérôme, furieux, se débattit contre la maison. Bon Dieu, les Européens ne pensaient pas que l'unique fin de la créature masculine était de passer sa vie sur des livres de comptes, dans des boutiques ou des bureaux. L'Europe se prononçait, au contraire, pour les loisirs aimables et toniques, les plaisirs nés de l'art, le badinage et l'amour du bien-vivre. L'Europe, c'était le commerce agréable aux déjeuners qui se prolongent avec l'eau-de-vie et les bons vins. Pourquoi n'en allait-il pas de même en Amérique ?

Mais il n'y avait pas de place pour les hommes évolués en Amérique et c'était bien triste. Quelque chose d'inappréciable se perdait ainsi dans cette débauche d'activité. Jérôme voyait le pays tout entier comme une fourmilière affairée, asexuée, produisant de plus en plus de nourriture pour des fourmis de plus en plus nombreuses, qui passeraient ensuite à l'état adulte et se mettraient à produire la nourriture de générations nouvelles d'insectes automates, *ad nauseam*. Quel était le résultat de cette activité de fourmis, en fin de compte ? Sinon le pullulement de créatures qui ne remarquaient ni le soleil ni la lune, ni l'odeur de la terre et le mystère de la nuit, qui ne connaissaient pas Dieu et qui tombaient en poussière, l'ouvrage terminé.

La maison trouva sans doute cet argument trop subtil pour son réalisme flegmatique. Elle abandonna tout simplement Jérôme. Il discuta dans le vide et la maison vaqua à ses affaires.

La situation devenait intenable à certains moments. Souvent, il se mettait à faire ses bagages, tandis que Jim, toujours absent, était aux écuries ou bien dans les cuisines à lutiner les filles. Et puis, il se rappelait sa résolution et, serrant les dents, défaisait ses bagages. Il sortait dans l'éblouissante stérilité des jours d'hiver, seul, hormis son chien, qui regardait d'un air de regret du côté des écuries et ne suivait son maître que par devoir. Jérôme finit un jour par le renvoyer et le regarda détaler d'un air amusé, mais en jurant tout bas.

Il tendait l'oreille dans le lumineux silence blanc. Il marchait beaucoup, enfonçant parfois dans la neige jusqu'aux genoux. Son teint s'améliorait, mais son ennui devenait intolérable. Il fallait partir de cette maudite maison ou mourir en un ultime bâillement.

Ainsi, il arriva qu'un soir, au dîner, il annonça à Alfred qu'il valait peut-être mieux qu'il se mît au courant des affaires avant les fêtes et le départ des nouveaux mariés pour leur lune de miel à Saratoga.

CHAPITRE XIII

JEROME se retourna vers Hill-top.

— Je n'avais jamais remarqué, dit-il à Alfred, l'air avantageux qu'a cette maison, comme si elle venait de marquer un point.

Alfred suivit le regard de son cousin.

— L'air avantageux ? Moi, je trouve ça solide avec un air de robustesse et de stabilité qu'on ne voit pas ailleurs sur le territoire de la commune. Je n'aime pas la fantaisie ni le baroque en architecture.

Jérôme sourit, mais s'abstint d'autres commentaires. Il commençait à frissonner et s'engonça davantage sous le tablier de fourrure. L'éclat de la neige lui faisait mal aux yeux et une vague douleur lui coinçait les tempes. Il était bien évident que l'heure matinale ne convenait pas à son tempérament ; néanmoins, il faudrait dorénavant subir de telles avanies.

Le traîneau, conduit par le robuste et capable Alfred, fendait la neige comme un rasoir sur la route sinueuse au long de la descente de la vallée. La chaude haleine du jeune cheval noir, au poil brillant, flottait comme un nuage sur ses épaules. L'écume blanche volait sous les sabots et les patins du traîneau et Jérôme grimaçait quand elle le cinglait au visage. Ses joues étaient meurtries par les gifles du vent et, malgré le tablier de fourrure, il ne sentait plus ses orteils. « Je suis une femmelette », pensa-t-il, en jetant un coup d'œil à Alfred.

Il fut très vexé. Alfred portait un gros pardessus à col de fourrure. Dorothée lui avait tricoté une sobre écharpe bleu marine qui, si elle n'ajoutait pas une note élégante au costume, devait être bien confortable, nouée autour du cou. Alfred portait également une casquette à oreillettes en fourrure grise et des gants assortis. Il était heureux du grand air et du soleil brûlant ; ses épaules étaient fermes comme un roc sous le manteau. Le jeune cheval pouvait avoir envie de danser et de folâtrer, Alfred l'avait parfaitement en main et jouissait de cette maîtrise, si bien que Jérôme le regarda, désagréablement surpris, en pensant : « Eh ! quoi, il aime à commander, à imposer sa volonté, il en tire un sentiment de puissance puérile, l'imbécile. » Ce n'était donc pas toujours le devoir et la vertu qui le menaient, mais quelque chose de beaucoup plus déplaisant et dangereux. Jérôme n'éprouvait que dégoût pour les âmes difformes qui ressentaient un plaisir sadique à imposer leur volonté aussi bien à d'humbles créatures, comme un chien ou un cheval, qu'à des êtres humains moins maniables.

« Je l'ai à la fois surestimé et sous-estimé, pensait Jérôme, en regardant son cousin de côté, et c'est mauvais. Oui, il y a quelque chose de menaçant et de sinistre dans sa personne. Mais il ne m'aura pas, maintenant que j'ai compris. »

Pour un œil indifférent, Alfred n'avait l'air ni sinistre ni menaçant, ce matin-là. Son profil était bien carré et dur de ligne, et le teint et les yeux pâles confirmaient l'impression de force brutale, d'insensibilité et de froideur. Mais, pour l'observateur superficiel, ce n'étaient que les signes de santé et de robustesse chez un homme aux approches de la quarantaine, qui n'avait jamais commis aucun excès. Toutefois, la susceptibilité éveillée de Jérôme voyait sous ces traits quelque chose d'implacable, la menace d'un égocentrisme sourdement virulent. Et Jérôme se répéta : « Il est dangereux », en regardant Alfred avec une curiosité furtive et un étonnement profond.

La route de la vallée, coupée d'ornières pleines de glace noire et poudrée de neige, serpentait vers Riversend. Ils dépassèrent des baraquements ouvriers sans alignement, d'une laideur indécente dans la pureté matinale et la lumière radieuse. Construits en bardeaux grisâtres, ils s'affaissaient, comme découragés, avec leurs fenêtres basses et sales, une traînée de fumée à leurs chéneaux crevés. Alentour, la neige piétinée était sale. Jérôme vit un groupe de femmes en châles, qui attendaient patiemment à la pompe communale, pendant que deux autres essayaient de dégeler l'appareil. Des enfants pâles, en haillons, entouraient les femmes ; ils étaient silencieux et immobiles, sans cette robuste et bruyante vitalité des enfants heureux, bien nourris et bien logés. C'étaient les familles de crève-la-faim crasseux qui travaillaient au chemin de fer ou à la brasserie du pays.

Jérôme détourna brusquement les yeux.

— N'a-t-on rien fait encore pour ces gens-là ? demanda-t-il. Augmenté les salaires ou réparé leurs baraques ?

Alfred se tourna vers les cabanes, les femmes et les enfants, et sa dure figure devint hideuse de répulsion et de dégoût.

— Ça ne met jamais un sou de côté, dit-il. D'ailleurs, il y a des champs et des fleurs sauvages en été. C'est très joli, alors !

Jérôme éprouva une joie acerbe. Il se mit à rire. Alfred lui jeta un regard de ses yeux ronds et haussa les épaules.

— Ecoute, on pourrait faire quelque chose. Si les chemins de fer et les autres industries locales et les grands propriétaires et tout ce que tu voudras payaient convenablement les ouvriers, ceux-ci pourraient acheter des maisons. La Banque pourrait financer l'entreprise par des prêts à long terme. On pourrait engager des architectes pour dessiner de petites maisons coquettes. Quelque chose d'avenant, d'agréable à l'œil, comme les habitations rurales en Angleterre, mais avec des toits plus solides et davantage de fenêtres. On pourrait dessiner de jolis jardins. Qu'on donne à ces pauvres diables un peu de dignité, un peu d'amour-propre pour leur communauté, un peu d'espoir pour l'avenir...

Alfred tira sur les rênes avec une force presque sauvage, si bien que le fringant animal se cabra de douleur et d'effroi, puis poursuivit sa route à une allure plus modérée. Jérôme essuya l'écume blanche qui lui avait éclaboussé la figure et se tourna d'un air optimiste vers son cousin. Alfred le dévisageait avec un air de sombre réprobation.

— Jérôme, c'est une folie. Je te prie de ne pas exprimer de pareilles idées parmi nos amis et nos clients. Cela pourrait les irriter, voire même les alarmer. Je n'ose prévoir quelles en seraient les conséquences. Mais, naturellement, tu ne faisais que plaisanter.

Jérôme ne répondit pas. Par-dessus son épaule, il regarda les cabanes qui étaient comme un ulcère ouvert au bas de la colline. Ses prunelles se contractèrent dans sa mince figure brune. En détachant les mots, il dit :

— En effet, je ne faisais que plaisanter.

Alfred était visiblement soulagé, mais quelque peu offensé. Il donna un coup de fouet cinglant sur les flancs de la bête.

— Tu ne comprends pas ces gens, je crois. Les idéalistes parlent de taudis comme si c'était Dieu qui les avait créés. C'est faux. Ce ne sont pas les taudis qui sont responsables de la misère de ces gens, ce sont ces gens-là qui font les taudis, qui créent autour d'eux une atmosphère de laideur repoussante. S'ils avaient un peu de cran, un peu d'amour-propre, ils répareraient leurs maisons, débarrasseraient les terrains des mauvaises herbes et de la crasse et, d'une manière générale, amélioreraient leur sort.

— Néanmoins, rétorqua calmement Jérôme, si l'homme ne peut oublier son ventre creux, son manque de chaleur, son découragement, sa pauvreté et son désespoir, il ne peut prendre sur lui de planter des roses et de la vigne vierge et d'aligner des pots de fleurs le long de sa masure. Il faut d'abord lui donner un salaire convenable.

— C'est une idée subversive ! s'exclama Alfred avec une violence qui lui congestionnait les traits. C'est une idée de nihiliste ! Donne davantage d'argent à ces misérables et les tavernes n'en seront que plus prospères. De plus, si les pauvres reçoivent des salaires convenables, comme tu le dis si légèrement, ils seront ingouvernables et pleins de jactance et d'une arrogance croissante. Ils essayeront de s'élever au-dessus de leur condition et l'ordre social en sera gravement troublé. Ils perdront ce respect dû à leurs supérieurs, et le peu de religion qu'ils ont encore. Ils demanderont une part de plus en plus grande dans le gouvernement, rendant précaire la position de ceux qui sont nés pour gouverner et les guider.

— Mon Dieu, j'avais toujours pensé que l'Amérique était une république. Je vois que je me suis trompé. Et M. Lincoln aussi, si mes souvenirs sont exacts.

— Lui aussi était un révolutionnaire dangereux. — Alfred parlait d'une voix contenue, comme refoulée. — Dieu sait ce qui serait arrivé s'il avait vécu. Tu ne trouveras rien sur la démocratie dans la Constitution.

Jérôme prit un air rêveur :

— Il y a quelque chose dans l'air en Amérique, dit-il. Je l'ai senti en Europe aussi, mais avec moins d'allant et de vigueur. Je crois que c'est la fin du gouvernement des aristocrates, des « élus du Seigneur ». Je crois que le rêve des philosophes grecs fermente sous la misère et la désespérance du monde. Socrate parcourt la terre comme un esprit de lumière. Le Parthénon est plein de puissantes voix d'outre-tombe. Et tu ne peux rien y faire, mon cher Alfred. C'est ton genre d'idées qui se meurt.

Alfred eut un sourire mauvais.

— Tu m'étonnes vraiment, Jérôme. Veux-tu me faire le plaisir de me dire ce que tu as fait ces dernières années à New York et en Europe ? Quel mouvement héroïque as-tu mis sur pied ? A quoi as-tu donné ton temps et ton argent ? Je t'ai mal jugé, semble-t-il...

Jérôme éclata de rire, mais ne répondit pas.

— Il est plaisant de t'imaginer en train de suivre l'esprit de Socrate, et portant la bannière sans doute ? Le spectacle est édifiant... Mais je persiste à croire que ce n'est que malice chez toi. Tu es provocateur par pure méchanceté. Cela me rassure et m'alarme à la fois. Et je ne peux que réitérer mon avertissement : ne parle pas de ces choses, auxquelles toi-même ne crois pas, à ceux qui pourraient mal les interpréter...

D'une voix plus sourde et plus menaçante, il ajouta :

— Je suis résolu à garder ce que ton père a édifié à force de prudence et de sagesse.

— Je te crois sur parole, dit Jérôme d'un ton amène.

Ils approchaient des grilles d'un beau domaine. Une noble demeure de brique rose s'élevait sur l'azur vif du ciel. Epicéas et sapins, alourdis de blancheur, s'éparpillaient dans le parc. Le mur de brique bas était matelassé de neige. Un homme maigre, de plus de six pieds de haut, se tenait à l'extérieur des grilles avec un couple de chiens formidables, qui éclatèrent en aboiements sauvages à l'approche du traîneau.

— Tiens, mais c'est le vieux général Tayntor, dit Jérôme avec plaisir. Je n'ai pas vu ce diable d'homme depuis la guerre.

— En effet, c'est bien lui, dit Alfred d'un ton rogue. — Il mit son cheval au pas. — Je lui avais dit, il y a quelques jours, que tu étais là et que tu avais l'intention d'entrer à la Banque. Ça l'a beaucoup intéressé et il en était heureux.

Mais Jérôme était tout à la joie de revoir son vieil ami. Ses dents luisaient au soleil. De loin, il salua de la main. Le traîneau s'arrêta devant la grille.

— J'aurais déjà dû rendre visite à ce vieux bougre, dit Jérôme, qui oubliait qu'à la campagne, on ne faisait des visites que sur invitation formelle et de grand style.

— Quel langage ! dit Alfred, choqué, tout en saluant le vieux gentilhomme qui s'avançait en gesticulant au milieu des chiens bruyants et forcenés.

Le général de brigade Wainwright Tayntor était un soldat très alerte, dont les mouvements démentaient les soixante-cinq ans. Il avait la taille, la souplesse et la minceur d'un jeune et bel arbre. Sa pelisse noire flottait au vent en lignes juvéniles, révélant la main gantée et le bras vigoureux qui tenait ferme les chiens ; la manche gauche était vide. Il marchait vivement, à grands pas décidés, son haut-de-forme posé avec désinvolture sur ses cheveux blancs coupés en brosse. Un large sourire éclairait sa figure.

— Enfin, je te retrouve, Jérôme, mon cher enfant. Quelle joie de te revoir ! Au diable les chiens ! Je suis incapable de te serrer la main dans cette situation. Laisse-moi te regarder. Bon sang ! Que je suis content de te voir !

— Plaisir partagé, mon général, dit Jérôme en se penchant hors du traîneau pour étreindre l'épaule de son vieil ami.

Repoussant les couvertures, il descendit courtoisement. Il était grand, mais le général le dépassait de beaucoup. Les deux hommes se dévisageaient d'un air radieux.

— Bonjour, mon général !

Au bruit de la voix, le général sursauta.

— Hein ? Ah ! Alfred ! Comment allez-vous ? Beau temps, n'est-ce pas ? Mais froid de loup.

Il planta là Alfred et revint à Jérôme :

— Qu'est-ce que j'ai entendu dire de toi, brigand ? Tu entres dans la Banque ? Toi !... Ah ! nom de nom !

Il éclata d'un rire gras, qui le rendit rouge comme un coq.

Le général avait une figure diabolique, maigre. mobile, tout en pointe et en fausse équerre. Ses sourcils blancs remontaient vers le haut et lui donnaient un air de délectation sinistre, ce qui correspondait peut-être à la vérité. Il avait de petits yeux d'un bleu vif, pétillants d'astuce, de finesse et d'esprit, et tout à fait dénués de candeur. Il était aussi pourvu d'un nez en lame de couteau que le rire allongeait comme un grand bec moqueur au-dessus de la bouche mince. Le général était haut en couleur, car il s'adonnait joyeusement au whisky et son expression dominante était celle d'une alerte paillardise. Car le whisky n'était pas son seul vice, il courait aussi après les femmes, et les jeunes de préférence. S'il n'avait été riche et puissant dans la communauté. on l'eût considéré avec horreur et banni de toute société honnête.

Alfred Lindsey n'éprouvait pour lui que peur et dégoût. Mais le général était puissant ; il avait beaucoup de crédit dans la communauté et c'était un client d'importance pour la Banque. Propriétaire du chemin de fer local ainsi que du terrain des habitations ouvrières, il possédait en secret mainte hypothèque de choix parmi l'aristocratie locale. Aussi Alfred mit-il pied à terre et se tint-il guindé près du traîneau, pendant que Jérôme et le vieux soldat échangeaient force bourrades et propos outrageusement malsonnants.

— Entre donc, entre donc ! Viens voir les petites. Elles meurent d'envie de te voir, chenapan. Sally surtout. Quant à Joséphine, elle languit toute la journée derrière ses rideaux, bien qu'elle soit trop réservée pour l'avouer.

Jérôme trouvait l'idée séduisante, mais Alfred intervint poliment :

— Nous sommes déjà en retard, mon général. Mais j'espère que vous et vos filles viendrez à notre réception. la veille de Noël. Nous nous retrouverons alors.

Le général lui lança un regard furieux, puis se mit à rire bruyamment en donnant une telle bourrade à Jérôme que celui-ci chancela.

— Ah ! toi, dans la peau d'un banquier ! C'est exquis ! C'est incroyable ! Tu en es réduit à ça, maintenant ? — Il coula un regard vers Alfred. — Il faudra ouvrir l'œil sur les coffres-forts, et le bon. Je connais ce bandit.

Alfred eut un sourire forcé. Il mit la main sur le traîneau et, du regard, invita Jérôme à monter.

— J'ai des placements à faire, Jérôme, je veux ton avis. C'est vraiment très drôle. Des placements à New York. Tu connais bien les Vanderbilt. Ah! les salauds! Ils m'ont relancé au sujet du chemin de fer. Il y aurait gros à gagner, moyennant la forte somme pour eux. Une histoire de charbon aussi, en Pennsylvanie. Il faudra mettre de la vie par ici. On a besoin d'audace, d'imagination.

Alfred fut gratifié d'un regard ironique.

— La prudence... commença Alfred.

Mais le général l'avait oublié et secouait Jérôme par l'épaule.

— Nom de Dieu! Tu es le soleil pour moi! Comment va ta jambe?

— Elle ne me gêne guère, merci, mon général.

Ils se regardaient avec une satisfaction béate. Alfred commençait à trouver le temps long. Il ne comprenait pas très bien les tendresses du général pour Jérôme, mais soupçonnait que c'étaient deux coquins du même acabit. Il se ressaisit, brusquement conscient de l'inconvenance de ces pensées. Il se gourmanda sévèrement d'avoir oublié la position du général.

Celui-ci fut agréablement inspiré et se souvint d'Alfred.

— Et comment va notre exquise miss Maxwell? — Il roula des yeux polissons. — Que de charme! Quelle grâce! Quel...

Il regarda Jérôme avec son sourire triangulaire et cligna de l'œil.

— Miss Maxwell va très bien, mon général.

Alfred avait rougi. Ses mains se crispaient sur le manche du fouet.

— Je suis amoureux, dit le général avec enthousiasme.

Menaçant Alfred d'un doigt malicieux, il ajouta :

— Ah! si je l'avais vue le premier!

Rejetant son haut-de-forme en arrière, il toucha des doigts sa bouche et envoya un baiser :

— Ah! sacré veinard!

Il poussa un soupir romantique.

La rougeur d'Alfred s'accentua de colère refoulée. Jérôme se mit à rire, en regardant tour à tour son vieil ami et son cousin.

— Il y a des moments, reprit le général, où j'approuve tout à fait le roi qui épouse la bergère. — Quelque chose l'amusait. — T'ai-je jamais raconté l'histoire de mon grand-père, qui vivait en Virginie?

Alfred eut peur d'une histoire obscène qui atteindrait Amalie par ricochet ; aussi, en dépit de son respect pour le général, il bondit dans le traîneau et rassembla les rênes. Il tremblait d'une colère inexplicable. Incapable de se contenir, il cria :

— Jérôme, s'il te plaît, il est presque neuf heures.

Jérôme, à regret, s'arracha à son vieil ami. Alfred, sans le vouloir, cingla durement le cheval. Le traîneau bondit et Jérôme, à moitié hors du véhicule, fut violemment rejeté sur le siège. Reprenant son équilibre, il agita son chapeau dans la direction du général, qui contemplait ce départ avec un sourire entendu, et répondit en envoyant un baiser. Les chiens donnèrent de la voix ; le traîneau disparut dans des jets d'écume blanche.

CHAPITRE XIV

RIVERSEND, chef-lieu de comté,
était nette et propre dans sa neige. Mais, à vrai dire, Riversend
était toujours impeccable grâce aux efforts des « grandes
familles » qui avaient toujours à bon marché la main-d'œuvre
nécessaire à l'entretien des rues. Au nord, s'étendaient les quartiers habités par les arrogants détenteurs de richesses : les trois
médecins et chirurgiens ; quelques veuves appétissantes ; le shérif
du comté, Barlowe et sa famille ; de riches fermiers retirés ;
M. Burt Shrewsbury, propriétaire de la brasserie ; M. Seth Brogan,
propriétaire d'une bourrellerie florissante et bien équipée ; M. Eze-
chiel Sewell, propriétaire des quatre tavernes du pays et éleveur
de chevaux de course pour la saison de Saragota ; le révérend
Adam Gordon, pasteur de l'Eglise Episcopalienne ; M. Hornville
Danton, des grandes scieries du village voisin de Milton ; enfin
M. Endicott Spinell, du cabinet d'affaires Spinell, Bertram et Sin-
clair. Il y avait encore d'autres familles de la meilleure société,
qui n'avaient rien à voir avec le commerce et qui, de ce fait,
étaient entourées d'infiniment de respect et d'admiration jalouse.

Dans ce quartier, le plus éloigné du chemin de fer, il n'y avait
guère que cinq ou six rues, qui montaient et descendaient en
pente douce sous des voûtes de branchages. Les maisons étaient
toutes de pierre grise ou de brique rouge avec de majestueuses
pelouses et de grands jardins par derrière. Aucune trace de commerce ne polluait le calme et la dignité de rigueur. Dans d'autres
rues, habitait une petite bourgeoisie opiniâtre et affectée, naturellement beaucoup plus fermée que les milieux les plus aisés,
plus arrogante et plus dure pour ses dépendants. Négligée ou
traitée avec condescendance par l'aristocratie, crainte et détestée
par ses inférieurs, elle vivait dans un sentiment de respectabilité
maladive.

Ce quartier petit bourgeois, plus proche de la rue principale
que le quartier riche, s'arrêtait brusquement au bout de l'East
River Street. Là commençaient les régions pauvres, le domaine

du prolétariat, de la brasserie, de la tannerie, des scieries, des tavernes et des écuries de M. Sewell. Elles fournissaient aussi un contingent de domestiques pour le comté, de blanchisseuses et de manœuvres pour le chemin de fer, bien que la plupart de ceux-ci habitassent la colline. Leurs petites maisons et leurs cabanes étaient horribles, mais, menés à la baguette par leurs maîtres, ils étaient astreints à conserver aux rues un semblant de propreté. Toutefois, la crasse de l'industrie ne pouvait être indéfiniment tenue en échec et la neige était souillée de suie, piétinée, boueuse.

Les lisières de la ville étaient nettement définies. Les dernières maisons s'arrêtaient à même les champs et les prairies, au pied des pentes des collines d'alentour.

La Banque de Riversend, la seule du territoire, construite en granit gris, d'un beau poli, s'élevait, impeccable et digne, à l'écart de East River Street. Elle occupait le sommet d'une insignifiante éminence, entourée de neige vierge en hiver et de vertes pelouses en été. Un escalier de pierre parfaitement inutile, mais très impressionnant, y donnait accès de la rue. Les marches avaient été dégagées et saupoudrées de gros sel contre le verglas, et les cristaux étincelaient comme des diamants gris.

La Banque désavouait les stigmates du commerce des alentours : boutiques, tavernes, marchés, maréchaleries. Elle se dressait dans son austérité distante et son éclat sévère, ses grandes fenêtres miroitantes de lumière. Pas un atome de poussière n'avait jamais terni la splendeur première de ce temple du commerce prospère, de ce sanctuaire de la richesse du comté. Tant de perfection démentait les prises d'hypothèques sur des fermes obscures, les avances sur les récoltes à venir et toutes les humbles transactions au sujet de volailles, de bétail et de jardins maraîchers. C'était là, néanmoins, le plus clair de ses opérations.

La grande porte de bronze (joie et orgueil d'Alfred) se carrait entre deux fenêtres garnies de glaces. Au bas de la baie de droite, était inscrit en belles lettres d'or, pas trop voyantes : « William Cherville Lindsey, président. Alfred D. Lindsey, vice-président ». En lettres plus petites et d'autant plus prétentieuses : « Associé à la Maison Regan, Wall Street, New York ». Jérôme soupçonnait avec malice que les derniers mots étaient plus soigneusement astiqués que les autres, en dépit de leur modestie de bon ton.

L'intérieur rivalisait avec l'extérieur. Le sol était dallé de granit noir et gris et des piliers trapus de granit noir soutenaient le plafond de plâtre blanc. La lumière y entrait à flot. Au fond s'alignaient les niches des trois caissiers, derrière leurs herses solennelles de cuivre poli, comme l'or. On s'en approchait comme on avance dans la pénombre d'une nef vers un autel et les visages de cire des jeunes clercs, derrière les grilles, complétaient l'atmosphère. Deux gardes en uniforme bleu sombre, ostensiblement armés, faisaient les cent pas et se croisaient avec une impassibilité toute militaire. (L'arme à l'épaule serait plus appropriée, avait jadis remarqué Jérôme, mais Alfred n'avait pas relevé le propos.) A gauche, à l'entrée de cet asile de recueillement, se trouvaient deux portes de bois sculpté avec deux plaques de cuivre : Directeur. Sous-Directeur. Alfred occupait maintenant le premier bureau par faveur de M. Lindsey, le sien propre étant occupé par son secrétaire, M. Frédérick Jamison. Derrière les caisses étaient les bureaux, sombres, froids et sinistres. où trois comptables et deux commis travaillaient sur leurs grands pupitres, et gardaient cache-nez et pardessus en hiver.

Jérôme, toujours souriant quand il venait à la Banque, ne manquait pas de frissonner en entrant, manifestation déplacée qu'Alfred feignait de ne pas voir. Aujourd'hui, Jérôme regarda autour de lui avec plus d'intérêt et, bien qu'amusé, son cœur se serra. Comment pouvait-on passer ses journées dans cette enceinte sans périr de froid et de mélancolie ?

Alfred, soudain cérémonieux, répondit au salut tremblant des caissiers et conduisit Jérôme à son bureau. Il y avait du feu, ce que Jérôme apprécia beaucoup. Un tapis rouge était jeté sur les dalles polies. Alfred avait mis aux murs quelques gravures excellentes. Le mobilier de vieux chêne massif luisait d'encaustique. Le bureau, avec l'encrier d'argent, les plumes et les crayons bien alignés, était dans un ordre irréprochable. La bibliothèque contenait des volumes sur la finance nationale et internationale. Au-dessus de la cheminée était suspendu un portrait d'homme âgé et corpulent, avec une grosse moustache grise. L'œuvre était de valeur. Les petits yeux pâles luisaient sous d'énormes sourcils grisonnants qui soulignaient l'étendue du front et du crâne chauve. C'était un des grands prêtres de la finance : M. J. Regan, de New York, ami personnel de M. Lindsey.

— Excellente attention, dit Jérôme avec un visible plaisir, car le portrait n'y était pas lors de sa dernière visite. Je connais le vieux bandit. Quand a-t-il remis cette vénérable effigie ?

Jérôme examinait le portrait en connaisseur.

— Ah ! oui, Thomson ! Un très bon artiste. Et ceci est véritablement excellent. Est-ce un cadeau de Regan ou bien l'as-tu acheté ?

Alfred, debout à son placard, rangeait son pardessus, ses gants et son chapeau. Il décocha un regard glacial qui fut perdu pour Jérôme qui lui tournait le dos.

— M. Regan a donné ce portrait à ton père pour son dernier anniversaire. Acheté ! Ah çà !...

— Eh ! quoi, je ne faisais que m'informer. Je connais Regan. Aussi, suis-je surpris qu'il fasse des cadeaux. Il ne donnerait même pas une vieille chaussure. Un bon bougre, quand même...

— Tu connais Regan ? J'ignorais.

Le ton suggérait une certaine inquiétude et l'envie d'en savoir davantage. Jérôme se retourna et dévisagea son cousin.

— Eh ! oui, je connais Regan. Il voulait que je fasse son portrait et celui de sa fille Alice. A titre gracieux, bien entendu, au nom de notre amitié. Mais ça ne m'intéressait à aucun titre.

— C'était un honneur, pourtant.

Alfred était légèrement scandalisé.

— Précisément. Mais je ne voulais pas lui faire cet honneur.

Alfred allait dire quelque chose, mais y renonça. Il ferma la porte de son placard, se dirigea vers le feu, se frotta les mains pour les réchauffer et, sans regarder son cousin, il dit d'un ton compassé :

— Je n'ai pas encore eu l'honneur de faire sa connaissance... Est-il aussi intimidant que son portrait ? C'est un chef, n'est-ce pas ?

Jérôme alluma une cigarette tout en réfléchissant.

— Un chef ? Je ne crois pas que ce soit le mot exact. C'est un mécène, je m'en suis aperçu. Saint patron de la Confrérie des artistes. Loge à l'Opéra. Je crois que c'est tout simplement un homme qui sait ce qu'il veut et qui y met le prix. Tu as entendu parler de Mlle Mary de Vère, l'actrice des Variétés ? Eh bien ! il s'est montré d'une générosité exceptionnelle à son égard C'est une grue de haut vol qui a la moitié de New York à ses pieds, mais c'est pour te dire...

Alfred demeurait stupéfait devant le sacrilège. Il fixait d'un regard ahuri le profil de Jérôme qui contemplait le portrait avec un petit sourire entendu et pas du tout gêné.

Jérôme baissa modestement la tête et poursuivit son histoire :

— Elle semblait avoir des préférences pour moi, bien que je ne sois pas homme à braconner sur la propriété... euh... temporaire d'autrui. Ce bon vieux Regan. Il m'a prêté cinq mille dollars.

— Cinq mille dollars ! Tu dois cinq mille dollars à Regan ?

— Mon cher cousin, tu confonds les temps. C'est « devais » et non pas « dois » qu'il faut dire. J'ai fini par le rembourser. Il ne m'a demandé que deux pour cent d'intérêt. Il aurait bien voulu ne rien me demander du tout, mais quand on est dans la peau d'un banquier, pas moyen d'en sortir. Il a donné une fête en mon honneur quand j'ai eu tout remboursé. J'imagine que ça a dû lui coûter les cinq mille dollars intégralement... — Il sourit à ses souvenirs. — Mlle de Vère joua de manière remarquable, ce soir-là.

Il y eut un coup timide à la porte et, d'une voix inutilement furieuse, Alfred cria d'entrer. C'était M. Jamison, son secrétaire, un petit homme maigrichon avec d'énormes moustaches, des yeux timides au regard clignotant. Il allait parler, quand il aperçut Jérôme. Il se cassa en deux comme accablé.

— Jamison ! s'écria Jérôme qui s'avança la main tendue avec une parfaite simplicité. Je vous croyais à la retraite depuis longtemps.

M. Jamison fixa longuement la main endiamantée de Jérôme avant de la prendre et non sans avoir au préalable imploré son pardon d'Alfred d'un regard suppliant. Eperdu, il murmura :

— Je suis enchanté, monsieur Jérôme. Enchanté. Non, je n'ai pas encore pris ma retraite.

Puis il leva sur Jérôme des yeux pleins d'une gratitude d'épagneul.

— Eh bien ! moi aussi, je suis content de vous revoir. Comment va Mme Jamison ? Et le garçon ?

Le petit homme eut une bouffée d'orgueil.

— Brewster fait son droit à Syracuse, monsieur, et il réussit très bien. Il pourra prendre la suite ici. Mme Jamison, elle, ne va pas très bien, je dois dire. Mais elle ne se plaint pas.

Alfred se racla la gorge.

— Jamison, je vous ai dit, n'est-ce pas, que M. Jérôme allait travailler avec nous ? Je me demande si vous avez le temps, ce matin, de le metttre au courant des règles de procédure ?

Jérôme fit la grimace, mais Jamison eut un frisson de plaisir.

— Mais comment donc ! Bien sûr. Je serais ravi.

Ses mains tremblaient en posant une liasse de papiers sur le bureau d'Alfred.

— C'est le rapport sur la ferme Hobson, monsieur. Ça va très bien, cette année. Le blé d'hiver est rentré. Vous serez satisfait.

Jérôme dressa l'oreille. Hobson ? Hobson ? Où avait-il entendu ce nom-là ? Mais Alfred était déjà assis à son bureau et montrait impérativement qu'il allait se mettre au travail. Jérôme suivit donc M. Jamison dans son bureau.

La pièce était de beaucoup plus petite et plus sombre que le bureau directorial, et un feu indigent vivotait dans la cheminée. Jérôme s'appliqua à frissonner, tisonna les charbons et jeta un plein seau sur la maigre flambée. M. Jamison eut une protestation inquiète. Jérôme le rassura :

— S'il croit que je vais crever de froid, il se trompe. Faites apporter d'autre charbon pour ce mausolée : je n'ai aucune envie d'attraper une pneumonie.

Il regarda la pièce. C'était affligeant. Pas de tapis sur les dalles. Comme tout mobilier : deux bureaux accouplés en chêne terne. Point de tentures ; point de gravures aux lambris. Jérôme décida qu'il allait faire mettre un tapis et orner les murs d'une ou deux toiles de son cru, un peu émoustillantes.

— Il faut un peu parer ce tombeau, dit-il. Il faut une pendule pour la cheminée, un genre rococo pour égayer. Et je crois que j'aimerais du rouge pour les tentures, du rouge, relevé d'un peu d'or discret...

M. Jamison écoutait, terrifié, ce flot d'hérésies.

— M. Alfred ne trouvera peut-être pas ça... tout à fait... tout à fait à son goût.

— M. Alfred me fait... Après tout, c'est moi qui vis dans cette carrée, pas lui. Pour qui se prend-il ? Il n'est jamais que le neveu de mon père et son fils adoptif. Moi, je suis de sang royal ! Jamison, nous ferons quelque chose de très bien de cette pièce.

Jamison le contempla avec adoration. Il était devant le feu et frottait ses vieilles mains froides.

— Mon brave Jamison ! On s'entendra bien tous les deux. On se remontera le moral sous les Pyramides.

Il mit son pardessus et son chapeau au vestiaire et tira de sa poche un très beau flacon filigrané.

— Des verres, Jamison, deux ! Nous allons boire à mon initiation parmi les morts.

— Oh ! monsieur Jérôme. Je ne peux pas. Que dirait...

— Des verres, Jamison, allons.

Jamison, blanc comme un linge, sortit les verres. Jérôme versa le liquide doré et ajouta un peu d'eau de la carafe ébréchée. Jamison prit son verre comme s'il contenait de la ciguë.

— Ça n'est pas du poison, je vous promets. Avalez-moi ça. Tout de suite !

Un peu de couleur rosit les maigres pommettes de Jamison. Il eut un rire nerveux en s'essuyant les moustaches.

— Oh ! monsieur Jérôme, murmura-t-il, l'œil sur la porte d'Alfred.

Ils s'installèrent côte à côte aux bureaux et Jérôme commença de s'instruire. Il se força à écouter attentivement, mais il eut bientôt la figure toute tiraillée de bâillements réprimés. Jamison apportait les livres que Jérôme parcourait rapidement. D'interminables rangées de chiffres, sans rien de vivant. Jérôme regarda sa montre. Il devait être midi maintenant. Il n'était que dix heures. Il reprit du whisky.

— La finance, c'est très intéressant, monsieur, dit Jamison, sans conviction.

— Ça pourrait être intéressant, mon vieux, c'est possible, mais pas ici. Ce qui manque ici, c'est de l'entrain, de l'allant. Des placements qui nécessitent des voyages d'affaires à New York et ailleurs. On visite des mines. Ah ! les mines ! Un placement risqué, mais passionnant. On visite des usines. Voyage en wagon particulier, entouré de jeunes prospecteurs enthousiastes... La finance ! Mais ça n'a rien à voir avec la finance, ce qu'on fait ici. Bon Dieu ! on traite de poulets, de légumes, de blé, d'avoine, de vaches, que sais-je ?

— Mais c'est une branche agricole, monsieur.

— Oui, je sais. Mais qu'a-t-on besoin de limiter les opérations à l'agriculture ?

A onze heures et demie, Jérôme prit son manteau et son chapeau et annonça son intention d'aller faire un tour dans les boutiques pour chercher un tapis et des tentures. Il donna l'ordre à Jamison de faire apporter du charbon. Il but un dernier whisky et s'en fut en prenant la précaution de passer par derrière. Une fois dans la rue, à l'air vif, il fut tout heureux de se sentir renaître.

De retour vers une heure, il n'eut que le temps de remettre son chapeau et son manteau en place, avant l'entrée d'Alfred.

— Une bonne journée de travail, dit Jérôme en regagnant prestement son bureau.

— Comment, une journée ? Il n'est pas encore une heure.

Alfred regarda les deux bureaux.

— J'espère que le travail avance ?

— Epatamment. Jamison est un professeur excellent.

— Veux-tu déjeuner avec moi à Riversend House ? demanda Alfred sans se dérider. Il y a certains points de procédure dont nous pourrions discuter.

— Est-ce que la cuisine s'est améliorée ?

Jérôme retournait au vestiaire et examinait furtivement ses vêtements pour voir s'il n'y avait pas de traces de flocons.

— Ou bien est-ce toujours le même rosbif aqueux et le poulet mort de vieillesse ?

Alfred ne répondit pas. Ils sortirent pour déjeuner.

CHAPITRE XV

HILLTOP flamboyait sur la hauteur. Chaque fenêtre projetait des reflets d'or et de feu sur la neige. Les grands salons étaient ouverts ; l'arbre de Noël était tout scintillant de bougies, sous l'œil vigilant d'une servante en faction discrète près d'un seau d'eau. Des feux de bois ronflaient dans toutes les cheminées. Les lustres de cristal, qu'on n'allumait qu'aux grandes occasions, étaient de miroitantes stalactites ; les planchers cirés renvoyaient les lumières et les couleurs. Les musiciens accordaient déjà leurs instruments dans la salle de danse. Les plantes en pot, habilement disposées, formaient des grottes en miniature. Les domestiques, augmentés d' « extras » venus de Riversend, mettaient la dernière main à la collation dressée dans la salle à manger, où les jambons, les dindes, le bœuf rôti et autres mets variés attendaient déjà sur les buffets.

Dorothée, Jérôme et Alfred recevaient leurs invités, tandis que M. Lindsey, assis dans le premier salon, sa canne à côté de lui, accueillait ceux qui s'y pressaient déjà. Le jeune Philippe, que l'émotion rendait tout pâle, se tenait debout à côté de lui. Amalie, elle, n'avait pas encore fait son apparition. Alfred jetait sans cesse des regards d'impatience par-dessus son épaule, dans la direction de l'escalier, et sa figure exprimait la confusion. Pendant une accalmie, il chuchota à l'oreille de Dorothée :

— Amalie n'aurait-elle pas compris qu'elle devait être là pour recevoir les invités ?

Dorothée, en satin noir sévère, avec tout juste un soupçon de tournure, répondit en un murmure revêche :

— Je suis certaine du contraire ; je le lui ai répété encore cet après-midi. Peut-être s'est-elle trompée d'heure ?

— Elle ne peut manquer d'entendre ce qui se passe en dessous.

Alfred était exaspéré et son humiliation ne faisait que croître. Aucun des invités n'avait fait allusion à l'absente, mais ce tact n'était qu'une maigre consolation.

Dorothée se redressa dans le bruit de gourmette de sa chaîne d'or et de ses bracelets. D'autres invités arrivaient.

Une vieille femme d'une laideur incroyable, en robe à traîne de velours violet et collier de perles, fit son entrée. Petite et boulotte, elle ressemblait à un bouledogue, mais l'air moins bon enfant. Elle avait une expression arrogante et facétieuse. Des masses de bagues étincelaient sur ses mains qui étaient celles d'une blanchisseuse plutôt que d'une aristocrate. Une odeur de musc l'enveloppait comme une aura presque palpable.

C'était Mme veuve Kingsley, ou Méhitabel pour les intimes. Comme son grand ami et compère le général Tayntor, elle affichait une extrême liberté d'allure et passait pour une « originale ». Trois fois mariée, trois fois veuve, elle avait décuplé une fortune déjà considérable par ses mariages, astucieusement combinés et, seul, le général était plus riche qu'elle. Elle était célèbre par sa grosse voix rauque, son langage indécent, sa malice, son goût de l'insulte et sa rapacité, sans parler de ses toilettes extraordinaires, de son château d'un luxe pompeux, de ses écuries renommées, de ses nombreux chats, de son appétit insatiable et de sa capacité de buveuse. Ses ennemis étaient légion, surtout parmi les femmes, mais ses amis lui étaient dévoués. Elle ne craignait personne, et rares étaient ceux qu'épargnaient ses propos virulents.

Dorothée s'avança avec un sourire pincé, suivie d'Alfred et de Jérôme. La veuve les toisa d'un air délibérément méprisant, puis elle aperçut Jérôme, dissimulé par son cousin. Ses traits vulgaires exprimèrent un vif plaisir.

— Jérôme ! hurla-t-elle. Viens vite m'embrasser, coquin !

Elle tendit les bras et l'enveloppa d'une étreinte aux violents effluves.

— Metty, ma petite canaille, je suis venu exprès de New York pour vous voir.

— Menteur ! — Elle le lâcha avec un sourire entendu. — Je parierais que je sais pourquoi tu es venu. — Elle cligna de l'œil, lui empoigna le bras, s'ébroua d'un air heureux. — Ça ne **fait** rien. Ça me suffit de te voir. Bon Dieu, ce que tu es beau, Jérôme ! Embrasse-moi encore !

Une idée lui passa par la tête et elle fronça le sourcil :

— Est-ce que tu aimes mieux les animaux, maintenant ? Sais-tu reconnaître l'avant de l'arrière d'un cheval ? On m'a dit que tu avais joué aux courses à Saratoga l'an dernier, alors tu as dû faire des progrès ?

— J'ai un chien. Un king-charles.

— Un chien ? — Elle se rembrunit. — Tu n'as jamais aimé les chiens. Une espèce française ; ça date du temps de Louis XVI. —

Elle était scandalisée. — Tu ne vas pas me dire que tu te mets à aimer les chiens ?

— Non, pas beaucoup. A vrai dire, j'ai hérité de Charlie Sa maîtresse est partie pour l'étranger.

— Oh ! dans ce cas !... Qu'est-ce qu'on m'a raconté sur ton entrée à la Banque ? Je n'y crois pas. Dis-moi que ce n'est pas vrai.

— Mais si. Je vais devenir un homme d'affaires. Je me range. Je commence à avoir de la mousse et des racines.

Alfred s'éclaircit la voix et s'avança :

— Bonsoir et joyeux Noël, Mrs. Kingsley, dit-il en jetant un regard froid à Jérôme.

La vieille dame lui fit face, en fronçant le sourcil :

— Comment ? Ah ! merci, Alfred. Je me demande ce qu'on peut trouver de joyeux ce soir ! Il fait un temps de chien et j'ai des rhumatismes.

Elle le regarda d'un air offensé, comme s'il était personnellement responsable du temps. Elle prit le bras de Jérôme et lui dit :

— Conduisez-moi près de votre père, monsieur, tout de suite.

Jérôme obéit. Soudain, elle s'arrêta pour regarder, par-dessus sa massive épaule, Alfred déconfit et Dorothée outrée.

— A propos, Alfred, où est donc votre bonne amie, la couturière ou quelque chose comme ça ?

— Miss Maxwell n'est pas encore descendue, dit Alfred. — Et ses yeux pâles luirent dangereusement, comme s'il oubliait le pouvoir de la veuve. — Mais elle sera là incessamment. — Il se tourna vers Dorothée : — Auriez-vous l'obligeance... ?

— Je vais la chercher.

Dans un bruissement de soie, Dorothée fit majestueusement demi-tour et commença de monter l'escalier.

La veuve gloussa d'une voix rauque :

— Attendons un moment, Jérôme. J'ai envie de voir la petite tout de suite. On la dit jolie.

Les tempes d'Alfred battaient, mais il se maîtrisa. D'autres invités arrivaient. Un aimable désordre s'ensuivit.

Quelqu'un descendait l'escalier avec une lenteur hautaine. Les invités levèrent les yeux avec des sourires polis. Puis les sourires s'effacèrent, laissant un masque de surprise, et le silence se fit.

Sur le fond sombre de l'escalier, Amalie descendait, tête droite. avec une calme aisance. Dans la lumière éclatante du lustre, elle parut vêtue d'une robe de velours rouge vif, audacieuse à l'extrême. Les épaules, entièrement nues, luisaient comme la neige sous la lune. Le corsage moulait les seins hauts et la taille mince. Des rubis étincelaient aux oreilles ainsi que dans la chevelure noire, sévèrement coiffée. Le beau visage était d'une pâleur lumineuse et la bouche était écarlate comme la robe. La grande belle main qui suivait la balustrade s'ornait des mêmes joyaux de feu. « La parure de ma mère », pensa encore Jérôme dont le cœur battait d'une manière insolite.

Elle était en pleine lumière, presque sur la dernière marche. Les forts méplats du visage, le ferme modelé du menton se révélaient. Un silence pétrifié s'appesantit sur l'assemblée.

— Seigneur! s'exclama la veuve, ébahie.

Tout le monde sursauta violemment. Quelques dames se voilèrent le bas du visage de leur éventail. Les hommes contemplaient, fascinés. Jérôme regarda la statue charnelle sur la dernière marche et, silencieux, laissa retomber son bras.

Alfred, revenant de sa stupéfaction, s'anima. Il était pâle comme un mort. Mais il s'avança, très droit, vers l'escalier et tendit la main à Amalie.

— Voici nos invités, ma chérie. — Et il commença les présentations.

Les femmes semblaient incapables de répondre autrement que par un murmure, avec de grands yeux effarés. Amalie était très calme. Elle regardait avec aplomb chaque homme qui s'inclinait devant elle en balbutiant son nom. En arrivant devant la veuve Kingsley, elle sourit et fit la révérence que la jeunesse devait à l'âge mûr.

— Eh bien, s'écria Mrs. Kingsley, en dévisageant la jeune fille avec son face-à-main, voilà notre belle, hein! Bon Dieu, Alfred, vous vous mettez bien! Belle fille, s'il y en a. Pas facile à mener, la pouliche, je parierais!

Elle fixa son regard perçant sur Amalie, qui lui sourit. La vieille dame eut une moue admirative qui fit saillir la grosse lèvre du bas :

— Vous me plaisez, ma petite, même si vous êtes couturière ou je ne sais quoi. Embrassez-moi, s'il vous plaît.

Amalie s'exécuta, tandis que la vieille femme lui tapotait la joue.

— Penser que c'était à Riversend et que je n'en savais rien. Dites-moi, ma jolie, est-ce vous qui avez dessiné cette robe?

— Oui, c'est moi, mais je ne suis pas couturière, madame, j'étais institutrice, dit Amalie avec un gracieux sourire.

— Qu'est-ce que cela peut faire? répliqua Mrs. Kingsley avec désinvolture. — Elle se remit à examiner Amalie. — Décidément, vous me plaisez. Mais pourquoi épousez-vous Alfred, quand vous pourriez épouser mon beau Jérôme? Un beau couple de coquins. Car vous êtes une coquine, n'est-ce pas, ma belle? Oui, je ne me suis jamais trompée et je ne me trompe pas maintenant. Pourquoi épousez-vous Alfred? — Sa voix était stridente. —

Pour son argent, bien entendu. — Elle tourna son front menaçant vers le malheureux et décocha cette rosserie :

— Je n'ai jamais aimé Esaü.

Les invités se regardèrent ; les dames se dérobèrent derrière leurs éventails, tandis que leurs yeux pétillaient de malice. Les messieurs sourirent, mais détournèrent obligeamment leur regard du malheureux.

La veuve tança Jérôme du regard :

— Eh bien, qu'as-tu à répondre ? Pourquoi n'épouses-tu pas cette délicieuse enfant ? Ça n'est pas trop tard, tu sais.

Jérôme s'inclina :

— Mais, madame, on ne me l'a pas demandé. N'est-ce pas ? dit-il, en se tournant vers Amalie.

Amalie le contempla avec détachement.

— C'est exact. Sans doute un oubli de ma part, pour lequel vous voudrez bien m'excuser.

La veuve poussa un gloussement et, se mettant entre eux deux, leur prit le bras :

— Allons voir votre papa. Alfred fera bien tout seul les salamalecs.

Et elle les entraîna vers les salons.

Dorothée et Alfred étaient seuls dans le silence encore vibrant du grand vestibule. Alfred était visiblement secoué. Il sortit son mouchoir et s'épongea le front. Dorothée le regardait avec une amère compassion. Sans la regarder, il dit :

— Je vous en prie, Dorothée, ne me dites rien. Je ne crois pas que...

Sa voix se brisa et il se détourna.

Dorothée eut comme un geste de prière et joignit les mains. Très calme, elle dit :

— Je crois que tous nos invités sont arrivés. Si nous passions au salon ?

Elle prit le bras d'Alfred. Au moins, songea-t-elle, il n'aura pas eu à subir les réactions de ceux qui étaient déjà entrés, lorsqu'ils verront cette femme.

— Quelle créature ! Oh ! Alfred, Alfred !

CHAPITRE XVI

LE MOINS qu'on puisse dire est qu'Amalie faisait sensation. Mais, si elle s'en rendait compte, elle n'en trahissait rien. Parfaitement maîtresse d'elle-même, gracieuse, affable, elle tournait dans les bras d'hommes fascinés, qui attendaient leur tour en donnant des signes d'impatience tout à fait contraires à la bienséance. La fulgurante silhouette d'écarlate tourbillonnait et glissait parmi les habits ternes comme une langue de flamme sur des laves paresseuses, et les dames d'alentour nourrissaient en leur cœur des sentiments qu'eût désavoués la charité chrétienne.

M. Lindsey regardait la scène de son fauteuil et le jeune Philippe, qui avait demandé une demi-heure de grâce, suivait du regard Amalie, de la joie plein les yeux.

Deux jeunes filles, hors d'haleine, s'éventaient en se reposant quelques instants près de Mrs. Kingsley. L'une d'elles s'exclama :

— Elle a dansé juste une fois avec M. Alfred Lindsey, c'était la première danse. Ça ne se fait pas. Mais on dit, n'est-ce pas, qu'elle n'a aucun savoir-vivre.

— Quand on est tourné comme elle, on n'a pas besoin de savoir-vivre, seulement d'une garde du corps, dit Méhitabel.

— La voilà qui danse avec M. Jérôme, dit l'autre jeune fille, une petite brune. — Comme à regret, elle ajouta : — Quel beau couple ! Mais comme elle relève ses jupes ; je vois ses chevilles.

— Ah ! voilà pourquoi les hommes regardent par terre avec cet air absorbé, dit Méhitabel. Je me demandais la raison de tous ces yeux baissés...

Elle se mit à s'éventer de son énorme éventail d'autruche noire, avec un sourire satisfait. Elle était assise sur une chaise dorée, dans un abri de verdure, encadrée par les jeunes filles. Celles-ci connaissaient très bien Mrs. Kingsley, et venaient à elle un peu comme vers une mère : elles étaient orphelines et la veuve leur témoignait quelque bonté, en espérant que la chronique locale ne les avait pas encore informées que leur père, le général

Tayntor, avait été son amant. Le général avait assuré l'intérim entre deux mariages et c'était fini depuis longtemps.

L'aînée des jeunes filles, Sally, était une petite brune délicate. Elle avait de grands yeux noirs, une masse de cheveux roulés en anglaises. La bouche charnue avait l'air d'un bouton de rose. Le visage à fossettes était plein de verve et d'intelligence, la petite poitrine haute et pleine, la taille d'une extrême minceur. Elle avait un charme très personnel. La veuve avait coutume de dire qu'avec « un peu d'entraînement on pourrait en faire une femme d'expérience, tout à fait intéressante ». Mais qui se chargerait de l'entraînement à Riversend ?

Sa sœur Joséphine était plus grande et plus gracieuse que l'exubérante Sally. C'était une blonde au teint délicat, à peine rosé aux pommettes ; les yeux bleus étaient pleins de douceur. Les cheveux, très fins, presque dorés, étaient massés en un énorme chignon sur le long cou blanc. Chacun de ses mouvements était plein d'une distinction sereine et sa voix était harmonieuse. Elle portait ce soir-là une robe de grand style en satin bleu, ornée de boutons de roses.

Mrs. Kingsley la trouvait terne, bien qu'elle la préférât à l'astucieuse Sally qui avait la dent dure et en usait sans ménagement.

— Pour la conversation, disait Méhitabel, parlez-moi de Sally. Elle ne m'ennuie jamais. Mais, pour le repos, donnez-moi Joséphine. Elle me calme et sa présence est un véritable remède contre l'insomnie.

Joséphine, de deux ans la cadette, n'avait que dix-neuf ans. Ni l'une ni l'autre n'étaient encore fiancées. Sally ne trouvait personne à son goût à Riversend, qu'elle détestait. Quant à Joséphine, tous les espoirs avaient été anéantis par Amalie. Et la pauvre fille se résignait à la perspective de s'enfoncer doucement dans le célibat, en se dévouant aux bonnes œuvres et en soignant son père. Le général ignorait heureusement ce sombre dessein. Il se tourmentait beaucoup au sujet de ses filles et les invitait, en termes les plus crus, à se pourvoir de maris. Il ne voulait pas de satanées vieilles filles à ses trousses, leur disait-il, en leur tirant les cheveux, mais en les embrassant de bon cœur.

Cependant Amalie s'amusait. Tout au moins, s'était-elle amusée jusqu'à ce que Jérôme vînt l'inviter. Elle n'avait pu lui refuser une danse, car il avait fait sa demande en présence de témoins.

La musique s'enflait sur un rythme harmonieux. Jérôme tournait avec Amalie en une valse rapide. Elle dansait bien, mais se raidissait dans les bras de Jérôme et son visage était fermé ; elle regardait fixement par-dessus l'épaule de son cavalier, comme si elle l'avait oublié. Il essaya de la serrer de plus près : elle résista avec une force surprenante. Les couples tourbillonnaient autour d'eux, les femmes avec une expression malveillante et les hommes avec des regards d'envie.

Jérôme contemplait les magnifiques épaules et la courbe des seins.

— Partez avec moi, ce soir. Nous irons à New York.

Elle le regarda dans les yeux et son sourire se précisa.

— Monsieur Lindsey, est-ce une demande en mariage ?

Il rit et l'attira brusquement. Ils dansaient maintenant comme on ne danse pas dans la bonne société.

— Une demande en mariage ? Oui, si vous voulez.

Elle ne souriait plus. Elle le regarda longuement, d'un air méprisant.

— Et puis-je vous demander comment nous pourrions vivre à New York ?

— Mais comme j'ai toujours vécu jusqu'à présent, j'imagine.

— Avec l'argent de votre père ?... J'ai des doutes sérieux sur cette source de revenus, étant donnés vos projets. Vous seriez dans l'obligation de travailler, monsieur, et je me demande si votre constitution vous le permettrait.

— Vous insistez sur les contingences les plus désagréables, dit-il d'un ton léger. — Toutefois, il était en train de réfléchir. — Mais, diable, je suis un excellent artiste. Je peindrais des portraits ou autre chose. D'ailleurs, en cinq jours, je me suis initié d'une manière étonnante au métier de banquier.

— Bref, vous n'auriez pratiquement pas d'argent. — Elle s'écarta du plastron brillant. — Et l'argent est ce que je cherche. Il y a bien votre charme irrésistible. Mais je crains que ce ne soit pas une compensation suffisante pour ce qui m'a déjà été offert.

Au cours de la conversation, Amalie avait sans cesse gardé un ton désinvolte et moqueur. Mais elle tremblait maintenant et sa bouche avait une expression inflexible.

— Vous êtes vénale, dit Jérôme. — Puis sa figure changea. Il se pencha sur elle. — Amalie, je vous aime, je vous aime !

Elle rejeta la tête, pour bien le regarder. Il souriait, mais l'expression des yeux ne fit qu'accentuer son trouble. A ce moment, la musique s'acheva sur un trait fougueux et brillant, et les danseurs s'arrêtèrent avec des applaudissements polis.

— Pour l'amour de Dieu, laissez-moi, murmura-t-elle à Jérôme.

Mais Jérôme ne voyait qu'elle. Il était très rouge et respirait difficilement, sa main crispée sur celle d'Amalie. Plusieurs couples, sur le point de quitter la piste, les détaillaient avec curiosité. Amalie essaya de retirer sa main, mais il serra plus fort.

— Vous ne pouvez pas l'épouser. — La voix s'entendait à

peine. — Je vous veux. Vous m'appartenez comme je vous appartiens. D'une manière ou d'une autre, je travaillerai...

Pour la première fois, il vit des larmes dans ses yeux, de grosses larmes qui s'amassaient dans les cils et voilaient les prunelles avivées. La bouche était d'un rouge plus intense et d'une grande douceur.

— Je vous en prie, je vous en prie, murmura Amalie. — Et elle se détourna.

Jérôme dut la laisser partir, car, en tête du groupe des poursuivants, Alfred arrivait bon premier. Il avait une expression menaçante en regardant Jérôme. Il s'inclina devant Amalie.

— Ma chérie, la prochaine valse est la nôtre.

Jérôme alla rejoindre la veuve Kingsley, qui faisait tapisserie avec la brillante Sally.

Mehitabel l'examina :

— C'est fatigant de danser. Tu es en nage. Essuie-toi... Jérôme, tu es un imbécile.

Mais Jérôme se tourna vers Sally.

— Puis-je avoir l'honneur ?...

Elle bondit et lui décocha un regard de grande coquette.

— Mais avec plaisir, monsieur, j'ai refusé toutes les autres pour vous réserver celle-là, dit l'effrontée.

Il entraîna Sally dans les tourbillons d'une valse joyeuse. L'enfant dansait à ravir. Elle exhalait une odeur de lilas. Elle rejetait la tête pour rire et taquiner son cavalier. Il fut surpris de la trouver délicieuse. Le puissant malaise le tenait toujours. Il essayait encore d'apercevoir la robe rouge d'Amalie parmi les couples tourbillonnants. Mais Sally le captivait malgré lui, car il était toujours sensible aux jolies filles. Quelle animation et quel éclat dans ces yeux noirs ! Quelles charmantes petites dents dans l'éclair des sourires ! Elle était toute chaleur voluptueuse. Involontairement, Jérôme resserra son étreinte : la jeune fille ne résista pas, elle se blottit contre lui. Il trouva le geste charmant.

Par la suite, il dansa deux fois avec Sally avec un plaisir croissant. Il n'était pas question d'inviter Amalie : Alfred, pareil à un Cerbère. ne la lâchait plus.

A onze heures, il s'aperçut qu'il boitait à cause de sa blessure. Il se sentit tout d'un coup horriblement déprimé et nerveux. Il jeta un regard sur la salle de bal pleine d'entrain. Mehitabel dansait avec le galant général. Tout le monde dansait. Amalie et Alfred avaient, on ne sait pourquoi, disparu.

Jérôme quitta discrètement la salle et personne ne remarqua son départ, sauf Sally Tayntor, qui languit soudain dans les bras de son cavalier. Il traversa le vestibule silencieux où le feu se mourait. L'horloge égrena une série de notes sonores. Les bruits et la musique du bal arrivèrent assourdis, comme une fête dans un songe.

Jérôme ouvrit des portes, traversa des couloirs et se trouva dans le jardin d'hiver. Il sentait l'odeur des roses, des géraniums et des lis, mais sans les voir. Il s'appuya contre un montant, l'esprit vide et, avec lenteur, cueillit une rose.

CHAPITRE XVII

LES « BRUMES de mort », comme les appelait Jérôme, s'étaient établies sur Hilltop La longue quiétude d'un dimanche d'hiver à la campagne enveloppait tout le pays d'une atmosphère léthargique. Seules, les cloches de la vallée troublaient les hauteurs de Hilltop. où leur musique aérienne arrivait en ondes affaiblies, qui ne faisaient qu'accuser la mélancolie ambiante et le pieux silence blanc.

Dorothée et les domestiques étaient dûment descendus dans la vallée pour assister aux offices du matin. Pour M. Lindsey, c'eût été impossible, il ne pouvait se déplacer, et pour Jérôme la chose était inconcevable ; aussi personne ne parla de l'emmener. Il entendit les sonnailles des traîneaux s'éloigner, puis revenir dans le courant de la matinée. Le déjeuner avait été annoncé avec décorum, et absorbé. M. Lindsey s'était retiré dans sa chambre, Dorothée avait fait de même et les domestiques avaient disparu. Jérôme, assis devant le feu de la bibliothèque, un livre abandonné sur les genoux, fixait les rougeoiements silencieux. Il essaya de s'assoupir, mais tous ses muscles étaient crispés et sa chair était douloureuse. C'était un dimanche pareil à tous ceux de sa jeunesse et il se demandait pour la centième fois comment il avait pu les supporter et comment il supporterait les autres à venir. Trois heures sonnèrent. Il pourrait encore y avoir des visiteurs qui le tireraient de cet abîme d'ennui, de ce silence stagnant.

Amalie et Alfred étaient en voyage de noces depuis quatre jours. On avait fait disparaître toutes les traces de la fête, célébrée dans l'intimité. Rien ne subsistait des fleurs, des fougères, des guirlandes enrubannées de blanc, des tables chargées, du désordre. Jérôme gardait seulement le souvenir sans cesse plus poignant du visage d'Amalie voilé de blanc et couronné d'oranger, visage d'une pâleur impassible où seules les lèvres remuaient pour les répons. Il voyait la main blanche se dégager du voile pour recevoir l'anneau nuptial. Puis Alfred s'était penché pour baiser Amalie aux lèvres, mais c'étaient des lèvres de marbre et le visage n'avait point changé.

Jérôme bougea dans son fauteuil, comme sous le coup d'une douleur soudaine. Il se redressa, passa durement la main sur ses yeux et sa figure. Finalement, il alluma un cigare et attendit la crise abominable qui allait l'assaillir, inéluctable, désespérée.

Il se dit : « Amalie va revenir. Dans deux ou trois semaines, elle sera dans cette maison. Ce n'est pas la fin. Pour moi, ce sera même une espèce de commencement. » Puis il songea à Alfred et à Amalie dans leur intimité, et se sentit malade, plus malade qu'avant. « Je n'aurais pas dû permettre ça, j'aurais dû me débrouiller », se dit-il, dans le désespoir le plus poignant qu'il eût connu. Qu'avait-elle donc pour être si réaliste, si terriblement lucide ? Qu'avait été son passé pour qu'elle soit si peu sentimentale, si peu féminine, si dure ? Une autre eût préféré la passion à la sécurité. Mais pas Amalie Maxwell qui connaissait trop bien la vie et sa fureur meurtrière pour ceux que n'abrite pas la citadelle d'argent. Elle avait acheté une vie sûre, en toute franchise ; Alfred n'avait pas été trompé sur la qualité de ses sentiments. Elle s'était montrée honnête. Cependant, quand Jérôme y pensait, il la détestait, la détestait avec une telle violence qu'une angoisse furieuse l'étreignait à la gorge.

Il se leva, arpenta la pièce. S'il avait seulement quelque chose à faire ! Quelque chose pour le distraire, l'aider à oublier. Il songea soudain à ses années de guerre. Pourquoi s'était-il engagé ? Qu'attendait-il de son geste ? Il ne désirait pas particulièrement « sauver l'Union ». Si le Sud avait envie de se séparer du Nord, eh bien, c'était son droit, pensait-il. Il avait trouvé stupide que des blancs se fassent tuer pour des nègres. Ceux-ci auraient fini par être libérés et sans effusion de sang. Quelques années peut-être auraient suffi et il n'y aurait pas eu ce reliquat de haine, de terreur, de violences, qui affligeait la nation, et l'affligerait pour les temps à venir. Après tout, même le Sud avait fini par conclure que l'esclavage était grotesque.

« Je n'ai jamais été patriote, pensa-t-il. Je ne me suis jamais senti Américain. Je n'aime pas les Américains ; mais, à vrai dire. je n'aime personne, n'est-ce pas ? »

Alors, avait-il cherché l'aventure ? Drôle d'aventure, en tout cas. Il n'était pas de l'espèce dont on fait des militaires. Il n'avait aucun goût pour le sang et la boue, la mort et la souffrance, pour l'assassinat. Pourquoi donc y était-il allé, quand il aurait pu rester douillettement à New York ?

Il fallait apparemment qu'un homme « fasse quelque chose », si absurde que ce soit.

Peut-être y avait-il un but inconnaissable ? Mais c'était du ressort des métaphysiciens. Lui, Jérôme, n'était pas un mystique. Debout devant la fenêtre, il se mit à gratter les minces fougères du givre sur la vitre.

Ses pensées prirent un autre cours. Il songea au marasme de cette vallée, qu'habitait tant de misère, parce que des gens comme Alfred préféraient le *statu quo* pour leur commodité personnelle. Pas d'industrie, pas d'entreprise, tout stagnait.

Jérôme s'écarta de la fenêtre et revint s'asseoir ; il sentait vibrer en lui une force insoupçonnée. Suivre cette force signifierait s'attaquer à Alfred, et Alfred était dangereux. Non, pour le moment, il ne voyait pas comment répondre à cette invite, mais sûrement la chose était possible.

L'horloge, d'une voix grave et fatidique, laissa tomber quatre coups. Jérôme fut surpris. Pendant une heure, il n'avait pas songé à Amalie et la souffrance et la haine et la rage s'étaient apaisées jusqu'à devenir supportables. C'est alors qu'il entendit les sonnailles harmonieuses d'un traîneau, et des bruits de voix. Il se leva, enchanté. Sauf erreur, c'était le général et ses deux jolies filles. Il sortit pour les accueillir.

Le général se débarrassait de son manteau.

— Ah ! te voilà ! s'exclama-t-il, nous vous croyions tous ensevelis sous la neige et, par charité chrétienne, nous venions à la rescousse. N'est-ce pas, petites ? demanda-t-il à Joséphine et à Sally, en train de lisser leurs cheveux et de faire bouffer leur tournure avec des gestes discrets.

— Je suis joliment heureux de vous voir, mon général, dit Jérôme avec un plaisir sincère.

Et les deux hommes se serrèrent la main en souriant. Jérôme s'inclina devant les jeunes filles. Sally rejeta ses boucles en arrière, lança une œillade de ses grands yeux noirs et, rougissante, prit un air de modestie affectée en regardant le bout de ses souliers. Joséphine sourit à peine et Jérôme vit que ce sourire était un effort. La jeune fille était silencieuse et grave comme à l'accoutumée, mais son doux et classique visage était pâle et sans vie.

Le général remarqua le regard de Jérôme et dit :

— J'ai pensé que ça ferait plaisir aux petites d'avoir un peu de ta compagnie, brigand, pour les ravigoter. Joséphine, surtout. Elle a des vapeurs, n'est-ce pas, petite ?

— C'est l'hiver, papa, et je n'aime pas l'hiver, murmura-t-elle.

— Tu as toujours été une plante de serre chaude, mais ma petite Sally, elle, c'est une gaillarde, dit le général en entraînant ses filles dans la bibliothèque. Pourquoi ne l'épouses-tu pas, hein, Jérôme ?... Cent mille dollars avec la pouliche, payables à la livraison.

Sally rougit violemment ; ses yeux étincelaient sous les cils baissés. Jérôme se mit à rire. Il contemplait Sally avec intérêt. Elle était vraiment séduisante dans sa robe de lainage rouge à brandebourgs. La joue rose était ferme et luisante comme une pomme.

— Miss Sally a peut-être d'autres projets... Après tout, elle est très jeune, et moi, je me fais vieux.

— Allons donc, coupa le général... Quoi, treize ans, quatorze ans, qu'est-ce que c'est ça ? J'avais dix-huit ans de plus que ma Jerusha. Et, en réalité, elle était beaucoup plus mûre que moi.

Il installa ses filles avec une courtoisie surannée. Joséphine poussa un soupir et, abandonnée dans son fauteuil, se mit à contempler le feu.

Le général était debout avec Jérôme devant le foyer, solidement campé sur ses longues jambes. L'air radieux, il reprit :

— Oui, cent mille dollars à la livraison. Et la moitié des biens quand je casserai ma pipe. Un beau morceau pour n'importe qui, sans parler de la petite...

Jérôme l'interrompit brusquement afin d'épargner la modestie de Sally, qui, à vrai dire, ne trouvait pas la conversation désagréable.

— Miss Sally et moi avons beaucoup en commun et j'espère vivement que nous ferons plus ample connaissance à l'avenir, si elle y consent ?

Il s'inclina. Elle le regarda du fond de son fauteuil, comme un chaton heureux, et prit un air penché. « Visage intelligent et bougrement joli, pensa-t-il, et cent mille dollars sur-le-champ ! » Ça n'était pas à dédaigner. De plus, s'il connaissait le moindrement les femmes, ce petit corps délicat promettait beaucoup de joies. Pas prude, Sally. Elle avait de la vie, de la gaieté, de la verve. On pouvait tomber plus mal.

Il s'assit près d'elle, ce qui ne l'ennuya pas le moins du monde. Le général resta debout devant le feu, accepta un cigare et regarda la carafe de whisky avec plaisir. Il s'en versa une bonne rasade qu'il se mit à savourer.

— Où est William ? — Il fit claquer ses lèvres. — Bon whisky, ça, hein ? Dis, où est William ?

— Mon père se repose dans sa chambre. Dois-je aller le chercher ? De même que ma sœur qui sera très heureuse de voir ces demoiselles !

— Ne les dérange pas. Restons un petit moment ensemble. Je ne te vois jamais seul. J'ai même songé à aller te voir à la Banque. Et je n'y ai pas mis les pieds depuis dix ans. Ah ! ah ! (Il éclata de son rire rauque.) Je disais aux petites : je ne lui donne pas trois jours et il foutra le camp à New York, l'oreille basse. Et, au lieu de ça, voilà que tu te cramponnes. Qu'est-ce qui t'attire, hein ? — Et ses yeux bleus se fixèrent avec une joie espiègle et perspicace sur Jérôme.

Jérôme sourit :

— Oh ! bien des choses, et toutes très assommantes, je présume. Du reste, je ne peux aller nulle part ailleurs.

Il se leva et passa dans la salle à manger d'où il revint avec un flacon de xérès et deux petits verres pour les jeunes filles. Joséphine refusa avec un sourire apathique, mais Sally accepta d'enthousiasme. Les deux hommes remplirent leurs verres et burent à la santé des jeunes filles. Sally leva bien haut son verre et la manche vague, en glissant, découvrit un bras blanc d'un grain uni comme une porcelaine de Saxe. Jérôme remarqua les fossettes du coude et eut une envie folle d'y poser les lèvres. Sally dut saisir sa pensée, car elle tint son verre d'un air modeste, tout en battant des cils.

— Et qu'as-tu fait pendant que la maison dormait ? demanda le général qui sentait le silence de toute la demeure peser sur lui. Drôle de vie pour un chenapan de ton espèce !

— Eh bien, j'ai passé mon temps à penser...

— Triste opération. J'y ai renoncé depuis longtemps. C'est mauvais pour la digestion. Constipant. Et quand on pense trop longtemps, on finit par se suicider ou se faire pasteur. Faut avoir assez de bon sens pour éviter ça. Eh bien, qu'est-ce que tu pensais ?

Jérôme, les yeux fixés sur le général, dit d'un air prudent :

— Je pensais qu'il y a des moments où un homme, sous peine de mourir d'ennui, se voit contraint de provoquer un changement...

Le général considéra la proposition et se mit à sourire :

— En ce qui me concerne, j'ai trouvé la vie bien ennuyeuse depuis pas mal de temps. Qu'est-ce que tu voudrais changer ?

Il y eut des bruits de pas dans l'escalier et Dorothée entra, vêtue d'austère bombasin. Elle fit comme si Jérôme n'était pas là, mais gratifia le général d'un sourire cérémonieux et se laissa embrasser par les jeunes filles. Le général, galant, la conduisit à un fauteuil.

— Ma très chère Dorothée, j'espère que nous ne vous avons pas dérangée ?

— Pas le moins du monde : je n'ai rien entendu jusqu'à ce que je descende. Comme ce temps doit être ennuyeux pour ces jeunes filles !

— Sally s'amuse de tout son cœur. C'est une patineuse de premier ordre. Mais il faut dire qu'elle a de bonnes jambes et qu'elle prend un malin plaisir à émoustiller les jeunes gens.

126

— Papa ! s'écria Sally, toute rougissante, mais outrageusement ravie.

Dorothée pinça les lèvres. D'un air digne, elle se tourna vers Joséphine.

— Vous êtes bien pâle, mon enfant.

— Joséphine a été un peu fatiguée par les fêtes, expliqua le général. Elle est de tempérament délicat. J'ai l'intention de l'emmener aux eaux à Saratoga.

— Non, protesta Joséphine avec une véhémence involontaire. Je ne veux pas quitter la maison, papa. Je vous l'ai dit hier soir.

— Cette petite a l'air amoureuse, dit le général, d'un air songeur. Je me demande qui, parmi nos amis, songerait à la dédaigner ?

Une rougeur de fièvre colora les joues de Joséphine. Ses yeux s'emplirent de larmes. Elle fit mine de se lever, puis retomba dans son fauteuil.

— Ça n'est pas Jérôme, n'est-ce pas ? D'ailleurs, pas de bêtises : je le destine à Sally. Sally est l'aînée et se mariera la première.

Mais Joséphine ne suivait déjà plus la conversation. Elle était retombée dans son apathie.

Dorothée examinait Sally avec attention et, pour la première fois, une expression d'espoir et de soulagement passa sur ses traits ingrats. Elle jeta un regard furtif à Jérôme. Penché sur Sally, il lui souriait et murmurait tout bas des paroles que la jeune fille écoutait les yeux baissés et les joues roses de plaisir.

D'une voix presque guillerette, Dorothée dit :

— Vous resterez à prendre le thé avec nous, général ? Papa va descendre.

— C'est ce que je comptais faire.

Quand M. Lindsey fit son entrée, soutenu par Philippe, le général annonça de sa voix de stentor :

— William, je suis content de ton fils. Tu ne savais pas qu'il allait épouser Sally ?

CHAPITRE XVIII

LES trois ou quatre semaines où Alfred resta absent furent, pour Jérôme, une période de pensée et d'activité fiévreuses. Il était à la Banque à huit heures du matin. Il avait exigé l'accès à tous les livres. Il les lisait les uns après les autres, ainsi que les rapports, les cartons de correspondance. Il s'apercevait qu'Alfred et ses amis avaient refusé à un fabricant d'outils agricoles l'achat de terrains pour construire une usine à proximité de Riversend. Après le premier refus d'Alfred, l'industriel avait écrit un éloquent plaidoyer. Toute la communauté en profiterait, faisait-il remarquer d'un ton séducteur, ne connaissant pas son Alfred Lindsey le moins du monde. Les matières premières nécessaires se trouvaient dans le pays avoisinant ou dans la Pennsylvanie toute proche. L'industriel esquissait ses projets pour amener de la main-d'œuvre qui grossirait la population ; il construirait des baraquements près de la fabrique qui donneraient, aux charpentiers et à d'autres artisans locaux, un travail considérable. (Jérôme voyait d'ici les baraquements comme des mals blancs au pied des pentes ; il avait entendu dire que c'était le résultat inévitable de l'expansion économique : il se demandait si c'était bien vrai.)

Mais cela n'expliquait pas pourquoi la veuve Kingsley, le général Tayntor et quelques autres avaient acheté des terrains considérables précisément dans les parages que convoitait l'industriel. Alfred, ne sachant que penser, demandait des éclaircissements à ses amis qui répondaient de manière évasive. Jérôme put lire également l'obscure et rébarbative circulaire où Alfred leur rappelait, en termes quelque peu ambigus, qu'il possédait en propre le terrain où le chemin de fer pourrait, dans un temps indéterminé, construire un embranchement. Les dames et les messieurs auxquels cette remarque s'adressait répondirent très gentiment, en termes qui exprimaient leur innocent étonnement. En quoi un embranchement pouvait-il les intéresser ?

Jérôme arrivait souvent à la maison juste à temps pour dîner.

Alors même, il apportait livres et rapports pour les étudier dans sa chambre. M. Jamison, s'il ignorait ce que « M. Jérôme avait en tête », se doutait que ce n'était pas pour la paix et la tranquillité de la Banque. M. Jamison, terrifié, prêtait la main et devenait complice.

Dorothée, qui voyait cet incroyable déploiement d'énergie, pensait à part elle : « Il essaie de nuire à Alfred. Il veut faire l'important, il veut se faire un nom. Il essaie sournoisement d'influencer papa, car on ne peut pas croire qu'il s'intéresse vraiment à la Banque. » Elle ignorait que, comme de coutume, Jérôme trouvait son intérêt en lui-même.

M. Lindsey, malgré sa lassitude et ses malaises, savait qu'il se tramait quelque chose, mais ne dit rien à son fils. Il avait depuis longtemps abandonné toute participation active à la Banque et déclarait qu'il ne s'y intéressait plus. Il sentait dans la maison des radiations d'une énergie intense dont Jérôme était la source ; il avait conscience que Jérôme ne parlerait pas. Toutefois, une idée se faisait jour en lui, car lui aussi commençait à se demander : « Est-ce vraiment possible que Jérôme s'intéresse à la Banque ? Est-ce que ça aurait séduit son imagination ? Si c'est le cas, il faudra que je consulte. »

Mais celui qu'il avait l'intention de consulter n'était pas Alfred.

Jim était stupéfait du changement qui s'opérait chez son maître. Jérôme était souvent parti quand le petit homme arrivait avec son plateau avant que la maisonnée fût sur pied. Il commençait à négliger les recherches vestimentaires. Il buvait plus que jamais et mangeait énormément. On le voyait, à la nuit, arpenter les allées dans la neige, la tête baissée, songeur, tandis que le petit chien jappait sur ses talons. Son teint s'améliorait rapidement en dépit de son activité incroyable et il avait l'air moins efflanqué. Il avait un entrain, un ressort, qui étaient tout à l'opposé de l'élégante langueur et du détachement cynique qu'il affectait jadis. Quand il rencontrait son père aux repas, sa conversation, bien que superficielle, était toujours très animée. M. Lindsey en était ravi et s'en amusait comme à l'habitude. Il avait par tempérament un certain pessimisme cynique qui trouvait son écho dans les propos de Jérôme. Mais le vieillard voyait maintenant que l'enjouement de son fils n'était qu'un feu d'artifice sur une eau profonde. Et, pour l'instant, il préférait que l'eau restât inexplorée.

Un soir, en buvant son porto dans la bibliothèque avec son père, Jérôme dit négligemment :

— Saviez-vous qu'un dénommé King Munsey voulait bâtir une usine à Riversend, pour fabriquer des outils agricoles ?

M. Lindsey, médiocrement intéressé, murmura :

— Alfred n'a pas été de cet avis.

— Non. Et si j'en crois sa correspondance, il a pris cette démarche comme une tentative de viol avec voies de fait, comme une atteinte au dogme du droit divin des pauvres à crever de faim, sans parler du sinistre désir d'encrasser les façades des gentilhommières. Il y avait beaucoup de vraie poésie et de lyrisme dans la prose d'Alfred. Riversend resterait « intacte et sans souillure », un « asile de tranquillité dans un pays turbulent » ou bien... Alfred mourrait bravement pour sa défense... Dans son noble courroux, il a commis d'énormes fautes de grammaire, ce qui en dit long sur son état...

M. Lindsey fit de sévères efforts pour s'empêcher de sourire, tout en regardant son fils avec attention :

— Comment as-tu découvert ça, mon cher enfant ?

— La curiosité, comme l'amour, se moque des serrures.

M. Lindsey fut scandalisé.

— Tu n'aurais pas dû faire ça à Alfred. Tu n'avais qu'à lui demander...

— Comment l'aurais-je pu ? Je ne savais pas moi-même ce que je cherchais.

Mais M. Lindsey était réellement troublé. Sa conscience de natif de la Nouvelle-Angleterre protestait de manière inquiétante. Quel garçon sans scrupule ! Quel tour impardonnable !

— Eh bien, dit-il, qu'as-tu découvert encore, derrière les serrures ?

CHAPITRE XIX

IGNORANT de ce qui se découvrait pendant son absence, Alfred prolongea imprudemment sa lune de miel et ne rentra qu'au bout de quatre semaines, le dernier dimanche de janvier, malgré son austère respect du jour du Seigneur.

Le dégel était venu et toute la campagne était noyée de boue et de neige fondue. Dorothée était « souffrante », Philippe au lit avec la grippe, et il était impossible à M. Lindsey de descendre à la gare accueillir les nouveaux mariés. Alfred pensa que Jérôme, à tout le moins, serait à l'arrivée du train pour lui souhaiter la bienvenue. Mais Jérôme n'y était pas. Comme de coutume, il avait d'un cœur léger négligé les courtoisies qui pouvaient le déranger.

D'ailleurs, Jérôme travaillait d'arrache-pied (ce qu'Alfred ignorait également). Il complétait ses impertinentes investigations dans les affaires d'Alfred. Il terminait l'étude du dernier livre, qu'il cacha, lorsque la voiture, cahotant dans la boue, gravissait la pente sinueuse qui menait à la porte. Il jeta un coup d'œil de la fenêtre, lissa ses cheveux ébouriffés et, tout en fredonnant, descendit dans le vestibule.

Une grande agitation y régnait. Jim, qui s'était institué surveillant en chef des domestiques, donnait la main pour le débarquement des bagages. Alfred et Amalie étaient debout devant le feu, en train d'enlever leurs gants, pendant qu'une servante ramassait les manteaux. Alfred murmurait quelque chose à sa femme, qui se tourna pour lui sourire poliment. Ce fut son visage que Jérôme vit d'abord, éclairé par les flammes.

Il la trouva plutôt pâle, d'un calme distant, dans son ensemble de voyage gris, garni de fourrure noire. Très calme, très silencieuse. « Ainsi, pensa Jérôme, qui ne s'était pas encore montré, l'argent ne fait pas « son » bonheur. »

Elle l'aperçut avant Alfred. Elle ne bougea ni ne sourit, mais Jérôme sentit son retrait, sa propre mise en garde.

Jérôme les salua aimablement, serra avec cordialité la main d'Alfred, puis, se tournant vers Amalie, demanda :

— Ne serait-ce pas correct d'embrasser la mariée à son retour ?

— Je ne crois pas, répondit-elle, en regardant le feu avec indifférence.

Alfred, l'air avantageux, parut apprécier la réponse. Il posa une main de propriétaire sur le bras d'Amalie, montra une sympathie sincère en apprenant que son oncle allait moins bien, que Dorothée était souffrante et que Philippe avait la grippe. Au nom de Philippe, Amalie dressa la tête, inquiète, et s'adressa directement à Jérôme :

— Est-il gravement malade ? Il faut que je le voie, tout de suite. D'ailleurs, j'ai quelque chose pour lui qu'il désirait beaucoup.

Alfred était plus satisfait que jamais devant ce témoignage d'affection pour son pauvre fils.

— Nous irons ensemble après le thé, chérie.

Mais Amalie, jetant un regard à son réticule, dit :

— Si vous voulez bien m'excuser, Alfred, j'irai maintenant. Ne m'attendez pas pour le thé, si cela vous gêne.

Sans attendre la réponse, elle grimpa allégrement l'escalier. Alfred la regarda partir avec un sourire, un sourire niais selon Jérôme, qui observait son cousin d'un air cynique.

— Prenons le thé dans la chambre de mon père, dit-il. Il en a fait lui-même la suggestion. Dorothée nous rejoindra.

Amalie se trouva essoufflée et le cœur battant en arrivant au dernier palier. Elle se sentait malade aussi et dut s'arrêter quelques instants dans l'ombre. Elle entendit Jérôme et son mari donner des directives au sujet des bagages. Elle se mordit la lèvre et crispa ses doigts sur le réticule. « Non, se dit-elle, il ne faut pas penser. Jamais. » Puis elle alla frapper à la porte de Philippe.

Philippe était couché sur ses oreillers. Il toussait un peu. Un livre était ouvert, mais il l'avait abandonné et s'était détourné de la lampe. Pensant qu'une bonne apportait le thé, il leva la tête, indifférent. Mais quand il vit que c'était Amalie, il se souleva et, les yeux brillants de plaisir, tendit les bras vers elle avec un cri de joie. Elle lui prit les mains qu'elle sentit toutes chaudes et vibrantes de fièvre et baisa le visage brûlant. Elle s'assit près de lui, gardant une main dans les siennes, que l'enfant étreignait presque désespérément.

— Oh ! miss Amalie. Vous m'avez tellement manqué. C'est tout juste si j'ai pu le supporter.

— Vous m'avez beaucoup manqué aussi, cher Philippe. Avez-vous reçu toutes mes lettres ?

— Oh! oui, je les ai toutes gardées. Elles étaient si amusantes, surtout les histoires de grosses dames qui potinaient dans le salon de l'hôtel. Elles disaient vraiment toutes ces choses?

— Mais certainement et bien d'autres encore.

Ils se regardaient dans les yeux en souriant.

— Si nous prenions le thé ensemble, miss Amalie.

— Si vous voulez, mon chéri... Qu'y a-t-il? demanda-t-elle, comme les jeunes yeux pleins de sagesse l'examinaient.

— Vous avez changé, miss Amalie, murmura-t-il en rougissant. Vous avez l'air si pâle, si fatiguée.

Elle exagéra son sourire.

— Le voyage a été pénible. Et nos quatre semaines ont été très agitées. Je ne suis qu'une paysanne au fond...

Mû par un étrange instinct, l'enfant fit cette remarque bizarre:

— J'espère que papa vous comprend, miss Amalie.

Elle le regarda, étonnée, puis elle se mit à rire:

— Quelle drôle d'idée, Philippe! Votre papa est très bon pour moi et c'est le meilleur des maris.

— Miss Amalie, dites-moi que vous êtes heureuse?

— Philippe, ne savez-vous pas que le bonheur consiste à avoir ce que vous désirez? J'ai maintenant ce que j'ai toujours désiré. Ainsi, je dois être heureuse... Je ne désire qu'une chose maintenant, mon chéri. Voulez-vous m'appeler maman, désormais?

Il la regarda avec tant d'amour qu'elle dut l'embrasser de nouveau. Elle mit son visage près du sien sur l'oreiller. Leurs mains s'enlacèrent. L'enfant se tourna vers elle comme on se tourne vers les profondeurs paisibles où cessent toutes douleurs.

Enfin, elle leva la tête. Ses yeux étaient humides de larmes. Mais, à gestes prestes et malicieux, elle ouvrit son sac et en sortit une petite boîte en velours jaune. Elle la lui montra de haut.

— Il faut deviner ce que c'est. Je vous donne trois fois.

Ses yeux étincelaient puérilement de plaisir anticipé.

— Une chevalière? Une paire de boutons de manchettes? Oh! maman, je n'ai pas d'idée. Montrez-moi, s'il vous plaît?

Elle lui donna la boîte qu'il ouvrit avec des doigts tremblants. Il eut un cri de plaisir. C'était une belle montre en or à répétition. Le cadran indiquait les phases de la lune, les jours de la semaine, le mois de l'année. Tandis que Philippe contemplait l'objet avec une crainte respectueuse, le timbre d'or, à l'intérieur, sonna le quart sur une série de notes irréelles. Philippe était muet. Il ne put que lever sur Amalie un regard où se lisait l'extase.

— Regardez derrière, murmura-t-elle.

Il obéit presque sans comprendre, si grande était sa joie. Il y avait une inscription sur l'or poli: « A Philippe. Sa maman. 29 janvier 1869. »

L'enfant, après avoir lu, d'un geste spontané y posa ses lèvres sèches. Des larmes coulaient sur ses joues. Amalie sentit son cœur se serrer. Elle prit l'enfant dans ses bras et pressa son visage contre sa poitrine.

— Mon chéri. Mon petit. Mon enfant.

Amalie fixa soigneusement ses boucles d'oreilles d'émeraude et se regarda dans la glace. Elle vit sa figure pâle sous les bandeaux luisants. Elle sortit d'un tiroir un bout de flanelle rouge, l'humecta et en frotta habilement ses joues. Un soupçon de rose la récompensa, mais toutefois ne fit qu'accentuer les cernes sombres des yeux. Elle aviva ses lèvres de la même manière et s'écarta de la lumière des bougies pour juger de l'effet. Sa robe de velours vert aux amples drapés était seyante et sobre, mais elle prenait sur sa personne une allure troublante et dramatique.

Alfred s'apprêtait pour le soir dans la petite pièce contiguë. L'armoire à glace renvoyait la lumière intime et douce du feu et des bougies. La coiffeuse, qui avait été celle de la mère de Jérôme, étincelait de ses ors et de ses cristaux. Le parfum d'Amalie se mêlait à la bonne odeur de la pièce qui fleurait la cire, le savon et le feu de bois. Un bouquet de roses alanguies ajoutait sa note délicate.

Alfred fredonnait dans le cabinet de toilette. La neige fondue était devenue une pluie battante. La maison se recueillait avant le dîner.

Et ce serait ainsi toujours : toujours cette même quiétude inexorable du soir au bout de l'inexorable monotonie du jour. Elle faisait partie de cette maison vouée au silence et à un ordre immuable. Elle verrait changer les saisons, mais elle ne changerait pas sinon pour vieillir et s'effacer comme les autres. Oui, elle avait épousé la maison avec Alfred.

Une bouffée de chaleur l'incommoda brusquement. Le souvenir de ces quatre semaines lui revint comme un éclair. Elle avait été telle qu'Alfred le désirait et on l'avait beaucoup admirée. Mais les nuits qu'elle avait endurées ! Endurées... Elle ne pouvait en détacher sa pensée. Elle se disait : « Quelle sotte j'étais de croire que sa pondération, son sens de la mesure, s'étendaient à... toutes choses. » Elle avait été bien naïve, elle qui se félicitait de n'avoir point d'illusions, de s'être crue immunisée contre le dégoût outragé, la peur, la crainte. Dans sa niaise ignorance, elle s'était prise pour une femme avertie qui a fait un marché, en se disant que la passion était certainement ce qu'il y aurait de plus facile à supporter pour gagner ce qu'elle convoitait et qui était tellement important.

« Je savais tout, mais je ne savais rien », songeait-elle, écœurée d'elle-même. Elle se reporta aux jours d'avant son mariage et eut un rire de dérision en revoyant la jeune fille cynique et avertie qu'elle avait cru être, en songeant à la vanité imbécile du « marché » qu'elle avait passé, donnant, donnant, très sûre de son esprit réaliste et de sa perspicacité.

Mais elle n'avait rien compris à Alfred et ne soupçonnait pas ce qu'était la passion. En dépit de sa hardiesse et de ses propos cyniques, elle était aussi novice et candide que n'importe laquelle des « oies blanches » qu'elle avait méprisées. Sémillante et provocante avec audace, elle ne connaissait rien des hommes.

Elle se força à penser aux vertus d'Alfred, à son profond amour pour elle, à l'aisance et à la sécurité qu'il lui avait données avec son nom. Plus jamais elle ne connaîtrait les affres de la faim, la hantise des jours de misère et de laideur, l'existence hideuse des pauvres gens sans défense. Le sort, en lui donnant ce visage et ce corps, lui avait permis d'acheter tout ce dont elle avait rêvé sous ses couvertures trouées ou devant ses tristes repas de pauvre.

Elle revint au miroir et lissa le velours de sa robe. Elle se décida à sourire. « Je suis en train de faire un drame, pensa-t-elle, alors que j'ai fait une excellente affaire. J'ai même de l'affection pour mon mari. J'ai gagné plus que lui et je dois être d'autant plus large. En échange de ce que je reçois, je n'ai qu'à être complaisante. » Son sourire se fit amer.

Elle entendit un bruit de pas devant sa porte. Incontinent, son cœur bondit et tout son corps se mit à trembler comme de peur. Elle se raidit, tandis que les pas s'éloignaient. Même quand ils eurent cessé, elle resta agrippée à la coiffeuse, le visage tourné vers la porte.

C''est ainsi qu'Alfred la trouva en sortant du cabinet de toilette. Il pensa qu'elle écoutait. Il tendit l'oreille, mais n'entendit rien. Il vit la silhouette vêtue de vert, le beau profil blanc. Il sourit de contentement. Puis il fronça un peu le sourcil.

— Chérie, est-ce que cette robe n'est pas un peu... osée ?

Elle tressaillit, puis se tourna lentement vers lui et se força à sourire.

— Osée, reprit-elle, je ne comprends pas. L'encolure est très montante, les manches longues...

Alfred aiguisa son regard. La robe était en effet très comme il faut, avec son corsage à l'ancienne, ses poignets et son col de dentelle ; le drapé sur les reins n'avait rien d'excentrique. Il ne comprenait pas, comme d'habitude : la même robe, sur Dorothée, eût paru d'une neutralité de bon ton et, sur sa femme, elle prenait une allure presque théâtrale. Il était regrettable qu'Alfred ne sût pas reconnaître le chic. Pour lui, c'était « déplacé ».

Il passa à l'examen du visage, de la chevelure. Il eut un petit frisson de plaisir, mais il ramena sévèrement son esprit à l'inspection commencée. La coiffure ne trahissait aucune recherche excessive ; les bandeaux luisants étaient lissés à la brosse, le chignon était net et serré. Et cependant, ce n'était pas la coiffure d'une épouse modeste. Le visage, qui ne pouvait passer inaperçu, avait aussi quelque chose de trop ardent, trop avide. Alfred ne formulait pas ses critiques en ces termes, mais il sentait que l'ensemble manquait en quelque sorte à la décence.

— Vous êtes charmante ainsi, ma chérie. — Il l'attira à lui et déposa un baiser sur sa joue avec une correction toute conjugale. — Mais j'avoue que ces boucles d'oreilles vous donnent un air un peu hardi. Vous me feriez plaisir en les enlevant, voulez-vous ?

Elle se dégagea de ses bras, essayant de vaincre la rigidité de tout son être. Sans un mot, elle retira les bijoux. Alfred regardait, satisfait.

— Là, ça va beaucoup mieux. Nous avons un certain décorum à observer à Riversend.

— Avons-nous des invités, ce soir ? demanda-t-elle sur un ton indifférent, tout en replaçant les bijoux dans leur écrin.

— Non, je ne crois pas. Nous serons seuls à dîner avec l'oncle William. Le temps est trop mauvais pour avoir des visites — Il vint examiner sa haute et robuste personne dans les miroirs de l'armoire. — Jérôme va dîner chez le général Tayntor. — Il sourit. — Dorothée m'a laissé entendre qu'il y a un mariage en perspective avec miss Sally.

Il ne vit pas les mains d'Amalie s'immobiliser sur le coffret. Il ne vit pas le geste d'abandon de la tête. Il entendit seulement la voix qui disait :

— Miss Sally ? La petite brune aux grands yeux noirs ?

— Très jolie, cettte petite, et très vivante. Un peu trop peut-être. Mais une fortune considérable. Si c'est vrai, et je le souhaite, Jérôme a très bien manœuvré.

Amalie ferma le tiroir. D'une voix blanche, elle demanda :

— Est-ce qu'ils habiteront ici ?

Alfred ajustait sa cravate d'un air sérieux.

— Oui, je pense. La maison est assez grande. D'ailleurs, je ne peux oublier qu'il est le fils de l'oncle William et qu'il a priorité... Bien que, me laisse-t-on entendre, la maison doive m'appartenir plus tard. Toutefois, même dans ces conditions, il faudrait tenir compte des vœux de Jérôme.

Amalie, à voix basse, dit :

— Alfred, ne pourrions-nous pas quitter cette maison ? Avoir quelque chose pour nous seuls ? Rien que vous et moi et Philippe ? Ce me serait égal que ce soit moins imposant. Mais nous serions seuls...

Alfred fut tout surpris et enchanté. Il alla vers sa femme et, la reprenant dans ses bras, lui baisa la bouche avec passion. Puis, l'écartant de lui, il la contempla avec ravissement.

— Rien ne me ferait plus plaisir, chère petite. Mais il faut refréner nos désirs. Il faut penser à l'oncle William.

Elle restait sagement dans l'étreinte des grands bras, en essayant de maîtriser sa répulsion tenace pour la « sacro-sainte intégrité » et « les sentiments irréprochables » de son mari. Comme elle avait pu s'en moquer ! Comme elle avait pu les mépriser, les détester, les tenant pour hypocrisie pure, pour le masque vertueux du parfait égoïsme !

Et puis, avec un trouble profond, où elle tourna contre elle-même son exécration, elle reconnut avec humilité qu'elle avait eu tort. Alfred avait parlé avec sincérité, selon une honnêteté étroite peut-être, mais foncière, et selon un sévère esprit de justice. Si, d'une part, il se voyait victime d'une injustice possible, il se souvenait, d'autre part, qu'on lui avait accordé beaucoup et qu'il n'avait pas le droit d'exiger davantage. Si un ressentiment bien humain le tourmentait, il savait se rappeler que ce n'était que justice si M. Lindsey avantageait son fils selon la chair. Alfred était donc réaliste malgré lui et il acceptait l'inévitable, sinon sans rancœur, du moins avec compréhension.

Amalie se détestait pour tout ce qu'elle voyait en elle de mesquin, de vil, de sordide. Cela dépassait ce que sa vanité pouvait supporter. Elle leva la tête et, avec une véhémence involontaire, dit :

— Ça n'est pas juste. Personne ne tient compte de vous. Et vous êtes si bon, Alfred, si bon. Toutes vos qualités ne servent de rien maintenant qu'un homme indigne et dissolu est retourné à la maison que vous avez gagnée, pour jouir du fruit de vos travaux.

Il se pencha sur elle, confondu. Il vit le feu violet de ses yeux furieux. L'espace d'un éclair, elle vit à son tour les yeux d'ambre luire d'une colère irrésistible qui répondait à la sienne. Elle sentit qu'il la serrait davantage, comme par gratitude en son courroux, en manière de reconnaissance éperdue pour la sympathie qu'elle lui témoignait.

Puis il l'éloigna avec douceur et dit d'une voix très calme :

— Je ne suis pas hypocrite et je ne nierai pas que le retour de Jérôme et son désir exprès d'entrer à la Banque n'ait été un coup pour moi. Pendant quelques jours, j'ai été extrêmement tourmenté. Pendant plusieurs jours, j'ai espéré que ce n'était qu'un caprice. Quand j'ai vu que ça n'en était pas un, je l'ai détesté.

Alfred souriait maintenant, mais d'un sourire étrangement

triste. Amalie eut l'intuition qu'il lui disait des choses qu'il n'eût jamais dites à personne d'autre, avec un sentiment de délivrance et de gratitude fervente à son égard.

— Voyez-vous, je ne suis pas bon du tout. Je déteste Jérôme. Je crois qu'au fond, je l'ai toujours détesté, parce qu'il est tellement plus intelligent que moi, parce qu'il inspire tellement plus d'admiration et d'affection. Voyez-vous, chère, j'ai toujours été si seul.

Il lui prit la main. Amalie ne le voyait qu'à travers un brouillard de larmes. Elle se laissa conduire vers le lit et il s'assit près d'elle, en lui retenant la main. Il regardait devant lui, dans le vide, avec une expression chargée de tristesse et d'amertume.

— On dit que des gens comme Jérôme sont « charmants », « séduisants », ce qui signifie qu'ils méritent l'attachement et l'admiration qu'ils inspirent, en raison de quelque vertu qui leur est propre. On croit que ce tribut n'est que leur dû. En revanche, on croit que des êtres comme moi ne désirent pas d'affection et qu'ils s'en passent facilement. Nous sommes « ternes et lointains » aux yeux de nos tièdes amis, ou repoussants pour nos ennemis. Ils ne savent pas avec quelle ferveur nous attendons l'amour, la douceur, la sympathie.

Il se tourna vers elle avec son sourire triste.

— Je crois que je deviens d'une sentimentalité détestable en m'apitoyant sur moi-même et je sais que vous méprisez ça.

Mais elle le regardait de ses grands yeux noyés avec un étonnement muet et une humilité accrue. Il ne manquait pas autant d'imagination et il n'était pas aussi insensible qu'elle l'avait pensé ; elle s'en voulut davantage et resserra sa main sur la sienne.

— N'allez pas croire que je pèche par excès d'humilité : je sais que je vaux mieux que lui et j'ai l'intention de le prouver aux autres aussi. Vous voyez maintenant que je n'ai ni bonté ni indulgence, bien que j'essaie de comprendre et d'être juste.

Il se mit à rire brusquement.

— C'est difficile de concilier l'instinct et la raison.

Amalie pensait : « Il me parle comme il n'a jamais parlé à personne au monde parce qu'il m'aime et qu'il a confiance en moi. Peut-être ne s'était-il jamais avoué ce qu'il vient de me dire. »

Sa voix tremblait quand elle dit :

— Alfred, je ne vous connaissais pas.

Il lui baisa la main. Elle regarda la tête ronde et sourit à travers ses larmes. Elle se dit à elle-même : « Je ferai tout mon possible. Je deviendrai ce qu'il désire que je sois. Je vivrai pour lui. Il ne faut pas qu'il sache ce que j'ai pensé pendant ces dernières semaines. Comment ai-je pu être aussi aveugle, aussi bornée, aussi cupide ? Comment pourrai-je réparer ? »

Elle sentit ses lèvres posées sur sa main, mais elle n'eut aucun raidissement comme avant. Sa compassion, sa tendresse, étaient comme une flambée en son cœur. L'étroitesse d'esprit, l'absence d'imagination, la rigueur bornée, lui semblaient maintenant les marques même de l'homme intègre et fort.

CHAPITRE XX

EN février, M. Lindsey eut une crise cardiaque qui faillit l'emporter. Il survécut. mais au prix de tant de souffrances, de tant d'épuisement, que ceux qui l'aimaient ne pouvaient considérer ce sursis comme une grâce.

Dorothée et Amalie soignaient le vieillard. Pendant ces jours pénibles. Amalie gagna, par son dévouement, le respect renfrogné de sa belle-sœur. Rien n'était trop dur, trop pénible, trop rebutant. C'était elle, infatigable, qui assurait la garde de nuit.

Jérôme, incapable de dormir, se promenait souvent dans le parc. Il restait parfois longtemps sous les fenêtres, suivant des yeux l'ombre d'Amalie. Il guettait les contours estompés de la tête, la ligne ferme des seins, la taille mince. Parfois, aux premières lueurs, il voyait le visage contre la vitre, qui regardait le ciel un court instant. Puis les rideaux étaient tirés contre le jour. Mais, longtemps après que le visage avait disparu, Jérôme, emmitouflé dans son manteau, restait à contempler la fenêtre.

Après dix heures, Alfred et Jérôme étaient autorisés à entrer dans la chambre du malade, pendant quelques minutes silencieuses. Dorothée était de garde alors, en train de tricoter près du feu ou de mettre la pièce en ordre. Elle était plus maigre et plus lugubre que jamais. M. Lindsey, assoupi ou à peine conscient, gisait sur ses oreillers, respirant avec peine et gémissant. Il ne semblait pas reconnaître les deux hommes au pied du lit. Amalie s'était déjà retirée dans sa chambre où elle dormait jusqu'au soir d'un sommeil agité.

Souvent alors, Alfred se glissait dans la chambre et, debout près du lit, contemplait le visage hâve et épuisé qui avait sombré dans le sommeil, et ses yeux las débordaient de respect passionné et d'amoureuse gratitude. Parfois, Amalie disait des mots confus et il se penchait sur elle dans l'espoir de saisir son nom, mais ce n'étaient que des sons indistincts murmurés dans la fatigue. Quand elle se réveillait le soir, à l'entrée de la bonne qui apportait le plateau du dîner pour elle et Alfred, elle s'apercevait parfois qu'il avait apporté des fleurs pour elle. Elle était si lasse que ses yeux se remplissaient de larmes et, quand son mari entrait, elle lui tendait les bras sans rien dire. Il la prenait tout contre lui et elle soupirait d'aise, comme si elle puisait à même la force rassurante qui l'épaulait. Cette heure de solitude leur était infiniment douce, bien qu'ils ne parlassent de rien d'autre que du malade. Puis Amalie s'habillait pour reprendre la garde et Alfred ne la revoyait plus jusqu'au lendemain.

Dans les années qui suivirent, il ne put jamais oublier ces heures-là, ni maîtriser la douloureuse tristesse qui le poignait quand en revenait le souvenir.

Au bout du dixième jour, M. Lindsey sourit à Amalie et murmura un mot de gratitude. Le onzième jour, Alfred et Jérôme, qui avaient abandonné leur travail, retournèrent à la Banque. Pour la première et la dernière fois de leur vie, ils éprouvèrent de l'amitié l'un pour l'autre, amitié née de craintes et d'angoisses communes. Ils se parlaient avec plus d'aisance et de sympathie ; bref, la paix était faite.

Quand mars arriva avec sa turbulence traditionnelle, le malade avait repris des forces et, bientôt, Amalie vit que ce n'était plus la peine de le veiller la nuit. Elle se partagea désormais les soins de la journée avec Dorothée. Elle faisait la lecture pendant des heures entières, de sa voix claire et nuancée qui apaisait le malade.

Un jour, il lui dit :

— Ma chère enfant, venez ici un moment.

Elle déposa le livre et s'approcha en souriant. Il la regarda avec une sympathie silencieuse et contrite.

— Comme vous voilà maigre et pâle ! Je crains bien d'avoir trop exigé de vos forces.

— Mais non, oncle William, vous n'exigez jamais trop de personne.

Il prit la main de la jeune femme.

— Ma chère petite, dites-moi que vous êtes heureuse.

— Bien sûr, je suis heureuse, puisque vous voilà rétabli.

Il lâcha la main avec un soupir et reprit :

— Il faut me promettre de prendre l'air, de sortir en voiture. Autrement, je me reprocherai de vous avoir mise en cet état. Vous avez l'air de quelqu'un qui a vu un fantôme.

C'était un dimanche après-midi et M. Lindsey insista vivement pour qu'elle sortît une heure ou deux. Elle passa sa veste de loutre, prit son chapeau et son manchon et descendit sans bruit. Elle se sentait toute mélancolique.

Les arbres étaient encore dénudés, mais le ciel couleur d'outre-mer était d'une pureté parfaite où l'étoile du berger apparut comme une petite flamme d'argent.

Elle descendit lentement la pente et entra dans le bois de sapins. Ils dégouttaient d'humidité. Elle atteignit l'autre lisière du bois et s'arrêta brusquement, car Jérôme était là en train de contempler le ciel en fumant.

Amalie resta clouée sur place. Mais lui, sans même tourner la tête, lança d'un ton négligent :

— Bonsoir.

D'instinct, elle fit mine de s'en aller, puis se ressaisit, se sentant ridicule. Elle savait que le souvenir d'un autre soir, à ce même endroit, lui avait dicté ce geste absurde. Depuis des semaines, ses relations avec Jérôme avaient été d'une aimable banalité et, pourtant, son premier mouvement avait été de fuir. Elle s'en voulait.

Elle s'avança hors de la ligne d'arbres et dit d'un ton neutre :

— Bonsoir, Jérôme. Qu'il fait bon se promener, n'est-ce pas ?

Il se tourna vers elle avec un sourire courtois.

— Oui, surtout pour vous. Vous n'avez pas eu l'occasion de vous en apercevoir encore.

Elle rit.

— Tout le monde semble décidé à faire de moi une martyre. J'en suis loin.

L'air était si pur qu'elle voyait nettement les traits tendus de Jérôme, son teint gris, ses yeux las. Elle se rendit compte qu'elle n'avait pas dû bien le regarder depuis longtemps. Il n'avait été qu'une ombre dans la maison angoissée et il n'avait pas cherché à s'imposer à son attention. Mais, maintenant, il semblait trop précis, trop proche, trop aigu, sur ce coteau tranquille, dans la clarté transparente de l'après-midi finissant. La solitude les entourait.

Alors, tandis qu'il était debout près d'elle avec son sourire courtois et son regard distant, Amalie eut soudain conscience que son cœur battait avec une rapidité douloureuse. Elle suffoquait et un bourdonnement remplissait ses oreilles ; une angoisse intolérable lui lacérait la poitrine. Bien pire, une curieuse conscience affectait tout son être, et cette conscience s'orientait vers Jérôme, si bien qu'elle le rendait plus proche et plus précis jusqu'à en faire l'unique réalité de ce sonore et limpide silence.

Comme en un rêve, Amalie entendit Jérôme qui lui disait d'une voix grave :

— Je ne vous ai pas encore remerciée des soins dévoués que vous avez donnés à mon père. Mais je ne pourrai jamais m'acquitter, c'est impossible.

— Ça n'en vaut pas la peine. J'ai tellement d'affection pour lui. Il est si bon.

La voix était comme voilée.

— Et lui aussi vous aime beaucoup.

Il y avait dans son timbre un accent de douceur qu'elle n'avait encore jamais entendu. Elle se mit à regarder la vallée sans répondre, et sans rien voir des lumières délicates qui scintillaient au loin. Ses lèvres étaient glacées, car son cœur, comme écrasé, ne battait plus qu'à grands coups très lents et l'angoisse qui l'étreignait était accablante.

Jérôme regardait son profil qui ne révélait rien que l'expression d'abattement autour de la bouche décolorée. Une brise fraîche agita les sapins et fit jouer une boucle de cheveux sur sa joue.

— On pense qu'il est hors de danger maintenant, dit-il. Et vous aurez un repos bien gagné.

Elle leva les yeux et le regarda en face. Il vit les prunelles dilatées par une émotion étrange qui échappait à la volonté, comme la terreur ou une grande souffrance. Elle vit seulement qu'il lui souriait d'un air amical et même fraternel. Elle humecta ses lèvres sèches et murmura :

— Je ne suis pas fatiguée du tout.

Elle sentait son malaise augmenter au point de défaillir, épuisée et accablée qu'elle était par quelque chagrin étrange, si lourd maintenant qu'elle éprouvait une crainte vague, mais affreuse, de tomber.

Jérôme détourna la tête et parut plus blafard dans le crépuscule qui tombait.

— C'est presque le printemps, dit-il, et nous pourrons oublier ce qui s'est passé.

« Nous pourrons oublier », répéta-t-elle en elle-même.

— Il y eut un temps, reprit Jérôme, songeur, où je craignais que le temps se soit arrêté, et que nous soyons tous prisonniers de l'hiver, sans jamais pouvoir en sortir. Quand je suis venu ici, ce soir, j'avais l'impression que je m'étais échappé, que j'étais libre. J'étais tout surpris de voir que le printemps était là, et que j'étais vivant...

— Ah !

— Depuis des années, je n'ai pas vu notre jardin l'été. Je m'en réjouis à l'avance. Quand on laisse derrière soi la peur et la souffrance, on prend conscience de la réalité de la vie, de sa beauté...

« Mais jamais plus pour moi, pensa-t-elle, jamais, jamais plus. » Elle se sentait comme enterrée vivante, sous de grandes dalles ;

elle ne verrait plus jamais la lumière du soleil renaissant, ni les bruits, ni le spectacle de la terre au renouveau.

— C'est agréable de penser qu'on peut parler d'autre chose que de maladie et que l'on peut songer à l'avenir.

Elle savait qu'il souriait, mais se demandait surtout si l'ombre qui s'épaississait autour d'elle était réelle ou imaginaire.

— Il est à peu près décidé que mon mariage avec Sally Tayntor sera célébré en septembre.

Elle ouvrit la bouche pour parler, mais aucun son ne sortit. Elle pensa : « Il faut que je m'en aille, sinon je vais me mettre à crier ou tomber raide. » Elle prit une profonde inspiration, comme si le poids qu'elle avait sur les lèvres s'était un peu écarté. Elle se trouva en état de parler.

— Tout le monde sera très heureux et moi surtout, car Sally est bien attachante, chère petite !

Jérôme se retourna dans la direction de la maison dont il ne voyait que le toit, comme un reflet rouge sur le ciel maintenant bleu sombre où montaient des étoiles.

— La maison sera pleine, dit-il d'un ton plaisant. Vous et Afred. Sally et moi. Ça manquait de vie depuis trop longtemps, n'est-ce pas ?

— En effet.

Il regarda la tête penchée et le profil blanc qui luisait dans le crépuscule. Sa bouche s'ouvrit, s'étira sur les dents en une grimace de douleur et les muscles se contractèrent tout au long de sa mâchoire, mais il resta silencieux comme elle, immobile comme elle, conscient de sa propre détresse.

Enfin, Jérôme fit un pas vers elle. Elle le sentit, plutôt qu'elle ne le vit s'approcher et elle tressaillit. Elle leva les yeux et il put y lire encore cette angoisse totale, ce désespoir immobile.

— Je suis désolé, Amalie. J'espère que vous m'avez depuis longtemps pardonné mon insolence.

Elle ne répondit pas. Elle le regardait seulement avec ses grands yeux peins de souffrance muette. Il vit qu'elle ne pouvait pas parler.

— C'était méchant et impardonnable de ma part. Tout ce que je peux donner comme excuse, c'est que j'étais un imbécile. J'aimerais savoir que vous ne me gardez pas rancune.

— Non... Oh ! mon Dieu, non.

— Vous êtes très bonne, dit-il gravement. Je ne savais pas comme vous étiez bonne et aimable.

Il lui tendit la main. Elle la regarda sans comprendre, puis finit par sortir la sienne de son manchon et la lui donner.

— Il faut rentrer maintenant, dit-il très doucement. Il m'a semblé entendre la cloche du dîner.

Ils traversèrent le bois qui secouait son humidité sur leur passage. Des lumières brillaient aux fenêtres de la maison. Des fumées empanachaient le toit. Ils grimpèrent la pente ensemble. Dans l'entrée, ils se séparèrent et Amalie monta seule l'escalier. Jérôme la regarda partir avec un visage fermé, insondable.

Amalie s'assit sur son lit. Tout son corps tremblait. Elle fixa le feu. Puis elle finit par s'allonger, tout habillée. D'une voix étrange, qui trancha le silence, elle gémit :

— Oh ! Dieu... Oh ! Dieu...

CHAPITRE XXI

LE 2 avril, le général de brigade Wainwright Tayntor célébra les fiançailles de sa fille miss Sally Atchinson Tayntor avec M. Jérôme Lindsey, la date du mariage étant fixée au 15 septembre 1869.

La réception fut sans précédent dans les annales de Riversend.

La fiancée, en robe bleu pâle signée de Worth, était, de l'avis unanime, éblouissante. Son effronterie et son exubérance semblaient un peu atténuées sous le choc étourdissant du bonheur. Jérôme, au dire des dames, était à vous faire perdre la tête. Jamais, soupiraient-elles, on n'avait vu un homme aussi épris. Il suivait tous les pas de Sally. Et comme il était beau !

Il n'y eut pas une seule fausse note de toute la soirée. Même miss Dorothée Lindsey, connue et évitée par le passé comme « rabat-joie », paraissait presque guillerette. Elle avait abandonné ses éternelles robes noires ou grises et arborait une toilette de foulard violet, rehaussée d'or, avec une tournure des plus étoffées. Beaucoup s'exclamaient, à l'abri de leurs éventails, qu'elles n'avaient jamais pensé qu'elle pût avoir autant d'allure.

M. Lindsey avait tenu à être présent. Tout émacié qu'il fût, il s'entretenait avec son vieil ami le général et embrassait miss Sally chaque fois qu'elle s'arrêtait gracieusement près de lui.

Tout le monde attendait avec malice quelque flamboyant étalage de toilette chez Mrs. Lindsey, et tout le monde fut déçu. Il fallut admettre, non sans regret, qu'elle s'était sagement résignée à prendre le rôle d'épouse sérieuse et rangée. Sa robe de velours vieux rose aux guipures discrètes était de ligne classique et sobre. Elle ne portait pas de bijoux. Son expression était distraite et morne et même ses yeux mauves avaient pâli. Personne ne l'avait entendue rire et elle n'avait pas dansé, faisant tapisserie avec son mari qui n'aimait pas ce genre d'exercice. On remarqua aussi qu'elle avait maigri et qu'elle avait l'air las. « Etait-ce possible, chuchotaient les dames, que la jeune Mrs. Lindsey soit déjà ?... » Elles l'examinaient avec attention.

Bien sûr, elle n'avait que quatre mois de mariage et les corsets étaient serrés... De toute manière, ce serait une bonne chose pour ce pauvre Alfred qui n'avait que ce misérable infirme de son premier mariage. Elles remarquèrent qu'Alfred avait l'air un peu préoccupé : peut-être avait-il des inquiétudes sur l' « état intéressant » de sa femme. S'il était obligé de la quitter, c'était avec une espèce d'impatience massive et il était bientôt de retour. « Comme il lui est attaché ! » soupiraient-elles.

La veuve Kingsley décida de se renseigner. Elle trouva Amalie toute seule, cachée derrière un massif d'hévéas. Elles s'embrassèrent de bon cœur et, après un échange d'aimables banalités, la veuve s'exclama brusquement :

— Est-ce que vous êtes enceinte, ma petite ? Tout le monde se le demande. Vous avez l'air de vous traîner.

Amalie n'eut ni rougeur ni sursaut.

— Non, dit-elle tranquillement. C'est-à-dire, pas que je sache.

La vieille femme, tout en s'éventant à grands coups, détaillait l'autre de ses petits yeux rusés.

— Rien qui remette une femme d'aplomb comme d'avoir des enfants. On s'en trouve très bien, à ce qu'on dit. — Elle gloussa.

— Des premiers, tout au moins. Il vous en faudra une demi-douzaine, à vous.

— Je me souviendrai de vos conseils, chère madame. C'est très aimable de votre part.

— Je n'en ai jamais eu, en ce qui me concerne. Les aime pas ! Je suis une femme dénaturée. Préfère les chats. Mais le diable m'emporte, dans un monde aussi naturellement porté aux niaiseries, ça fait plaisir d'être dénaturée.

Amalie, qui s'amusait de ces propos, eut un sourire moins contraint.

— Et ce sont les gens dénaturés qui font l'histoire, il me semble. De plus, ils ont un effet hypnotique sur le naturel, si je comprends bien.

— Je crois que vous avez raison, ma jolie. — Elle eut un petit rire. — J'ai réussi à hypnotiser trois maris et tous les trois avec de la fortune... Regardez-moi. Je n'ai rien d'éblouissant ou d'attirant. Et pourtant, trois hommes riches m'ont épousée et adorée. Hypnotisés. Trouvez-vous qu'ils avaient tort ? demanda-t-elle en retroussant ses babines pour sourire.

Aamalie lui accorda toute son attention.

— Non, dit-elle d'un air réfléchi. Ils devaient vous trouver passionnante après avoir connu tant de femmes insipides.

Satisfaite, la veuve donna un coup d'éventail sur le bras de la jeune femme.

— Ah ! vous me plaisez, mon enfant. Vous ne m'avez pas dit

une seule fois : « Vous avez dû être très bien », ou « Vous deviez être charmante ». Vous avez du jugement. J'ai toujours été très laide, mais j'ai toujours été distrayante. Un homme peut se lasser d'une jolie figure ou d'un beau corps (qu'il se met sans retard à saccager), mais jamais d'une femme qui sait le distraire. Faites provision de potins et, plus c'est rosse, mieux ça vaut. Inventez si vous êtes à court de faits. Servez-vous de votre imagination. Lisez beaucoup, mais qu'on ne vous voie pas. Souvenez-vous des bons mots, des passages croustillants. Ne vous mettez pas à être savante : les hommes n'ont aucune admiration pour les propos sensés de leurs épouses, mais faites-les rire. Ils vous diront qu'ils n'aiment pas la chronique scandaleuse, mais ils adorent ça. Je n'ai jamais vu qu'une femme avec le tour d'esprit convenable se laisse enlever son mari par une autre. Une histoire scabreuse sur des amis ou connaissances, ça vaut toutes les vertus conjugales, et ça bat de loin la lingerie française.

Pour la première fois de la soirée et même depuis des semaines, Amalie se mit à rire. La veuve était contente. Elle n'aimait pas ce teint gris d'Amalie, ni cet air morne et désespéré.

— Quand on ajoute à ça une jolie jambe dans un bas de soie ou une belle cuisse, on tient son lascar pour la vie. Toutefois, je n'avais pas de jolies jambes, mais j'ai quand même charmé mes trois maris. Et c'est parce que j'avais de l'imagination.

Mais Amalie n'écoutait plus. Jérôme venait de danser avec Sally une valse endiablée. Le visage de Sally était celui d'une jeune dormeuse sous l'empire d'un rêve enivrant. Jérôme lui souriait tendrement et la serrait contre lui. Les paupières d'Amalie battaient.

La veuve avec son astuce, avait tout vu. Elle se leva, attendit un moment et donna un coup sec de son éventail sur le bras d'Amalie qui leva les yeux d'un air lamentable. Méhitabel ne fit aucun éclat, mais fixa sur elle un regard sévère.

— Vous ne jouez pas aux cartes, ma petite ? Non ? On dit qu'il faut de temps en temps faire la moyenne des pertes et des profits. Faites-en donc autant. Croyez-moi, je suis une vieille femme et j'ai appris ce que c'était que le bon sens.

Amalie la regardait avec des yeux ronds. Mrs. Kingsley ponctua sa phrase d'un coup sec du menton, et elle ajouta :

— Voyez-vous, ma petite, c'est triste quand une femme est moins sage qu'un homme.

Et elle s'éloigna en hélant une connaissance.

Amalie se regardait dans le miroir de la coiffeuse. Elle se disait : « Je ne suis pas sage, je n'ai jamais été sage. » Elle ne pouvait bouger. Elle était assise ainsi depuis un quart d'heure sans faire l'effort de se déshabiller, ses mains comme engourdies au milieu des cristaux en désordre sur le tapis de dentelle.

Comment savoir si on était sage ou pas ? Les exigences du moment vous poussaient d'un côté ou d'un autre et, d'un air satisfait, on se donnait l'assurance que la décision était soit inévitable, soit habile.

Elle revit son enfance, sa prime jeunesse, et leur relent de misère, de privations, de peur, lui revint avec une intensité accablante. Elle revit la cabane où elle avait vécu. Elle revit le visage de sa mère après ses journées chez les autres. Elle entendit les jurons de son père, elle retrouva son haleine aigre. Elle revit son jeune visage dans le miroir fendu de la cuisine crasseuse, en train de murmurer :

« Jamais, jamais. Il faut que je me trouve autre chose. Et je le trouverai. »

Elle avait compris la force de son intelligence et de sa volonté et aussi de sa beauté. Elle n'avait que quatorze ans alors, mais la force lui était restée comme une arme.

Et l'arme n'était pas négligeable : elle s'en était aperçue de bonne heure. Elle n'avait demandé ni secours, ni pitié, ni sympathie. Ce qu'elle avait fait, elle l'avait fait seule. Une brise d'orgueil rafraîchit un instant la brûlure de sa souffrance.

D'une main, elle se couvrit les yeux et fit appel à cette force de toute sa volonté tendue.

Elle n'entendit pas la porte du cabinet de toilette s'ouvrir et elle sursauta violemment à la voix d'Alfred qui lui reprochait gentiment de ne pas être encore déshabillée.

— Savez-vous qu'il est minuit passé depuis longtemps ?

Elle laissa tomber sa main et regarda son mari dans le miroir. Elle répondit machinalement :

— Excusez-moi. Je suis si lasse. Je me reposais simplement.

Elle se leva. Il était debout près d'elle en robe de chambre rouge, avec un sourire gauche et hésitant. Sa figure était congestionnée. Il prit sa femme et l'embrassa sur la bouche, longuement.

— Chérie, savez-vous qu'il y a plus de deux mois que...

Il la sentit se raidir dans ses bras ; mais il ne put deviner sa pensée terrifiée, pareille à un cri : « Mais ce serait de l'adultère. »

Il desserra son étreinte, doucement, et la regarda d'un air surpris.

— Amalie, êtes-vous malade ?

Il se mit à lui frotter les doigts dans ses mains chaudes. Affolé, il jeta un regard sur la coiffeuse. Il aperçut le flacon de sels. Il le lui fit respirer tout en prononçant des paroles incohérentes. Elle se laissa asseoir sur la chaise, la tête inerte. Agenouillé près d'elle, Alfred la secouait d'un air suppliant.

— Ma chérie, qu'avez-vous ?

Elle se passait les mains sur le visage maintenant et frissonnait. Alfred sortit son mouchoir, le trempa d'eau de Cologne et le promena sur le front et les joues d'Amalie.

— Mon Dieu, que se passe-t-il ? Dites-moi, ma chérie. Je ne peux le supporter. Etes-vous malade ?

L'odeur forte l'aida à se maîtriser un peu. Elle s'appuya contre lui, haletante. Mais elle évita de le regarder, quand elle balbutia :

— Je suis seulement fatiguée. Ces nuits passées près de votre oncle... Je me sens lasse à mourir. Donnez-moi un peu de répit, Alfred. — Elle releva la tête et s'efforça de le regarder. — Je sais que vous me comprenez.

— Mais oui, je comprends.

Il ne comprenait rien, en réalité. Il lui suffisait pour l'instant de voir qu'elle se remettait un peu. « Il n'y a rien à faire, pensa-t-il, pour comprendre les femmes. Evidemment, elle m'a dit qu'elle ne n'aimait pas, mais qu'elle avait de l'affection pour moi et qu'elle ferait de son mieux pour être une bonne épouse. Je savais tout ça d'avance. Je ne lui répugnais pas, quand je l'ai prise pour la première fois : elle était douce et complaisante. Je n'attendais rien d'autre. Je savais que les femmes bien élevées ou celles qui ont simplement le goût de la bienséance ne montrent pas de tempérament. C'est bon pour les filles de métier et les femmes dénaturées. — Il poussa un profond soupir, un peu rassuré par ces pensées. — Il faut se rappeler que ce sont des créatures délicates et qu'il vaut mieux ne pas chercher à comprendre. Il faut être patient. »

Et puis, une idée fulgurante le traversa d'une joie saisissante. Il s'agenouilla près d'elle et l'enlaça. Elle laissa tomber sa tête sur l'épaule de son mari, comme muette d'épuisement.

Enfin, il murmura :

— Amalie, serait-ce vrai que... que vous...

Elle restait silencieuse. Elle ne connaissait ni la duplicité ni la trahison. Elle n'avait jamais fait tort à quiconque avait confiance en elle. Mais elle n'en pouvait plus. Elle murmura :

— Je ne sais pas... je ne suis pas sûre...

Il rit comme enivré par une bouffée de joie émerveillée :

— Il faut aller voir le docteur Hawley, ma chérie, dès demain. Si seulement c'était vrai !

Si c'était vrai, alors tout s'expliquerait : ses dérobades, ses répugnances. C'était une explication beaucoup plus probable que sa fatigue et la tension des longues semaines de soins à son oncle. Certes, il la respecterait, se promit-il avec joie. Il pensa au jeune Philippe qu'il aimait, malgré sa déception. Ce serait excellent pour lui d'avoir un frère. Alors il n'aurait pas besoin. en septembre, d'aller à l'école qu'il redoutait, pour se préparer à sa situation de fils de banquier. Philippe, pauvre enfant, pourrait ainsi rester à la maison. Il y aurait un fils plus vigoureux, un vrai garçon pour continuer la tâche.

Il l'aida à se relever. Elle était toute molle. Très tendrement, il l'aida à se déshabiller, pendant qu'il lui tenait des propos d'amoureux coupés de rires étouffés.

CHAPITRE XXII

M. LINDSEY, Philippe et Amalie étaient assis au chaud soleil du début de mai.

Pour M. Lindsey, tout au moins, les collines n'avaient jamais été si vertes, ourlées d'un mauve aussi délicat, aussi tendre. Le ciel n'avait jamais été si transparent, d'un azur aussi vif. Jamais la douceur de vivre n'avait été aussi poignante pour le vieillard, jamais il n'en avait eu conscience avec cette ferveur extatique et douloureuse.

« Nous apprenons à vivre et à comprendre quand il est trop tard », pensa-t-il. Trop tard ? Ce n'était pas certain. Le temps n'était rien. Peut-être les quelques heures qui précèdent les grands départs étaient-elles les seules qui eussent un sens dans la vie d'un homme.

Il regarda le ciel et se sentit envahi par un ravissement paisible, une certitude enivrée. Ce n'était pas la foi, c'était quelque chose de plus profond, de plus intime et de plus tendre. « Il suffit, pensa-t-il, pour compenser une vie de souffrances, de tristesses et de luttes, il suffit de ces quelques moments d'extase qui accompagnent la connaissance de l'existence de Dieu, du sens de la vie et aussi de la paix inhérente à cette connaissance, cette lumière qui « n'est ni de la terre ni la mer. »

Il était assis au soleil, sa longue tête blanche offerte à la brise tiède, un châle cachemire sur ses genoux infirmes.

Amalie, à sa requête et à celle de Philippe, lisait le *Phédon* de Platon. Il lui toucha doucement l'épaule.

— Mon enfant, voulez-vous que nous en restions là ? dit-il. Même Platon peut devenir fatigant. Il est toujours si logique.

Elle ferma le livre. M. Lindsey regardait Philippe d'un air songeur.

— Que penses-tu de Platon, mon petit ?

Philippe rougit. Il baissa les yeux sur ses belles mains diaphanes, qui se tordaient d'embarras.

— Je... je pense que presque tous les philosophes enlèvent..
leur charme aux choses...

M. Lindsey ne dit rien, mais il était très ému. Oui, son instinct
disait vrai : seules, la jeunesse et la vieillesse comprenaient. Il
posa la main sur l'épaule déformée de Philippe.

Amalie regardait l'enfant et le vieillard. Comme ils se ressemblaient, bien que l'un eût la pâleur puritaine de la Nouvelle-
Angleterre et l'autre la carnation bistrée du Latin. Ils avaient la
même espèce de vivacité, malgré leurs silences et leur retenue
volontaire. D'apparence fragile, ils avaient la résistance de l'acier,
son éclat ténu, sa trempe robuste. Elle soupira, les mains allon-
gées sur le livre.

M. Lindsey entendit le soupir et fixa son attention sur la jeune
femme. Comment n'avait-il pas remarqué sa pâleur et sa mai-
greur, son effacement distrait ? Il fut saisi d'inquiétude.
Qu'étaient devenues la splendeur et la force d'Amalie ? Elle qui
le faisait toujours penser à une pouliche campée sur une hauteur,
sage mais ardente, toute frémissante des joies de l'aventure, con-
finante en son intrépidité. Que lui arrivait-il ? Trouvait-elle le
marché trop onéreux ? Mais non, Amalie n'était pas naïve : elle
connaissait toutes les clauses du marché. En compagnie d'Alfred,
elle était toute douceur et docilité, et ses rares sourires étaient
réservés à son mari. Elle s'arrangeait toujours pour être près
de lui, mettant sa main dans la sienne, comme pour demander
protection. Il était évident qu'elle n'avait aucune répugnance,
mais, au contraire, une espèce de tendresse touchante. Cependant,
il avait parfois saisi une espèce de crainte humiliée, un vague
désespoir sur son visage lorsqu'elle regardait son mari...

L'inquiétude de M. Lindsey s'accrut. Quel chagrin accablait
cette jeune femme qu'il aimait plus que sa propre fille ? Quelque
chose lui avait ravi sa vitalité, laissant à la place cette torpeur
silencieuse, au pas feutré. Aurait-elle perdu quelqu'un ?... Impossible. Elle n'avait pas de parents, il en était sûr. Que pouvait-il
arriver dans cette maison paisible et ordonnée, où même Dorothée lui avait accordé sa réticente et hargneuse amitié, où Alfred,
Philippe et lui-même l'adoraient, où Jérôme la traitait maintenant
en parente ?

— Amalie, vous avez quelque chose. Vous n'êtes pas bien. Je
m'en veux de ne pas m'en être déjà aperçu.

— J'ai été si inquiète pour vous, dit-elle.

M. Lindsey vit qu'elle éludait la question et se renversa dans
son fauteuil. Philippe à son tour regarda sa belle-mère avec une
affection inquiète. Instinctivement, il allongea la main vers elle.
Elle la prit et la serra en lui adressant un sourire rassurant.

— Il n'arrive jamais rien ici, dit M. Lindsey. Vous avez besoin de jeunesse, Amalie. Ce sera une bonne chose quand Jérôme épousera Sally et la ramènera à la maison. Vous êtes presque du même âge. — Il sourit, oubliant un instant son inquiétude. — Ce sera bon d'entendre des enfants courir.

Les doigts maigres d'Amalie se crispèrent sur le livre.

— Est-ce qu'il ne serait pas possible que vous veniez avec Philippe et moi à Saratoga, Amalie ? Bien sûr, vous n'êtes pas arthritique, comme nous deux, pauvres vieillards, — M. Lindsey sourit à l'adresse de Philippe, — mais la saison ne vous ferait pas de mal.

— Non, ce ne serait pas juste de laisser Dorothée s'occuper seule de la maison. D'ailleurs, j'ai déjà demandé à Alfred de l'accompagner à New York, après vous avoir déposé à Saratoga. Mais il préfère, avec raison sans doute, que je reste ici.

Une rougeur sourde envahit son visage et elle pensa en son for intérieur : « A son retour, je mettrai fin à cette comédie. A son retour, j'aurai recouvré un peu de ma force et de ma raison, plaise à Dieu. J'aurai eu le temps de songer à l'avenir. »

M. Lindsey la vit rougir et crut qu'il s'agissait d'un ressentiment naturel contre l'autorité d'un mari. Mais il se garda de rien dire.

Le chaud soleil descendait vers les collines de l'Occident et une lumière plus douce, à peine voilée de brume, inondait la vallée. Les fenêtres des étages supérieurs devenaient insensiblement des rectangles de feu.

On entendit une voiture sur le gravier de l'allée et les voix d'Alfred et de Jérôme.

— Quelle belle journée, dit Alfred en ôtant son chapeau et en levant la tête pour mieux sentir la brise qui fraîchissait.

— Je viens justement de dire à Alfred que travailler est un crime par un temps pareil.

Alfred, sans ironie, dit sur un ton sentencieux et en manière de critique :

— L'homme est fait pour travailler. — Et il fronça le sourcil.

Il s'entendait fort bien avec Jérôme depuis la maladie de son oncle et il espérait vivement que son cousin n'allait pas retomber dans sa légèreté et ses hérésies.

Jérôme se mit à rire :

— Mais si un homme travaille constamment pour vivre, alors ce n'est plus la peine de vivre.

Il se jeta de tout son long sur l'herbe et s'amusa à regarder le ciel en méditant tout haut.

— Les Spartiates étaient des travailleurs acharnés qui peinaient de l'aube au soir : ils n'ont jamais fait une noble statue, ni écrit un poème, ni fondé une religion de joie, d'amour et

154

de beauté. Ils n'ont su être que des soldats. Ce furent les Athéniens qui, à l'ombre des colonnades ou sous les portiques des temples, ont, au fil des heures, trouvé les paroles de vie, les poèmes, les tragédies immortels, et qui ont construit l'autel du Dieu Inconnu.

Il tourna les yeux vers son père qui lui rendit gravement son regard.

— Ça ne tient pas debout, dit Alfred, renfrogné. Je ne parle pas du passé, mais ce que je sais, c'est que si l'Amérique veut conquérir une position indépendante et se mettre à la tête des nations, il nous faut travailler tous et travailler dur... Après tout, le travail, c'est le salut pour l'homme.

— Sparte, dit doucement Jérôme, Sparte est oubliée et ses soldats aussi, mais Athènes vit à jamais.

Il se releva avec légèreté. Il ne boitait presque plus. Il avait une espèce d'exubérance fiévreuse depuis quelques jours. M. Lindsey se surprit à étudier son fils. Se faisait-il des idées sur Jérôme aussi ? Il le trouvait vieilli, défait, fébrile. Il dit :

— Es-tu fatigué, Jérôme ?

— Oh ! je crois que je suis né fatigué. Je me sens particulièrement las quand j'ai perdu mon temps à travailler. Non que l'importance du travail m'échappe.

Jérôme coula un regard malicieux vers Alfred.

— Comment va la Banque ? demanda M. Lindsey.

— Magnifique. — Ce fut Alfred qui répondit, et ses grands traits pâles s'éclairèrent. Il hésita avant de poursuivre. — Jérôme réussit parfaitement. Je suis persuadé que je laisserai la Banque en bonnes mains quand, demain, je partirai pour New York

Il parlait avec plus de chaleur maintenant et il sourit avec réserve à son cousin. Jérôme salua.

— Tous les bagages sont faits, papa, dit timidement Philippe.

Alfred se tourna vers son fils avec son expression habituelle d'affection soucieuse.

— Vraiment, Philippe ? J'espère que ton... ton grand-père et toi, vous profiterez bien de la cure. J'irai vous chercher dans deux semaines et j'espère vous trouver, tous les deux, frais et roses.

Il offrit la main à sa femme. Elle resta un instant debout, près de lui, et il lui passa le bras autour de la taille. Elle tenait la tête penchée. Jérôme, derrière eux, les surveillait, impassible.

CHAPITRE XXIII

IL AVAIT fait très chaud dans la matinée, mais, à midi, le soleil avait pris l'aspect du bronze poli et, un peu plus tard, le ciel couleur de safran avait répandu sur les collines une lumière d'un jaune inquiétant, qu'accompagnait un silence sinistre.

C'était dimanche, mais les cloches de la vallée n'arrivaient pas jusqu'à Hilltop. Tout était voilé. A deux heures, la dernière servante était partie ; Dorothée, en raison de l'absence de trois membres de la famille, ayant gracieusement accordé aux domestiques une demi-journée de liberté. Peu après deux heures, dans le sillage des domestiques, Dorothée demanda la voiture : sa meilleure amie, la femme d'un avoué, était malade, et elle avait l'intention de passer l'après-midi et peut-être la soirée avec elle. Comme elle se préparait, en lançant des regards inquiets au ciel jaune, elle se plaignait de l'étourderie de Jérôme : il aurait pu l'attendre avec le cabriolet et permettre à Joe, le cocher, de profiter plus tôt de son congé inattendu. Mais non, il avait fallu qu'il aille voir cette petite futée de Sally Tayntor de très bonne heure, et elle, Dorothée, devait se trimbaler avec le lourd et majestueux véhicule. Maintenant, il faudrait que Joe attende, à moins que Jérôme ne veuille bien la ramener quand elle le désirerait.

— Je vais le faire prévenir, dit-elle, d'un ton menaçant, à Amalie. Je voudrais bien que vous pussiez m'accompagner. Cela vous changerait un peu.

— Si vous voulez bien, je resterai ici. J'ai la migraine. Ce doit être le temps. — A la pensée d'un effort, une apathie affreuse l'envahissait. — J'ai l'intention de dormir cet après-midi. Serez-vous de retour pour le dîner ?

— Je ne crois pas. — Les mitaines aux mains, Dorothée ajustait sa capote d'un air agacé. — Mais je sais qu'un repas froid a été préparé pour vous... Je n'aime pas vous savoir seule ici, sans un domestique, à part le vieil Hiram à la grange, et qui ne serait pas d'un grand secours...

— Mais je n'aurai pas besoin de secours, dit Amalie avec un pauvre sourire. N'ayez aucune inquiétude pour moi, Dorothée. Dans une demi-heure, je dormirai.

Dorothée réfléchit en regardant la jeune femme fixement. Certes, elle n'avait pas l'air bien. Dorothée n'était pas tranquille, son sens du devoir était inquiet. Si seulement Jérôme était là, il pourrait offrir sa protection. Elle regarda encore le ciel, il avait un drôle d'aspect.

— Il va y avoir de l'orage, dit-elle. J'ai l'impression que je ferais mieux de ne pas sortir.

Mais, à ce moment même, le soleil sortit de la buée jaune et inonda tout le paysage d'une vive lumière d'or. Cela décida Dorothée.

— Je reviendrai aussitôt que possible, dit-elle. Reposez-vous.

Elle posa ses lèvres sèches sur la joue d'Amalie. Avec son bon sens habituel, elle s'était réconciliée avec l'idée qu'Amalie était la femme d'Alfred. Elle ne perdrait pas de temps en regrets ou en lamentations puériles. Le fait accompli demandait une mise au point mentale, eh bien, la mise au point était faite. Elle voyait seulement qu'Alfred était heureux, qu'Amalie était docile et ne causait aucun dérangement. M. Lindsey et Philippe l'aimaient et elle avait déchargé Dorothée d'un poids considérable pour la tenue de la maison. Dorothée n'en avait jamais espéré autant et elle n'était pas ingrate.

La voiture démarra ; la capote était baissée et Dorothée ouvrit son ombrelle noire. Amalie la regarda partir et sortit sur la terrasse, près de la porte d'entrée. Elle vit la lumière d'or sinistre sur les collines, elle vit le disque cuivré du soleil à travers les nuages citrins et fut saisie par l'étrangeté du spectacle, qu'accusaient encore le silence accablant et l'absence du moindre souffle. Arbres et arbustes s'élevaient dans une apathie jaune. Aucun bruit ne parvenait des écuries ou de la basse-cour. On eût dit que la vie s'était retirée, fuyant quelque menace imminente.

Amalie essaya de faire quelques pas, puis s'arrêta, confusément inquiète. Elle se souvint qu'il faisait plus frais dans la maison : elle rentra et ferma le vantail de chêne. Le vestibule était obscur, mais au moins l'horrible lueur jaune n'était plus là. Elle entra au hasard dans la salle de musique et frissonna. Sa vieille lassitude la gagnait de nouveau et la même angoisse lui tiraillait le cœur ; elle pouvait à peine avancer sur le parquet ciré, c'était comme si elle portait une charge énorme sur les épaules. Les cheveux paraissaient plus lourds pour la nuque douloureuse. Elle marchait d'un pas traînant. Elle repoussa une mèche folle et dit à voix haute :

« Comme je suis lasse. »

Debout près du piano, elle regardait les touches de pâle ivoire qui luisaient dans la pénombre. Elle s'assit, les mains immobile sur le clavier, les yeux vagues.

« Je ne peux plus le supporter, pensa-t-elle simplement. Il faudra que je parte. Pour toujours ! Oh ! Alfred, qu'ai-je fait ? Vous ne méritiez pas cela. Où irai-je ? Où me cacher ? Et que ferai-je alors ? Si seulement je pouvais mourir. Je suis lâche, parce que je n'ai pas la force d'oublier. Ça ne me quitte pas. »

Elle mit brusquement son visage dans ses mains. Elle entendit le bruit de ses pleurs, désolé, désespéré. Elle s'appuya la tête contre le piano et les larmes roulèrent sur le bois noir.

Au bout de quelque temps, elle se calma, mais les larmes continuèrent à jaillir dans le mutisme d'un indicible chagrin. Elle savait qu'il n'y avait pas d'évasion possible : elle ne pouvait quitter Alfred qui l'aimait, ni son oncle, ni son fils, qui avaient confiance en elle et qui l'aimaient aussi. Elle n'avait nulle part à aller, personne ne lui offrirait asile. Elle n'avait d'autre argent que ce qu'Alfred lui donnait. Elle tremblait de l'envie de fuir mais il n'y avait pas un endroit sur terre où elle pût vivre en paix ou même se cacher.

Elle pensa aux longues années qu'elle avait à vivre sans pouvoir espérer que son tourment s'apaiserait. Comment pourrait-elle supporter de le voir tous les jours, de le voir auprès de Sally, d'entendre sa voix, de saisir son regard distrait, d'écouter son rire et le bruit de ses pas qui ne viendraient jamais vers elle ? Comment supporter d'être la femme d'Alfred, Alfred qui était irréprochable et dont la seule erreur était de l'avoir désirée ? Elle essaya, comme tant de fois auparavant, de se remémorer la bonté de son regard, sa tendresse, sa prévenance. Mais elle eut un pauvre cri et frissonna, comme prise de nausée devant la torture.

Un long moment s'écoula avant qu'elle eût conscience qu'il faisait très sombre dans la pièce. Levant ses yeux gonflés, elle regarda les fenêtres ; c'étaient des rectangles de cendre. Et soudain, l'ombre fut déchirée par un éclair qui fulgura comme le feu d'une explosion et, comme tel, fut suivi d'un fracas stupéfiant qui se répercuta par toute la maison.

Terrifiée, Amalie bondit sur ses pieds et s'appuya au piano. Elle ne vit alentour que les formes vagues du mobilier, mais elle entendit le hurlement soudain de la tempête éveillée, balayant et martelant la fenêtre, et les lamentations des arbres et le bruissement prolongé de l'herbe. Alors vint la pluie comme un mur d'eau luisante, illuminé par intervalles par d'autres lueurs d'explosions, par de nouvelles et stupéfiantes déflagrations. Le monde semblait en proie à une fureur pyrique. La vieille forteresse était ébranlée. La foudre tomba sur un arbre tout proche et l'odeur de soufre se répandit partout.

Une peur élémentaire s'empara d'Amalie. Elle était seule dans la maison. Si la maison était frappée, si tout s'écroulait autour d'elle, il n'y avait pas d'aide à attendre. Amalie s'effondra sur le tabouret, s'y ramassa, ferma les yeux. Alors, dans une accalmie relative, troublée seulement par le vent et la pluie diluvienne, elle perçut un bruit.

On eût dit qu'une porte venait de s'ouvrir et de se fermer en hâte. Elle bondit et lança un appel d'une voix folle d'espoir. Mais il n'y eut pas de réponse. Ce n'était qu'un volet en train de battre, sans doute.

L'orage reprit avec une violence accrue. Elle ne pouvait plus rester seule dans cette immense pièce. Dans sa chambre, dans son lit, il y aurait au moins un semblant de protection elle pourrait tirer les rideaux, amortir les bruits sous les oreillers.

Elle courut vers la porte, et broncha à la lueur d'un éclair, le cœur battant de terreur, sa robe flottant derrière elle, on eût dit une aveugle qui cherche.

Ce ne fut qu'en atteignant la porte qu'elle vit Jérôme, immobile, qui la regardait.

Elle s'arrêta court au milieu de sa fuite et, d'instinct, étendit les bras pour garder l'équilibre. Sa pâleur égarée luisait dans l'ombre.

A pas lents, il vint vers elle, les bras ouverts. Elle le regardait s'approcher : ses bras retombèrent et elle attendit, muette. Il la toucha et son étreinte se referma sur elle. Il la tint doucement contre lui.

CHAPITRE XXIV

L'ORAGE sévit presque sans arrêt jusqu'au coucher du soleil. Le dernier coup de tonnerre rebondit sur les collines en un ultime roulement assourdi ; l'éclair s'enfuit vers l'est, où, de temps à autre, un sommet s'illuminait encore. Mais bien que le vent fût moins fort, la pluie continua de tomber en nappes d'acier luisant ; elle ne cessa que vers huit heures. Un reflet couleur de lavande parcourut les collines et la vallée, et une rougeur éphémère parut derrière les troncs de sapins. Les arbres laissaient tomber leurs gouttes dans un silence épuisé ; de la terre émanait une forte odeur de fleurs et d'herbes écrasées et de sapins aussi. Enfin, les oiseaux discutèrent un peu de l'orage en pépiements las et s'endormirent sous un ciel d'héliotrope.

Les roues grinçaient à peine sur le gravier mouillé. Dorothée, dans la voiture, était toute raide d'inquiétude en voyant la maison silencieuse et sans lumières. Elle essayait de se rassurer en se disant qu'Amalie était une femme forte et sans peur, mais l'orage avait été assez violent pour effrayer n'importe qui. Dorothée avait vu au passage de nombreux arbres foudroyés et une grange incendiée. Elle n'avait pas peur des orages d'habitude, or celui-ci l'avait terrifiée.

Il n'y avait pas de lumière aux fenêtres d'Amalie et Dorothée n'en fut que plus inquiète, mais comme la voiture passait sous les fenêtres de Jérôme, une lampe s'alluma soudain comme une fleur d'or. Les rideaux n'étaient pas tirés. Dorothée poussa un soupir de soulagement : Amalie n'avait peut-être pas été toute seule pendant l'orage. Elle descendit de la voiture, qui poursuivit son chemin vers l'écurie, et leva les yeux sur la fenêtre éclairée. Elle resta pétrifiée. Son ombrelle lui échappa des mains et tomba avec un bruit sec.

Très distinctement, elle voyait la tête et les épaules de deux silhouettes enlacées : Amalie et Jérôme. Elle vit leurs deux visages se confondre, elle vit le bras blanc d'Amalie autour du cou de Jérôme...

Dorothée ne put jamais se rappeler comment elle avait atteint le mur de la maison sous la fenêtre ; quand elle reprit conscience, elle s'aplatit contre la pierre, comme pour s'abriter. Elle n'avait aucune pensée claire, elle savait seulement qu'elle allait peut-être s'effondrer sur le sol humide.

Elle ne sut jamais combien de temps elle put rester ainsi, mais ce qu'elle perçut ensuite fut un délicat croissant de lune pendu sur le violet sombre de la nuit et l'humidité froide qui la transperçait. Tout son corps était engourdi et comme meurtri. Elle n'avait entendu aucun bruit de pas, mais quand elle s'arracha du mur, elle vit que le troisième étage, pièce par pièce, s'allumait : les domestiques étaient rentrés.

La porte était ouverte. Elle se glissa dans l'escalier obscur. Quelqu'un avait allumé du feu dans l'entrée ; c'était comme un cœur rouge qui battait dans la pénombre. Elle atteignit sa chambre à grand-peine. Une fois sa porte refermée, elle laissa tomber ombrelle, réticule, capote et châle sur une chaise et se dirigea vers son lit. Elle se rappela vaguement avoir vu au passage un rai de lumière sous la porte d'Amalie, mais cela même l'avait écœurée et elle avait détourné la tête.

Elle gisait sur ses oreillers, les bras jetés de part et d'autre, sa figure rigide dans l'ombre. Elle avait une sensation d'extrême faiblesse dans la région du cœur : le moindre mouvement déclenchait un tremblement de tout le corps.

Peut-être dormit-elle, ou bien fut-elle la proie de quelque syncope, car elle ouvrit les yeux sur une lumière vacillante tout près de sa figure. La servante recula en voyant le visage hagard.

— Oh ! mademoiselle, je ne croyais pas que vous étiez là. M. Jérôme disait que vous resteriez passer la nuit en ville, mais j'étais venue faire la couverture, en cas que...

Dorothée se releva lentement et il lui sembla que ce petit mouvement lui prenait toutes ses forces. Elle rejeta ses cheveux en arrière. Elle entendit sa voix calme et neutre qui disait :

— Oui, Nancy, je viens de rentrer, mais je me sens très lasse.

Nancy posa la bougie, hocha la tête d'un air de commisération et alluma la lampe posée sur une table devant la fenêtre.

— Quel orage, n'est-ce pas, mademoiselle ? Nous pensions que nous ne pourrions jamais rentrer.

Dorothée s'assit, essayant de maîtriser le tremblement qui l'agitait.

— Voulez-vous me monter une tasse de thé et une tranche de gâteau.

Il fallait qu'elle se débarrasse de la servante avant que celle-ci ne s'aperçoive...

— Certainement, mademoiselle. Tout de suite...

Dorothée réussit à se lever. Elle rangea ses affaires, se lava les mains, s'aspergea la figure d'eau froide. Elle se recoiffa. Ses muscles étaient moins crispés maintenant. Elle s'assit devant le foyer vide et frissonna. Elle savait que ces frissons étaient le résultat du choc subi, car il ne faisait pas froid dans la maison.

Nancy la trouva tranquillement assise, les mains dans son giron. Dorothée la remercia, masquant son dégoût devant le gâteau et le thé fumant.

Mais elle se força à manger quelques bouchées et à boire une bonne tasse de thé chaud. Il ne fallait jamais céder. Il n'y avait que les imbéciles qui se laissaient aller. Il fallait garder l'esprit clair et calme, sans quoi on pouvait commettre des erreurs irréparables qui vous menaient aux pires désastres. Elle but une seconde tasse. Quand Nancy revint pour chercher le plateau, sa maîtresse, parfaitement calme, lui demanda un peu de feu. Bientôt une flambée pétilla dans la grille. Dorothée suivait les gestes de la servante ; elle put même lui demander si elle avait passé un bon après-midi. Elle écouta le compte rendu irréprochable d'un air un peu distrait, mais avec bonté. Elles échangèrent leurs impressions sur l'orage, et la servante se retira sur un joyeux :

— Bonsoir, mademoiselle.

Mais elle n'avait pas franchi la porte que Dorothée l'arrêta :

— Y a-t-il quelqu'un d'autre à la maison ?

— Certainement, mademoiselle. J'ai porté un plateau à M. Jérôme et à Mrs. Lindsey, il y a environ une heure. M. Jérôme est rentré juste avant nous.

— Très bien.

La voix de Dorothée se fit presque aimable. Ainsi, personne ne soupçonnait quoi que ce soit. Elle renvoya la servante.

Et maintenant, elle pouvait réfléchir, penser sans être bouleversée d'horreur, et seulement avec une haine glacée. Qu'allait-elle faire ? Elle se posait la question posément, sans s'affliger, sans s'indigner même. Devait-elle aller trouver Jérôme et lui dire : « Je sais ce qui s'est passé. » Devait-elle aller trouver Amalie et la démasquer ? Devait-elle prévenir Alfred à son retour ?

Elle connaissait, ou croyait connaître Jérôme, un vaurien, une canaille dénuée de conscience. Il lui rirait au nez, la mettrait au défi, nierait peut-être. Il était possible qu'il dise : « Eh bien, ma position est intenable maintenant et je m'en vais. » S'il partait, que faire alors ? Est-ce que le tort commis envers un homme bon et juste serait, de ce fait, redressé ? De plus, il restait probable que Jérôme, se sachant découvert, décidât de prévenir Alfred lui-même ou de s'enfuir avec Amalie, bien que Dorothée en doutât. Jérôme se moquait du tiers comme du quart, mais il n'était pas lâche. Il fallait en tenir compte, impartialement. Que devenait l'honneur de la famille ? Et M. Lindsey qui portait tant d'affection à cette fille ! Survivrait-il à cette honteuse découverte ? Dorothée fut reprise de frissons et il lui fallut toute l'inflexibilité de son esprit inexorable pour recouvrer sa maîtrise d'elle-même. Dévorée d'amertume, elle se dit que Jérôme était l'enfant chéri de son père, malgré tout. Elle avait refait la découverte de cette pénible vérité au cours de ces derniers mois.

Non, il était impossible de dire à Jérôme qu'elle savait à quoi s'en tenir. Démasquer Amalie ? Et si Amalie allait tout raconter à Jérôme ? Cela reviendrait au même.

Pendant quelques instants, Dorothée perdit un peu la tête et tous ses violents sentiments de haine, de dégoût, de honte, cognaient comme des forcenés aux portes de sa raison. Quels êtres infâmes ! Quelles créatures perdues, dévoyées ! Comment avaient-ils pu commettre cette vilenie à l'égard d'Alfred qui aimait sa femme et l'honorait de sa confiance ? Comment agir aussi bassement envers un homme aussi intègre, aussi irréprochable, aussi bon qu'Alfred ? Il avait dédié son cœur et sa vie à cette chienne qui les avait dédaignés, sans souci de ses souffrances. Il avait offert son amitié à son cousin et recevait en échange une blessure mortelle. Ils avaient dû chercher l'occasion pour satisfaire leur bassesse. Dorothée était convaincue qu'elle tenait la vérité : c'était un coup monté, soigneusement préparé. Jérôme était parti exprès de bonne heure, et seul, afin de revenir seul. Amalie avait refusé d'accompagner Dorothée, afin d'attendre le retour de son amant. Comme ils avaient dû rire de leur ignominie !

Pour la première fois de sa vie austère, Dorothée sentit l'envie de tuer, de piétiner, d'écraser, et l'envie était si forte, qu'elle bondit sur ses pieds, les poings serrés, les yeux flamboyants. Sa pensée courait comme une traînée de feu vers les deux coupables, béatement satisfaits du secret de leur trahison. Elle ouvrit la porte, résolue à les confronter, à les dénoncer avec de tels cris que toute la maison, tout le monde connaîtrait leur crime.

Elle était dans le couloir, hors d'haleine, quand elle revint à elle. Son corps tremblait tellement qu'elle dut regagner à tâtons son fauteuil, la gorge pleine de gémissements. Elle s'effondra et, le visage enfoui dans les mains, se balança d'avant en arrière dans une crise d'angoisse.

Qu'allait-elle faire ? C'était la perte d'Alfred et celle, presque certaine, de son père. Elle avait failli apporter une calamité nouvelle à cette maison, la maison qui l'avait vu naître. La honte qui n'est connue que d'un seul être et tenue au secret dans son cœur est inoffensive et n'expose pas les innocents à la pitié méprisante et au rire odieux du monde hostile. Elle connaissait bien Alfred : elle savait qu'il n'épargnerait pas ceux qui l'avaient trahi. A coup sûr, il chasserait la femme, et Jérôme aussi. Mais ce serait une blessure mortelle pour lui. Jamais il ne retrouverait son prestige parmi ses amis ou ses relations. Il serait un pauvre homme que sa femme, dépravée, trahit pour quelqu'un qui ne le vaut pas. Son orgueil n'y résisterait pas...

Elle arrêta son balancement et regarda dans le vide, de ses yeux secs, exorbités. Ainsi, les coupables seraient libres, sans reproches, toujours à la recherche d'une occasion pour se retrouver ?... Il n'y avait pas de solution, sauf de garder le silence.

Mais comment pourrait-elle supporter jour après jour de voir à chaque instant leurs visages menteurs ? Et eux-mêmes, en la regardant, ne devineraient-ils pas qu'elle savait ? Force lui serait donc de jouer la comédie. Elle aurait à surveiller toutes ses intonations, l'expression de son regard, à juguler sa répulsion. Il lui faudrait jouer la vieille fille imbécile et crédule. C'était nécessaire pour sauver Alfred et son père. Est-ce qu'un être humain était capable de tant de contrainte, de tant de maîtrise ?

Pas une seule fois, il ne lui vint à l'esprit qu'Amalie et Jérôme pouvaient avoir des projets, convaincue qu'elle était qu'Amalie ne tenait, pas plus que Jérôme, à abandonner ce qu'elle avait acquis. Elle n'eut pas non plus l'idée qu'il pût y avoir autre chose entre les deux amants qu'une passion vile, et que dérision et mépris à l'endroit du mari.

Elle se promit de les surveiller, afin qu'ils ne recommencent pas. Mais que faire la nuit en attendant le retour d'Alfred ?

Dorothée se leva et alla s'examiner dans la glace. Elle avait l'air vraiment mal en point. Eh bien, elle garderait le lit ; elle se déclarerait victime de faiblesses et de terreurs nocturnes ; elle supplierait Amalie de partager son lit afin de ne pas être seule. Amalie ne pouvait refuser. Mais elle eut la nausée à l'idée de partager sa couche avec cette créature. C'était là le pire. Cependant elle avait une volonté de fer. Au bout de cinq minutes d'une lutte serrée, elle avait dompté son dégoût. Alfred serait de retour dans une quinzaine. Une quinzaine misérable, c'était peu pour assurer la paix de la maison. La décision prise, elle donna congé à ses appréhensions et ses répugnances, selon son habitude. Ses mains ne tremblaient même pas en se déshabillant et elle se coucha tranquillement. Puis elle sonna la bonne et fit quérir Amalie sur l'heure.

Le premier pas était fait, le regard assuré et le cœur ferme, elle attendait l'ennemie.

CHAPITRE XXV

IL ÉTAIT plus facile de tromper Amalie que Jérôme. Dorothée le savait bien. Aussi se lança-t-elle dans une querelle des plus futiles au sujet du chien, en faisant montre d'une telle hostilité que ce fut relativement facile d'afficher une susceptibilité rancunière qui la dispensait de toute aménité à l'égard de Jérôme. Celui-ci ne trouvait rien de surprenant dans cette attitude, Dorothée n'ayant jamais eu de sympathie pour la bête, et comme il se se souciait guère de sa sœur, il se contenta de hausser les épaules et de l'éviter.

Ce fut donc seulement à l'égard d'Amalie que Dorothée dut faire preuve de dissimulation, mais, là encore, « son état nerveux » vint à la rescousse. Le docteur Hawley affirma que Dorothée présentait des symptômes de malaises communs aux femmes de son âge. Elle sut tirer le meilleur parti de ce diagnostic. Ainsi Amalie ne pouvait être surprise de ses silences renfrognés, de ses paroles acerbes, de ses critiques, de ses regards froids et hostiles. Amalie supportait tout avec une compassion stoïque et une courtoisie détachée. Peut-être aussi son chagrin et son désespoir l'empêchaient-elle de remarquer certains regards imprudents, certaines remarques d'une méchanceté risquée. Elle se déplaçait, parlait, faisait son travail avec l'automatisme distrait d'une somnambule.

Jérôme ne la voyait jamais seule un instant, mais il ne pouvait que remarquer sa pâleur et sa voix blanche, pendant les repas. Elle ne le regardait jamais et lui n'avait aucun moyen de communiquer avec elle, à cause de la présence assidue de Dorothée.

Une mélancolie, qui rappelait les jours sombres de février pendant la maladie de M. Lindsey, tomba sur la maison ; il n'y avait pas de lampes qui brûlaient toute la nuit, ni d'inquiétude angoissée, mais c'était le même silence accablant, la même impression d'emprisonnement. « Le diable emporte Dorothée, se disait Jérôme, elle empoisonne toute la maison avec ses humeurs et ses exigences d'hystérique. »

Quand il sortait dans la clarté de mai, qu'il sentait l'air léger sur son visage et la lumière allègre du soleil, il n'en croyait pas ses yeux et il se prenait à détester ces murailles cellulaires, ces pièces assombries où brûlait du feu, les voix assourdies des domestiques. Il avait envie de crier à Amalie : « Viens avec moi dehors. Il fait beau. On respire la vie et l'espoir. » Mais Amalie n'était pas libre et il détestait les murs qui la retenaient prisonnière. Il pensait presque constamment à elle, avec tendresse, avec colère, avec impatience, et il essayait d'exprimer tout cela par des regards, par des intonations, sous le nez de Dorothée. Il ne savait si ses messages parvenaient, car Amalie baissait toujour la tête d'un air las ou détournait son visage.

Un jour, il se sentit incapable de résister davantage. Il écrivit un mot pour Amalie et le remit à Jim.

— C'est très urgent et il importe que ma sœur n'en ait pas connaissance.

La figure du gnome se renfrogna d'appréhension, mais Jérôme était déjà parti en sifflotant dans la charrette anglaise, en route pour la Banque. Jim retourna la lettre dans tous les sens, en faisant la moue. Il poussa un soupir. Il allait la remettre tout de suite à la jeune dame.

C'était plus difficile qu'il ne l'avait pensé. Amalie n'était jamais seule. Il eut le fol espoir que les circonstances l'obligeraient à retourner le mot ce soir à l'envoyeur. Toutefois, Amalie descendit peu avant le déjeuner pour arranger des fleurs pour la table. C'est là que Jim la trouva dans son attitude apathique et distraite. Il plongea un regard prudent dans la pénombre de la pièce. Il entendit la voix revêche de Dorothée dans l'escalier :

— Vous êtes là, Amalie ?

Amalie leva la tête et répondit par l'affirmative. Jim s'approcha rapidement et glissa la lettre dans la main d'Amalie.

— Je devais vous remettre ça, madame.

Il s'enfuit, car Dorothée était dans le vestibule. La porte de la cuisine se referma derrière lui. Amalie n'eut que le temps de fourrer le mot dans son corsage, avant que Dorothée entrât, toute bruissante de bombasin, la mine revêche, les cheveux tirés sous le bonnet, dans un cliquetis de clefs domestiques. Elle fit halte sur le seuil et inspecta la pièce d'un air soupçonneux.

— Est-ce qu'il y avait quelqu'un ici ? demanda-t-elle d'un ton méprisant qu'elle réservait d'instinct pour Amalie, et en forçant la voix.

Amalie piqua la dernière fleur dans le vase. Quelque chose prenait feu en elle, et elle respira plus vite. Elle éleva la voix, elle aussi, pour dire :

— Vous vous attendiez à trouver quelqu'un ?

Dorothée eut un haut-le-corps, mais se contenta de fixer un regard intense sur l'autre femme. Elle eut peur : s'était-elle trahie, mettant la misérable sur ses gardes ? Mais, avant qu'elle ait pu parler, Amalie disait d'un ton radouci :

— Excusez-moi. Je crois que je suis énervée, moi aussi.

Dorothée se rapprocha lentement de la table, avec un tremblement qu'elle trouva bizarre. Les deux femmes s'assirent pour déjeuner en silence. Par la porte matelassée, la bonne entrait et sortait sur la pointe des pieds. Amalie avait l'air d'étouffer.

— Je me sens particulièrement faible aujourd'hui, dit Dorothée d'un air morne. Je vous demanderai de monter dans ma chambre, pour faire les comptes de la maison, pendant que je me reposerai dans mon lit.

« Quelle misérable égoïste ! » pensa Amalie en lui emboîtant le pas. Toute son apathie avait disparu. Le mot de Jérôme entre ses seins lui donnait comme un renouveau de vie fébrile. Son cœur battait avec une force douloureuse. La sueur perlait au long des cheveux sur le front. Elle aida Dorothée à enlever ses chaussures et à se mettre au lit. Puis elle annonça qu'elle allait chercher son tricot pour travailler quand les comptes seraient finis. Elle courut à sa chambre et ferma la porte à clef, bien qu'elle trouvât la chose ridicule, et lut la lettre.

Elle était très brève :

Pouvez-vous échapper à la Gorgone pendant quelques minutes ? Dans la journée ou bien ce soir, peut-être. Nous avons beaucoup de choses à discuter, comme vous savez.

Il n'y avait ni salutation ni signature.

Amalie froissa la feuille au creux de sa main. Son visage reprenait vie, lumineux, palpitant. Elle courut à la fenêtre, écarta les rideaux et l'ouvrit. Elle se pencha pour aspirer l'air tiède et bienfaisant. Elle sentit le soleil sur sa tête ; l'éclat était trop vif pour ses yeux cloîtrés et elle cligna des paupières. « Mon Dieu ! » s'écria-t-elle. Et elle se mit à rire avec des larmes dans les cils. La fièvre montait en elle. Tout son corps fourmillait.

Quittant la fenêtre, elle ouvrit un tiroir de sa commode et cacha la lettre sous une pile de linge. Elle aperçut dans la glace la rougeur de son visage et alla s'asperger d'eau froide. Elle rafraîchit ses mains et ses poignets où le pouls battait à coups redoublés. Elle se lissa les cheveux et prit son tricot pour aller rejoindre Dorothée.

Les rideaux étaient déjà tirés, mais elle surprit une vigilance tendue chez Dorothée. Elle s'assit posément. Elle sentait le soleil qui tapait sur les rideaux, la chaleur étouffante de la pièce avec son odeur de cire et de renfermé. Mais elle continuait à se balancer tout en discutant de comptabilité. Elle parlait d'une voix basse qui berçait. La température montait dans la pièce. La maison était silencieuse. Bientôt, Amalie se tut et on n'entendit que le cliquetis paresseux de ses aiguilles. Dorothée, qui faisait toujours un somme dans l'après-midi, laissa tomber ses paupières. Elle savait qu'à son réveil, elle trouverait Amalie en train de tricoter en se balançant ou bien de dormir de son côté. Les choses se passaient ainsi tous les jours. Dorothée entendait les aiguilles ; leur cliquetis menu l'accompagna jusqu'à ce qu'elle perdît conscience. Elle s'endormit d'un sommeil inquiet.

Amalie cessa de tricoter, s'approcha du lit : Dorothée gisait, immobile, sa longue figure terne détendue dans le repos. La bouche était entrouverte et ronflait par à-coups. Amalie sortit furtivement et ferma la porte avec une extrême précaution. La serrure grinça un moment. Amalie eut un frisson de terreur. Dorothée bougea dans son lit, marmotta et se remit à ronfler.

Amalie s'enfuit vers sa chambre, jeta à la hâte un châle sur sa robe de foulard bleu, noua sa capote de ses doigts fébriles. De petites mèches de cheveux collaient à ses joues. Elle prit son réticule et descendit l'escalier avec une précipitation silencieuse. Elle trouva une servante qui époussetait la salle à manger, et lui dit d'une voix qui s'efforçait d'être calme :

— Elsie, j'ai besoin du cabriolet. Jetez un coup d'œil de temps en temps chez Mademoiselle et, quand elle se réveillera, vous lui direz que je ne me sens pas bien et que je suis allée voir le docteur Hawley.

Elsie ne put que regarder avec curiosité le visage surexcité dont les lèvres tremblaient.

— Ne vous dérangez pas pour la voiture, Elsie. Je suis pressée : j'irai moi-même la demander à l'écurie.

Elle franchit la porte capitonnée comme un tourbillon bleu. Tout son sang lui criait : « Vite ! Vite ! »

La remise avait une odeur chaude et féconde ; une lumière dorée entrait par la vaste porte et les petites fenêtres et une poussière d'or dansait dans la clarté. Deux valets s'avancèrent, la casquette à la main.

Elle les considéra en silence. Elle délirait. Sa figure était moite. Elle finit par dire :

— Je voudrais que vous me sortiez le cabriolet.

L'un des valets eut l'air hésitant :

— Madame ira seule ?

— Oui.

Elle alla vers la porte, de plus en plus surexcitée, les mains crispées sous les franges du châle. Elle regarda la maison qui avait un air de sérénité rêveuse au soleil. Les rideaux de Dorothée étaient toujours tirés. Son souffle devint haletant. Elle sursauta de peur quand la voiture sortit de la remise. Quel bruit faisaient les roues sur la terre durcie ! Le dos de l'animal luisait comme une moire brune. Les garnitures de nickel étincelaient au soleil. Le valet aida Amalie à monter. Le pâle visage tendu et les yeux fiévreux, plus que tout autre chose, lui fit dire :

— Vous pensez que ça pourra aller, madame ? Vous savez conduire ? Parce que Burney est une bête qui a du feu.

Amalie rassembla les rênes et répondit en souriant :

— Je crois pouvoir conduire Burney correctement, Tom.

Elle secoua les rênes sur le dos de la jument qui, heureuse d'être libre, fit un bond en avant qui rejeta Amalie sur le dossier du siège. Elle se redressa avec un mot de colère, raidit les guides, mit l'animal à une allure plus modérée et, bientôt, lâcha la bride, laissant la jument aller à son gré en dépit du danger de la pente. Elle se pencha en avant, comme si elle fuyait.

Puis ce fut comme une marée d'un silence lumineux. La voiture avait pris le chemin de terre et roulait avec un balancement élastique. Les arbres, la terre brune, l'herbe verte, étaient éclatants de soleil. Amalie passait au travers des jeux de lumière. Elle entendait les oiseaux, le murmure des graminées, le bruissement brusque des bêtes dans les buissons. La route s'incurvait, se redressait, longeait mollement des bois, de bleus ruisseaux d'eau vive et des granges abandonnées. Maintenant, elle arrivait à la route qui menait à la ville. La colline ronde était derrière elle. Hilltop n'était plus qu'un joujou parmi ses arbres.

Elle avait une conscience aiguë de tout ce qui l'entourait, mais son esprit était vide. Elle le maintenait tel, s'efforçant de maîtriser les accès de tremblements qui s'emparaient d'elle. Elle dépassa la maison du général. Joséphine et Sally travaillaient dans le jardin. Amalie se rencogna derrière le rideau du cabriolet. Elle crut qu'on l'appelait et, le cœur battant, cingla la jument. Les roues volèrent et rebondirent sur la route. La jument filait, la crinière au vent.

Il était heureux que les rues fussent désertes par cette chaude journée. A l'abri du rideau, Amalie gardait la tête penchée. La Banque s'élevait devant elle, impeccable et trapue au milieu de ses pelouses. Elle avait cette épaisse arrogance qui, d'habitude, irritait Amalie. Mais, maintenant, elle la voyait venir comme un refuge contre les périls et les commérages de la ville.

Le cabriolet s'arrêta. Amalie attacha le cheval et, avec autant de gravité que possible, gravit rapidement les degrés. Par chance, l'heure de la fermeture des bureaux ayant sonné, il n'y avait pas de clients pour la dévisager d'un air curieux. Elle ajusta sa capote, lissa son châle et entra dans la pénombre fraîche d'un air naturel. Les employés se montrèrent vaguement derrière leurs grilles : elle fit comme si elle ne les voyait pas et pénétra rapidement dans le bureau d'Alfred en fermant la porte sur elle.

Le bureau était vide. Immédiatement, tout son calme voulu l'abandonna. Elle s'effondra dans un fauteuil et commença à trembler. Elle regardait la porte qui conduisait au bureau de Jérôme. Elle voulait se lever, l'atteindre, mais ses jambes étaient trop faibles. Quelle imprudence elle avait commise ! Que pouvaient se raconter les employés dans leurs cages, avec des sourires sous-entendus, bien sûr ? Puis elle murmura :

« Je suis ridicule. Il est parfaitement correct que je vienne à la Banque. »

Le bureau était tranquille comme un sépulcre. Tout lui rappelait son mari : les plumes en bon ordre sur le bureau, les piles de registres fermés, le grand fauteuil d'acajou, le vase vert qui attendait des fleurs...

Un spasme de souffrance et de terreur la mit brusquement sur pied et elle ouvrit tout d'un coup la porte de Jérôme. Elle le vit à la fenêtre, en train de fumer, les mains croisées derrière le dos.

— Eh bien, Jamison, avez-vous trouvé ces lettres ? dit-il en se retournant.

Ils se regardèrent à travers la pièce, dans un silence tendu et chargé. Jérôme retira son cigare et ses prunelles se rétrécirent. Mais il ne dit pas un mot. Amalie vit avec malaise qu'il regardait tour à tour la porte par laquelle elle venait d'entrer et celle qui s'ouvrait directement dans le hall de la Banque. Il s'approcha d'un pas qui parut furtif aux oreilles attentives d'Amalie. Ses prunelles se rétrécirent encore.

— Eh bien ? dit-il.

— Je n'ai pas trouvé d'autre moyen... pour vous voir. — Elle se sentait malade de honte et d'épuisement. — C'est imprudent, sans doute ?

— On ne saurait dire que ce soit très prudent.

Puis il avança une chaise et dit plus doucement :

— Asseyez-vous, Amalie.

Elle s'assit, les mains crispées sur son réticule, les lèvres sèches et gonflées, avec un sentiment croissant de honte et d'ignominie. Comme si elle était devant un miroir, elle se voyait avec sa robe campagnarde, son châle, sa capote provinciale, sa pâleur apathique, ses yeux mornes. Les mains gantées sur ses genoux lui paraissaient gauches et trop grandes. Elle eut une envie soudaine et terrible de fuir, de rentrer à la maison, d'oublier. Comme elle devait être méprisable à ses yeux, écœurante, indésirable !

Avec horreur et mortification, elle s'entendit répéter bêtement :

— Je n'ai pas trouvé d'autre moyen.

— Je sais, dit-il. Je comprends.

Il déposa son cigare et s'assit derrière le bureau. Elle leva les yeux sur lui, si pondéré, ni net, si maître de lui, et elle le détesta. Son désespoir lui mettait un goût salé dans la bouche. Comment pouvait-il la regarder avec cet air flegmatique, ces yeux froids et réfléchis ? Puis, dans sa détresse profonde, elle se dit : « Qu'est-ce que j'attendais ? Qu'il m'embrasse avec passion ? Qu'il s'abaisse à faire du sentiment entre deux portes qui peuvent s'ouvrir à tous moments ? » Elle pressa ses lèvres décolorées et regarda Jérôme bien en face, avec courage. Elle ne savait pas comme elle était émouvante avec ses yeux de violettes, tristes et las, dans l'ombre du chapeau. Mais Jérôme le vit. Il reprit son cigare et tira des bouffées d'un air décidé :

— Il faut faire vite. Jamison ou l'un des employés peuvent arriver d'un moment à l'autre. Il faut se décider...

Elle acquiesça sans voix.

— Il faut que nous partions avant qu'Alfred arrive samedi.

Elle ne répondit pas. Ses mains s'ouvrirent sur ses genoux. Un reflet d'ivoire éclaira son visage.

— Il faut qu'il vous accorde le divorce. Nous lui laisserons chacun une lettre. C'est aujourd'hui mercredi. Nous partirons demain soir ou vendredi au plus tard.

Il parlait sans émotion. Il fit tomber la cendre de son cigare. Son regard était droit et dur, sans un éclair de passion.

Alors, Amalie éleva la voix et prononça distinctement :

— Non !

Jérôme s'arrêta comme il allait mettre son cigare à la bouche. Tous ses traits se contractèrent.

— Si ! dit-il.

Elle repoussa sa capote d'une main distraite.

— Nous ne pouvons pas faire ça. Ce serait lâche, infâme.

— Et puis-je vous demander, ma chère, ce que vous envisagez ?

Elle fit un effort pour parler, mais ne détourna pas son regard.

— Il faut que nous attendions le retour d'Alfred. Il faut attendre... peut-être quelques semaines. Nous ne pouvons pas agir ainsi envers votre père. Rappelez-vous qu'il a été malade, très malade. Nous ne pouvons pas fuir comme des criminels. Nous devons à tous d'être honnêtes, d'exposer nos projets avec décence et dignité.

Jérôme sourit encore d'une manière plus déplaisante, comme si ce qu'elle venait de dire l'amusait. Elle s'écria violemment :

— Mais vous devez comprendre. Sûrement, vous comprenez, Jérôme.

Il se renversa sur le dossier du fauteuil.

— Je vous en prie, Amalie, toute la clique des employés va s'amener, si vous continuez. Soyons raisonnables. Si nous agissons selon vos suggestions sentimentales, la maison deviendra un enfer. La dignité ? La décence ? Réfléchissez un peu... Croyez-vous qu'Alfred et mon père vont s'asseoir avec nous autour d'une table pour discuter de nos...

D'un geste égaré, elle leva la main comme pour détourner un coup. Elle souffrait.

Avec une douceur soudaine, Jérôme dit :

— Vous voyez, ma chérie, que c'est impossible.

Elle ne répondit pas, car, maintenant, toute l'énormité de la situation la frappait, comme elle ne l'avait jamais frappée avant. Elle était venue empoisonner l'air, troubler la paix, toucher à mort un vieillard malade, un enfant affectueux et infirme, un homme honorable. Elle les avait tous trahis. Dans une certaine mesure, elle avait même trahi Jérôme. Si aucun d'eux ne l'avait connue, cette maison serait encore paisible. Mais maintenant, à cause d'elle, ils étaient tous sur le point d'être précipités à jamais dans la honte et le désespoir. M. Lindsey en mourrait. Philippe serait marqué pour la vie. Alfred ne se remettrait jamais de son humiliation et de son chagrin. La vie de Jérôme était gâchée.

D'une voix étrange, éraillée, elle dit :

— Je crois qu'il vaudrait mieux que je parte seule.

— Vous voulez dire que je vous rejoindrai après ?

— Non... je pourrais laisser une lettre où j'expliquerais à Alfred que...

Elle ne put achever. Elle mit son mouchoir sur ses lèvres. Puis, elle le retira et put continuer avec une certaine fermeté :

— Je pourrais dire que j'ai décidé de partir et que je le supplie de ne pas chercher à me retrouver. Cela lui ferait énormément de peine, mais ce serait moins grave que si...

Jérôme se leva et prit sa main froide et inerte. Elle le vit ému et compatissant.

— Ma chérie, vous ne savez pas ce que vous dites. Croyez-vous que je ne vous suivrais pas jusqu'à ce que je vous trouve ?

Elle regarda la main de Jérôme et son cœur fondit. Elle pressa son visage sur le dos de cette main et des larmes jaillirent de ses yeux. Avec une ferveur contenue, elle dit :

— Jérôme, dites-moi que vous m'aimez. Dites-moi que vous n'avez pas changé, ou bien j'en mourrai.

Oubliant alors tout ce qui n'était pas cette pauvre femme, il lui prit la tête dans ses mains et baisa la bouche tremblante. Elle lui passa les bras autour du cou et Jérôme la sentit s'agripper avec une force frénétique. Il plongea son regard dans les yeux noyés, implorants, si vulnérables dans leur angoisse. Ses lèvres contre les siennes, il murmura :

— Ma chérie, ma bien-aimée.

Elle retira ses bras. Il sécha les larmes avec infiniment de tendresse et lissa les mèches folles.

— Laissez-moi faire, ma chérie. Vous devez comprendre que le seul moyen que nous ayons est de partir ensemble et le plus tôt possible. Croyez-moi, c'est ce qu'il y a de plus charitable. Ce sera un choc, je l'admets. Mais si nous ne sommes pas là pour recevoir les reproches et les injures, les choses s'arrangeront beaucoup plus vite.

Elle murmura d'un air désespéré :

— J'ai gâché votre vie, Jérôme... La Banque... Vous vous y étiez fait une place. Maintenant, j'ai tout saccagé.

— Petite sotte. J'y suis venu à cause de vous. J'en partirai avec joie pour vous.

Mais ses pensées brûlantes ne la lâchaient pas :

— Votre père n'y résistera pas...

— Mais si, répliqua-t-il avec plus d'assurance qu'il n'en éprouvait réellement. Après tout, il n'a jamais mis de bâtons dans les roues. Ce sera un coup pour lui, certainement. Mais la race prendra le dessus et, après quelque temps, il sera content de nous savoir heureux. Car nous serons heureux, vous savez.

— Mais comment seriez-vous heureux à jamais séparé de votre père ? Il ne voudra plus jamais vous revoir. Nous avons rendu la chose impossible pour lui. Comment vivrez-vous, Jérôme ? Je sais comme la vie est dure.

— Allons, allons, je ne suis ni un enfant, ni un impotent. Je suis peintre de portraits, à ce qu'on dit. J'aurais pu en vendre des douzaines. Et puis, j'ai un peu d'argent et nous pourrions vivre en France presque pour rien. L'avenir ne m'effraie pas le moins du monde. Si vous êtes avec moi.

Il se pencha pour l'embrasser.

Mais, cette fois, elle ne lui rendit pas son baiser. Ses lèvres restaient inertes. Bientôt, elle le repoussa.

— Et Alfred ? Nous ne pouvons pas lui faire ça !

Jérôme fronça les sourcils et, avec une désinvolture méchante, dit :

— Il me semble que nous lui en avons déjà fait pas mal.

Amalie rougit. Elle se leva et s'appuya au dossier de la chaise. Mais le nom de l'homme qu'il exécrait était une provocation pour Jérôme.

— Croyez-vous que je me soucie de ce pédant, de ce cagot de puritain ? Ce sera le juste prix de ses années d'étroitesse et de bigoterie.

— Vous êtes cruel, dit-elle en le fixant. Cruel et stupide. Mais c'est la même chose. Malgré vos conversations érudites avec votre père, j'ai saisi votre cruauté et votre stupidité sous vos belles paroles. Je croyais que ça n'avait pas d'importance. Mais je vois que ça en a, maintenant !

Jérôme n'en croyait pas ses oreilles. Il resta interdit.

Mais elle ne le voyait plus, maintenant. Elle se souvenait du soir où Alfred lui avait parlé de sa solitude. Elle se souvenait de cette transfiguration chez Alfred, de sa confiance, de son pathétique inconscient, elle se souvenait de sa gratitude de pouvoir se confesser à elle et d'avoir sa sympathie, de son bonheur d'avoir découvert une amie. Elle avait été bien près de l'aimer alors.

Jérôme s'alarma de l'expression d'Amalie. Il fit un pas en avant, mais elle recula d'autant.

— Vous avez l'audace de me traiter de cruel et de stupide. Je peux vous retourner le compliment, ne croyez-vous pas ?

— Oui, dit-elle nettement. Nous sommes deux misérables. Il vaut mieux pour Alfred qu'il ne nous voie plus ni l'un ni l'autre.

Il se renversa dans son fauteuil et sourit d'un air affable.

— C'est précisément, ma petite, ce que j'ai essayé de vous faire comprendre.

Ils échangèrent un regard d'intelligence désabusée. Jérôme s'amusait âprement. Mais, au fond de lui-même, il était très inquiet de la couleur terreuse du visage d'Amalie, de l'angoisse criante du regard.

— Alors, c'est décidé, nous partons tout de suite ?

— Non. Il faut d'abord parler à Alfred. Il faut lui faire comprendre qu'il ne perd rien en me perdant. Il faut tout lui dire.

— Et vous avez l'intention de lui parler dès qu'il reviendra ?

Amalie tortillait les rubans de sa capote.

— Oui, si l'état de votre père s'est amélioré. L'occasion convenable se présentera, j'en suis sûre.

— J'ose espérer que vous voudrez bien m'informer de l' « occasion convenable », afin que je prenne des forces... Ou bien cette aimable conversation aura-t-elle lieu entre vous et votre mari... à huis-clos, dans la chambre conjugale ?

On eût dit que le visage d'Amalie s'amenuisait, diminuait. Mais, d'un ton calme, elle dit :

— Je vous avertirai, ce sera peut-être dans quelques jours, peut-être dans quelques semaines.

— Et, dans l'intervalle, vous pensez conserver des relations amicales avec ma famille et votre mari ? — Il hocha la tête. — Chère, ne croyez-vous pas que ce soit un peu trop me demander ? Je suis de tempérament nerveux. La perspective d'être assis sur un baril de poudre, pendant que le cordeau fuse quelque part dans l'obscurité, ne me réjouit pas le moins du monde.

Puis il ajouta avec une mauvaise humeur virulente :

— Peut-être préféreriez-vous autre chose ? Peut-être préféreriez-vous oublier et continuer comme avant, à vivre dans la maison de mon père ? N'est-ce pas la solution secrète à laquelle vous pensez ?

Amalie poussa une exclamation étouffée. Mais Jérôme se montait de nouveau. Il s'approcha, mais elle s'écarta de lui.

— Ecoutez-moi bien, ma petite, vous ne tenez pas toutes les ficelles. Vous ne ferez pas de moi un pantin. Et j'ai mon mot à dire sur la question.

Il fit brusquement demi-tour, furieux de voir que ses mains tremblaient.

— Peut-être avez-vous pensé que ce serait agréable de tromper votre noble époux en d'autres occasions où je serais encore votre complice complaisant ? J'ai peut-être sous-estimé votre astuce, ma belle ?

Amalie ne bougeait pas. On eût dit qu'elle n'avait rien entendu. Elle le regardait seulement avec des yeux immenses.

Jérôme continuait avec une violence froide :

— Ou pensez-vous que je devrais avoir l'obligeance de m'éloigner de votre voisinage et de ne plus jamais mettre les pieds dans la maison de mon père ?

Il attendit. Mais elle resta muette. Il se mit à l'examiner pendant un long moment, puis il s'écria :

— Amalie, ma chérie, pardonnez-moi. Je sais que ce que je dis n'est pas vrai. Mais vous ne tenez pas compte de moi dans ce que vous dites.

Elle se voila le visage de ses mains. Il ne savait que faire. Il avait envie de la prendre dans ses bras, mais ce n'était pas possible pour l'instant.

— Pourquoi ne pas vous fier à moi ? Je suis plus fort que vous.
— Il s'anima soudain. — Et puis, écoutez-moi, j'ai une autre idée. Puisque vous êtes résolue à jouer franc jeu, partez d'abord et allez chez une de mes amies à New York, ou bien allez à Saratoga pour quelques jours. Pendant ce temps, je parlerai à Alfred moi-même et j'irai vous rejoindre. De cette manière, vous éviterez tous les... désagréments, et je vous assure que je peux parfaitement m'en tirer tout seul.

Elle laissa tomber ses mains. Ses joues ruisselaient de larmes.

— Merci, Jérôme. Merci beaucoup. Mais je ne peux pas faire ça. Je ne peux pas prendre la fuite comme une voleuse. Je dois à Alfred de rester.

D'un regard aveugle, elle chercha son réticule. Jérôme le lui donna.

— Je vous en prie. Je vous en prie, balbutia-t-elle.

Elle tendit la main. Puis, quand elle vit qu'il ne céderait pas, qu'il ne voulait pas comprendre, elle gagna la porte et s'en alla.

CHAPITRE XXVI

APRES une courte visite au docteur Hawley, Amalie laissa la jument aller à sa guise sur le chemin du retour. Elle eût d'ailleurs été incapable de conduire. Ses pensées traversaient son esprit comme de grandes ombres tourmentées. Elle ne trouvait nulle part consolation ou espoir, tout n'était que tristesse et désolation. Son caractère naturellement ferme avait toujours trouvé l'appui de son courage et du sentiment de son honnêteté. Mais courage et honnêteté avaient disparu. Seul demeurait le remords.

« Je ne peux m'en prendre à personne, pas même à Jérôme, pensait-elle. Le premier soir où je l'ai vu, j'ai su que nous étions destinés l'un à l'autre. Lui, au moins, a été assez honnête pour le reconnaître. Il m'a demandé de partir avec lui, avant le mariage. Je savais que je pourrais me faire épouser : une femme y arrive toujours. Mais il n'avait pas d'argent, pas d'avenir. Si j'avais pu croire, alors, que son père arriverait à lui pardonner, j'aurais accepté de partir. Mais j'avais trop peur de l'incertitude, de la misère, de la détresse. J'ai été lâche ; je suis plus coupable que lui. On paye davantage, en fin de compte, pour sa lâcheté que pour ses crimes. S'il y a encore quelque honneur à sauver, je ne peux me permettre une autre lâcheté maintenant. »

Mais, en dépit de cette résolution, elle ne pouvait envisager l'avenir qu'avec désespoir. Désespoir non seulement pour elle, mais surtout pour Jérôme. Malgré ce qu'il avait dit, elle savait que son intérêt à la Banque n'était ni une feinte, ni un accident. L'amour pour son père non plus n'était pas à dédaigner et leur départ signifierait une rupture complète.

« Pourrai-je jamais réparer le dommage ? Comment le persuader à l'avenir que je valais tant de sacrifices ? Ne finira-t-il pas par me haïr ? » Ces pensées la tourmentaient d'une manière intolérable. Elle n'avait qu'une solution : s'enfuir seule, secrètement ; elle laisserait un mot pour Alfred, le suppliant de lui pardonner et de ne pas chercher à la retrouver. Jérôme et les siens recou-vreraient la paix.

« Ils m'oublieront tous, pensa-t-elle. Alfred aura beaucoup de chagrin, mais il me chassera de sa mémoire aussi vite que pos-sible. M. Lindsey ne comprendra pas, mais il me pardonnera et m'oubliera aussi. Quant à Jérôme, eh bien ! il épousera Sally et me tiendra pour une sotte et il oubliera plus vite que tous les autres peut-être. »

Le mépris qu'elle ressentait et l'amertume de ses pensées dur-cirent sa résolution. Toutefois, elle était humaine et le sentiment que Jérôme se débarrasserait facilement de son souvenir dans un haussement d'épaules, peut-être même avec gratitude et soulage-ment, la remplissait d'une colère folle. Elle se souvenait de sa froi-deur gênée quand elle était entrée, de ses regards furtifs, de sa réserve prudente. Elle ne voulait se souvenir de rien d'autre. C'était nécessaire pour maintenir sa décision.

Elle laissa la voiture à la remise. Elle s'aperçut qu'elle était d'une extrême faiblesse, chaque pas lui coûtait un effort énorme. Elle eut tout juste la force de pousser le lourd vantail de chêne. Son cœur battait à l'étouffer. Un chaud silence régnait dans l'entrée. On eût dit que toute la maison dormait. Amalie s'arrêta au pied de l'escalier, comprenant qu'elle en était venue à aimer cette robuste et paisible demeure qui l'entourait de sa sécurité tutélaire, elle qui avait connu les assauts de la pauvreté sans espoir. Elle n'en pouvait plus, en proie à une tristesse déchirante. Après-demain peut-être, elle ne reverrait plus cette maison, elle n'en sentirait plus la tranquille bienfaisance, elle ne dormirait plus d'un sommeil sûr. Confusément, elle pensait : « Où irai-je ? Que ferai-je ? »

Elle commença de monter l'escalier où chaque degré marquait une nouvelle souffrance. Elle baissait la tête ; sa capote traînait sur les marches. Elle était déjà l'exilée, l'intruse qui n'avait plus aucun droit sur cette maison.

Epuisée, elle atteignit sa chambre et ouvrit la porte. Doro-thée était là, assise près de la fenêtre, ses grands bras noirs croisés sur sa poitrine austère. Amalie vit les yeux qui brûlaient dans la figure ingrate, au teint terreux sous le bonnet tuyauté.

Amalie resta clouée sur le seuil. Elle se dit seulement : « Elle sait » et sentit le plancher se dérober sous ses pieds.

— D'où venez-vous ? dit Dorothée, et sa voix avait un calme étrange.

Amalie s'obligea à fermer la porte et s'avança vers la coif-feuse. Elle posa la bouteille que lui avait donnée le docteur Haw-ley. Et maintenant, elle ne sentait plus rien, ni souffrance ni terreur. Elle fit face à l'autre femme, très calme, très blanche.

— Je suis allée voir le docteur Hawley. Il m'a donné ce for-
tifiant.

Elle savait que Dorothée était hors d'elle-même et que sa
fureur et sa haine se déchaîneraient d'un moment à l'autre. Les
deux femmes se mesuraient du regard dans un silence terrible.

Alors Dorothée, avec le même calme, demanda :

— Et lui, vous l'avez vu ?

Amalie ne répondit pas. Elle s'appuya contre la coiffeuse, car
ses jambes fléchissaient.

— Ainsi, vous l'avez vu. Vous vous êtes esquivée pendant que
je dormais. Vous avez pris la fuite pour le retrouver. Femme
sans vergogne ! Femme perdue !

Elle n'avait pas élevé le ton. La voix tout unie avait une lenteur réfléchie qui la rendait effrayante, comme la voix des fous.

Dorothée leva le bras, le doigt pointé sur Amalie.

— Il y a longtemps que je sais à quoi m'en tenir sur vous
deux. J'ai essayé de cacher ce que je savais... à cause d'Alfred.
(Sa voix se brisa de douleur.) C'est à cause de lui que je n'ai
rien dit. J'avais l'intention de ne rien dire, à moins que vous ne
rendiez la chose impossible... C'est ce que vous venez de faire.

Même après qu'elle eut fini, son doigt resta pointé sur Amalie,
comme si elle restait pétrifiée dans cette attitude de dénonciation.

Amalie dit simplement :

— Je m'en vais demain... seule. Vous ne me reverrez plus.

Elle ferma les yeux pour ne pas voir le doigt qui la désignait.

— Et vous croyez que vous pourrez vous échapper, en lâche
que vous êtes, et laisser votre complice seul en face des conséquences de son crime ?

— Alfred n'a pas besoin de savoir... Vous n'avez qu'à garder
le silence. Quand je serai partie, vous pourrez tous m'oublier.
Jérôme ne parlera pas... Après tout, Jérôme est votre frère.

Ses yeux toujours clos, elle entendit un bruissement de soie,
mais il lui fallut quelques instants pour les rouvrir. Alors, elle
vit Dorothée toute proche, exultant de haine.

— Non, ce n'est plus mon frère. Vous espériez le sauver, le
laisser vivre en paix, pour se moquer en secret d'Alfred. Eh bien !
non, non. Il n'échappera pas au châtiment qu'il mérite.

Amalie vit son regard et pensa avec une soudaine terreur :
« Elle est folle. » Elle recula, prise de panique, jeta un coup
d'œil vers la porte.

Dorothée lui saisit brusquement le bras.

— Je ne peux pas vous empêcher de partir... Mais je peux
dire ce que je sais à mon père et à Alfred. Votre amant n'osera
pas rester ici, car il sait qu'Alfred le tuerait. Partez si vous

voulez. Fuyez ! Cachez-vous ! Mais s'il reste, vous serez non seulement coupable d'adultère, mais de meurtre aussi.

Ses doigts de fer écrasaient le bras d'Amalie.

— Votre père... murmura Amalie.

— Mon père ! Mais il n'y a qu'Alfred qui m'importe... Que croyez-vous ? — Son expression était plus égarée, plus malfaisante que jamais. — De ma vie, je n'ai jamais aimé qu'Alfred. Quand il a épousé cette petite niaise, qui est morte, j'ai cru qu'il ne me restait rien au monde. Quand on l'a portée en terre, j'ai été heureuse. J'ai remercié Dieu.

Il y avait quelque chose de hideux dans la voix étouffée, une espèce de gloussement ravi.

— Je savais qu'avec le temps, il comprendrait que nous nous aimions...

Amalie, stupéfaite, incrédule, écoutait ce déballage soudain de passion, ne pouvait détourner son regard des yeux déments. sentait l'haleine de Dorothée sur son visage.

— Et puis, vous êtes venue ! s'écria Dorothée. Vous êtes venue, créature indigne, impudique. Vous avez usé de vos charmes pour vous faire épouser. Vous avez comploté sa ruine. Vous me l'avez pris et vous croyez pouvoir le déshonorer impunément ? Vous avez oublié qu'il fallait compter avec moi.

Elle secouait Amalie avec une violence qui ne rencontrait plus de résistance.

— Vous m'avez pris ma raison de vivre, tout mon espoir. Vous avez pris le nom d'un homme bon et généreux et vous l'avez souillé. Tout ce qu'il vous avait donné ne vous suffisait pas. Il a fallu que vous le trahissiez, que vous le ridiculisiez dès qu'il eut tourné le dos. Mais vous avez oublié de compter avec moi.

Dans sa terreur même, Amalie trouva la force de se dégager et s'écria :

— Je vais m'en aller. Tout de suite. Mais, pour l'amour de Dieu, ne faites pas plus de mal à Alfred qu'on ne lui en a déjà fait. Il n'est pas question de Jérôme maintenant. Si vous avez jamais aimé Alfred, ayez pitié de lui. Ne lui dites rien. Laissez-le m'oublier.

Mais Dorothée ne voulait pas la laisser échapper. Elle la suivait. Elle se mit à rire tout haut.

— Non, je lui dirai tout, pour qu'il punisse cet homme, même si vous n'êtes pas là.

Amalie murmura :

— Mais vous ne l'aimez pas, vous ne l'avez jamais aimé. Vous lui en avez terriblement voulu de son premier mariage, et plus encore du second. Vous voulez vous venger de ce qu'il vous ait préféré d'autres femmes. C'est visible. Vous ne regrettez rien ? Vous ne voulez pas avoir pitié de lui ?

Dorothée se redressa comme un ressort et, levant la main, gifla Amalie.

Amalie ne broncha pas, n'eut pas un cri. Elle resta immobile, silencieuse, la pâleur de sa joue se marbrant lentement de marques rouges. Elle n'avait plus peur.

— Vous m'avez dit que j'étais une dévergondée, une créature répugnante. Répugnante, vous l'êtes plus que moi. C'est vous qui voulez la perte d'Alfred. C'est vous qui voulez lui briser le cœur. Pas moi. Et cela par haine et par esprit de vengeance.

Dorothée leva le bras avec une violence telle qu'on eût dit qu'elle voulait assommer Amalie. Mais Amalie eut un sourire de mépris.

— Ne me touchez plus, Dorothée, ou vous le regretterez. — Sa main se ferma sur un flambeau, derrière elle. — Et maintenant, écoutez-moi. Je vous ai dit que je m'en irais, mais je vais rester jusqu'au retour d'Alfred, jusqu'à ce que je lui aie parlé moi-même. J'ai un peu plus de pitié pour lui que vous n'en avez, et je vous jure que si vous dites un mot avant, je lui raconterai cette scène et tout ce que vous m'avez dit. Vous n'oserez plus lui parler de votre vie. Il saura tout et il vous reprochera d'être la cause d'un surcroît de malheur que vous auriez pu lui éviter.

Elle reprit haleine et considéra Dorothée avec un dégoût altier.

— Ne dites rien. Quand je serai partie, quand il m'aura oubliée, quand il sera libre après un divorce, il cherchera consolation auprès de vous.

Même dans son exaltation insane, Dorothée entendit. Elle recula et regarda Amalie fixement. Au fond des yeux, une lueur de bon sens sagace et réfléchi commença d'apparaître.

— Et maintenant, je vous prie de quitter ma chambre. Laissez-moi seule. Je suis... je me sens mal. Je vais me reposer.

Sans la quitter du regard, Dorothée, lentement, recula. Elle ouvrit la porte à tâtons et sortit, les yeux toujours fixés sur Amalie.

Longtemps, Amalie resta à la même place de peur de tomber. Enfin, elle alla s'asseoir à son bureau et écrivit un mot à Jérôme pour l'informer qu'elle avait décidé de partir seule, après le retour de son mari ; que lui, Jérôme, pourrait venir la rejoindre en temps opportun.

Puis elle sonna pour qu'on lui envoyât Jim.

Quand elle fut seule, elle se laissa tomber sur son lit, le visage enfoui dans l'oreiller. Elle entendit sonner la cloche du dîner, mais quand elle voulut se relever, elle vit qu'elle était incapable de bouger, dans un état d'épuisement total.

CHAPITRE XXVII

A son retour de la Banque,
Jérôme, dont la sensibilité était exaspérée, sentit, ou crut sentir,
une menace dans la quiétude ambiante. Amalie et sa sœur étaient
invisibles. Toutes les pièces étaient silencieuses et vides, bai-
gnées des lueurs chaudes du couchant. Les fenêtres étaient
ouvertes et un air joyeux, plein des parfums de la terre en
fleur, pénétrait dans les couloirs, par toutes les ouvertures.
Jérôme monta l'escalier en sifflotant. Il s'arrêta un instant sur
le second palier : sa porte s'ouvrit sans bruit et il vit Jim qui
l'attendait, un air grave sur sa figure ridée. Intrigué, il ferma la
porte derrière lui. Sans un mot, Jim lui tendit la lettre d'Amalie,
le fixant d'un air sombre. Jérôme fronça le sourcil et se mit à
lire la lettre. Puis, comme Jim l'observait toujours, Jérôme
déchira le papier en petits morceaux qu'il alla déposer dans la
cheminée. Il y mit le feu et attendit qu'ils fussent réduits en
cendres. Après quoi, il prit un fauteuil et sortit un cigare que
Jim alluma d'un geste preste et il se remit à étudier son domestique, mais avec bienveillance.

— Jim, aimerais-tu retourner à New York ?
— Mais pas pour longtemps, monsieur ?
— Si, Jim, pour de bon. Tu es content, naturellement ?
Jim clignota, mais dit d'un ton convaincu :
— Je crois, monsieur, que c'est trop tard pour retourner.
Jérôme se rembrunit et ses yeux se bridèrent.
— Que diable veux-tu dire par là, coquin ?
Jim jeta un regard sur le petit tas de cendres et dit tranquil-
lement :
— Si Monsieur part, ce sera après le mariage ?
Jérôme se leva.
— Je crains qu'il n'y ait plus de mariage, pas pour l'instant,
tout au moins.
— C'est bien ce que je pensais, dit Jim d'un ton découragé.
Jérôme arpenta la pièce, tout en fumant d'un air absorbé.

— Je comprends, dit-il après plusieurs allées et venues. Tu n'es pas bête. As-tu une idée ? La situation est plutôt embrouillée

Jim haussa les épaules.

— Sauf vot' respect, monsieur, vous ne voudriez pas suivre mes conseils ! C'est pas à moi de vous donner des idées.

Jérôme attendait. Le petit homme poussa un soupir et continua :

— Si c'était pas à Monsieur, j'dirais : « Tiens bon le cap et attends que ça passe, sacré malin. Tiens bon et motus. Motus surtout : on n'a jamais pendu celui qui l'a bouclée. Laisse passer le grain. Ferme tes écoutilles, serre la toile et vogue, garçon. On sauv'ra la marchandise...

Jim fit la grimace et ajouta :

— Mais je ne pourrais pas dire ça à Monsieur.

— J'apprécie tes métaphores, Jim. Très pittoresques... Mais, comme toutes les métaphores, ça manque de précision. « Je ne pourrais pas dire ça à Monsieur. » Tu as joliment bien fait de ne pas le dire. Moi, vois-tu, j'ai un esprit positif : il me faut des schémas, des cartes, dûment annotés et contrôlés. Non, je n'aime pas les métaphores. L'imagination a tendance à les gonfler. Ça fait de l'effet, mais il n'y a que du vent. Sois précis, Jim. Déroule la carte et montre-moi les instructions, qui seront brèves, j'espère.

Jim se redressa, plein d'espoir et de courage.

— Eh bien ! monsieur, v'là la carte et c'est très simple. Si y a pas trop de monde dans la combine, on la boucle et on laisse passer le grain. Vous avez une cargaison précieuse — ça, c'est la Banque et vous aimez la Banque, c'est vot' vie maintenant. Vous avez un bon passager de première, ça c'est M. Lindsey et vous avez juré de l'amener à bon port. Vous avez tout' vot' richesse, comme qui dirait, sur ce bateau. S'il va au fond, vous allez avec et pas moyen de rien sauver, pas même vot' peau. Et ça m'fait quéque chose, m'sieur Jérôme. On en a vu de vertes et de pas mûres ensemble. On s'est dépêtrés de drôles d'histoires, avec tout juste des égratignures, comme qui dirait...

Jim eut un sourire nostalgique.

— Continue, Jim.

Le courage de Jim s'affermit :

— Le pays où vous voulez aller, c'est p't-être un pays charmant, mais, à mon idée, c'est plein de traquenards. C'est un coin perdu, y a pas d'abri et, une fois qu'on y est, plus question d'appareillage.

Jérôme sourit, plein d'admiration.

— J'adore ton langage imagé. A propos, où as-tu pêché tes connaissances maritimes ?

— J'ai été marin aut'fois, mais pas longtemps.

— Envoyé au bagne, hein ?

Jim fit la grimace.

— C'est un peu cru, mais, à la réflexion, je crois que ça peut s'appeler comme ça. — Il essaya de sourire. — Mais, pour mon goût, je préfère dire que j'ai fait une croisière, pour ma santé.

Jérôme posa la main sur l'épaule de Jim.

— Et tu en es revenu avec beaucoup d'esprit. Tu m'aides à penser. Mais, comme je n'ai jamais été marin, il faut que je pense en termes de terrien. Partons de là.

— Eh bien, y a vot' mariage avec miss Sally. Un joli brin de fille avec un papa qu'a de la galette et qui vous aime. Allez-y pour le mariage et ramassez les fafiots. L'argent, ça remplace des tas d'aut' choses qui peuvent pas se monnayer et, ce qui peut se monnayer, y a que ça qui compte à la fin. Tenez, j'ai connu un garçon qui était — c'est-à-dire qui voyageait pour sa santé en même temps que moi — un vrai brigand. Il avait si bien mis son magot à l'abri qu'on ne l'a jamais retrouvé. Quand il a eu fini son temps, après pas mal d'années en Australie, il est retourné au pays et il s'est acheté un domaine qui tombait en ruine, mais de la bonne terre avec un vieux château, et il est devenu un châtelain et il a épousé la fille du pasteur de l'endroit. Y a personne de plus comme il faut et respecté avec ça. Manque jamais l'église le dimanche et donne l'exemple à ses fermiers. Il a trois fils maintenant, et de beaux gars à réjouir le cœur d'un père.

Jérôme éclata de rire et tapa cordialement à plusieurs reprises sur l'épaule de Jim, mais le petit homme était tout à son homélie.

— Aussi, monsieur, c'est mon avis qu'il faut rien dire et attendre. Ce qu'on ne dit pas fait de mal à personne. Ça passe, ça s'oublie. Vous épousez miss Sally et vous laissez les choses aller leur train. Y a pas de casse pour le moment. Vous n'avez pas besoin de vivre ici tant que M. Alfred occupera la maison. Mais l'papa vous la donnera p't-être. Enfin, ça, c'est l'avenir. J'dis pas que ça sera agréable de voir le taureau d'à côté qui broute sur vot' pâtis, mais ça vaut mieux que d'agacer le taureau et d'obliger les voisins à sortir avec des fourches. Ça vaut mieux, ajouta-t-il d'un air très digne, que de donner le coup de grâce à un vieux monsieur, de briser le cœur d'une jeune demoiselle, de se faire des ennemis à mort et de se jeter dans le gouffre les yeux ouverts.

— Ah ! voilà ce qui s'appelle parler.

Mais Jim ne se laissa pas interrompre :

— Monsieur Jérôme, vous n'êtes plus de première jeunesse pour vous permettre de gâcher vot' vie, histoire de baiser dans le lit du voisin. Y a pas une femme au monde, monsieur, qui vaut qu'on se perde pour elle. Au début, c'est toujours affriolant, ça j'dis pas. Mais y a toujours un lendemain et toujours un règlement de comptes et, d'habitude, c'est pas beau. D'ailleurs, ça ne ferait pas bien l'affaire de la dame non plus. Les femmes sont raisonnables, plus raisonnables que les hommes. Expliquez-leur de quoi il retourne et elles sont toujours du côté pratique. Aussi, laissez la dame oublier et elle vous en remerciera plus tard.

Jérôme s'assit, croisa les jambes et regarda le bout de ses souliers.

— Tu n'es pas romantique, à ce que je vois.

— Monsieur non plus n'est pas romantique, répondit Jim avec un sourire d'espoir. Même que vous l'avez jamais été. J'ai remarqué. C'est bon signe. Vaut mieux pas faire de peine et être raisonnable.

Jérôme balançait son pied et semblait absorbé dans la contemplation d'un reflet de lumière sur son soulier. Mais son visage s'assombrit et se crispa. Les sourcils noirs se froncèrent. Jim le regardait, plein d'espoir et d'ardeur.

Alors, Jérôme dit d'un air songeur :

— Je ne saurais dire si tes conseils sont honorables ou pas, ou simplement intelligents. Je pencherais pour intelligents.

Et, soudain, il parut épuisé. Il se leva et se dirigea vers la fenêtre. Jim remarqua qu'il boitait, comme si sa jambe lui faisait mal et qu'il était las et malade. « Il a du plomb dans l'aile, songea le valet avec une tristesse soudaine et inquiète C'est qu'il s'agit plus seulement de batifolages sur l'herbe ! Je l'ai jamais vu comme ça. Est-ce qu'il aime vraiment cette pauvre dame qui a de si beaux yeux violets et une si belle gorge ? Est-ce qu'il n'y a vraiment rien à faire avec un pareil sentiment ?... Avant, il a toujours oublié les femmes qu'il a aimées, pensait Jim avec désespoir. Pourquoi n'oublie-t-il pas celle-là, pour lui et pour elle ? »

La cloche du dîner retentit doucement dans le calme des chambres où descendait l'ombre du crépuscule. Jérôme se détourna de la fenêtre, et, bien que Jim ne pût voir nettement son visage, il en sentait l'immense lassitude et il savait que Jérôme n'avait rien résolu.

— Ces dames ne descendront pas dîner, monsieur. Mademoiselle est souffrante et Madame a la migraine. Est-ce que je dois monter un plateau ?

— Bien entendu. Et montes-en un pour toi, Jim, nous dînerons ensemble.

Jérôme hésita et Jim eut l'impression qu'il souriait dans l'ombre.

— Jim, je ne sais que faire... Je sais seulement qu'il faut attendre et voir comment les choses vont s'arranger.

CHAPITRE XXVIII

M. LINDSEY partageait avec Confucius la certitude que les bonnes manières résolvent toutes sortes de difficultés et arrivent à se frayer un chemin à travers la jungle des émotions humaines. Avec une ironie acerbe, Jérôme se demandait à quoi servaient les bonnes manières dans la posture où il se trouvait.

Errant au flanc de la colline, dans le bois de sapins, il eut le sentiment profond et exaltant que, par son abandon des bonnes manières, il avait su pour la première fois ce que c'était que vivre. L'indélicatesse avait forcé les tiroirs aux papiers secrets d'Alfred et avait mis Jérôme en contact avec la vie misérable et frustrée d'autrui. L'indélicatesse avait provoqué cette affaire avec la femme de son cousin, son frère adoptif, cette affaire qui lui avait procuré la première grande passion de sa vie avec sa plénitude charnelle, mentale et émotive. Décidément, on perdait beaucoup à s'en tenir aux bonnes manières.

« Il y a cinq mois, pensait-il, j'aurais pu me dégager facilement. On fait du sentiment sur une femme qu'on n'a pas possédée et puis on la quitte avec une pointe de douce mélancolie. Mais une femme qu'on a possédée, qu'on a comprise, par la chair et par l'esprit, devient partie de l'homme qui l'aime et celui-ci ne peut davantage renoncer à l'aimée qu'il ne peut renoncer à lui-même. »

Il ne pouvait pas non plus renoncer à la Banque. Avec un étonnement profond, il comprenait que, pour quelque raison inexplicable, il était lié à la Banque et à ses problèmes. Il avait enfin regardé la réalité en face et le résultat l'intéressait passionnément. Il ne saisissait pas bien encore pourquoi il était si préoccupé des affaires de Riversend, et il avait le sentiment secret qu'une partie de cette sollicitude était motivée par l'antipathie qu'il éprouvait pour la suffisance autoritaire d'Alfred. Toutefois, que le pouvoir de contrôler et d'ordonner les affaires des autres, surtout de ceux qui étaient à la merci d'Alfred, avait de charmes inattendus !

Il ne pouvait pas non plus laisser son père. Ni sa maison. Il se retourna pour regarder Hilltop, imprécis sur le ciel vague du soir tombant. Comment avait-il pu béatement accueillir l'idée qu'Alfred hériterait de Hilltop ? Comment avait-il pu accepter qu'Alfred devienne le fils et l'héritier de son père ? Et son successeur ? Lui, Jérôme, était revenu dans cette maison comme un usurpateur. Qui lui avait donné ce sentiment ? Alfred, Dorothée, ou bien lui-même ?

Il avait un patrimoine ici et il était fermement décidé à livrer bataille pour l'avoir. Il avait une femme ici et il se battrait pour elle aussi.

Jadis, il était le déraciné inquiet, le superficiel imbécile absorbé par la satisfaction de ses petites passions mesquines. Brusquement, sa pose d'épicurien souriant, de peintre amateur délicat, lui parut une sottise ridicule. Il fut surpris de n'avoir rien appris à la guerre. Puis il s'aperçut que, depuis la guerre, il avait été en proie à une inquiétude et un mécontentement chroniques. La guerre l'avait mis sur le chemin de la maison. C'était très net pour lui maintenant. Sans l'expérience de la guerre, qui l'avait profondément touché sans qu'il s'en doute, il n'eût jamais été mêlé aux affaires de cette maison et de cette petite ville.

Il s'assit sur l'herbe chaude et se mit à fumer sans arrêt. Le dessin si confus de ses réflexions s'éclairait, s'ordonnait. Il en conçut de la surprise et une joie amère.

Au retour de la famille, il faudrait exposer la situation. Il y aurait certainement un beau tapage, mais Amalie et lui n'auraient qu'à maintenir leurs positions avec calme et fermeté.

« Après tout, se disait Jérôme, je suis le fils de mon père. Et mon père n'est ni impulsif, ni inconséquent. Il m'aime et il a de l'affection pour Amalie. Mis au pied du mur et forcé de choisir, c'est moi qu'il choisira. Vraisemblablement, il n'y aura guère que les deux mois qui suivront qui seront désagréables. Ce sera quelque chose de nouveau pour moi que de faire face aux fâcheux et de leur faire perdre contenance et je ne crois pas en tirer grand plaisir. Mais ce serait de la lâcheté de prendre la fuite. Du reste, ça ne ferait qu'amener la catastrophe. »

Il ne lui restait plus qu'à convaincre Amalie. Il se releva et retourna lentement à la maison. Amalie et sa sœur étaient invisibles. On avait allumé, dans la bibliothèque, une lampe ou deux qui répandaient une nappe de lumière sur l'herbe nouvelle. Il sonna pour qu'on lui envoyât Jim. Le petit bonhomme arriva en hâte, tout vibrant d'espoir. Mais il eut peur en voyant l'expression de Jérôme.

— Tu vas aller trouver Mrs. Lindsey et tu lui demanderas de descendre me trouver ici.

Jim eut encore plus peur. Il regarda Jérôme d'un air suppliant :

— Mais Madame est allée se coucher.

— Eh bien, elle se lèvera. Allons, file.

Jim en était tout remué et n'en croyait pas ses yeux. Il ne reconnaissait pas « le patron » dans cet homme pâle, à la bouche mauvaise, au regard inflexible. Il y avait du nouveau et qui ne promettait rien de bon. Voilà où ça vous menait les histoires avec les femmes : ça vous changeait un homme tellement qu'on ne le reconnaissait plus. Presque furtivement, Jim monta prévenir Amalie.

Jérôme arpentait la bibliothèque. Une réconfortante impression de force l'émoustillait. Il venait de découvrir qu'il y a un plaisir exaltant à durcir sa volonté et à l'armer pour la faire triompher.

La maison était silencieuse, toute chaude du jour écoulé, et l'odeur familière d'encaustique et de fleurs, de cuir et d'herbe, imprégnait la pièce. Comment avait-il pu croire que cette maison l'importunait, le lassait et qu'il n'y avait aucune attache ? Il regarda les hautes rangées de volumes bleus et rouges, luisant d'un éclat paisible et qui lui étaient si chers. C'était sa maison. Il se battrait pour elle et il gagnerait. Il se battrait pour le bruissement du vent dans les arbres, pour le moelleux du tapis sous les pieds, pour le grain du cuir des fauteuils, pour l'éclat des chenets de cuivre devant l'âtre. Quand un homme partait en guerre, c'était pour de telles choses qu'il se battait et non pas pour une idée ou un patriotisme abstrait.

Il entendit un bruit léger et, levant les yeux, vit Amalie sur le seuil, très silencieuse, très pâle dans sa robe de cotonnade grise, avec un col et des poignets crème. Ses cheveux noirs étaient ramenés en un chignon sévère sur la nuque. Les yeux étaient battus et les lèvres sans couleur. Jérôme se leva et la regarda longuement avant de dire doucement :

— Entrez, Amalie, il faut que je vous parle.

Il n'alla pas au-devant d'elle, mais l'observa tandis qu'elle s'avançait et prenait un fauteuil. Ses bras s'allongèrent, alanguis, sur les appuis de cuir rouge. Il s'installa près d'elle et se pencha vers elle en souriant.

Il avait peine à croire que, cet après-midi même, il eût jeté des regards furtifs à l'entrée d'Amalie, craignant de voir s'ouvrir des portes. « La peur rendait les hommes poltrons », pensait-il. Mais la peur s'éloignait quand on avait résolu de se battre. « Eh ! quoi, j'ai eu peur toute ma vie, peur de vivre, peur de croire que des choses étaient dignes de combat, peur de désirer, peur d'être touché par la passion et l'émotion vraie. Quelle couardise ! »

Dans le triomphant mépris qu'il ressentait pour lui-même, il avait presque oublié la femme au blanc visage assise près de lui ; c'est pourquoi il ne vit pas les yeux qui s'grandissaient avec une espèce d'étonnement las et inquiet, comme Amalie s'apercevait qu'un changement était survenu en lui depuis quelques heures. Quand il lui prit la main, elle ne recula pas, mais comme si elle sentait la force nouvelle qui était en lui, elle le laissa faire, épuisée, avec un abandon total.

— Ma chérie, j'ai beaucoup réfléchi. Ça ne m'arrive pas souvent. Et ainsi, j'ai décidé que nous ne partirions pas. Je suis chez moi et j'ai l'intention d'y rester, avec vous.

Involontairement, elle essaya de retirer sa main, mais il la tint plus ferme. Ses yeux se remplirent de larmes. Il la regarda bien en face avec un sourire rassurant.

— Nous ferons face tous les deux. Quand Alfred et mon père rentreront, nous leur dirons le sentiment que nous avons l'un pour l'autre, et nous demanderons votre liberté. Alfred ne peut refuser. Mon père, j'en suis sûr, m'aidera. Ce sera assez désagréable pendant un certain temps, voire accablant, je l'admets. Mais, à la fin, les choses se résoudront d'elles-mêmes, et dans la dignité, si nous avons la ferme conviction et le courage.

Elle murmura :

— Jérôme... et essaya de sourire.

Il trouva son effort presque navrant. Il lui baisa la main.

Avec une animation soudaine, il s'exclama :

— Chère, savez-vous combien je vous aime ? Moi-même, je ne le comprends que maintenant. Ce qui n'était qu'une toquade, au début, est maintenant un sentiment stable et permanent, car maintenant je connais votre honnêteté, votre sens de l'honneur, votre fierté et votre courage. Nous aurons une belle vie, je vous le promets, sereine, bonne et forte, pour nous et nos enfants... Vous me croyez, n'est-ce pas, Amalie ?

— Oui. — Sa voix n'était qu'un murmure, mais tout son visage resplendissait. — J'ai eu peur que vous ne m'aimiez plus. C'est la seule chose que je n'aurais pu supporter.

Elle regarda alentour les lambris, les livres, la haute cheminée, les lampes, et sa bouche trembla et elle n'en put dire davantage.

Toutefois, sa perspicacité lui fit sentir ce qu'elle éprouvait et il en fut heureux.

— Il n'y a que les sans-foyer qui soient vraiment capables d'aimer une maison, dit-il, en lui prenant le visage dans ses deux mains et lui baisant les lèvres avec douceur.

Elle lui passa les bras autour du cou. Tous les deux pensaient que cette soirée était bien différente de l'après-midi d'orage et que la tendresse avait remplacé le désir furieux.

Ils s'assirent l'un près de l'autre et Jérôme dit :

— J'ai eu une lettre de mon père aujourd'hui. Alfred... est obligé de prolonger son séjour à New York de deux ou trois semaines. Mon père m'a demandé d'aller à Saratoga pour le ramener avec Philippe. Ce ne sera pas trop pénible d'être seule pendant quelques jours, ma chérie ?

— Non. — Son visage s'assombrit de nouveau. — Philippe ! J'aime Philippe aussi, Jérôme. Comment supporterais-je de l'avoir éloigné de moi ? Il m'aime, il a confiance en moi et il a été si seul...

Jérôme fut promptement jaloux et se rembrunit.

— Oh ! Philippe !... Vous n'avez pas besoin de vous alarmer pour Philippe. C'est un garçon qui sait ce qu'il veut. Même son père ne pourrait l'empêcher de vous voir s'il en a envie. Bon Dieu ! pensez donc à nous deux pour un moment, mon petit.

Mais la tristesse était pesante à sa tête inclinée.

— Si seulement nous pouvions être heureux sans apporter le malheur aux autres. Si seulement j'étais sûre qu'ils ne nous détesteront pas trop.

Jérôme prit son sourire déplaisant.

— C'est une possibilité qu'il nous faut également envisager et le plus tôt sera le mieux.

Amalie se leva et, nerveuse, se mit à marcher lentement de long en large, crispant ses mains l'une sur l'autre. Elle s'arrêta devant Jérôme, plus pâle qu'elle ne l'était avant.

— Il y a quelque chose que je dois vous dire, Jérôme. Dorothée sait tout.

Jérôme la regarda d'un air incrédule.

— Mais comment ? C'est impossible ! Il n'y avait personne à la maison ce jour-là.

Elle rougit et détourna la tête.

— Néanmoins, le fait est là. Elle savait que j'étais allée vous voir aujourd'hui et elle m'a accusée formellement. Je n'avais pas l'intention de vous metttre au courant, mais, maintenant, je crois que cela vaut mieux.

— Bon Dieu. Ça complique les choses. — Il la regarda fixement. — Voilà pourquoi vous n'êtes pas vous-même. — Il lui saisit la main. — Il faut tout me raconter, immédiatement.

D'une voix que troublait la honte, elle lui conta tout bas la scène. Jérôme écoutait avec une rage et une haine croissantes pour sa sœur. Quand Amalie eut fini, il partit dans la direction de la porte. Amalie dut le retenir.

— Attendez, Jérôme. Je crois que nous n'avons pas besoin de craindre Dorothée. Ce qu'elle veut, c'est avoir Alfred. Elle ne gagnera rien par des accusations prématurées contre nous. Je l'ai persuadée que moins elle aurait l'air d'en savoir, plus elle aurait de chances de voir Alfred venir à elle. S'il croit qu'elle en sait trop long sur son humiliation, il l'évitera. Elle comprend ça maintenant. Elle ne dira rien. Je vous supplie de ne pas lui parler, de ne pas la mettre à même de savoir que je vous ai tout dit. Je ne l'aurais d'ailleurs pas fait, si je n'avais pensé que ça pourrait éclaircir la situation et fournir une explication à l'hostilité qu'elle vous témoigne.

— Alors, c'est pour ça qu'elle a été si méchante. Vieille guenuche en chaleur ! Eh bien ! nous dirons qu'elle mérite Alfred, comme il la mérite. Je ne leur souhaite pas d'autre punition.

— Jérôme, je vous en prie.

Mais Jérôme était lancé.

— Bon Dieu, ne soyez donc pas si sensible. Alfred n'est pas un saint, ni un honnête homme, ni un cœur noble. J'ai regardé ses livres et ses papiers. Vous savez ce qu'il fait à cette ville ? Il l'étouffe, il l'étrangle. Il affame les gens, leur enlève tout espoir. A cause de lui, la jeunesse s'en va vers des coins plus prospères. Il veut maintenir cette communauté dans un état de servage féodal pour son bien-être et celui de ses cupides amis. Il ramasse les fermes les unes après les autres, il fait saisir les immeubles hypothéqués et les loue après coup à des métayers qu'il exploite sans merci avec une vertueuse fatuité qui, Bon Dieu, me fait souhaiter l'occasion de lui flanquer mon poing dans la figure. Voilà le saint homme que vous voudriez épargner et dont vous ne connaissez rien.

Amalie ne répondit pas. Elle songeait à toutes les histoires qu'elle avait entendues à Riversend, quand elle allait à l'école. Elle se souvenait qu'Alfred s'était opposé à ce qu'on agrandît l'école et qu'on fît venir d'autres institutrices. Elle se souvenait des Hobson qui eussent été dépossédés sans son intercession. Elle revoyait les malheureux fermiers humiliés et tremblants, les petits boutiquiers traqués. Et elle se rappelait que c'était le nom d'Alfred qu'on prononçait dans la haine et la détresse. Mais Jérôme se méprit sur son silence.

— Je vous avertis, dit-il avec une résolution farouche, que je ferai ce que je pourrai pour lui mettre des bâtons dans les roues. Je suis son ennemi. Je resterai ici. Je travaillerai et je me ferai des amis qui le détesteront et tout ce qu'il a fait sera défait.

Elle posa la main sur le bras de Jérôme et dit doucement :

— Jérôme ! Vous êtes sincère ? C'est la raison pour laquelle vous voulez rester ? Vous voulez donc vraiment aider Riversend et les fermiers ? Vous ne restez pas... simplement pour l'héritage ? C'est vraiment votre but ?

Ils se regardèrent les yeux dans les yeux. Jérôme sourit. Il appuya sa main sur celle qu'Amalie venait de poser sur son bras.

— Mais oui, dit-il.

Amalie avait les larmes aux yeux, mais Jérôme savait que c'étaient des larmes de joie et de surprise. Il la prit dans ses bras et pressa sa joue contre la sienne. Elle s'accrocha à lui avec passion.

— Comme vous me rendez heureuse, Jérôme ! Et j'aurai tellement de choses à vous dire, tirées de mon expérience.

Mais, saisie d'une crainte dans sa joie, elle se dégagea afin de voir le visage de Jérôme.

— C'est comme un rêve, dit-elle. Je ne savais pas que vous aviez toutes ces idées sur Riversend. Je croyais que ce n'était que par haine d'Alfred. Je vous jugeais mal, Jérôme. Pardonnez-moi.

CHAPITRE XXIX

DOROTHÉE Lindsey faisait un rêve étrange.

Ce rêve était à demi souvenir. La voix de sa mère résonnait au loin, pleine d'affliction : « Dorothée, ma chérie, il faudra veiller sur ton frère. Souviens-toi de moi. Et, en souvenir de moi, ne l'abandonne jamais. Ne lui fais jamais de mal. »

Dorothée s'écria : « Oh ! maman, vous ne connaissez pas Jérôme. Il nous a fait tant de mal à tous. Vous ne pouvez pas me demander cela, maman. »

Mais la voix affaiblie, qui semblait descendre des étoiles, supplia encore : « Il faut aider ton frère, Dorothée. »

Dorothée s'éveilla. Elle avait froid, elle tremblait et se sentait mal. La pièce était obscure. Les arbres chuchotaient près des fenêtres et la lune poussait des doigts de lumière à travers les rideaux. Dorothée s'assit sur son lit et alluma sa lampe de chevet. C'est alors qu'elle eut conscience d'avoir entendu plusieurs coups à la porte, ce qui l'avait probablement réveillée. Elle regarda la pendule de la cheminée. Il était minuit. Elle saisit son châle au pied du lit et s'en couvrit les épaules. La gorge serrée, elle dit :

— Qui est-ce ?

— Jérôme.

— Entre.

Elle se releva sur ses oreillers, passa les mains sur ses bandeaux grisonnants et rejeta dans son dos ses lourdes tresses.

Jérôme entra et ferma la porte derrière lui. L'urgence de son rêve pesait sur Dorothée qui considéra son frère avec un air piteux et confus plutôt qu'avec l'antagonisme prudent qui lui était habituel. Jérôme s'avança vers le lit, trouva un vieux rocking-chair et s'assit.

Dorothée s'entendit qui disait gauchement :

— Je viens d'avoir un rêve sur notre mère et nous deux, Jerry. Pour la première fois depuis des années, le surnom des jours d'enfance s'était échappé de ses lèvres avec une douceur lasse.

Jérôme ne répondit pas. Il alluma un cigare d'un air détaché, croisa les jambes et regarda le plafond. Dorothée laissa tomber ses mains et vit son frère tel qu'il était. Son cœur avait toujours ses palpitations douloureuses qui lui ébranlaient tout le corps. Elle avait des larmes dans les yeux. Elle s'écria :

— Jérôme ! Maman m'a demandé de veiller sur toi, il y a des années et elle me l'a encore demandé ce soir.

Jérôme eut un sourire ironique, et continua à regarder le plafond.

— Et pourtant, tu avais l'intention de faire du bel ouvrage, n'est-ce pas ? Tu voulais me faire tout le mal possible. C'est pourquoi je suis venu te trouver ce soir à cette heure indue.

Dorothée garda le silence, mais ses mains pétrissaient la couverture.

— Ma chère Dorothée, ne faisons pas de sentiment et parlons franchement. Tu es mon ennemie depuis des années. Je n'ai jamais été le tien, car je trouvais que tu n'en valais pas la peine. Mais tu viens de prendre de l'importance tout d'un coup. Aussi, je suis venu pour te dire de laisser Amalie tranquille, de garder le silence et de ne pas te mêler de mes affaires. Sinon, eh bien, je trouverai le moyen de te le faire regretter.

Dorothée aspira l'air entre ses dents. Ses mains se crispèrent sur la couverture, mais elle ne pouvait se débarrasser de son rêve. Elle se sentit mal. Elle bredouilla :

— Alors, elle t'a dit que je savais ?

— Oui. — Jérôme se leva. — Elle m'a dit aussi... que tu t'étais livrée à des voies de fait sur elle. Tu feras bien de te rappeler que nos affaires ne regardent que nous. Sinon, je te mettrai les points sur les i et pas doucement.

— C'est une femme perdue et tu es un vaurien, murmura Dorothée avec lassitude.

Jérôme regardait sa sœur avec curiosité. Il y avait quelque chose qu'il ne comprenait pas. Il s'attendait à ce que sa sœur l'accusât, l'invectivât, avec fureur et méchanceté. Mais, au contraire, elle s'appuyait sur ses oreillers, le visage défait, couleur de cendre, et ses yeux étaient obscurcis de larmes. Soudain, elle éleva les mains et parut les tendre vers lui.

— Jérôme, murmura-t-elle, veux-tu m'écouter un moment ? Peut-être me suis-je montrée trop sévère envers toi dans le passé, trop rigide. Je croyais que c'était nécessaire, que c'était mon devoir. Peut-être ai-je eu tort. J'avais des moments où j'oubliais que tu étais mon frère. J'avais l'impression que tu me détestais. Nous ne nous sommes jamais compris.

Jérôme bougea un peu, sa curiosité augmentant. Il éprouvait

un vague sentiment de honte et de compassion pour sa sœur. Ça l'agaçait. Il était venu armé pour la bataille et les menaces et elle le désarmait.

— J'aurais dû me rappeler, toujours, que nous étions issus des mêmes parents, que nous étions du même sang... Mais nous sommes de tempérament opposé. Je suis l'aînée et je porte la responsabilité de notre éloignement mutuel.

Elle releva la tête, qu'elle avait tenue penchée sur sa poitrine, et lança à Jérôme un regard intense et suppliant.

— Jérôme, ne l'oublions plus, que nous sommes frère et sœur. Rien d'autre n'importe maintenant, n'est-ce pas ? — Elle s'avança un peu vers lui. — Nous ne formons qu'une famille : père, toi et moi, Alfred et Philippe, et aucun étranger ne doit se mettre entre nous. Dis-moi que tu comprends, que tu es de mon avis. Laisse partir cette femme. Elle veut partir, elle me l'a dit. Oublions-la tous, comme un mauvais rêve. Retrouvons-nous amis, sous un même toit. Et je te jure, Jérôme, que je ne dirai jamais un mot à quiconque de toute cette sinistre histoire.

Jérôme faisait tambouriner ses doigts sur la colonne. Son visage était dur et fermé.

— Je te remercie, Dorothée. Je veux aussi bien te dire que je n'ai pas l'intention de m'en aller. Je resterai ici parce que je suis le fils de mon père et son héritier naturel. Mais Amalie ne partira pas. Nous allons demander tous deux à Alfred de lui rendre sa liberté. Plus tard, je l'épouserai.

Dorothée resta étourdie. Sa bouche s'ouvrit de stupéfaction : elle battit des paupières. Puis elle parut se ratatiner sur ses oreillers, comme une vieille.

— Tu n'as qu'à rester tranquille, dit Jérôme, mal à son aise.
— Il s'absorba dans la contemplation des sculptures de la colonne, — Alors il n'y aura pas beaucoup de mal pour personne. Au retour d'Alfred, nous lui parlerons, Amalie et moi. Mon père aime bien Amalie et je suis son fils. J'espère, je compte qu'il m'aidera. C'est un réaliste, et non un sentimental. Les choses seront compliquées, sans doute, et désagréables pendant quelque temps, mais ça se tassera. — Il hésita. — Si le bonheur d'Alfred t'intéresse le moindrement, tu comprends qu'il ne pourra jamais être heureux avec Amalie. Elle ne l'aime pas et il le sait. Maintenir un tel mariage ne peut que provoquer mécontentement et chagrins. — Il tourna son regard vers sa sœur. — Il pourra être heureux après, plus tard, tu me comprends.

Dorothée se voila le visage de ses mains. D'une voix étranglée, elle murmura :

— Non, non, elle ne peut pas rester ici. Tu ne peux pas l'épouser. Je ne pourrai jamais me faire à cette idée.

— Néanmoins, rétorqua Jérôme, avec une dureté implacable, il faudra que tu t'y fasses. Voilà ce que j'étais venu te dire. Je suis heureux que tu te sois montrée raisonnable et que tu n'aies plus l'intention de me nuire. C'est plus que je n'attendais. Je t'en remercie et, de mon côté, je m'efforcerai de me montrer plus fraternel à ton égard. J'espère que tu pourras être heureuse plus tard. Si tu es raisonnable et juste, si tu tiens compte de tes vœux en même temps que des nôtres, je suis sûr que tu arriveras à tes fins.

Dorothée écarta ses mains. Elle pleurait amèrement.

— Jérôme, cette femme terrible ne nous apportera que ruine et malheur. Je t'en supplie, crois-moi. J'ai promis à notre mère de t'aider, et je ne peux refuser de le faire. Elle désire que je te protège de cette odieuse créature, de cette fille perdue. Je le sais. Elle m'a parlé juste avant que tu viennes.

Sa voix se brisa et ses larmes coulèrent plus fort.

Jérôme fronça le sourcil et s'assit au bord du lit :

— Ecoute-moi, Dotty. Il faut que tu comprennes. Amalie et moi, nous nous aimons. Ça a été le coup de foudre. Nous ne l'avons pas compris tout d'abord. Mais maintenant nous savons. Nous avons l'intention de nous marier. Personne n'y changera rien. Comprends bien. Accepte ce fait et toute la situation s'éclaircit. Si tu ne nous aides pas, alors, il faut que nous partions tout de suite, Amalie et moi, et ce sera une humiliation terrible pour Alfred, il ne s'en relèvera jamais. Notre père en mourra sans doute. Ça ne tient qu'à toi. Et toi, rappelle-toi bien, tu n'y gagneras rien, sinon le remords et la solitude, et tu ne pourras jamais oublier que sans toi tout aurait bien marché.

Dorothée le regarda à travers ses larmes et dit, presque à voix basse :

— Je hais cette femme. Je lui souhaite la mort. Je ne peux pas accepter l'idée que je la verrai toute ma vie dans cette maison.

— Mais c'est précisément ce qu'il faut que tu acceptes.

— Il n'y a donc rien, ni le sens de l'honneur, ni la décence, ni les égards que tu nous dois, à ton père et à moi, rien qui puisse changer ta décision ?

— Rien.

Il se leva.

Elle sentit sa résolution implacable. Elle se tordit les mains et se mit à pleurer tout haut.

Jérôme attendait. Les larmes de sa sœur le troublaient plus qu'il n'aurait cru.

— Et Sally ?

Jérôme détourna la tête.

— Il faudra que je parle au général, dès que possible.

— Il ne te reste donc aucun sens de l'honneur, pour que tu infliges un tel chagrin à cette jeune fille, une telle mortification ? As-tu oublié que les fiançailles sont officielles ?

— Ce fut une erreur, Dorothée. Une de mes nombreuses erreurs. Je regrette pour Sally, mais j'aurais fait un mari détestable pour elle.

Dorothée gémit :

— Quelle situation terrible ! Si seulement chacun de nous n'avait jamais vu cette femme !

Jérôme avait maintenant la certitude que sa sœur ne ferait rien contre lui ou Amalie. Il s'approcha d'elle et lui mit un baiser sur le front.

— Il faut prendre les choses comme elles sont, mon petit. Nous ne pouvons rien y changer. Sois raisonnable. Je vais partir à Saratoga chercher mon père et Philippe. Alfred doit rester à New York pendant quelques semaines encore. Domine-toi jusqu'à ce que les affaires soient réglées. Tu nous rendras à tous, y compris toi-même, un service formidable. Je peux avoir confiance en toi, Dotty ?

Elle lui mit la main sur l'épaule. Ses yeux noirs, ruisselants de larmes, imploraient. Puis, ils se remplirent de désespoir et se fermèrent.

— Oui, Jérôme, tu peux avoir confiance en moi... Mais, Jérôme, si les choses avaient pu tourner autrement...

CHAPITRE XXX

QUAND Jérôme fut parti pour Saratoga, une torpeur morose s'appesantit sur la maison. Dorothée avait accepté l'inévitable avec son austérité habituelle, mais son amertume n'était que trop évidente. Elle avait l'air aussi de tirer des plans, ce qui ne laissait pas d'inquiéter Amalie.

Les domestiques sentaient la situation tendue entre les deux femmes. Ils n'avaient pas de sympathie pour Amalie. Elle sortait de leur milieu et ils jalousaient son élévation. Envers cette parvenue, ils se montraient aussi insolents qu'ils osaient l'être. A l'unanimité, ils prenaient partie pour Dorothée contre l'étrangère. L'influence de Jim n'était pas suffisante pour les amadouer, et il renonça habilement à ses plaidoyers, de crainte d'éveiller des soupçons contre son maître. Toutefois, c'était lui de préférence qui répondait aux coups de sonnette d'Amalie qui, sans lui, seraient restés sans réponse.

Amalie prit rapidement conscience du climat de la maison, mais elle sut se maîtriser. Elle était reconnaissante à Jim de sa politesse et de ses prévenances, non sans en être gênée, car elle en soupçonnait la cause. Elle ne sonnait que rarement.

Tout en le craignant, elle soupirait après le retour de la famille. Elle savait que Jérôme ne parlerait pas à M. Lindsey avant le retour d'Alfred.

Le plus dur à supporter était peut-être les lettres affectueuses et compassées d'Alfred. Il était ravi de son séjour à New York. Il avait été reçu par M. Regan, qui s'était montré « très aimable ». Des amis de M. Regan l'avaient invité à plusieurs reprises. Avec d'obscurs euphémismes, il faisait timidement allusion aux « espérances » qu'Amalie lui avait données. Amalie ne répondait pas sur ce chapitre et se bornait à dire que le docteur Hawley ne la trouvait pas en parfaite santé, mais que ce n'était rien d'inquiétant.

Jérôme ne pouvait lui écrire directement, mais il envoyait à Jim des messages que le petit homme se chargeait de transmettre.

M. Lindsey, dont l'état de santé s'était d'abord amélioré, avait eu une rechute. Il ne pouvait rentrer immédiatement. Il lui faudrait attendre une semaine ou deux encore. Quant à Philippe, il était magnifique.

Amalie, qui avait fait des prières pour avoir un sursis, commençait à trouver le délai insupportable. Ses nerfs étaient à vif. Elle était sujette à des nausées. Elle se réveillait parfois la nuit, en tremblant. Bientôt, le sommeil la quitta. Ses nausées devinrent plus violentes. Elle se levait de table aussitôt que possible. Elle se forçait à travailler dur, à faire des promenades en voiture dans la campagne, à lire pendant des heures, à raccommoder, coudre ou broder. Elle rendait visite à ses amis d'autrefois, fermiers et petites gens de la ville, mais elle refusa les nombreuses invitations de la veuve Kingsley et du général Tayntor. Une fois Sally se rendit à Hilltop pour voir Dorothée. Amalie, qui l'avait vue venir en fringant équipage, s'esquiva par les communs et resta deux heures absente.

La vie prenait les proportions et le climat d'un cauchemar sans issue, où elle se déplaçait parmi des ombres maléfiques et des masques grimaçants. L'été avançait, chaud et doré, dans un chatoiement de lumière, mais elle n'avait pas d'yeux pour voir. Sa langueur était devenue une maladie. L'arrivée de la nuit était un supplice. Elle maigrissait et perdait des forces, et des ombres mauves cernaient perpétuellement ses yeux.

Elle se sentait complètement abandonnée. Jérôme était parti depuis trois semaines et ne parlait pas de revenir encore. Alfred écrivait que ses négociations avec M. Regan se prolongeraient inévitablement. Les jours passaient sans qu'elle échangeât guère plus d'une parole avec Dorothée ou les domestiques.

Ses malaises s'aggravèrent. Elle se demanda si elle ne devait pas consulter le docteur Hawley, mais l'idée d'aller en ville la faisait reculer.

Vint juillet, avec des chaleurs orageuses qu'Amalie supporta très mal. Parfois, à la nuit tombée, elle gagnait l'âcre fraîcheur du bois de sapins et, là, elle s'abandonnait complètement à son angoisse, à son chagrin et à ses malaises. Elle pouvait rester ainsi pendant des heures, à fixer le feu blanc de la lune ou à guetter les nappes de lueurs des éclairs de chaleur à travers le ciel noir. Il lui arrivait de s'endormir là et de se réveiller seulement à l'aube quand les brumes nacrées se déroulaient en molles écharpes sur les collines.

Un matin, elle eut assez d'énergie pour faire un tour dans les jardins et s'en retourner avec un panier de roses. Elle les disposa dans les vases de la bibliothèque. Elle entendit un léger bruit et, tremblante de faiblesse, se retourna pour voir Jim qui venait de se glisser dans la pièce. D'un air furtif, il s'avança jusqu'à la longue table où se tenait Amalia et, après un rapide coup d'œil par-dessus son épaule, il lui souffla :

— Madame, M. Jérôme dit comme ça qu'il sera de retour le 30.

Amalie laissa ses mains au milieu des fleurs et regarda Jim, toute pâle et sans rien dire.

Jim l'examinait avec une affection inquiète :

— Le patron s'ra pas content, madame.

Les joues d'Amalie se colorèrent.

— Que voulez-vous dire, Jim ?

— M'sieur Jérôme m'a dit de veiller sur vous. Y s'ra pas content de vous voir comme ça. Y m'f'ra des reproches.

Elle rougit davantage et sa gorge se serra.

— Pourquoi vous ferait-il des reproches ? Ne parlons plus de cela, s'il vous plaît.

Jim se rapprocha et, fixant sur Amalie des yeux pleins de zèle, lui dit :

— J'veux que Madame sache qu'elle a un ami dans la maison.

Elle était si faible que les larmes lui montèrent aux yeux :

— Je le sais, Jim, et je vous remercie.

Elle effleura de la main le bras de Jim et s'en alla, la tête haute. Il la suivit des yeux et soupira encore. Quelle jolie jeune femme, et une femme du monde ! Les copains avaient beau dire. Il n'y avait pas de reproches à faire au patron. Mais quand même, quelle sale histoire !

Le lendemain, Amalie reçut d'Alfred une lettre triomphante, annonçant son départ de New York.

La nouvelle lui enleva ce qui lui restait de force et de sang-froid. Quand elle essaya de se lever, le lendemain, elle s'aperçut qu'elle était trop malade, une apathie insurmontable la terrassait. C'est ainsi qu'Alfred la trouva, presque incapable de parler, de soulever la tête de dessus l'oreiller.

CHAPITRE XXXI

ALFRED et Dorothée étaient assis sur la terrasse dans le chaud crépuscule. Dorothée portait une robe légère de popeline grise ornée d'un fichu de mousseline blanche. Elle avait enlevé son bonnet tuyauté et coiffé ses longs cheveux en une épaisse couronne de tresses. Dans la vie d'Alfred, elle symbolisait la majesté austère et sûre, pleine du bon sens qui avait ses suffrages, et de la stabilité dont il avait fait son dieu.

Sa présence lui procurait détente et réconfort, car il savait qu'elle était son amie et que point n'était besoin d'être explicite ou de choisir ses mots pour qu'elle comprît : quelques paroles, l'ébauche d'un geste, un regard, suffisaient. Dorothée le savait bien et cela ne faisait qu'ajouter à l'amertume de son chagrin. « Comment un homme pouvait-il manquer de clairvoyance au point de négliger la seule source possible de son bonheur ? songeait Dorothée dans un accès de sombre révolte contre Alfred. Il m'a toujours confié ses difficultés, ses problèmes, ses inquiétudes ; c'est toujours près de moi qu'il cherche la sympathie et les consolations. Nous nous sommes compris depuis l'enfance. Il s'est marié deux fois, sans trouver le bonheur, et il ne comprend toujours pas. De tout temps, j'ai eu pour lui une oreille attentive, un regard aimable, un cœur ami. Mais, au premier frou-frou de jupon un peu leste, le voilà qui me laisse. Et quand il revient, blessé et égaré, il ne voit même pas que moi seule le comprends et que je ne fais qu'un avec lui. »

Ses mains assidues au tricot, même dans la nuit tombante, s'arrêtèrent. Elle fixa le vide devant elle et sa figure s'empourpra. Elle venait d'arriver à une conclusion des plus malséantes : dans l'intérêt même des hommes, des femmes comme elle devaient s'armer de hardiesse et leur dire : « Vous êtes un imbécile, je suis la femme qu'il vous faut, et absolument décidée à vous épouser. Vous pouvez me fuir, mais je vous suivrai. Je serai votre ombre. Je ne vous lâcherai pas, jusqu'à ce que vous succombiez et que vous vous rendiez. Et le jour viendra où vous me remercierez. Vous me connaîtrez et nous serons heureux ensemble. »

Quelle pensée inconcevable ! Mais il fallait l'accepter au nom du bon sens et pour le bonheur de ces idiots. « Même si Alfred est débarrassé de cette femme, il va trébucher misérablement jusqu'à ce qu'il en trouve une autre du même genre. et je le perdrai une troisième fois. Mais non, cette fois je réussirai. dussé-je l'affronter sans pudeur et le mettre en demeure de m'épouser... »

Alfred, comme de juste, n'avait aucun soupçon des pensées de sa cousine. Il savait seulement que c'était bon et apaisant d'être avec elle dans le crépuscule et que sa présence était un réconfort dans son inquiétude et son chagrin actuels. Chère Dorothée ! Elle était toujours là, sœur et amie, absolument sans sexe, et c'était si consolant !

Il venait de lui raconter ses succès à New York et ses conversations édifiantes avec M. Regan, qui s'était montré d'une réelle courtoisie et d'une telle obligeance ! Bien qu'il s'échauffât, sa voix gardait une note distraite que saisit la subtilité de Dorothée. Elle sut qu'il pensait à cette femme et elle pinça les lèvres.

Pour elle, comme pour toutes les femmes de sa génération, le divorce était une abomination, une chose honteuse dont on ne parlait même pas à voix basse, entre femmes du monde. Cependant, dans sa nouvelle résolution, elle envisageait maintenant avec calme, voire avec joie, le divorce d'Alfred. C'était une occasion, elle la saisirait. Elle n'avait qu'à attendre. Il y aurait certes des moments déplaisants, des clabaudages et des mines scandalisées. Mais les âmes fortes ne se laissaient pas guider dans la vie par l'opinion d'autrui.

Ces pensées révolutionnaires ne faisaient que la stimuler. affermissant le port de la tête, activant le cliquetis des aiguilles. Son cœur battait d'une espèce de joie folle. Il faudrait endurer quelques semaines fâcheuses qui seraient le prix dérisoire pour toute une vie de bonheur accompli.

Elle sentait autour d'elle les murs puissants de la maison où elle était née. Alfred et elle s'installeraient ici, avec Philippe. Jérôme et cette créature abominable iraient vivre ailleurs, où ils voudraient. Dorothée s'en moquait. Mais Jérôme verrait qu'il était impossible de rester à Riversend, à cause de l'opinion publique, même si le divorce était consommé avec le minimum de publicité. Une femme divorcée était toujours une paria. M. Lindsey serait très affecté. Il fallait s'y attendre et en prendre son parti. Mais elle ne ferait rien pour déshonorer Jérôme ou le léser en quoi que ce soit. L'emprise de son rêve était encore puissante. Elle soupira.

Alfred s'agita sur sa chaise :

— Le docteur Hawley viendra demain examiner Amalie. Elle est dans un état déplorable. Bien pire que je ne l'ai laissée. A cette époque, j'avais l'espoir...

Il s'interrompit brusquement. Il avait failli aborder un sujet que la bienséance interdit devant une femme non mariée.

Dorothée prit sa respiration et se lança :

— Vous aviez l'espoir qu'Amalie était enceinte. C'est ce que vous voulez dire, n'est-ce pas ?

Alfred était tout confus. Il toussa discrètement.

— Oui, en un sens. — Et, comme Dorothée ne disait rien, il ajouta : — Elle me dit que mes espoirs ne sont malheureusement pas fondés. Mais je vous avoue que je trouve son état inquiétant. Elle a beaucoup maigri et elle a très mauvais teint... Vous n'êtes pas de mon avis ?

Dorothée lâcha son tricot et dit calmement :

— Il me semble qu'Amalie est sous le coup d'une grande tristesse. Elle n'est pas heureuse.

Alfred eut un mouvement brusque. Dorothée le sentit qui se tournait vers elle.

— Pas heureuse ! s'exclama-t-il avec une note de colère incrédule dans la voix. Je me demande pourquoi. Je lui ai donné tout ce qu'elle désirait. Je l'aime. Je ferais n'importe quoi pour elle.

Dorothée eut un coup au cœur et les larmes lui montèrent aux yeux.

— Ce n'est pas toujours suffisant. Amalie ne vous aimait pas quand elle vous a épousé. Vous le saviez et vous en parliez librement. Elle ne vous aime peut-être pas davantage.

Au fond d'elle-même, elle lui criait : « Imbécile, pourquoi gâcher votre vie avec cette créature, quand je suis là, moi, qui vous aime, qui ne demande rien d'autre que vous servir et vous consacrer ma vie. Et vous me parlez de votre amour pour cette fille perdue, ce qui est une torture intolérable pour moi. »

Cependant, Alfred, d'une voix rauque, avec une insistance touchante, disait :

— Vous avez tort, Dorothée. Amalie m'aime. La maladie de l'oncle William nous a beaucoup rapprochés. Elle m'a supplié de l'emmener quand je suis parti pour New York. Je n'ai pas voulu parce que je croyais alors que mes espoirs étaient fondés. Vous ne pouvez pas savoir ce que c'est que d'être mari et femme... Ma femme, ajouta-t-il, avec une telle ferveur, que Dorothée ne put s'empêcher de joindre les mains dans une crispation angoissée.

Elle l'interrompit avec plus de chaleur qu'elle n'aurait voulu :

— Alfred, je sais qu'Amalie n'est pas heureuse. Vous n'auriez pas dû l'épouser. Vous me pardonnerez de vous parler si librement, mais nous sommes cousins et même davantage, et si nous ne pouvons être sincères, personne ne le sera Amalie est beaucoup plus jeune que vous, Alfred. Elle croyait que ce que vous représentiez était ce qu'elle voulait. Elle voit, à présent, que ce n'est plus ça. Elle dépérit de chagrin parce qu'elle... parce qu'elle sait qu'elle vous fait du tort. Elle désire reprendre sa liberté.

Alfred ne répondit pas, mais Dorothée avait conscience de son trouble profond et de sa souffrance, de sa soudaine aversion pour elle, de son désarroi. Elle sentit qu'il se fermait à ce qu'elle venait de dire, qu'il le niait avec passion, avec désespoir. Aussi, elle se pencha vers lui et posa la main sur sa manche :

— Vous avez cru que mes rapports avec Amalie n'étaient pas des plus heureux et vous aviez raison, dans une certaine mesure. Mais c'est parce que je savais qu'Amalie n'était pas la femme qu'il vous fallait, oh ! pas du tout, et que vous, vous n'étiez pas le mari qui lui convenait.

Il s'écarta d'elle, mais avec sa prescience toute neuve, elle n'en fut pas offensée. Elle savait que le geste n'était que le recul d'un être blessé.

— C'est elle qui vous a dit ça ? demanda-t-il d'une voix sourde. Elle vous a fait des confidences ?

Dorothée hésita. Elle soupira plusieurs fois de suite.

— Pas à proprement parler. C'est plutôt son attitude. Certains gestes. Une manière de parler... sa contenance...

Elle pensait à ce qu'elle avait vu, deux mois plus tôt, par la fenêtre de Jérôme, et le souvenir fut comme un trait de feu subit dans son esprit.

— Rien de précis, s'écria Alfred. Elle a tout simplement besoin de compagnie.

— C'est possible, dit-elle, mais je ne crois pas que ce soit vous qui lui manquiez.

Alfred eut un rire sec.

— Qu'est-ce qui lui manque alors ? Son métier, ses amis d'autrefois, sa vie au jour le jour ?

Il y eut un long silence. Alfred se leva et se mit à arpenter la terrasse, éclipsant à chaque passage le disque d'argent de la lune qui apparaissait au-dessus du bois de sapins. Une petite brise s'était levée et faisait papillonner la jupe de Dorothée autour de ses chevilles. Elle était tout entière absorbée par le spectacle de cet homme désorienté, qui faisait les cent pas devant elle.

— Pourquoi ne pas lui demander si elle veut reprendre sa liberté ?

Il s'arrêta brusquement devant elle.

— Qu'est-ce que vous dites, Dorothée ? C'est de la démence.

Elle essaya de déchiffrer l'expression du visage, mais ne vit que la pâleur répandue sur les traits.

— Je ne peux supporter de vous voir malheureux, dit-elle. (La voix était basse avec une note de supplication pitoyable.) J'ai beaucoup d'affection pour vous, Alfred. Je me rappelle comme nous étions heureux, avant... avant qu'elle ne vienne. Maintenant, il n'y a qu'inquiétude, soupçon et discorde. Non que je prenne ombrage de sa position dans ma maison. Non, j'ai fait de mon mieux pour elle. Mais je sais qu'elle a apporté le malheur avec elle, en elle, dans cette maison, et que vous n'avez pas été épargné. Réfléchissez, Alfred, vous ne pouvez le nier.

L'angoisse qui le tenait, l'adhésion secrète qu'il donnait aux paroles de Dorothée, le surexcitèrent au point qu'il se sentit hors de lui.

— Vous avez toujours détesté Amalie. Dès le début. J'ai vu la haine dans vos regards, du moment où je l'ai amenée ici, avant notre mariage. Dorothée, comment pouvez-vous être aussi déloyale, aussi mesquine ? Si ma femme est malheureuse, c'est vous qui en êtes responsable.

Dorothée était stupéfaite de ces accusations cruelles et hâtives et elle bondit sous la douleur. Elle se leva et le regarda bien en face :

— Alfred, vous êtes injuste et, en vous-même, vous le reconnaissez. Il est exact que je n'ai jamais pu me faire à l'idée qu'elle s'installait dans la maison de mon père.

— C'est bien ça. Ç'a toujours été « la maison de mon père ». Ma présence vous déplaisait, mais vous la tolériez. Mais vous n'avez plus caché votre ressentiment quand j'ai amené une nouvelle maîtresse dans ces murs que vous considériez comme vous appartenant.

Elle lui saisit le bras.

— Alfred, comment pouvez-vous tenir des propos si méchants, si injustes ? Vous savez que c'est faux. Vous savez que je ne vous ai jamais témoigné que de... de l'affection. Cette maison est la vôtre, Alfred. Vous êtes le fils adoptif de mon père, qui vous aime comme un père. Mais vous avez amené une étrangère ici. Si c'eût été quelqu'un d'autre, je me serais résignée, je me serais réjouie, par affection pour vous. Si encore elle vous avait rendu heureux ! Mais Amalie ne vous a pas donné le bonheur. Bien avant votre départ pour New York, vous aviez l'air soucieux, inquiet, incertain de l'avenir. Vous sentiez ce que votre femme avait d'étrange. Vous ne pouviez pas la comprendre. Ce n'est pas votre faute et la sienne non plus, jusqu'à un certain point. Le mariage en soi était une folie.

Alfred essayait de se raidir, mais la voix de Dorothée, douce, implorante, gonflée de quelque souffrance secrète, l'émouvait malgré lui. Il s'écarta d'elle, mais avec douceur.

— J'ai peut-être été injuste, trop dur, je le regrette. Mais vous vous trompez sur mes rapports avec Amalie. Nous nous aimons. Il est vrai qu'elle a mené une vie extraordinaire, mais c'est une vie à laquelle elle a renoncé de son plein gré. Je me suis peut-être laissé trop absorber par les affaires et elle s'est sentie très seule.

Il s'arrêta avant de poursuivre, d'un ton plus animé :

— Oui, je l'ai négligée. C'est une nature très sensible, d'un tempérament ardent, et le calme de cette maison à l'écart sur la colline a fait un contraste trop intense avec la vie mouvementée qu'elle avait connue. Je vais lui dire qu'en septembre je l'emmènerai faire un séjour à New York... Ma chère Dorothée, je ne vous ai rien demandé d'autre que d'être aimable envers Amalie. Peut-être ne l'a-t-elle pas rendu ; peut-être n'a-t-elle pas compris et s'est-elle trompée sur votre réserve...

Dans l'obscurité, Dorothée, au supplice, jeta vers Alfred un regard chargé de désespoir. Elle serrait ses bras contre son corps, pour s'empêcher de saisir Alfred. Elle comprimait ses lèvres pour ne pas lui crier ses téméraires désirs et son amour. Les larmes l'aveuglaient. Elle ne put parler de quelque temps. Enfin, elle balbutia :

— Alfred, Alfred, je suis navrée pour vous.

Mais lui avait repris un peu de son assurance, et dit d'un air plus gai :

— Chère Dorothée, ne prenez pas cet air dramatique. Vous n'avez aucune raiosn d'être navrée. Je suis très heureux, au contraire. Je commence à croire que mes inquiétudes au sujet d'Amalie ne sont pas fondées. Vous me dites qu'il a fait très chaud ici, et comme je vous l'ai déjà dit, elle a dû se trouver très seule. Mais nos voyageurs reviennent vendredi, n'est-ce pas ? La maison sera vivante alors. Et le mariage de Jérôme en septembre, voilà qui mettra de l'animation...

— Je ne crois pas que Jérôme épouse Sally, murmura-t-elle, affaiblie par l'émotion. — Et elle se détourna.

— Qu'est-ce que vous me racontez ? C'est invraisemblable !

Elle détourna la tête :

— Jérôme est plus sage que vous. Il a compris, je crois, que Sally et lui ne seraient pas heureux ensemble.

— Incroyable ! C'est lui qui vous l'a dit ? Est-ce que Sally l'a lâché ? Parlez, Dorothée.

Dorothée se sentait à bout de force. Elle s'exclama :

— Ne m'en demandez pas davantage. Il se peut que ce soit

un effet de mon imagination. Je ne sais pas. Je sais seulement que je suis très fatiguée.

— Certainement, c'est un effet de votre imagination, Dorothée. Ça m'étonne de votre part. Mais tout est prévu pour le mariage et je sais qu'on n'a rien changé aux projets. Tenez, j'ai vu le général Tayntor, ce matin même, quand je revenais. Il a été très aimable, cordial même, et il m'a parlé du mariage. Ma chère cousine, il ne faut pas vous laisser gagner par les lubies propres au tempérament féminin.

Dorothée sentit un mépris courroucé l'envahir et oublia momentanément son chagrin et ses craintes. Elle cria :

— Ne soyez donc pas si stupide ! Vous êtes parti depuis deux mois et il y a eu des courants que vous n'avez pas pu discerner.

Elle se mordit les lèvres et aspira de l'air brusquement.

— Que voulez-vous dire, Dorothée ? dit Alfred en s'approchant, avec une calme insistance.

— Je ne sais pas ce que je raconte moi-même.

— C'est ce que je vois, dit-il d'un ton rogue.

Puis il s'adoucit :

— Vous êtes fatiguée, Dorothée. Peut-être avez-vous été trop seule, vous aussi. La solitude vous a éprouvées, l'une et l'autre. (Il fit encore un pas vers elle.) Je sais comme vous êtes bonne : Amalie vous a donné des inquiétudes. Mais il ne faut pas s'alarmer. Je vais envoyer un valet chez le docteur Hawley pour le prier de passer demain.

Dorothée ramassa son tricot, s'arrêta comme frappée de stupeur et s'en alla. Il la regarda partir et vit la porte se fermer derrière elle. Il s'assit, regardant sans voir la colline éclairée par la lune.

Tout à coup, il sentit fourmiller en lui l'inquiétude et le découragement. La tête lui faisait mal. Il pensa : « On ne trouve pas de satisfaction dans la vie. »

Ce nihilisme, étranger à sa nature, l'effraya. Il se redressa sur sa chaise. Il promena ses regards autour de lui, en plein désarroi, troublé par tout ce que les paroles de Dorothée évoquaient de tumultueux et de sinistre, puis il se leva en hâte. Il rejeta ses épaules en arrière, se disant à part lui que les lubies de Dorothée avaient dû l'énerver.

Il entra dans la maison, toute noire et tranquille, qui gardait la chaleur du jour de juillet. Une seule lampe brûlait dans la chambre qu'il partageait avec sa femme. Il alla vers le lit. Amalie dormait. Il vit la pâleur de la joue émaciée, les cernes sous les yeux. Une des mains pendait inerte hors du lit. Les cheveux noirs étaient à l'abandon. Elle soupira plusieurs fois.

Une terreur envahit Alfred tout brûlant d'amour et de passion. Si Amalie allait mourir ! Comme ses joues étaient creuses et quel menton aigu ! Il s'agenouilla près du lit et resta ainsi longtemps, ne voyant rien que sa femme, et écoutant sa peur.

CHAPITRE XXXII

AMALIE s'éveilla, les paupières lourdes de lassitude. Par l'entrebâillement des rideaux, le soleil découpait une barre de métail jaune qui incendiait le tapis, allumait une colonne du lit et mettait une lueur d'explosion sur le miroir en face.

Amalie s'aperçut qu'elle était encore seule. Alfred avait passé sa première nuit à la maison sur le sofa du cabinet de toilette pour ne pas la déranger. Elle se releva sur un coude, incommodée par la chaleur moite et le poids de ses cheveux. Elle entendit tinter sept heures. Les volailles caquetaient dans la cour. Il y avait des bruits discrets d'activité ménagère dans l'escalier et les pièces du bas.

A l'exception de la barre de lumière brutale, la pièce était dans l'ombre et Amalie, se regardant dans la glace, vit un visage hagard, ravagé. Elle retomba sur les oreillers et poussa un gémissement étouffé. La réalité était trop dure à supporter ; elle ferma les yeux et tira le drap sur ses épaules.

La porte du cabinet de toilette s'ouvrit doucement et Alfred entra sur la pointe des pieds, enveloppé de sa robe de chambre de soie rouge. Avec l'instinct de l'amour, il sut qu'elle était éveillée. Il vint vers le lit. Elle voyait son ombre à travers ses paupières closes. Elle ouvrit paresseusement les yeux et, quand elle le vit, l'image se brouilla en un flot de larmes.

Il tira une chaise près du lit, s'assit et contempla sa femme avec une gravité pleine de tristesse. Il s'abstint de parler. Il attendait. Elle s'essuya les yeux, puis le fixa d'un regard aveugle.

Enfin, il lui dit très doucement :

— Qu'y a-t-il, ma chérie ? Souffrez-vous ? Etes-vous malade ?

Elle s'agita et fit un effort pour se soulever. Il se leva pour l'aider et vit son teint terreux.

— J'ai envoyé chercher le docteur Hawley, dit Alfred d'une voix où perçait la peur. Il sera ici à neuf heures. Mon Dieu,

Amalie, que vous est-il arrivé ? Pourquoi ne pas vous confier à moi ?

Amalie vit qu'Alfred était dans une agitation extrême. Elle pensa : « Je devrais lui dire maintenant, pendant que nous sommes seuls. Mais Jérôme me l'a défendu, à tort ou à raison. Ce serait sûrement plus facile, dans la quiétude de cette chambre, de tout avouer à Alfred, de faire appel à sa compréhension, d'adoucir sa première colère furieuse. » Mais sa langue et ses lèvres demeuraient scellées et elle ne pouvait que se tordre les mains sur le drap.

Alfred, qui attendait qu'elle répondît, soupira, puis, ayant versé un peu d'eau sur une serviette, à gestes lents et doux, il essuya le visage brûlant d'Amalie et lissa tendrement les cheveux. Puis il se rassit. La sévérité tendait tous ses traits, maintenant.

— Amalie, dit-il, j'ai parlé avec Dorothée hier soir. Elle m'a dit que vous n'étiez pas heureuse. Vous savez que je ne vis que pour vous, ma chérie. Si vous êtes malheureuse, il faut me le dire, afin que je puisse vous aider.

La peur l'assaillait encore et son cœur battait à tout rompre, bien que son esprit repoussât les paroles de Dorothée. Il se pencha vers sa femme et lui prit la main.

Amalie baissa la tête et le rideau de cheveux balaya la joue.

— Oui, bien sûr, murmura-t-elle.

— Oui quoi ? demanda-t-il d'un ton tranchant. Que voulez-vous dire, Amalie ? Je vous vois dans un tel état, vous êtes si terriblement changée... Ai-je quelque chose à me reprocher ?

— Oh ! non, Alfred, pas vous, mais moi. Vous, vous êtes bon.

Il y eut un coup discret à la porte et Jim entra, portant le plateau du déjeuner. Alfred fronça le sourcil. Que diable faisait ici le valet de Jérôme, à la place d'une servante ? Il se leva et, d'un air rogue, prit le plateau des mains de Jim.

— Je descendrai bientôt déjeuner, Jim.

Il regarda partir le petit homme et crut comprendre quelque chose de furtif dans les mouvements prestes.

Alfred regarda le plateau avec inquiétude et réprobation. Il n'y avait qu'une assiette de pain grillé et une théière.

— Est-ce là tout ce que vous mangez ? demanda-t-il.

Elle rejeta ses cheveux d'une main molle et ses yeux se fermèrent comme elle sentait monter une nausée. Alfred posa le plateau sur ses genoux. Il s'alarmait.

— C'est stupide, dit-il. Pas étonnant que vous soyez si faible. Mais mangez ça et vous descendrez après avec moi faire un vrai déjeuner.

Il eut un brusque accès d'amertume, bien humain. Il était rentré triomphant à Riversend. Il s'était réjoui de raconter à sa femme tout ce qu'il avait fait à New York. Il était plein d'une force nouvelle, exultante. Il revenait vers sa bien-aimée qui allait se réjouir avec lui. Au lieu de cela, il trouvait une femme gravement malade, en danger de mort peut-être, qui ne trouvait même plus la force de lui parler et de l'accueillir. Ce fait le frappa soudain, mais il prit sur lui de verser le thé et de présenter l'assiette de pain.

— Oh ! non, je vous en prie. Je n'en prendrai pas.

— Stupide. Vous mourez de faim. Vous vous êtes laissée aller. Nous allons mettre un terme à cette sottise.

L'amertume et la colère le saisissaient de nouveau et la peur aussi.

— Je suis votre mari. Si quelque chose vous tourmente, vous devez me le dire. Et je veux savoir tout de suite.

Il attendit. Mais Amalie regardait le plateau d'un œil vague. Alfred lui humecta ses lèvres sèches.

— Une fois, vous m'aviez demandé de quitter cette maison, d'en faire construire une pour nous trois, Philippe, vous et moi. (La voix se brisa et la mâchoire devint raide de l'effort qu'il faisait pour se maîtriser.) Je sais que tout ne va pas pour le mieux sous la coupe de Dorothée, en ce qui vous concerne. Elle n'est pas toujours facile à vivre. Je sais qu'elle vous en a voulu et qu'elle vous en veut peut-être encore. J'ai peut-être eu tort d'insister pour que nous restions, bien que l'oncle William m'ait donné à entendre que la maison me reviendrait... Amalie, si cela peut vous faire plaisir, nous partirons. Je vous ferai bâtir une maison où vous voudrez, où nous serons seuls tous les trois.

Il lui tendit sa tasse. Elle but une gorgée. Il reposa la tasse sur la soucoupe.

— Est-ce là ce que vous voulez, ma chérie, avoir une maison à vous ?

Elle pensa : « Si seulement je n'avais pas connu Jérôme. » Elle se força à parler :

— Alfred, je vous laisse croire que Dorothée est fautive. Ça n'est pas vrai. Elle a été très... très bonne à mon égard. Si elle m'en veut, c'est entièrement ma faute.

— Eh bien, s'il en est ainsi, tant mieux, dit-il, avec une gaieté qu'il n'éprouvait pas. Mais vous n'avez pas encore répondu à ma question.

Elle le regarda en face et elle était au supplice en voyant sa tendresse inquiète, son amour pour elle.

— Vous n'auriez pas dû m'épouser, Alfred. Vous êtes, je crois, beaucoup trop bon pour moi.

Alfred fut si touché qu'il en oublia ses craintes.

— C'est une sottise. Nous serons aussi heureux qu'on peut

l'être, ma chérie. Je ne veux pas vous presser, mais j'espère que vous me direz bientôt si nous devons partir ou non. Je veux ce qu'il y aura de mieux pour vous.

Il se mit à marcher dans la chambre, ses yeux d'ambre tout animés.

— Nous pourrons nous offrir ce que nous voudrons. M. Regan m'a félicité sur la solidité de la Banque et sur l'accroissement des capitaux. Naturellement, il a l'audace du financier international et ne comprend pas toujours la prudence et la modération qui sont nécessaires dans un district rural, mais je crois qu'en général, il approuve ma ligne de conduite.

Amalie secoua un peu de sa léthargie pour dire :

— M. Regan ne pouvait que vous approuver.

Elle se mettait à parler, c'était bon signe. Elle s'intéressait à ce qu'il disait et il y avait comme une lueur d'espoir dans ses yeux.

— Mangez un peu de pain grillé, dit-il.

Pour lui faire plaisir, elle en prit, malgré sa répugnance.

— Je n'aurais pas dû vous laisser. J'aurais dû vous emmener, mais je pensais que...

— Oui, dit-elle, avec une amère simplicité, vous auriez dû m'emmener.

La remarque lui plut et le toucha. Il étendit la main et saisit une mèche de cheveux pour en jouer.

— Mais je ne l'ai pas fait parce que je croyais alors que nous aurions un enfant et qu'il fallait prendre des précautions. Enfin, rien n'est perdu pour l'avenir, n'est-ce pas ?

Il sourit timidement.

Amalie repoussa le plateau, comme reprise d'une faiblesse. Alfred se rappela avec un bon sens têtu que les femmes sont sujettes à ces malaises. « Elle va se remettre, se dit-il, maintenant que je suis de retour. Je crois quand même que Dorothée s'est montrée tyrannique et que ma chère petite s'est trouvée abandonnée. »

— Vous êtes sûre que vous ne voulez pas descendre déjeuner ? dit-il en hésitant.

— Non, excusez-moi. — Elle ferma les yeux. — Je crois que je préfère rester au lit encore un peu.

— Oui, ça vaut peut-être mieux. Le docteur Hawley sera là vers neuf heures et il nous donnera son opinion.

Il se pencha pour la baiser au front, puis aux lèvres. Amalie crispa les mains sous le drap pour maîtriser sa répulsion instinctive et l'angoisse qui lui lacérait le cœur. Alfred se retira pour s'habiller. Quand il rouvrit la porte, elle fit semblant de dormir.

Elle l'entendit descendre. Les larmes lui brûlaient les paupières. Elle se força à sortir du lit et alla à la fenêtre. Le parc était inondé de lumière. Le petit chien de Jérôme pourchassait des pigeons. Un valet sifflait. Tous les bruits étaient voilés de chaleur et pleins de paix et ne troublaient pas le ruissellement de la lumière sur la terre, la maison et les arbres lourds de sommeil.

Amalie se détourna de la fenêtre. Elle se baigna le visage et les mains et fit deux longues nattes de ses cheveux, qui descendaient bien au-dessous de la taille. Puis elle dut s'asseoir, car elle se sentait près de s'évanouir. Tout d'un coup, elle eut le sentiment poignant d'une calamité imminente. Elle se redressa sur sa chaise, tremblant de tout son corps. Un mystérieux instinct l'avertissait. Elle se leva en se cramponnant au rideau. Il fallait quitter cette maison immédiatement. Elle jeta un coup d'œil égaré autour d'elle, se précipita vers l'armoire et arracha de la penderie une robe de basin, saisit un grand chapeau de paille sur l'étagère et une paire d'escarpins qui étaient par terre. Elle sortit ses jupons de dentelle, ses bas, son corset. Ses mains tremblantes la servaient gauchement. Elle n'entendit pas la voiture du docteur sur le gravier de l'avenue. Elle n'entendit pas qu'on parlait dans l'escalier et, quand la porte s'ouvrit, elle eut un tel sursaut qu'on eût dit une prisonnière surprise dans une tentative d'évasion.

— Eh bien ! eh bien ! commença le docteur Hawley d'un ton jovial, voilà notre malade.

— Elle a l'air d'aller mieux, dit Alfred, surpris et tout heureux. Vous avez décidé de vous lever, ma chérie ?

Mais le docteur Hawley s'était arrêté sur le seuil. Son sourire avait disparu, ses yeux se plissèrent avec une sévérité inquiète. Il avait vu l'expression affolée d'Amalie. Il voyait maintenant les regards qu'elle lui lançait, ainsi qu'à son mari, et qui étaient des regards d'animal traqué.

Alfred se rapprochait de sa femme, mais le docteur Hawley, qui avait une vigoureuse intuition, le retint :

— Alfred, vous permettez que je parle seul avec Amalie ? — Il essayait de prendre un ton détaché. — Attendez quelques minutes dehors, si ça ne vous fait rien.

Alfred s'arrêta et regarda le docteur d'un air mécontent.

— Voyez-vous, dit le docteur Hawley, sur un ton qui se voulait désinvolte, une dame raconte des choses à son docteur qu'elle serait gênée de dire devant son mari... Pardonnez-moi si j'insiste, Alfred.

Alfred était abasourdi. Il se tourna lentement vers Amalie. Elle s'était recroquevillée contre une colonne du lit, serrant toujours sur sa poitrine le jupon qu'elle tenait quand ils étaient entrés. Alfred ne lui avait jamais vu ce raidissement.

— Qu'avez-vous, Amalie ? s'écria-t-il. Qu'est-ce qui vous arrive ?

— Rien, j'allais m'habiller. Vous m'avez surprise.

Alfred jeta un coup d'œil au docteur comme pour dire : « Vous voyez comme elle est. »

Ce dernier hocha la tête par sympathie, puis, avec douceur et fermeté, il conduisit Alfred jusqu'à la porte.

— J'aurai vite fait, dit-il pour le rassurer, et je vous appellerai immédiatement.

Jusqu'au bout, jusqu'à ce qu'il eût disparu derrière la porte fermée, Amalie suivit des yeux le visage pâle et anxieux d'Alfred. Puis, elle s'affala sur le bord du lit et baissa la tête.

Le docteur resta près de la porte et l'observa pendant un long moment, sans rien dire. Le soleil entrait à flots et il n'y avait aucun bruit.

— Qu'est-ce qui vous fait peur, mon enfant ? demanda-t-il enfin avec douceur.

— Je n'ai pas peur.

— Mais si, je le vois bien. Et vous êtes dans un triste état.

Il s'avança et lui prit la main qui était froide. Il tâta le pouls et la considéra d'un air grave.

CHAPITRE XXXIII

TOURMENTE, Alfred faisait les cent pas dans la chaleur obscure du grand palier. Il s'épongeait de temps en temps le visage avec son mouchoir qui fleurait la lavande. Il s'en voulait d'être la proie d'un vague malaise et de sentir ses genoux trembler. Ainsi, Amalie était plus gravement atteinte qu'il ne l'avait supposé : il se rappelait la voix, le geste du docteur pour l'arrêter et Hawley n'était pas de ceux qui tournent les choses au pire, même dans les cas graves.

Parfois, Alfred s'arrêtait près de la porte, tendant l'oreille, mais il n'entendait que des murmures assourdis. L'horloge du vestibule sonna le quart. Il devrait être à la Banque maintenant, avec sa mallette de documents. Il n'avait pas coutume de se trouver à la maison en semaine, ce qui lui donnait une impression fâcheuse.

Soudain, il éprouva le besoin impérieux de voir Dorothée, d'être réconforté par sa présence, par son calme robuste. Il entendit un bruit de porte en bas et vit le bonnet tuyauté de Dorothée et sa silhouette vêtue de noir. Il entendit le tintement des clés et le crissement menu du tablier d'alpaga. Il l'appela avec un sentiment de soulagement. Elle leva les yeux et monta immédiatement.

— J'ai entendu arriver le docteur Hawley, dit-elle posément, en scrutant de ses yeux noirs la figure de son cousin. Qu'est-ce qu'il dit d'Amalie ?

Il se força à sourire.

— Je ne sais pas encore. J'attends. Restez avec moi, Dorothée. Je vous cherchais.

« Il a peur, pensa-t-elle avec un mélange d'amertume et de sympathie. Il a peur pour cette dévergondée que travaillent seulement des remords de conscience — pour autant qu'elle en aît. »

— Ne vous alarmez pas. Je n'ai pas quitté Amalie pendant votre absence et je vous assure qu'elle n'a jamais été très malade. Ce sont les chaleurs qui l'ont fatiguée.

Il regarda la grande main aux veines saillantes posée sur sa manche, puis, d'un geste impulsif qui ne lui était pas coutumier, il la pressa dans la sienne.

— Chère Dorothée, dit-il avec gratitude.

Il fut surpris de voir que sa figure austère s'empourprait. Et les traits devinrent moins ingrats, plus pleins ; les yeux, qui prirent un éclat bizarre, se parèrent de vivacité et de jeunesse. Bien qu'elle fût cadette d'Alfred, il l'avait toujours considérée comme une sœur plus âgée. Maintenant, en la voyant près de lui. haute et droite, il reçut, comme un choc, la révélation de sa féminité.

— Qu'est-ce qu'il y a ? demanda-t-il, confus.

Elle ne répondit pas immédiatement.

— Rien, rien du tout, Alfred, fit-elle d'une voix basse et gênée. Mais je voudrais bien que vous ne me traitiez pas comme votre grand-mère. — Elle eut un petit rire qui n'était pas gai. — Après tout, je n'ai même pas trente-neuf ans.

Alfred était abasourdi. Certes, on ne savait jamais à quoi s'en tenir avec les femmes. Dorothée, aussi asexuée et rigide que la statue de sel de l'Ecriture, venait de prendre en un instant la forme vivante d'une femme. Les yeux très noirs brillaient dans l'ombre. Il vit la poitrine qui se gonflait, les tresses épaisses sur la nuque et il sentit le rouge lui monter aux joues en remarquant le reflet de corail sur ses lèvres.

— Excusez-moi, dit-il, quoique ne sachant pas de quoi il avait à s'excuser. C'est exact que vous êtes plus jeune que moi. Mais vous avez toujours été si sûre, si capable...

— Peut-être, dit-elle sèchement, eût-il mieux valu que je le sois moins.

Mais elle sourit, comme si elle était très flattée et amusée. Elle lui lança un regard tendre.

— Je ne serai plus aussi sérieuse à l'avenir. Je crois que je vais acheter quelques colifichets élégants et renoncer à mon bonnet tuyauté.

Joignant le geste à la parole, elle le retira d'un air délibéré. Les cheveux qui s'argentaient étaient luisants dans l'ombre et Alfred découvrait une noblesse dans cette tête au dessin net.

— Je crois que... que ça ne vous irait pas.

— Comment savez-vous que ça ne m'irait pas ? M'avez-vous jamais regardée ? Ou, plutôt, je n'ai jamais été qu'une commodité pour tout le monde dans cette maison, n'est-ce pas ?

Alfred protesta avec une confusion croissante.

Dorothée eut le même sourire secret. Elle regarda avec dégoût le bonnet qu'elle tenait à la main.

— Sans ce bonnet, je serais peut-être mariée.

Alfred sursauta :

— Parlez-vous sérieusement ? Vous avez pensé au mariage ?

Il y eut un éclair de mépris dans les yeux de Dorothée.

— Mais bien sûr. J'y pense très sérieusement depuis quelque temps.

La nouveauté de l'idée le surprit tellement qu'il n'entendit pas le docteur Hawley sortir et tressaillit quand celui-ci l'interpella d'un ton joyeux. Alfred se retourna et le ton et l'air hilare du praticien lui donnèrent un tel soulagement qu'il se sentit faiblir.

— Eh bien, ça y est, cette fois ! s'écria Hawley en tapant sur l'épaule d'Alfred. L'heureux événement doit dater... d'environ deux mois, juste avant votre départ. Cette fois, nous pouvons faire des pronostics à coup sûr.

Tout d'un coup, les bruits de la maison parurent s'éteindre en un silence total. Le docteur même en eut conscience, cela venait du mutisme inexplicable de cet homme et de cette femme devant lui, de leurs figures spectrales, de leurs yeux fixes.

Dorothée, que la stupeur rendait insensible, pensa : « Alors, il n'y a plus rien à faire pour moi. » Elle s'appuya à la rampe, comme si elle n'était plus capable de se tenir.

Mais c'était Alfred que le docteur regardait. Il ne comprenait pas l'immobilité de ce visage, la rigidité de l'attitude. Il insista en parlant plus fort :

— Avez-vous compris, Alfred ?

Il jeta un regard gêné vers Dorothée. Et puis, après tout, elle était largement en âge d'entendre ce genre de vérité.

— Votre femme vous donnera un héritier dans six mois et demi, si je ne m'abuse.

Alors, Alfred articula péniblement :

— C'est impossible... Vous vous trompez...

Le docteur eut un sourire agacé :

— Mais non, vous dis-je. Je viens de... de faire un examen complet. J'ai soigneusement questionné votre femme et, cette fois, c'est certain.

Sur la figure d'Alfred, la teinte grise s'accentua et les yeux parurent se retirer au fond des orbites. Il fit un effort terrible pour répéter :

— Vous vous trompez... Ce n'est pas possible...

Le docteur ne souriait plus. Il voyait la bouche tremblante d'Alfred, les narines dilatées, la lueur des yeux caves. Dorothée laissa la balustrade où Alfred et elle s'appuyaient. Elle regarda fixement son cousin, puis le docteur. Elle ouvrit la bouche, mais aucun son ne sortit. Puis, d'un geste convulsif, elle fit un bâillon de sa main.

« Nom de Dieu, pensa Hawley, ça va mal. »

— Puis-je vous parler seul un instant ?

Alfred, d'un geste raide, montra la porte de la chambre de M. Lindsey et, sans attendre, alla l'ouvrir et disparut dans la pièce. Hawley, surpris, le regarda partir et puis se tourna vers Dorothée.

— Comprends pas, fit-il.

Dorothée laissa retomber sa main et s'en alla vers sa chambre d'un pas mal assuré.

— Ah ! ça, c'est trop fort ! fit Hawley qui alla rejoindre Alfred dans la chambre de M. Lindsey.

Les rideaux étaient tirés depuis des semaines, le mobilier couvert de housses. Une lame de soleil passait entre les rideaux et touchait le parquet comme une pointe d'épée. Alfred tournait le dos à la porte et, quand il entendit le docteur la fermer, il dit d'une voix atone :

— Je vous ai dit que c'était impossible. Dites-moi que vous vous trompez.

Le docteur remarqua l'air de violence rentrée, mais dangereuse, dans l'aspect du dos, dans la fixité de la tête et du cou.

— Alfred, je ne me trompe pas. J'ai une longue expérience et je suis sûr de ce que j'avance... Je ne comprends pas votre attitude. Je croyais que vous seriez enchanté.

Sans se détourner, Alfred dit :

— Je serais enchanté si... si c'était vrai. Mais je vous répète que ça n'est pas possible. Je n'ai pas eu de rapports avec ma femme depuis des mois. Vous devez parfaitement comprendre que c'est impossible.

Le docteur Hawley se sentit mal. L'épée de lumière dansait sous ses yeux, avançait, reculait, devenait éblouissante.

— Peut-être me suis-je trompé, je...

Alfred se retourna lentement. Le docteur le vit se dresser au-dessus de lui, plus grand que nature.

Après un long silence, Alfred dit d'une voix très calme :

— Non, je vois que vous ne vous trompez pas. Ma femme est au courant ?

— Oui, oui, répondit Hawley, la sueur lui coulant sur son visage.

— Et qu'a-t-elle dit ?

Le docteur ne répondit pas.

— Qu'a-t-elle dit ?

— Elle m'a paru un peu surprise. Elle est très malade.

Il tortilla son mouchoir dans ses doigts.

— Elle ne vous a pas dit qui était responsable ?

Alfred martelait du poing la paume de sa main.

Hawley eut soudain conscience du caractère grotesque de son cauchemar. Qu'étaient-ils en train de raconter, Alfred et lui ?

Quelles absurdités ? Il fit un effort pour se redresser dans son fauteuil.

— Je dois me tromper, s'écria-t-il. Dieu me pardonne ! — Il hoquetait. — On a connu des erreurs avant...

Alfred se dirigea d'un pas ferme vers la porte, l'ouvrit toute grande.

— Au revoir, docteur.

En passant devant Alfred, Hawley le regarda. Qu'y avait-il derrière cette fixité, ce calme inhumain, cette absence d'expression ?

— Alfred, il faut être raisonnable. Il est tout à fait possible que je me trompe. En tout cas, la pauvre femme est terriblement malade... et certains symptômes permettaient...

Mais Alfred attendait près de la porte ouverte. Hawley quitta la pièce. Il se tourna vers Alfred pour une suprême démarche :

— Si j'ai raison, ayez pitié. Souvenez-vous.

Alfred ne répondit pas. Il resta immobile jusqu'à ce que la porte d'entrée se fût refermée. Alors, d'un pas ferme, il se dirigea vers la chambre d'Amalie et entra.

CHAPITRE XXXIV

S'IL y avait eu quelque doute dans l'esprit d'Alfred, ceux-ci tombèrent en voyant les préparatifs d'Amalie : elle était habillée et venait de remplir une vieille valise de paille de vêtements empaquetés à la hâte.

Alfred contempla sa femme, il vit les yeux fous de terreur, la pâleur du visage sous le bord du grand chapeau. Il regarda le cou charmant qui battait et ses mains se crispèrent. Adossé à la porte, il dit doucement :

— Est-ce vrai, Amalie ?

La terreur disparut de ses yeux et fit place à une résolution froide :

— Oui, dit-elle.

— Vous le saviez avant que le docteur vienne ? Vous le saviez avant mon retour ?

— Non. Si je l'avais su, vous ne m'auriez pas trouvée ici... Pardonnez-moi, Alfred.

Il la regarda d'un air songeur :

— Qui est-ce, Amalie ?

Mais elle dit seulement :

— Pardonnez-moi.

Il n'avait éprouvé jusqu'alors qu'une espèce d'engourdissement immense qui se transformait maintenant en une angoisse brutale et meurtrière. Il regardait Amalie avec des yeux incrédules. La pièce était si claire qu'Amalie paraissait entourée de lumière.

— Vous m'avez fait cela, à moi, ma femme. — Sa voix se troubla. — Pourquoi ?

Elle répéta encore :

— Pardonnez-moi... Pardonnez-moi.

— Ne dites plus cela, dit-il doucement ; autrement. je pourrais vous tuer. Je veux seulement savoir pourquoi vous m'avez trahi, pourquoi vous m'avez déshonoré ? Voyez-vous, il faut que je comprenne, sans quoi je ne saurai pas quelles mesures prendre pour vous et pour tout le reste.

Il la regardait du même air incrédule. C'était là sa femme, Amalie, qu'il aimait. C'était là la femme qu'il avait épousée, qu'il avait connue, pour qui il avait fait des projets d'avenir, à qui il avait donné son nom. Celle qui l'avait convaincu qu'elle n'était pas seulement une épouse, mais une amie aussi.

— Il faut que vous me disiez. Il faut que je comprenne. Que vous ai-je fait ?

— Rien. Rien. Vous ne m'avez jamais rien fait, Alfred. J'ai tous les torts. J'ai été mauvaise, méprisable, néfaste... Vous n'auriez jamais dû m'épouser.

Il se passa la main sur les yeux, comme étourdi.

— Je vois, en effet, que je n'aurais pas dû ; néanmoins, je vous ai épousée et vous avez donné votre plein consentement. C'est ce que je ne peux pas comprendre.

Elle vit que, bientôt, il ne serait plus capable de se maîtriser et une terreur animale l'envahit de nouveau. Si seulement elle pouvait atteindre la porte.

Il avait laissé retomber sa main. Il fit quelques pas vers elle, mais elle ne pouvait pas bouger.

— N'ayez pas peur. Je ne veux pas vous faire de mal. Je veux savoir seulement le nom de... cet homme. Je veux savoir qui il est.

Elle fit non de la tête comme une automate.

— Il faut me laisser partir, Alfred. Laissez-moi sortir en paix de cette maison et alors vous pourrez oublier que j'ai jamais existé. C'est ce que j'ai espéré, ce pourquoi j'ai prié.

— Vous ? Prier ? — Il parlait avec dégoût. — Comment avez-vous fait pour prier, Amalie ? Comment avez-vous osé ?

Il la regardait fixement. Alors, il devint le jouet de sa haine, de sa passion et de son bonheur bafoués. Un spasme fit grimacer la bouche et les paupières.

— Vous pouvez quitter cette maison immédiatement. Mais, avant, je veux savoir le nom de votre... le nom de cet homme. Il faut que vous me le disiez tout de suite, sinon je vous tuerai. Je veux tout savoir, depuis combien de temps vous le connaissez, où vous l'avez vu, où et comment vous m'avez trahi et déshonoré.

Il attendit, mais elle garda le silence.

— Son nom, Amalie ?

— Je ne peux pas. Si je vous le dis, la vie ne sera plus supportable pour vous. Si je me tais, c'est dans votre intérêt. Laissez-moi partir, Alfred.

Il se rapprocha d'elle et quand elle vit clairement son regard, elle ferma les yeux comme pour ne pas voir venir la mort. Mais rapidement, dans un souffle, elle dit :

— Même si vous me tuez, je ne parlerai pas. Rien ne me fera parler.

« Plaise à Dieu, pensa-t-elle, si quelque chose doit arriver, que ça vienne vite. Je suis lasse. »

Même quand il la saisit à la gorge d'une main et la frappa brutalement de l'autre en plein visage, elle ne sentit rien d'autre que sa lassitude. Rien d'autre. Les ténèbres se ruèrent sur elle et l'étouffèrent. Elle ne se sentit même pas tomber. Elle gisait dans un grand remous noir qui tournait avec lenteur. De très loin, elle entendit un cri, puis un autre, puis le bruit vague d'une lutte près d'elle. Les cris et la lutte semblaient interminables, mais c'était sans intérêt pour elle. Elle voulait seulement rester au fond du remous qui se creusait toujours davantage et ne plus rien savoir.

Enfin, après une éternité, le remous la rejeta. Une lumière brûlante faisait battre ses paupières. Elle ouvrit les yeux. Elle vit que quelques instants seulement avaient dû s'écouler et que Dorothée était devant elle, surgie on ne savait d'où. Elle avait enlacé Alfred et, avec une force insoupçonnée, l'écartait d'Amalie. Elle pleurait et implorait et accusait.

— Ne la touchez plus. Vous n'avez pas le droit. Si vous la tuez, que vous arrivera-t-il ? Elle n'est pas la seule à avoir des torts, croyez-moi.

Alfred essaya de se dégager, mais elle s'accrocha avec plus de force. Elle pressait sa tête contre le cou d'Alfred tout en maintenant son étreinte sur les bras.

— Ecoutez-moi, Alfred. Il faut que je vous dise quelque chose. Ecoutez-moi un moment et vous comprendrez pourquoi je n'ai rien dit avant.

— Allez-vous-en, Dorothée.

Il repoussa sa tête de la main.

— Non, il faut que vous m'écoutiez. Je vous ai entendu lui demander le nom de son... le nom de l'autre. Attendez un peu, je vous le dirai.

Alfred se calma soudain. Il éloigna Dorothée qui avait une crise de larmes. Amalie se releva sur un coude et s'écria :

— Non, Dorothée, non. Il ne faut rien dire.

La tête lui tournait. Quelque chose de chaud et de gluant lui coulait sur les lèvres et le menton, quelque chose de salé et d'écœurant. Elle commençait à souffrir affreusement. Mais ni l'un ni l'autre ne semblaient l'avoir entendue.

Alfred regardait sa cousine. Il lui tenait les bras et la secouait.

— Parlez, Dorothée !

— Non, cria Amalie.

Elle fit un effort pour se lever, mais retomba. Alors elle se mit à avancer sur les mains et les genoux, en faisant « non » de la tête. Rien ne comptait, sinon empêcher Dorothée de parler : il fallait l'atteindre tout de suite. Les quelques pas à parcourir semblaient interminables.

— Ecoutez-moi, disait Dorothée, lentement, mais d'une voix assurée. C'est arrivé juste après votre départ. Je les ai vus ensemble. J'ai bien réfléchi. Je pensais que si vous ne saviez rien, cela vaudrait mieux pour vous. Je les haïssais. Je voulais qu'ils souffrent. Mais j'ai décidé de me taire, par égard pour vous. Car, voyez-vous, ils m'avaient dit qu'à votre retour ils vous mettraient au courant et qu'ils partiraient. Ils devaient vous dire qu'ils s'aimaient. Je n'en sais pas davantage sur leurs projets. Mais nous sommes tombés d'accord pour éviter le plus possible de vous blesser. Vous n'auriez pas su toute la vérité sans le docteur Hawley. Je ne me doutais pas de ce qui était arrivé et elle non plus, je crois.

— Où voulez-vous en venir, Dorothée ?

— Dorothée ! s'écria Amalie qui venait de toucher le but.

Elle se cramponna à la robe de ses mains faibles.

Apparemment, Dorothée ne la vit ni ne l'entendit. Elle ne regardait qu'Alfred et lui ne regardait qu'elle.

— Alfred, ayez pitié d'elle. Elle a essayé de l'éviter, mais il l'a poursuivie et tourmentée du jour où il est arrivé. Je ne crois pas qu'elle ait eu l'intention de vous trahir. Elle le fuyait à chaque fois. Mais il y a eu le jour de l'orage, où il s'est arrangé pour revenir quand je n'y étais pas. Elle a dû avoir peur. Je ne sais pas exactement ce qui s'est passé. Mais je ne crois pas qu'elle ait voulu mal faire.

Alfred laissa tomber ses bras et recula, fixant toujours sa cousine.

— Dorothée, vous n'allez pas me dire que... !

— Si, Alfred.

Elle étendit les bras en un geste de supplication désespérée.

— Jérôme, murmura Alfred.

Dorothée enfouit son visage dans ses mains.

Amalie laissa échapper la robe. Elle s'affaissa sur elle-même et sombra dans les ténèbres aveugles.

CHAPITRE XXXV

ALFRED laissa tomber la vieille valise d'Amalie sur le plancher. Mrs. Hobson, qui n'avait pas posé de questions et savait qu'il fallait s'en abstenir, entra d'un air humble et effaré en apportant une lampe à pétrole. Elle la posa sur la table, jeta un coup d'œil timide sur Alfred et Amalie et quitta la pièce.

Amalie enleva sa capote et son châle et les accrocha à l'un des clous plantés dans le mur où, moins d'un an auparavant elle avait suspendu sa maigre garde-robe. La petite lampe avait un peu dissipé la pénombre glauque que mettaient dans la pièce les arbres touffus et lourds de pluie, devant les petites fenêtres, mais la fraîcheur et la mélancolie de la soirée demeuraient. Amalie commençait à défaire sa valise et disposer les vêtements dans les tiroirs de la commode. Elle n'avait rien apporté de ce qu'Alfred lui avait donné, pas même son alliance.

Alfred observait en silence ses mouvements lents et mesurés. Elle ferma le tiroir, plaça sur la commode une touchante pelote à épingles en forme de fraise, sa brosse et son peigne et un vide-poche de porcelaine décoré de violettes à demi effacées. C'est tout ce qu'elle possédait.

Il y avait une porte dans l'esprit d'Alfred, une porte de fer, derrière laquelle vivait Jérôme Lindsey. Il le gardait là au secret. Il ne voulait pas, il n'osait pas penser à Jérôme. Il ouvrirait la porte dans quelques jours, mais pas maintenant. Sinon, il perdrait la raison, pensait-il.

Cependant, tandis qu'il regardait autour de lui, et voyait la capote et le châle et les pauvres choses d'Amalie, la porte s'entrouvrit et une frénésie de meurtre en sortit. Ainsi, c'était à ça que Jérôme avait réduit Amalie et il l'abandonnait dans cet état, Alfred en était convaincu. Non, s'écriait Alfred en lui-même. Non, même pas si je dois le tuer. Il referma la porte en hâte, en sentant la brûlure sur ses mains, car il n'avait pas encore décidé du sort de Jérôme. Il y avait en lui tant de haine, de dégoût, de rage, qu'à certains moments il croyait exploser et il pensait alors que seule la mort de Jérôme pouvait le satisfaire.

Alfred et Amalie ne s'étaient plus parlé depuis la terrible scène. Les quelques ordres d'Alfred avaient été transmis par Dorothée. Amalie avait jusqu'à maintenant gardé la chambre, où Dorothée lui apportait ses repas en silence. A part les communications d'Alfred, les deux femmes n'avaient pas échangé un mot. Les domestiques étaient tenus à l'écart. Amalie vivait en recluse et Dorothée pensait qu'elle n'y attachait pas d'importance. Isolée dans une espèce de paralysie léthargique, elle passait ses journées immobile dans son fauteuil, près de la fenêtre, et Dorothée avait l'intuition qu'elle y passait aussi les nuits. Quand Dorothée reprenait les plateaux, ceux-ci étaient souvent intacts, mais, impassible et rigide, elle s'abstenait de tout commentaire. Quand Alfred dînait en face de Dorothée, à la lumière des bougies, il semblait en proie à la même léthargie que celle d'Amalie et touchait à peine à la nourriture. Lui, qui ne buvait jamais d'alcool, prenait maintenant plusieurs verres du vieux vin de M. Lindsey à chaque repas, ce qui affligeait Dorothée, et qui du reste n'atténuait en rien la sombre hébétude du regard.

Trois, quatre jours passèrent pendant lesquels une espèce de silence maudit semblait s'être abattu sur la maison. Mais Dorothée attendait, car elle savait qu'Alfred, lentement, mais inexorablement, mûrissait quelque plan. Quand il annonça enfin qu'il ramènerait Amalie à la ferme Hobson, Dorothée en éprouva un soulagement démesuré, sans trop savoir pourquoi. Avec une concision glaciale, elle transmit le message à Amalie qui ne répondit pas. Cependant, quand, au jour fixé, en fin d'après-midi et par une pluie diluvienne, Dorothée vint quérir Amalie, elle la trouva prête. En fait, assise sur une chaise, vêtue des pauvres vêtements qu'elle avait à son entrée dans la maison, Amalie attendait. Elle attendait en silence, apathique et soumise, comme si elle avait perdu toute volonté, toute faculté de sentir et de penser, indifférente à tout, même à la peur. Tout se passait comme si elle était morte au jour de colère et que son corps gardât quelques réflexes qui répondaient encore aux sollicitations de l'extérieur.

Dorothée s'était arrangée pour que les domestiques fussent invisibles, et la maison obscure et silencieuse semblait déserte, seulement remplie des murmures de la pluie et du vent. Alfred passait ses gants dans le vestibule, son pardessus complètement boutonné à cause de la fraîcheur humide. Sans regarder Amalie, il lui prit la valise des mains et elle le laissa faire. Dorothée les regarda partir et ne comprit pas pourquoi elle souffrait.

Ainsi, pour la dernière fois, ils s'étaient assis côte à côte dans le cabriolet. Alfred ne trahissait rien de ses pensées. S'il avait conscience de la malheureuse près de lui, il n'en montrait rien. Un vent aigre qui s'engouffra dans la voiture lui colla un pan de la robe brune sur la cuisse. Il n'eut aucun geste de recul. Il ne bougea pas. Mais ses muscles se raidirent, se contractèrent, comme pour renier ce bout d'étoffe, ou peut-être pour ne pas le déranger.

Alfred devait se rappeler ce long voyage toute sa vie avec une angoisse et un désespoir sans cesse renouvelés.

Les Hobson, brièvement informés, quelques jours auparavant, de l'arrivée de Mrs. Lindsey, attendaient. Ils fourmillaient de curiosité et faisaient des suppositions, mais ils ne poseraient pas de questions. On leur avait laissé entendre que, dans le cas contraire, ce serait la ruine pour eux et, avec le mauvais temps, la récolte n'était pas sûre. Ils savaient que Mrs. Lindsey resterait quelques semaines avec eux. Ils devaient l'entourer de soins, mais lui parler aussi peu que possible.

Et maintenant Alfred et Amalie étaient dans cette pièce, où les rayons de la petite lampe malodorante luttaient contre l'obscurité. Amalie, une fois ses affaires mises en ordre, s'était assise dans un petit fauteuil à bascule. Elle se balançait avec lenteur, d'un mouvement machinal, regardant droit devant elle, les mains ouvertes sur les genoux, les paumes en dehors en une attitude poignante d'abandon total et de renoncement. Alfred voyait son profil. Elle semblait complètement étrangère à sa présence. Il vit la joue enflée et meurtrie et le regard fixe sous la paupière immobile.

Les minutes passaient et il restait debout à écouter le vent et la pluie et le grincement menu du fauteuil. Puis, tout à coup, son cœur creva d'un excès de souffrance, de passion et de tendresse. Il sut alors que, quoi qu'il arrivât, et si cruels que fussent la trahison et le déshonneur, il n'oublierait jamais Amalie, il ne cesserait jamais de l'aimer et de la désirer. Jamais il ne surmonterait ses remords. Jamais il n'oublierait ce désir terrible et soudain qu'il éprouvait de la prendre dans ses bras, de baiser la joue meurtrie et les lèvres, d'implorer son pardon, de la presser de partir jusqu'à ce que le drame fût consommé, pour la ramener ensuite sous la protection de son amour.

Il était ébranlé par la force de son émotion et sentait un malaise le gagner. Il se força à s'écarter, à détourner les yeux d'Amalie. Ses mains tremblaient violemment quand il déposa un tas de pièces d'or et d'argent sur la commode. Il n'aurait su dire si elle avait entendu le cliquetis, mais, d'après ce qu'il pouvait voir dans le miroir au-dessus du meuble, son expression restait immuable.

Il n'y avait plus rien pour le retenir maintenant, mais il ne se décidait pas à partir. Il regardait fixement sa femme. Il dit d'une voix rauque :

— Je vous laisse de l'argent. Je pense que vous êtes d'avis de rester ici jusqu'à ce que le divorce soit prononcé. Vous comprenez sans doute que c'est la seule chose que vous puissiez faire pour moi, la dernière.

Les lèvres pâles articulèrent un « oui », mais le balancement continua et pas un regard ne fut échangé.

De nouveau, le bruit de la pluie et du vent régna seul dans la misérable petite chambre. Il allait la laisser ainsi dans cette humidité, dans ce froid, ce dénuement, cet abandon. Sa gorge se serra ; il fourra les poings dans ses poches.

— Désirez-vous quelque chose encore ?

Elle fit signe que non.

Il se dirigea vers la porte. Sur le seuil, il s'arrêta et la regarda encore une fois.

— Vous n'avez rien à me dire, Amalie ?

Sa voix se brisa.

Elle cessa brusquement de se balancer. Très lentement, elle tourna son visage vers lui et la vie reparut dans ses yeux.

— Oui ; il faut me pardonner, Alfred. Vous ne m'avez pas dit que vous me pardonniez.

Il tremblait plus que jamais. Il balbutia :

— Amalie, oh ! Amalie !

Elle le regardait toujours avec la même pathétique ardeur.

— Je vous pardonne, Amalie. Oui, je vous pardonne.

Elle lui sourit avec un regard qui indiquait qu'elle le voyait enfin nettement.

Alors, il eut une parole étrange :

— Et vous, est-ce que vous me pardonnez ?

— Je n'ai rien à vous pardonner. Vous m'avez donné un peu de paix, Alfred.

Alfred sentit que son chagrin et sa désolation devenaient intolérables. Il fit un pas vers elle.

— Amalie, si vous avez besoin de quelque chose, n'importe quand, n'importe où, promettez-moi de m'en avertir.

— Non, il faut m'oublier dès que possible.

Il ne put s'empêcher de s'écrier :

— Mais qu'allez-vous faire, Amalie ?

Elle secoua la tête.

— Je ne sais encore. Mais je serai fixée bientôt. Allez-vous-en, Alfred. Oubliez-moi.

Et elle se détourna de lui et reprit son balancement.

Alfred sortit. Il ne put jamais se rappeler son retour à la maison désolée, vide à jamais pour lui.

CHAPITRE XXXVI

BIEN que Jérôme eût passé beaucoup de temps en la compagnie de son père, à Saratoga, il s'était soigneusement abstenu de discuter avec lui de la Banque et de ses projets. Car Jérôme s'inquiétait de le voir très fragile et affaibli, malgré la cure et le calme luxueux et capitonné du grand hôtel. M. Lindsey ne se plaignait pas et assurait même qu'il se sentait beaucoup mieux. Mais Jérôme, consultant le docteur, sut que le cœur déjà malade de M. Lindsey déclinait insensiblement, et que les émotions et les contrariétés pouvaient provoquer une issue fatale.

Jérôme décida de remettre toute discussion avec son père jusqu'après leur retour à Hilltop. Alors, après un peu de repos, il pourrait esquisser ses plans et demander appui. Il voyait qu'il était nécessaire de mettre son père au courant de la situation. Un optimisme enthousiaste prenait le pas sur l'habileté sinueuse qui lui était habituelle.

Mais le jour même du départ, M. Lindsey reçut avec un certain retard une lettre d'Alfred écrite à New York, annonçant qu'il avait terminé ses affaires et qu'il revenait immédiatement à Riversend.

J'avais l'intention, écrivait Alfred, *de passer par Saratoga, mais, comme j'ai des affaires urgentes, je pense que Jérôme pourra faire face aux détails de votre retour. J'espère toutefois que tout se passera bien.*

« Ainsi, pensa Jérôme, cet oiseau de malheur a déjà regagné son nid de pierre. Il faut que je parle tout de suite à mon père. »

Il n'y avait plus que quatre heures avant le départ du train. M. Lindsey attendait dans sa grande chambre paisible, en compagnie de Jérôme. Philippe faisait une dernière promenade dans le beau parc de l'hôtel. Jérôme paraissait très intéressé par un volume de Charles Lamb.

« Comme ce cher Jérôme va bien ! pensait M. Lindsey. Il a

considérablement rajeuni. C'était un garçon plein de vie et d'allant. Il n'a plus cet air dur, cette inquiétude desséchante, ce cynisme prématuré. Au contraire, il y a en lui l'exubérance, l'enthousiasme qu'il avait à dix-huit ans. »

Jérôme pensait : « Il faut que je le prépare maintenant, avant le coup dur. » Il leva les yeux et sourit à son père :

— Je suis en train de lire du Lamb.

— Lamb ! Le malheureux, dit M. Lindsey en soupirant.

— Ceux qui disent la vérité comme ceux qui la perçoivent sont d'habitude malheureux.

— Veux-tu dire par là que tu es malheureux ?

— Non, non, dit Jérôme en riant. Pas encore, tout au moins. Est-ce que je peux vous lire ce petit passage ?

M. Lindsey eut un sourire qui montrait qu'il n'était pas dupe.

— Jérôme, tu as une idée derrière la tête. Lis-moi ton petit passage et j'essaierai de deviner l'intention.

Jérôme se mit à rire.

— Voici : « Un jardin fut la prison première jusqu'à ce que l'homme, avec un bonheur et une hardiesse dignes de Prométhée, s'en exclût par le péché. Ce fut l'origine de Babylone, de Ninive, de Venise et de Londres, des boutiques de frivolités et d'orfèvrerie, des tavernes et des théâtres, des satires, des épigrammes et des jeux de mots, tout cela constitua la part de la ville et l'envers de l'innocence, »

M Lindsey croisa ses mains transparentes. Il souriait toujours.

— Eh bien, dit-il, quand Jérôme eut fini et l'interrogea du regard, nous sommes de l'autre côté de la barrière, c'est ce que tu veux dire. Le temps du « jardin » est révolu ?

— Oui. Oui, naturellement. C'est ce que quelqu'un comme Alfred ne comprend pas.

M. Lindsey prit un air grave et ne répondit pas. Ses yeux perçants se fixèrent sur Jérôme.

— En d'autres termes, poursuivit Jérôme, Alfred n'a pas compris que la civilisation était passée de la cathédrale au forum. Il ne sait pas qu'il y a eu du changement.

Il attendit, mais son père ne dit rien. Il se carra dans son fauteuil, comme quelqu'un qui va s'embarquer dans une discussion agréable, mais sans conséquence, avec un esprit ami.

— Alfred représente la conception agraire, féodale et aristocratique, qui est à son déclin. Il croit que le pouvoir et la richesse viennent uniquement de la terre. Pour cette raison, il lui paraît essentiel d'empêcher toute invasion de l'esprit industriel qui le menace dans sa citadelle. Il n'a pas l'esprit d'aventure. Le développement, le financement d'industries nouvelles à Riversend ne l'intéressent pas, car ils représentent la diffusion d'idées nouvelles qui, à son sens, restreindraient son autorité, toucheraient à son omniscience et amoindriraient son pouvoir de tyranneau.

— Ah ! fit M. Lindsey.

Jérôme ne put rien déduire de ce commentaire prudent. Il reprit :

— Pendant mes années à New York et en particulier depuis la guerre, j'ai souvent assisté à des conversations entre Jay Regan et sa bande de pirates. Ça ne m'intéressait pas beaucoup à l'époque, mais la politesse m'obligeait à écouter. Je croyais avoir tout oublié, mais beaucoup de ces propos me reviennent avec insistance, et leur portée logique est un stimulant pour moi.

« Je sais que ces gens-là ne songeaient plus à une Amérique agricole, un pays de petites villes et villages, mais à la création d'un empire économique. Père, j'ai vécu dans les grandes villes, j'ai senti cette poussée de croissance, depuis la guerre. Je sais que l'avenir est dans l'industrie, les transports et le bâtiment, dans l'expansion et non la stagnation. Et je sais aussi que c'est seulement par l'entremise des banques que l'aventure est possible : il faut de l'argent pour financer les industries nouvelles, encourager tous les projets rentables, ouvrir de nouveaux horizons et créer de nouvelles entreprises grâce à de nouvelles inventions.

« Et les banques commencent à comprendre, mais pas la nôtre. A cause d'Alfred. Comme vous savez, il s'est toujours opposé à l'établissement d'usines à Riversend. Il voit le flot de la marée montante et il est terrifié, mais il ne voit pas qu'il sera submergé et la Banque avec lui et le reste de la communauté également. Naturellement, son cas n'est pas unique et c'est un danger pour l'Amérique que cette bande d'hommes-fourmis dans leurs petites fourmilières de pierre. Il ne faut pas que l'Amérique soit frustrée par eux, et ils peuvent faire beaucoup de mal au rêve nouveau, à la destinée nouvelle, avant d'être éliminés.

M. Lindsey soupira et se déplaça dans son fauteuil.

— J'ai beaucoup parlé de la question avec Alfred, dit-il comme à regret. Je sais qu'il croit que seule la terre est une valeur stable. Il croit que la spéculation et l'industrie reposent seulement sur l'esprit de lucre et d'aventure, sur un téméraire mépris des valeurs solides. Leur situation est précaire et sans fondement. Il préfère quelque chose de sérieux qui rapporte peu, mais sûrement. Je le comprends.

Mais Jérôme exultait. Malgré la prudente réserve des propos de son père, il le voyait ébranlé et sentait poindre de la sympathie.

— Je vois ce qu'il y a chez Alfred, dit-il. Il a été pauvre si longtemps qu'il a peur de risquer ce qu'il a gagné. Il ne veut rien hasarder, même contre promesse d'une plus grande prospérité pour lui-même et la communauté. Il n'a aucun flair, même dans sa vie propre : c'est ce qui arrive à ceux qui ont vécu leur jeunesse dans la parcimonie et la lésine. Ce qu'il fait à la Banque me serait parfaitement égal si ce n'était pas une menace pour moi, pour vous, pour l'œuvre que vous-même avez commencée.

M. Lindsey ne put s'empêcher de sourire, mais son regard restait triste.

— Tu as peur, Jérôme, n'est-ce pas ? Tu sens que des hommes comme Alfred constituent une menace pour ta personnalité, pour ton individualisme fortement retranché, pour ta liberté ?

Pour la première fois depuis de nombreuses années, Jérôme rougit devant tant de subtile pénétration.

— Certes, murmura M. Lindsey, comme une réponse à quelque commentaire silencieux qu'il se faisait à lui-même.

Puis, sortant de sa méditation, il dit d'un ton alerte :

— Quels sont tes projets ?

Jérôme n'avait pas espéré cette capitulation soudaine et allègre. Il s'était préparé à de longues et tenaces discussions, à un plaidoyer éloquent. Aussi, pendant quelques instants, il ne put que regarder son père de ses yeux noirs et mobiles. Et puis, tout de go, bredouillant de précipitation, courant chercher un crayon et du papier, Jérôme esquissa une partie de ses projets. M. Lindsey se penchait en avant pour mieux entendre. Il y avait un léger feu sur les joues émaciées et une flamme dans les yeux clairs Le vieillard semblait trépidant de vie, comme si la jeunesse lui était rendue avec toutes ses promesses d'aventures, ses espoirs et ses risques glorieux.

Cependant, quand Jérôme eut fini et qu'un vibrant silence remplit la pièce, M. Lindsey se renversa dans son fauteuil et ne souffla mot. Mais la rougeur demeurait sur ses pommettes. Il finit par dire avec un sourire de contentement :

— Tes idées ont certainement l'air convaincant.

Jérôme, surexcité, se mit à rire :

— Vous voulez dire plausible, n'est-ce pas ? J'ai toujours admiré votre précision de langage. Est-ce que cette négligence est un effet de l'âge, ou du savoir-vivre ?

M. Lindsey approuva d'un petit rire.

— Justement, j'ai toujours pensé que l'homme bien élevé manquait de carrure : il recule devant les responsabilités et ne relève aucun défi.

Mais Jérôme bronchait d'impatience. M. Lindsey regarda sa montre.

— Je crois qu'il est temps de nous préparer, mon petit... — Il eut un éclair de malice en voyant l'ardeur de son fils et il ajouta : — Je crains fort qu'Alfred soit un homme bien élevé.

CHAPITRE XXXVII

M. LINDSEY aimait ses philosophes de la Nouvelle-Angleterre et il avait toujours admiré la formule : « Vie simple et Méditation ». Il soupçonnait maintenant qu'il n'avait pas la vraie simplicité de vie, de même qu'il lui manquait la rigueur de pensée, en dépit de ses livres et de ses méditations. Les citations lui tenaient lieu de contemplation méthodique.

Quoi qu'il en soit, il pensait très activement depuis sa dernière conversation avec Jérôme. Bien qu'il ne fût pas en tous points d'accord avec son fils, il lui savait gré de cette conversation qui le remplissait d'un étonnement candide. Etait-ce possible que ce garçon, qui avait cultivé avec tant de soin une réputation d'insouciance et de liberté, se fût soudain transformé en un alerte et vibrant homme d'affaires, intéressé par la finance et l'industrie et l'avenir de l'Amérique ? M. Lindsey se méfiait instinctivement des repentirs soudains, des altérations saisissantes du caractère. Ce n'était pas l'ambition qui poussait Jérôme, mais la crainte et la haine, il en était de plus en plus certain, et le découragement le gagnait à mesure. Il se rappelait la rougeur de Jérôme ce matin, et son inquiétude grandissait.

Il se consolait en se disant que ça n'avait pas d'importance. Il y a gros à parier qu'en grattant dans la vie des réformateurs, apôtres, martyrs et croisés, on trouverait quelque secret mobile moins avouable, derrière les renoncements spectaculaires et les pieuses exhortations.

Ils regagnaient Riversend ; en fait, ils allaient arriver dans moins d'une heure. Philippe lisait en face d'eux. Vers l'ouest, où le soleil aurait dû paraître, un vague écu de cuivre sombre était suspendu dans un ciel d'hyacinthe.

M. Lindsey scrutait avec tendresse le profil arrogant et songeur de Jérôme. Celui-ci dit d'un air distrait :

— J'aurais dû rentrer plus tôt.

Il regarda son père en souriant.

— J'aurais aimé voir Amalie d'abord.

Malgré son air détaché, il observait étroitement son père.

Au nom d'Amalie, M. Lindsey oublia ses préoccupations.

— Amalie, c'est tout ce qu'un homme peut désirer. — Il se mit à rire. — Sais-tu que j'ai regretté de n'être plus jeune et ardent ? Avec, disons, vingt ans de moins, ta sœur et toi auriez eu une belle-mère sans retard, sous réserve du consentement d'Amalie... — Puis il prit un air consterné. — As-tu remarqué comme elle est pâle et distraite ? Dorothée, qui m'en parle dans ses lettres, attribue ça à la chaleur. Espérons que cette chère enfant va se remettre. Sans doute, Alfred lui manquait aussi.

Jérôme était nerveux. Il jeta un regard à Philippe qui venait de dresser l'oreille.

— Est-ce que maman est malade ?

M. Lindsey le rassura :

— Non, non. C'est seulement l'effet des grandes chaleurs. En tout cas, ce sera une joie pour elle de nous revoir.

Philippe sourit et Jérôme le regarda avec attention. C'était vrai. Bon Dieu, le gosse lui ressemblait. C'était tout son portrait vingt ans auparavant. Philippe, se sentant observé, leva les yeux. Jérôme, gêné, détourna son regard. Cependant, il eut une idée curieuse : celui-là au moins ne leur en voudrait pas, à eux deux. Il était le fils d'Alfred selon la chair, mais non selon l'esprit.

— Philippe, veux-tu aller me chercher un verre d'eau, je te prie ?

Philippe en fut ravi. Sa vieille admiration pour Jérôme, pour sa gentillesse, son insouciance et son pittoresque, lui était revenue pendant les derniers jours à Saratoga. Jérôme ne le traitait jamais en malade ou en infirme, comme le faisait le reste de la famille. Il regardait Philippe bien en face, comme on regarde un égal en intelligence et en esprit, et l'intérêt qu'il portait aux études et au talent musical de l'enfant ainsi qu'à la sensibilité de son caractère était réel et sincère. Aussi Philippe se leva-t-il avec empressement et, se redressant autant que son dos déformé le lui permettait, alla chercher le verre d'eau.

Jérôme se tourna vers son père et dit rapidement :

— Je crains que ce ne soit pas seulement le temps qui dérange Amalie. J'ai peur qu'elle soit malheureuse.

— Malheureuse ! s'exclama M. Lindsey, d'une voix troublée. Mais pourquoi ? Alfred l'adore. Elle l'a épousé pour ce qu'il pouvait lui donner, et il ne lui refuse rien. Je crois que tu te trompes, Jérôme. Je me suis aperçu qu'il y avait beaucoup de tendresse entre eux depuis ma maladie.

Il fronça le sourcil. Il se rappelait les yeux caves d'Amalie, sa lassitude, et une inquiétude aiguë le traversa.

Jérôme haussa les épaules.

— Néanmoins, elle est malheureuse. Ce mariage n'aurait jamais dû se faire. J'ai le sentiment qu'il vaudrait mieux pour l'un et pour l'autre qu'ils se séparent.

M. Lindsey était scandalisé.

— Sottise, Jérôme. Mais c'est révoltant, ce que tu dis. Le mariage est indissoluble. Amalie est une femme sensée et sage, et je suis persuadé que pareille idée ne lui est jamais venue à l'esprit. Quand elle aura des enfants, toutes les incompatibilités, tous les dissentiments, disparaîtront...

Il était contrarié. Il scruta Jérôme du regard.

— Qu'est-ce que tu veux dire ? Est-ce qu'Amalie ou Alfred t'ont laissé quelque chose à entendre ?

— Non, non. En aucune manière. Mais c'est une impression.

Jérôme était irrité. Il avait cru « préparer les voies » et il venait de perdre une grande partie de ce qu'il avait gagné, car M. Lindsey se méfiait maintenant.

— Ne te mêle pas de leurs affaires. Non seulement c'est dangereux, mais c'est un manque de savoir-vivre.

— Et le savoir-vivre est sacro-saint, n'est-ce pas ?

— Mon Dieu, pour l'homme civilisé, ça remplace assez bien la morale et la religion.

Philippe revint avec un verre d'eau et, d'un air de satisfaction puérile, il regarda se désaltérer Jérôme, qui remarqua son expression.

— Dis-moi, Phil, est-ce que je manque de savoir-vivre ? demanda-t-il surtout pour détourner l'attention de son père.

— Mais non, oncle Jérôme, vous avez toujours des manières parfaites.

— Eh bien, moi, je dis qu'on n'a pas des manières parfaites quand on se mêle des affaires des autres, dit M. Lindsey.

Mais il souriait et sa méfiance s'atténuait.

— Ton oncle a une vocation de réformateur et ça ne lui réussit pas toujours.

— Comme Luther, Savonarole et Jean Huss et peut-être même Jésus, dit Philippe timidement, mais avec conviction.

Jérôme fut si amusé qu'il éclata de rire, et M. Lindsey, après une hésitation, se mit à rire aussi.

CHAPITRE XXXVIII

UN CREPUSCULE lourd d'humidité s'épaississait sur Riversend quand les voyageurs débarquèrent. Jérôme avait envoyé un télégramme à Alfred pour le prévenir de l'heure de leur arrivée. Mais la voiture, où des gouttes de pluie roulaient comme du mercure, était vide à l'exception du cocher. Vide aussi la gare. Il y avait un air de désolation sur toute cette campagne d'août. Le village semblait s'être replié sur lui-même.

M. Lindsey demanda au cocher des nouvelles de la famille. L'homme se montra réservé. (Alfred lui avait fait la leçon.) Mademoiselle était très enrhumée et gardait la chambre. M. Alfred avait dû se rendre à Horton Hill pour une affaire importante. Il serait de retour ce soir. Questionné sur Amalie, il répondit avec des mines embarrassées que « ça n'allait pas très fort pour la jeune dame ».

— Miséricorde ! dit M. Lindsey d'un air consterné. Il semble que nous arrivions à un mauvais moment.

Epuisé par le voyage, il se laissa tomber sur les coussins, les yeux clos, écoutant les battements irréguliers et douloureux de son cœur. De sombres pressentiments l'envahirent.

Jérôme se taisait. Les prémonitions étaient encore plus fortes chez lui. Le paysage qui s'assombrissait lui paraissait hostile. Philippe aussi se taisait.

Juste avant la côte qui montait vers Hilltop, ils passèrent devant la maison du général. Celui-ci rentrait de sa promenade quotidienne quand il aperçut la voiture des Lindsey et ses occupants ; il s'arrêta, comme foudroyé, la main sur la grille.

— Mais c'est le général, dit M. Lindsey, tout heureux.

Il signifia au cocher de s'arrêter et, non sans peine, voulut baisser la vitre.

Alors, le général s'anima. Il ouvrit violemment la grille et la claqua derrière lui. Ils virent la haute silhouette s'enfoncer dans l'ombre et la pluie.

— Ça me paraît impossible qu'il ne nous ait pas reconnus, dit M. Lindsey en abandonnant la manœuvre.

Jérôme sentait son cœur battre à longs coups sourds. Il y avait du nouveau à Hilltop. Il avait vu l'expression du général dans la lueur des lanternes. Il fit signe au cocher de continuer.

— Il fait nuit et il pleut et la date de notre arrivée n'était pas précise.

— Mais il a sûrement reconnu notre voiture, protesta M. Lindsey.

Jérôme se sentait faiblir d'inquiétude. Il baissa la vitre intérieure pour demander au cocher :

— Vous êtes sûr que tout va bien à la maison ?

L'homme évita de tourner la tête et excita ses chevaux de plus belle.

— Mais bien sûr, monsieur Jérôme.

Jérôme remonta la vitre, mais il n'était pas convaincu. Tous ses sens étaient en alerte. La figure du général ne le quittait pas. Il y avait vu une colère noire, une haine meurtrière qui, délibérément, s'adressaient à lui.

Jérôme n'était pas de ceux qui reculent devant des complications alarmantes, il allait plutôt à leur rencontre. Il était maintenant certain qu'il s'était passé quelque chose à Hilltop. La voiture montait la côte. On voyait la maison. Une seule lumière y brillait. Pour Jérôme, tout au moins, l'énorme demeure avait une allure sinistre ; il y avait une menace dans toutes ses fenêtres sans vie. Il fit effort pour garder son sang-froid. Une catastrophe était arrivée. Quand la voiture s'arrêta, il bondit, aida vivement son père à sortir et ouvrit sans douceur la porte d'entrée. Le lampadaire était allumé. L'horloge, avec lenteur, sonna huit coups. L'air vibra longuement après le dernier et cette vibration, aux oreilles de Jérôme, retentit comme un avertissement.

La chambre de M. Lindsey avait été mise en état. La couverture était faite, il y avait des roses dans des coupes sur les tables et le feu avait été allumé.

— On dirait presque que l'on ne comptait pas sur nous. On ne voit personne. Il faut vraiment que Dorothée soit malade. Je me demande où sont passés les domestiques.

— Ne vous inquiétez pas, père. Je vais vous aider à vous mettre au lit.

Un malheur était arrivé. Jérôme en était à présent convaincu et il était littéralement en nage à cause de son désir d'affronter l'événement et de se colleter avec lui.

— Quelqu'un viendra bien vous apporter du thé. — Il sonna.

— Je pense à quelque chose. Le train avait presque une heure d'avance. On ne nous attendait peut-être pas encore.

236

— Possible, dit M. Lindsey, trop heureux de se glisser dans les draps frais parfumés de lavande. Mais la maison a un drôle d'air. J'espère vivement que Dorothée n'est pas gravement malade. Mais le cocher nous l'aurait dit.

Jérôme disposa soigneusement les oreillers sous la tête lasse de son père. Puis, il tendit l'oreille. Etait-ce le bruit de la porte d'entrée ? Il crut saisir dans l'air une autre vibration plus nette. Mais il n'y eut aucun bruit de pas dans l'escalier.

M. Lindsey sourit à son fils.

— Tu as des gestes doux comme ceux d'une femme, mon petit.

On frappa. Jérôme se précipita pour ouvrir. Mais, avant qu'il en ait eu le temps, Jim entra, porteur d'un plateau fumant.

— Jim ! s'exclama Jérôme avec gratitude et soulagement.

La pâleur perçait sous le teint bistré du petit valet. Il ne leva pas les yeux de dessus son plateau qu'il apporta avec précaution jusqu'au lit.

— Bonsoir, Jim. On dirait que nous revenons à un mauvais moment, dit M. Lindsey avec un sourire.

Jim tressaillit légèrement. Sa main tremblait en enlevant les couvercles d'argent qui cachaient un fin dîner.

— Oui, Monsieur a raison. Avec la maladie et tout. Mademoiselle est au lit et...

Jérôme l'enveloppait d'un regard intense. Jim savait quelque chose. Il avait l'air hagard, fripé, apeuré. Il versait le thé à M. Lindsey. Quand il leva les yeux, Jérôme put y lire un avertissement. « Pas encore », semblait-il dire. Jérôme marcha lentement vers la porte, les mains crispées. Il écouta. On n'entendait toujours rien dans la maison. Et, cependant, quelqu'un était entré. Si c'était Alfred, pourquoi ne montait-il pas ? Il devait savoir que la famille était de retour.

Jim mit la crème et le sucre dans la tasse de thé et demanda s'il pouvait encore faire quelque chose. Jérôme dit tranquillement :

— Je vais me changer. Tu m'apporteras un plateau à moi aussi.

— Bien, monsieur, et il suivit son maître.

Dans le couloir, Jérôme écouta. Toujours rien. Il se pencha sur la rampe. La porte de la bibliothèque était fermée, mais on voyait un rai de lumière par-dessous. Quelqu'un (Alfred peut-être) attendait là. Mais attendait quoi ? Il sentit Jim le tirer par la manche.

— Monsieur, allez aussi doucement que possible dans votre chambre. Ça va mal ici. Je vous raconterai.

On n'avait pas préparé la chambre de Jérôme. Ni fleurs ni feu. Les rideaux étaient tirés. Jim ferma la porte sans bruit.

Il fit signe à Jérôme d'avancer sur la pointe des pieds. La peur se lisait sur ses traits.

— J'ai essayé de vous avertir. J'ai envoyé un télégramme. Vous ne l'avez pas reçu ?

— Non. Allez, parle. Qu'est-ce qui se passe ? Où est Madame ?

Jim posa la main sur le bras de Jérôme pour le modérer.

— Attendez, monsieur. Il faut que je vous raconte.

Il dressa l'oreille. Mais tout était silencieux.

— Y a moins d'une semaine que ça s'est passé. J'sais pas tout. Ils ont essayé de nous le cacher. M. Alfred est r'venu. La jeune dame était malade, au lit. M. Alfred était inquiet. Il a envoyé un des valets chercher le docteur. Ça, c'était lundi soir.

— Oui, oui, ça va. Après. Dépêche-toi.

Le petit bonhomme se tordait les mains. Sa figure grimaçait.

— J'sais pas tout. J'ai essayé d'écouter, mais y avait pas moyen. Tout c'que j'sais, c'est que le docteur est venu le lendemain matin. J'l'ai vu partir. Puis après, j'ai entendu Madame qui criait dans sa chambre. J'en étais tout chose. Puis après un p'tit moment, j'ai entendu Mademoiselle qui parlait avec M. Alfred. Mais c'était pas clair. J'pouvais pas écouter à la porte, vu qu'il y avait tous les autres dans le voisinage, les filles qui montaient et qui descendaient dans l'escalier d'service et qui passaient la tête dans le corridor, pour raconter après aux valets qui étaient dans la cuisine.

— Tu as entendu crier Madame ? Tu ne sais pas pourquoi ?

Jim fit non de la tête.

— C'est tout ce que j'ai entendu. Mais j'ai vu M. Alfred après. Il était pâle comme un mort. Il avait l'air d'un somnambule. Il n'a pas été à la Banque et il y est pas retourné encore. Et Mademoiselle garde le lit depuis hier. Mais, avant ça, il s'est passé aut'chose et c'est pas bon signe... On a dit que Madame était malade et qu'elle gardait la chambre. Mais c'était Mademoiselle qui lui portait les plateaux et qui les reprenait. Et elle fermait la porte à clef.

Jérôme prit une inspiration profonde. Son cœur battait si fort qu'il avait l'impression d'étouffer. Mais une rage terrible s'emparait de lui et des lambeaux de brume rougeâtre commençaient à défiler devant ses yeux.

— Et puis, il y a deux jours, M. Alfred a emmené Madame dans le cabriolet.

Jérôme saisit brutalement Jim par le bras.

— Où est-elle ?

— Je n'en sais rien, monsieur. Personne le sait. On fait des suppositions, mais on sait pas de quoi y retourne. Même pas en ville. M. Alfred est allé voir le général, à ce qu'une des filles m'a dit. Maintenant, j'vous ai tout dit.

Jérôme regardait devant lui d'un air féroce. Son imagination l'aidait à remplir les blancs laissés par Jim.

— Ah! puis y a les avoués de M. Alfred qui sont v'nus. Ils s'sont enfermés dans la bibliothèque. C'était hier soir.

Jérôme regarda la porte et écarta Jim. Il sortit et descendit l'escalier en courant, sans se soucier d'amortir le bruit de ses pas. Il ouvrit la porte de la bibliothèque.

Là, il y avait du feu. Alfred venait de rentrer. Ses gants, son haut-de-forme, sa canne, étaient encore sur la table. Il était debout devant la cheminée, la tête baissée, le teint gris, la peau ridée. Mais quand il leva les yeux sur Jérôme, les yeux d'ambre flamboyèrent de haine. Il ne fit pas un geste.

— Où est Amalie? demanda Jérôme en s'avançant vers son cousin.

Puis il s'arrêta. Les deux hommes se mesurèrent du regard, dans un silence que chaque seconde rendait plus effrayant.

M. Lindsey, allongé sur ses oreillers, leva soudain la tête. Il avait entendu les pas précipités de Jérôme et le bruit de la porte de la bibliothèque. Il laissa retomber sa tête. Mais quelque chose tressaillit en lui. Son cœur battait l'alarme. Il rejeta les couvertures et, au prix d'un effort énorme, glissa ses pieds dans ses pantoufles et mit sa robe de chambre.

CHAPITRE XXXIX

LES HOMMES d'affaires avaient judicieusement conseillé Alfred. Passé les premiers accès de révolte et de désespoir, il s'était laissé convaincre par leur réalisme sagace. « Souvenez-vous, Alfred, que Jérôme est le vrai fils et que le sang est plus fort que tout. Le jeune Lindsey a réussi à se mettre dans les bonnes grâces de son père ; tout le monde le sait. Il est bien en place à la Banque maintenant et il a des amis puissants, non seulement à Riversend, mais à New York. Jay Regan, par exemple. Aussi, allez-y doucement.

« On vous a fait la pire injure qu'on puisse faire à un homme et, si vous vous laissez aller à la vengeance, vous trouverez beaucoup de sympathie. Mais la sympathie ne fait pas long feu. Si, après toutes vos années de travail, vous perdez votre place à la Banque, vos amis s'éparpilleront. Votre épouse vous a trahi, d'accord. Mais elle ne vous a pas « couvert de honte », comme vous persistez à le répéter. Elle seule s'est couverte de honte et plus vite vous l'oublierez, mieux cela vaudra. Moins il y aura d'éclat et de récriminations, moins on risque de voir le vieux Monsieur se hérisser. Rappelez-vous bien que Jérôme Lindsey est son fils. Naturellement, nous ne vous conseillons pas de rester en relations amicales avec celui qui vous a cocufié ; ce serait trop vous demander. Mais la mise au point, le règlement de la situation, se feront plus tard. Restent de fortes chances pour qu'après tout, il trouve sa situation insupportable dans le pays et, si vous vous tenez bien, il est possible que son père le renvoie immédiatement. Jérôme Lindsey a des torts et son père est un homme d'honneur. La dignité, le silence, voilà les atouts. Un peu de maîtrise et vous aurez l'admiration de tous vos amis »

Le secret, mais robuste égotisme d'Alfred, sa prudence naturelle, son ambition dominatrice, l'avertissaient que ses conseillers disaient juste. Il donnerait une petite pension à Amalie à condition qu'elle quittât la contrée sitôt que le divorce serait prononcé. On convint de la somme de cinq cents dollars. Le divorce serait expédié, le scandale réduit au minimum. Bien entendu, on n'empêcherait pas les gens de parler. Mais. répétaient les avoués, Alfred n'avait qu'à s'enfermer dans le silence, avec son orgueil.

Seulement, on n'avait pas envisagé les conséquences de la première entrevue avec Jérôme.

Les hommes de loi, habituellement si pleins d'astuce, avaient négligé dans leurs calculs le fait qu'Alfred avait pour sa femme une passion profonde et flegmatique, comme seuls en éprouvent les silencieux qui vivent dans la contrainte, et cette passion était insurmontable. Ils ne connaissaient rien de la pitié d'Alfred pour Amalie, de ses déchirements lorsqu'il pensait à elle ; ils ne savaient pas qu'il avait échafaudé une théorie, née de son amour et apaisante pour sa vanité, à savoir qu'Amalie était plus innocente que coupable ; Amalie avait été une femme séduite et non l'instrument volontaire de son déshonneur.

Aussi quand il vit Jérôme, son visage sombre et arrogant. ses yeux furieux, cette rage méprisante et ce brutal manque d'égards pour l'offensé, tous les bons conseils perdirent leur effet. Il était là, l'homme exécré qui l'avait rendu grotesque et ridicule ; il était là, celui qui avait touché la chair nue de sa femme, qui l'avait possédée ; celui qui s'était rendu coupable de la pire offense qu'on puisse faire à un homme, l'offense qui frappait mortellement tout orgueil viril dans sa dignité, son sentiment de la propriété et de l'intégrité de sa personne.

Il n'y avait plus ni raison ni prudence chez Alfred. L'homme primitif, féroce et nu, surgissait, ébranlant lourdement les pierres que la civilisation, les conventions et l'intérêt avaient soigneusement accumulées sur lui. Et c'était cette créature sortie du fond des âges qui avait arrêté Jérôme en sa marche. Jérôme avait regardé son cousin, soudain convaincu que l'autre essayerait de le tuer.

Jérôme fut d'abord incrédule. Il avait simplement songé à Alfred comme à un obstacle ennuyeux. Il voyait maintenant que cet homme aux traits lourds, au regard féroce, avait probablement aimé Amalie avec une passion abominable, mais puissante, qu'il y avait en lui de robustes appétits avec tout ce que ces appétits comportent d'excès.

Ainsi les deux mâles se regardaient à travers le petit espace qui les séparait. Dans un éclair, Jérôme pensa de sang-froid : « Il est fou. » D'autres pensées accoururent : « Il est plus lourd que moi, plus fort que moi, même s'il est plus vieux. D'ailleurs, il y a ma jambe. »

Il oublia Amalie, sous la poussée de l'instinct qui s'éveille en tout homme dont l'existence est menacée. Il ne pouvait que regarder Alfred et se mettre en garde. Alfred n'avait pas bougé.

Cependant, tous les nerfs de Jérôme frémissaient dans la connaissance que la mort était à cinq pas de là. Pas un muscle ne bougeait dans le masque terreux d'Alfred. C'étaient les yeux qui retenaient l'attention fascinée de Jérôme et, pour la première fois de sa vie, Jérôme avait peur.

Alfred ne s'était pas encore aperçu de l'effroi purement animal de son cousin. Il voyait seulement la raideur du menton tendu, les pupilles contractées qui ne le lâchaient pas. Les muscles de la bouche insolente saillaient comme des cordes minces. Brusquement, Alfred connut que Jérôme avait peur.

Il avait peur, ce misérable, cet homme néfaste et abject. Il avait peur pour la première fois et peur de lui, Alfred Lindsey.

Alfred dit :

— Elle va avoir un enfant, un enfant de toi.

Jérôme ne répondit pas. Il ne s'abusait pas sur la voix calme et monotone d'Alfred.

Son regard bondit à la recherche d'une arme. Il n'avait pas vraiment saisi les paroles d'Alfred. C'est à peine s'il avait entendu.

Alfred suivit le regard de Jérôme. Il vit la lourde canne sur la table. Il lança la main et la saisit. Avant que Jérôme ait pu faire un mouvement, Alfred le frappa sauvagement au visage.

Jérôme tituba en arrière et leva le bras pour se protéger. Il se sentait pas de douleur, mais la force du coup lui donna le vertige. Il entendit un bourdonnement dans ses oreilles ; sa vision s'obscurcit et, dans un brouillard, il vit Alfred qui le dominait, le frappant à coups redoublés. Cependant, il ne sentait rien. Il n'avait qu'une idée : fuir. Car, s'il ne parvenait à s'échapper, si personne ne venait à la rescousse, il savait qu'il mourrait.

Très loin, dans le vague, il entendit un cri, une multitude de cris. Il ne voyait plus Alfred. Il flottait dans l'ombre, quand il eut conscience d'une souffrance intolérable. Il se sentit ballotté, rejeté à la dérive sur les flots d'ombre. Il vit des nuées de ténèbres se précipiter sur lui et l'envelopper de toutes parts. Jérôme sombra comme une pierre, oubliant la souffrance attachée à sa chair.

Ce ne fut qu'à son réveil, le lendemain, qu'il apprit que son père, mû par quelque instinct mystérieux, avait quitté son lit pour descendre et qu'en fait il avait, par sa présence et ses cris, sauvé la vie de son fils.

CHAPITRE XL

MÊME si Amalie avait été en état de se promener autour de la ferme, le temps l'en eût empêchée. Un froid et une pluie hors de saison jetaient un voile funèbre sur les premiers jours d'août. Le ciel d'un gris sombre était veiné de noir et la terre ruisselait.

Par les petites fenêtres basses, Amalie voyait les prairies détrempées, le bétail mélancolique ramassé sous les arbres noyés et les contours vaporeux des collines au loin. Pour elle, les heures étaient toutes pareilles. Chaque jour qui passait lui enlevait un peu de sommeil, la rendait plus fiévreuse et plus tendue. Elle prêtait peu d'attention aux Hobson, bien qu'elle sourît à la fermière et aux enfants quand elle les voyait. Si son trouble, qui absorbait tout son être et l'entraînait au-delà de la ferme, avait été moins profond, elle se fût rendu compte qu'elle vivait dans un isolement virtuel et que les Hobson l'évitaient : ils avaient reçu des ordres : Mrs. Lindsey ne devait pas recevoir de visites, ne devait pas quitter la ferme ; il fallait s'abstenir de lui parler. Sa présence dans la famille devait être un secret pour le reste du monde.

Si les Hobson avaient craint qu'Amalie leur causât des ennuis, en posant des questions ou en se montrant intraitable, ils virent que leurs appréhensions n'étaient pas fondées. Leur pensionnaire restait assise à la fenêtre, les yeux rivés sur le paysage noyé et la route qui conduisait à la ville.

Elle comptait les jours. « Aujourd'hui, se disait-elle, Jérôme revient à Riversend. Que se passe-t-il à Hilltop ? On va lui dire ce qui est arrivé. » Elle frémit en pensant à la scène. Elle en détourna son esprit fiévreux. Demain, Jérôme viendrait, ou après-demain au plus tard.

Elle oubliait que Jérôme ne saurait probablement rien de sa retraite.

Vendredi arriva. La journée s'éteignit à l'horizon noir d'un formidable orage. Amalie ne put même pas s'assoupir. cette nuit-là. Elle gisait tremblante sur son lit, ses yeux lassés d'attendre fixés sur les fenêtres obscurcies. Elle écoutait le vent et la pluie ; elle entendit l'appel lugubre et lointain du train de nuit. L'aube la trouva dans un état de prostration. Mais elle fit un effort pour s'habiller et relever ses longues tresses en couronne ; puis elle s'assit à la fenêtre. Aujourd'hui, il viendrait sûrement.

Mais les heures s'écoulèrent et la journée passa. Les plateaux des repas restèrent intacts sur la commode. La chambre était très fraîche, mais Amalie ne sentait pas le froid. Son haleine couvrait la vitre d'une buée qu'elle effaçait du doigt. La route était un ruisseau de boue jaunâtre. Personne ne passait. Quand vint le soir, elle était toujours à la même place. Le fermier, en se rendant à la grange, vit le pâle visage immobile, dont le regard resta fixé au loin, sans le voir.

— Ça m'a donné un coup, dit-il à sa femme, avec une inquiétude maussade ; on aurait dit un fantôme.

Tous les deux conférèrent à voix basse dans la cuisine. Ils n'avaient pas encore osé parler entre eux de leur pensionnaire. Ils ignoraient ce qui avait pu arriver à Mrs. Lindsey : ils n'allaient pas souvent à la ville et on leur avait signifié qu'ils devaient se taire. Alfred leur donnait vingt dollars par semaine pour héberger sa femme ; c'était une somme considérable et un homme n'allait pas chercher querelle à ce bel argent, même quand la fidélité aux affections anciennes commençait à le tourmenter.

Mais la lente indignation des paysans s'éveillait Les Hobson devaient beaucoup à Amalie. Elle les avait soignés quand ils étaient malades ; elle avait empêché la saisie de leurs biens ; elle leur avait donné presque la moitié de son petit traitement quand ils avaient eu besoin de médicaments et de vêtements. Elle avait veillé sur eux dans l'arrière-salle pauvrement meublée, en faisant de la couture pour elle ou pour eux ; elle avait fait travailler le plus intelligent des garçons et avait aidé Mrs. Hobson à élever les autres enfants. Ils se rappelaient comme le beau visage paraissait gai dans la lumière du feu ou de la lampe à pétrole. Ils se souvenaient de l'aide qu'elle apportait à l'étable où elle accompagnait le fermier pour traire les vaches, quand Mrs. Hobson était trop souffrante. Amalie avait monté les chevaux, avait aidé à labourer, car elle était aussi vigoureuse qu'un jeune homme. Elle avait butté les pommes de terre, elle avait donné un coup de main pour les foins et travaillé à la cuisine pendant la moisson.

Et maintenant, elle était assise comme une désespérée, toute pâle et muette dans sa chambre. Elle ne disait jamais un mot ; elle les regardait seulement avec de grands yeux cernés, sans expression, dont la teinte violette, si vive autrefois, pâlissait.

Si, par hasard, elle risquait une parole, c'était tout juste un murmure. Les Hobson savaient qu'elle passait ses journées assise devant la fenêtre. Qui attendait-elle ? Son mari ? Ils détestaient Alfred, les Hobson, et ils en avaient peur. Ils se rappelaient son air menaçant, sa voix dure, ses ordres péremptoires. Il avait dû se passer de drôles de choses pour Mrs. Lindsey et, maintenant, elle avait l'air à l'article de la mort. Mais le fermier et sa femme ne savaient que faire.

Le samedi après-midi, M. Hobson partit pour la ville. Il revint plus tôt que de coutume et appela sa femme d'un air bouleversé. Ils s'enfermèrent dans leur chambre et parlèrent à voix basse pendant plus d'une heure. Mrs. Hobson poussa quelques exclamations de pitié. Amalie ne pouvait rien entendre et ses amis n'osaient rien lui dire.

— Comme ça, elle va rester ici jusqu'à tant que les affaires soient finies. Après, il s'débarrassera d'elle. Quand j'y pense, quelle histoire ! C'est d'la chance que l'gars ait pas été tué... Et son pauvr' père ! Sont tous à plaindre.

Mrs. Hobson avait l'air tout pantois. En paysanne, elle avait ressenti un peu de répulsion pour la « faute » d'Amalie, mais cette répugnance avait disparu à l'annonce de nouvelles plus terribles encore.

— C'est l'autre alors qu'elle attend comme ça ! dit la brave femme en hochant la tête. Et sûr qu'il sait rien et, de toutes manières, il pourrait pas venir, pas tout de suite. P't'être ben qu'on pourrait lui dire ?

— Non, on peut rien y dire. Pas dans son état. Vaut mieux laisser les choses comme elles sont.

Néanmoins, le fermier, qui était d'esprit lent et taciturne, commença à tirer des plans.

CHAPITRE XLI

MAINTENANT, il ne viendra plus, songeait vaguement Amalie. Il est rentré vendredi, au plus tard. S'il avait voulu venir, il serait venu, il y a trois jours. Il m'avait promis. Il avait dit qu'il m'aimait. Il a menti.

La pluie avait cessé et un soleil pâle laissait tomber de minces rayons sur le paysage. Soudain, une voiture parut sur la route. Amalie se pencha pour mieux voir. C'était un cabriolet. Elle vit le soleil briller sur le dos du cheval. Elle fit un effort pour se lever de sa chaise avec des sanglots pleins la gorge.

— Jérôme ! s'écria-t-elle, les mains tendues vers la route.

Alors, elle vit que ce n'était pas la voiture de Hilltop. Mais elle resta près de la fenêtre, les yeux grands ouverts et fixes.

Un homme d'un certain âge descendit du cabriolet, au coin de la ferme. Elle le reconnut. C'était Elie Kendricks, l'un des avoués d'Alfred. Son active et replète personne était boudinée dans un complet brun. L'air affairé, une mallette à la main, il se hâta vers la porte. Amalie l'entendit parlementer avec Mrs. Hobson, puis, d'un pas preste, se diriger vers sa chambre.

Il entra, grave et souriant, mais la formule de salutations qu'il avait préparée lui resta dans la gorge lorsque Amalie se retourna.

« Bon Dieu, mais la pauvre femme se meurt », pensa-t-il.

Toutefois, il y avait une affaire à régler et il n'était pas de ceux qui perdent du temps à s'apitoyer sur un coupable. Il s'éclaircit la voix :

— Mrs. Lindsey, votre mari vous envoie quelques papiers à signer.

Si seulement elle ne le regardait pas avec ces yeux désespérés, suppliants. « Elle voudrait des nouvelles de ce salaud. Elle devait l'attendre quand je suis arrivé. »

— C'est une pure formalité, dit-il d'un ton dégagé. Vous allez les lire et vous signerez, si vous voulez.

D'un air important, il tira de sa mallette une liasse de papiers qu'il tendit à Amalie. Il posa une plume et de l'encre sur la commode. Il essayait d'étouffer la pitié, bien étrangère à sa profession, qui était en train de le gagner.

— Très bien, murmura Amalie. Il est inutile que je les lise, mais je vais signer.

— Ce n'est pas selon les règles, madame. C'est une exigence de la loi. Il faut que vous preniez connaissance du document. Jetez-y un coup d'œil, au moins.

Elle prit les papiers d'une main tremblante (« On verrait le jour à travers », pensa-t-il) et commença à lire. Mais une ou deux phrases seulement la frappèrent : « ... Reconnaît qu'étant enceinte, elle ne l'est pas des œuvres de son mari, Lindsey Alfred, demeurant à Hilltop, Riversend... refuse de divulguer le nom de son amant... donne son plein agrément à la demande en divorce... »

Kendricks pensait, mais sans la satisfaction qu'il avait éprouvée auparavant, que c'était une mesure odieuse pour la jeune femme. Son associé et lui avaient, en compagnie d'Alfred, examiné à fond la question. Il valait mieux pour la famille, pour sa réputation, ne pas faire figurer le nom de Jérôme dans cette vilaine affaire. La famille devait serrer les rangs, si amère que soit la pilule pour Alfred. En tout cas, ce salaud de Jérôme avait été puni, la correction d'abord, son père après... Il fallait étouffer l'affaire. Le divorce serait prononcé et la femme irait au diable. Serrer les rangs... Il fallait tenir compte de la Banque, de M. Philippe et de Mlle Dorothée.

Bien que sa conscience d'avoué en fût horrifiée, M. Kendricks découvrait qu'il ne souhaitait plus qu'Amalie aille au diable. Il était ancien dans la carrière et c'était bien la première fois que le coupable l'attendrissait.

Puis, à son grand étonnement, il vit Amalie sourire et ce pauvre sourire éclaira tout le visage.

Il sut qu'elle était heureuse de voir que le nom de Jérôme ne figurait pas. « Sacré cochon », pensa l'avoué, pensant que Jérôme n'avait pas été assez puni, et il ajouta en lui-même : « Couillon ! » en évoquant la figure de son client.

— Eh bien, nous allons signer, Mrs. Lindsey, et je m'en irai... Il y a encore une petite question à régler... M. Lindsey vous donnera mille dollars immédiatement après le divorce, à condition que vous laissiez Riversend aussitôt.

La somme avait été fixée à cinq cents dollars, mais il venait généreusement de l'augmenter, contrairement à toute prudence professionnelle.

— Certainement, je m'en irai, dit-elle avec une docilité pitoyable.

Elle signa les papiers. La signature était sans relief et tremblotante.

— Mais je ne veux pas de l'argent d'Alfred. Vous le lui direz.

— Mais que ferez-vous, madame ?

Amalie regarda vers la fenêtre. Sa voix résonna plus forte et plus claire :

— Je m'arrangerai. Toute ma vie, j'ai dû lutter. Je peux bien lutter encore.

Ses épaules se redressèrent. Elle avait oublié l'avoué. Elle ne regardait plus la route, car elle savait que Jérôme ne viendrait pas maintenant. Elle se retrouvait seule comme avant. Elle n'avait pas peur. Elle mit la main sur son ventre. Non, elle n'était pas seule. Elle s'arrangerait pour vivre et faire vivre l'enfant de Jérôme. Pour la première fois, elle pensa à l'enfant, pauvre innocent qui dépendait d'elle. Une volonté s'anima en elle et elle eut un tressaillement de joie. Elle lutterait pour son enfant. Elle le protégerait contre tous les assauts ; la vie ne le blesserait pas, comme elle l'avait blessée.

M. Kendricks hésitait. Peut-être pourrait-il lui offrir quelques paroles de réconfort, lui toucher un mot de la vérité. Mais il y renonça ; il valait mieux s'abstenir.

Amalie se tourna vers lui et son sourire disparut :

— Puis-je vous poser une question ? Est-ce que Jérôme Lindsey est de retour ? Est-ce qu'il va bien ? C'est tout ce que je veux savoir.

M. Kendricks était très embarrassé. Il répondit d'un ton bourru :

— Il va aussi bien que possible... Il est de retour depuis la semaine dernière.

Amalie ne dit rien, mais ses yeux imploraient.

Pour éviter de s'attendrir, M. Kendricks retourna à ses papiers qu'il rangea dans la mallette. Il chercha son chapeau, marmonna quelque chose, cependant qu'Amalie disait :

— Et comment va M. William Lindsey ? Est-ce qu'il m'en veut beaucoup ? Et Philippe ?

M. Kendricks rougit jusqu'aux oreilles. Il ne savait où se fourrer. Il répondit rapidement :

— M. Lindsey... M. Lindsey va bien. Je suis sûr qu'il vous a pardonné. Et maintenant, au revoir, madame.

Il sortit aussi vite que possible, bondit dans son cabriolet et tourna bride. Il s'aperçut qu'il avait la sueur au front.

Il tenait les papiers. Ainsi, il ne serait pas nécessaire que cette pauvre jeune femme assistât aux débats. Le divorce serait prononcé par défaut. Il s'en réjouissait. Il aurait mal supporté de la voir à l'audience, exposée à la curiosité cruelle. Mais qu'allait-elle devenir ? Elle avait tort de refuser cet argent, mais il faudrait qu'elle accepte. Et ce serait deux mille dollars, foi de Kendricks.

Amalie ne retourna pas à la fenêtre. Elle alla s'étendre. Rigide comme un cadavre, elle regarda le plafond, en essayant de se souvenir de ce qu'elle avait lu dans les papiers. Le divorce serait expédié. Il serait prononcé mercredi, le jour même où l'affaire passerait. Elle avait compris. Personne ne la défendrait. Elle devait rester où elle était au cas où des complications surviendraient. C'était le dernier service qu'elle pouvait rendre à Alfred. Elle irait au tribunal si cela pouvait lui être utile, elle s'accuserait devant tous. Si rien n'exigeait sa présence, si le juge ne se montrait pas trop susceptible, elle pourrait quitter discrètement la ville et tous l'oublieraient. Elle savait, sans qu'on le lui ait dit, que la thèse soutenue devant le tribunal établissait qu'elle avait quitté le domicile conjugal pour rejoindre en secret son amant.

Elle ne vit pas venir la nuit et, le lendemain, elle ne sut pas davantage que le jour s'était levé. Elle n'avait conscience que d'une immense souffrance qui la lacérait de toutes parts. Il y avait des éclaircies où elle voyait Mrs. Hobson la soigner. Elle sentait des mains qui la soulevaient, la déplaçaient, qui lui posaient des linges glacés sur la tête. Entre ces accalmies, elle était si lasse qu'elle n'avait pas la force de tourner la tête. Une grande ombre, venue de très loin, s'approchait d'elle. Elle pensa qu'elle allait mourir, mais cela ne l'effrayait pas.

Une ou deux fois, elle vit le soleil. Puis elle s'endormait et, à son réveil, le soleil était encore là, à la même place, immobile, inchangé. Elle en éprouvait un étonnement puéril. Le temps s'était arrêté. Le jour brillait sans cesse. Ou bien elle ne se réveillait que le jour. Mais c'était étrange de voir Mrs. Hobson et puis de ne plus la voir ; parfois, son visage se confondait avec celui du fermier ; puis une jeune paysanne aux mains sûres prenait la place. C'était très compliqué.

Une autre fois, des voix retentirent, des voix qui parlaient fort et qui protestaient. Puis il y eut un silence tout vibrant. Quelqu'un était dans la pièce ; quelqu'un s'asseyait près d'elle et lui tenait la main. Cette main était chaude, ferme et forte. Elle fit un effort pour tourner la tête et elle ouvrit les yeux.

CHAPITRE XLII

ADOSSEE à ses oreillers, Amalie buvait sagement le bouillon que lui présentait Jérôme. Elle était trop faible pour parler, mais quand elle lui souriait, son visage était transfiguré. Elle ne se lassait pas de le voir.

Elle savait qu'il n'avait pas quitté la ferme depuis deux jours. C'était un profond réconfort que cette certitude de le trouver près d'elle, à chaque réveil, à n'importe quelle heure du jour ou de la nuit. Les traits de Jérôme se précisaient et, maintenant, elle les voyait nettement. Mais ce ne fut qu'au bout du troisième jour qu'elle aperçut la cicatrice rouge qui barrait le front, ainsi qu'une autre, à peine fermée, à la joue ; l'un des yeux était encore gonflé et meurtri ; le bras gauche était maintenu par des attelles.

C'est alors qu'elle revint vraiment à la vie, en poussant des cris. Pour lui cacher ses blessures, il l'avait enlacée de son bras libre, appuyant la tête d'Amalie sur son épaule. Mais elle l'avait repoussé avec une force nouvelle, voulant à tout prix savoir ce qui était arrivé.

Mais il y avait beaucoup de choses que Jérôme devait encore lui cacher et il se réjouissait de ce qu'Amalie fût encore trop faible pour saisir toute la portée de ce qu'il avait encore à lui dire. Il poussa un soupir en regardant le drap noir de ses habits.

Il expliqua que le divorce avait été prononcé trois jours auparavant. Il expliqua qu'il n'avait pas su où elle était. Mais ce qu'il ne lui dit pas, c'est que, pendant trois jours, il avait été incapable de penser à elle, car il avait vécu dans un enfer de souffrances et de désespoir.

Il avait envoyé Jim aux nouvelles à Riversend. Amalie n'avait pas pris le train, donc elle devait être dans les parages. Mais personne ne savait où. Puis, un jour, Jim avait été accosté dans la rue par Hobson, qui l'avait entraîné en jetant des regards furtifs de côté et d'autre. Jim avait pu voir Amalie, mais la pauvre ne l'avait pas reconnu. « Fièvre cérébrale, à ce qu'on disait », confia-t-il à Jérôme.

— Je n'ai pas pu venir immédiatement, dit Jérôme en détournant les yeux. Le docteur m'avait interdit de me lever. Mon bras était cassé en deux endroits et ma figure était juste recousue...

Il devait lui celer son immense douleur jusqu'à ce qu'Amalie soit plus forte. Il dit seulement :

— Nous avons la maison à nous, si cela t'intéresse. Alfred et Philippe sont partis. Ils sont provisoirement installés dans la vieille maison d'Anstead. Dorothée est avec eux. Nous pourrons revenir à Hilltop dès que nous serons mariés. Mais il faut, pour cela, attendre que tu sois plus forte. Il faudra nous marier en Pennsylvanie. C'est la loi. Mais le juge de Riversend ne contestera pas la validité du mariage. Personne, du reste.

Amalie écoutait en pleurant silencieusement. Elle comprenait. Quiconque était coupable d'adultère ne pouvait, dans l'Etat de New York, contracter mariage que cinq ans après le divorce, à moins d'une permission spéciale. Le juge était dans une fâcheuse position. C'était un ami d'Alfred, mais il fallait considérer l'enfant à naître. Si le mariage avait lieu en Pennsylvanie, Amalie et Jérôme pourraient retourner à Riversend sans que personne les molestât.

— Et ton père ? murmura-t-elle, repoussant la douleur qu'il lui faudrait affronter plus tard, en se souvenant que Jérôme et elle avaient chassé Alfred, Philippe et Dorothée de la maison paternelle. Parle-moi de ton père. Il n'est pas allé les rejoindre ?

Jérôme se leva brusquement. Il alla vers la fenêtre. Les yeux lui brûlaient et il avait un grand poids sur le cœur.

— Non, dit-il d'un ton calme. Mon père n'est pas parti avec eux. Il est... il est resté.

— Alors, il nous a pardonné ?

C'était un cri de joie.

— Oui, ma chérie, il nous a pardonné. Et... j'ai eu... des précisions sur... ses intentions. Les avoués me l'ont dit. Alfred et moi héritons de la maison en copropriété avec la faculté réciproque de vendre notre part, au cas où nous ne voudrions pas habiter ensemble... Je pense qu'Alfred me vendra sa part. La Banque aussi nous échoit dans les mêmes conditions. Dans ce cas, le partage sera plutôt délicat. Mais, d'une manière ou d'une autre, les choses s'arrangeront. Ça finit toujours par s'arranger. On verra ça... La première chose à régler est notre mariage... Mais tu peux voir que mon père avait compris. Je dirais même qu'il s'en est toujours douté.

Il y avait un silence étrange dans la pièce. Jérôme était toujours tourné vers la fenêtre. Enfin, il eut conscience qu'Amalie n'avait rien dit depuis longtemps. Il fit brusquement demi-tour. Elle, aussi blanche que ses draps, le regardait d'un œil fixe.

— Jérôme, Jérôme, ton père est mort !

C'était ce qu'il voulait lui épargner et c'était précisément ce qu'il venait de lui révéler. Il s'assit sur le lit en maudissant sa sottise. Il cherchait en son esprit quelque mensonge, quelque réconfort. Mais, devant son regard, il ne sut rien trouver.

Elle se détourna et enfouit son visage dans les oreillers.

Il essaya de la raisonner. Cette mort n'était pas inattendue : depuis longtemps, le cœur déclinait et ce n'était plus qu'une question de temps. Même si rien ne s'était passé, son père aurait connu un bref sursis, tout au plus. Il allait tout raconter à Amalie. L'arrivée inopinée de son père dans la bibliothèque, ses efforts dérisoires pour maîtriser Alfred, suivis d'une syncope. Alfred, oubliant son ennemi évanoui, transporta son père adoptif jusqu'à sa chambre et fit prévenir Dorothée et le docteur Hawley. Jérôme apprit plus tard de la bouche de Jim qu'il était resté étendu dans la bibliothèque jusqu'à minuit, quand le docteur, laissant le chevet de M. Lindsey, put répondre à l'appel de Jim. Tous les deux montèrent Jérôme jusqu'à sa chambre. Le docteur put alors remettre le bras et recoudre la figure. Pendant trois jours, Jérôme resta inconscient, abandonné aux soins de Jim. Le reste de la maisonnée s'occupait du mourant.

On se souvint de lui le quatrième jour et un domestique vint le chercher pour l'amener auprès de son père. Il ne pouvait raconter cette entrevue suprême, ni à Amalie, ni à personne d'autre. Il se tut. Mais Amalie se tourna vers lui, immobile et muette. Elle attendait.

Jérôme reprit son récit, sans beaucoup de conviction. Amalie et lui ne devaient pas exagérer leur responsabilité dans la mort de M. Lindsey. Avant de mourir, il avait eu pour elle une pensée affectueuse. Il avait chargé Jérôme de lui dire que rien ne pouvait le sauver et qu'il se réjouissait de leur mariage. Il aurait voulu les accueillir à leur retour à Hilltop. Mais Amalie comprendrait quand elle connaîtrait son testament.

Amalie s'était mise à pleurer et Jérôme sentait qu'il ne pouvait la consoler. Elle se souvenait de M. Lindsey, de son affection, de ses bontés. Elle était persuadée qu'il était mort de chagrin. Elle revoyait nettement le vieillard, son sourire affable ; elle se rappelait ses paroles affectueuses, ses silences compréhensifs. Et Jérôme et elle l'avaient tué, après avoir plongé ses derniers moments dans l'horreur et le désespoir.

— Non, dit-elle à Jérôme, nous ne pourrons jamais oublier. Ce sera notre châtiment.

— Mais je t'affirme, ma chérie, qu'il ne nous en a pas voulu. Il m'a dit que son seul regret était de ne pas voir notre enfant, son premier petit-fils. Crois-moi, il s'est montré bon et heureux jusqu'au bout. Quand je lui ai demandé de nous pardonner, il a ri, comme si ma requête était absurde.

Il s'abstint de raconter que, presque au moment de mourir, il avait dit à Jérôme : « Si tu as seulement compris qu'on n'offense pas impunément son prochain, que la cruauté consciente trouve son châtiment en elle-même, que quand un homme en frappe un autre, il frappe en même temps tous ceux qu'il aime, alors toutes nos souffrances n'auront pas été inutiles. »

Il ne pouvait pas davantage lui parler des funérailles : Alfred et lui face à face, de chaque côté de la tombe, écoutant les paroles du pasteur, sous une pluie battante. Alfred, comme une statue de pierre, les bras croisés, regardait le trou géant. D'un côté se tenait Dorothée en larmes, de l'autre Philippe. Derrière eux, les amis s'étaient massés. Personne n'avait daigné accorder un regard à Jérôme, appuyé sur sa canne, le bras en écharpe. Personne, sauf Philippe. Jérôme avait rencontré le regard triste de l'enfant et il n'y avait lu ni reproche ni dégoût, seulement de la sympathie au fond des yeux. Après la cérémonie, Philippe s'était arrangé pour lui glisser : « Oncle Jérôme, dites à Amalie toute mon affection. »

Puis il avait rejoint son père et Dorothée. Le pasteur et les amis les avaient suivis. Jérôme était retourné à la maison en deuil et s'était couché immédiatement. Le lendemain, de bonne heure, Jim était venu l'avertir qu'Alfred, Philippe et Dorothée partaient le jour même. Ils refusaient de rester sous le même toit que celui qui avait provoqué la catastrophe.

Que de choses il devait taire à jamais. Assis près d'Amalie, il l'embrassait doucement, lui caressait les cheveux. Elle s'accrochait à lui en pleurant. Mais il ne pensait guère à elle actuellement. Sa douleur était trop neuve et trop lourde. Il lui faudrait des années pour oublier un peu.

« Comment pourrai-je reprendre la vie là-haut ? pensait-il. Que ferons-nous ? Toute la ville est pleine de haine et de vengeance. »
Il eut l'idée de partir, de tout abandonner à Alfred.

Il s'écarta d'Amalie et retourna à la fenêtre et promena ses regards sur la quiétude du chaud crépuscule. Il pensa : « Je ne partirai pas. Il y a du travail qui m'attend. Il ne sera pas dit qu'Alfred me chasse. S'il y en a un de nous deux qui doive partir, ce ne sera pas moi. »

Il y avait quelque chose aussi qu'il n'oublierait jamais : sa sœur avait paru à la barre et avait témoigné de la culpabilité de son frère dans l'adultère.

CHAPITRE XLIII

BIEN que le pays au-dessous de Hilltop témoignât d'un vaste esprit d'entreprise par son activité et son animation, Amalie Lindsey reconnaissait qu'il n'avait pas gagné au change. Le silence et l'équilibre de la campagne étaient rompus, gâchée l'heureuse disposition des champs et des bouquets d'arbres, si proche de celle des paysages d'Europe. L'Amérique se couvrait d'escarres et, si l'opération apportait la vie et la prospérité à des millions d'êtres, c'était une offense et un sujet de tristesse pour ceux qui préféraient la beauté aux forts salaires et à l'indice croissant de la main-d'œuvre.

Ainsi, le bois au pied de la colline avait cédé la place à une florissante usine d'instruments aratoires, que possédait l'enthousiaste King Munsey. Ses quatre cheminées dégorgeaient une fumée nauséabonde. La rivière avait perdu son bleu limpide et s'irisait de taches violacées et huileuses marbrées de rouge et de jaune vireux. La végétation des bords, jadis de saules souples, d'iris et de nénuphars, s'était avilie en une masse d'herbes charbonneuses.

Oui, le spectacle offensait la vue. Mais Amalie reconnaissait aussi que, grâce à l'inexorable insistance de son mari, les baraquements délabrés avaient disparu, miraculeusement remplacés par de petites maisons blanches en bois ou en pierre, entourées de jardinets soignés, où vivaient les ouvriers de l'usine. M. Munsey avait été prévenu qu'il ne fallait pas provoquer de scandale du logement à Riversend et que ses ouvriers ne seraient pas parqués dans ces espèces de camps de concentration, qui faisaient la renommée infâme de certaines villes de Pennsylvanie. Jérôme et lui étaient maintenant de bons amis, mais la lutte avait été serrée au début.

— Mais ces brutes connaissent pas aut' chose, protestait M. Munsey, avec des larmes dans la voix et plus de passion que de correction grammaticale.

— Ça m'est égal, répondait Jérôme. Je pense à ma réputation.

Cette réflexion resta obscure pour M. Munsey, mais il finit

par s'incliner. Sinon il n'aurait pas eu le droit de s'installer. Toutefois, quand la presse new yorkaise fit l'éloge « de cette innovation, témoignage chrétien du respect des droits de l'homme, si humble que fût sa tâche, de cet intérêt apporté au bien-être du travailleur et de sa famille », M. Munsey posa pour les photographes de la capitale et souffrit qu'on l'encensât comme « bienfaiteur de l'humanité ». Il combattit encore Jérôme avec acharnement, au sujet des syndicats, « ces associations nihilistes, qui portaient atteinte aux droits du capital et menaient directement à l'anarchie et à la tyrannie insolente des masses ». Mais Jérôme avait encore une fois remporté l'avantage. Quand M. Munsey, tout en émoi, lui avait demandé les raisons de son insistance, il avait reçu la même déconcertante réponse : « Mais je pense à ma réputation. » M. Munsey reçut de nouveaux éloges, comme « représentant de ce patronat moderne qui savait que la franchise et la loyauté des rapports ainsi que la juste appréciation de la dignité du travail ouvraient la voie aux relations amicales et profitables entre l'employeur et l'employé. » M. Munsey négligea de parler de Jérôme.

Le sud de Riversend s'enorgueillissait maintenant d'une fabrique d'accessoires de sellerie et d'articles de quincaillerie. Les grands ateliers du chemin de fer, une minoterie, des ateliers de carrosserie, étaient venus s'ajouter à la brasserie, qui trouvait que l'eau de source du pays était excellente pour la fabrication de boissons alcooliques. Au-delà de ces bâtiments utilitaires, s'étendait l'avenante cité ouvrière où les travailleurs et leurs familles étaient soumis à une surveillance rigoureuse et maintenus en parfaite santé physique et morale. Jérôme avait dû recommencer la lutte avec chaque nouveau propriétaire d'usine, mais comme la défaite leur valait le titre de « bienfaiteur de l'humanité », ils ravalaient leur indignation et leur hostilité, rayonnaient devant l'objectif et accordaient gracieusement des « interviews » aux journalistes. Riversend était devenue la cité industrielle modèle.

Jérôme, bien entendu, passait pour révolutionnaire. Et quand, par des moyens secrets et condamnables sans doute, il parvint à circonvenir les députés pour que l'instruction obligatoire jusqu'à l'âge de quatorze ans devienne une loi d'Etat, le scandale des bien-pensants fut à son comble. C'était une usurpation du droit des parents, qui privaient ceux-ci du fruit du labeur de leurs enfants, et encourageait la paresse et l'insouciance chez les jeunes qui seraient mieux à leur place dans les usines, les champs ou la maison familiale qu'à l'école. L'éducation qu'ils recevraient les rendrait impropres à remplir leurs futures fonctions de gens de maison, domestiques de ferme, patients manipulateurs de machines au cours de journées de douze heures. Mais les ouvriers qui envoyaient leurs enfants à l'école oubliaient apparemment le sort qui les menaçait, eux et leurs enfants, ce qui confirmait les appréhensions sinistres des possédants privilégiés.

Il n'y avait pas un coin de ce paysage, si tendre autrefois, qui n'eût son panache de vapeur ou de fumée. Amalie regardait avec un sourire où la nostalgie luttait contre la satisfaction. C'était l'œuvre de Jérôme, de son mari.

Cinq ans après, Jérôme était puissamment riche. Il faisait partie de tous les conseils d'administration de la localité. Ce propre à rien, ce dilettante, ce noceur était devenu l'un des puissants de Riversend.

La sympathie récente qu'on lui témoignait (sympathie très sensible aux profits matériels) n'empêchait pas qu'Amalie fût frappée d'ostracisme. On invitait Jérôme, on le respectait, il était adoré, adulé, traité avec la tendresse qu'on réserve à l'enfant prodigue, surtout lorsqu'il revient cousu d'or. Mais Amalie n'était pas reçue, sauf par la veuve Kingsley et les matrones parées des vulgaires mercantis qui avaient envahi Riversend à l'appel de Jérôme. Celui-ci n'en souffrait pas plus qu'Amalie. Tous les deux trouvaient la chose prodigieusement amusante. Amalie était une divorcée, condamnée comme adultère. Jérôme, lui, n'avait pas divorcé et l'adultère était un privilège reconnu au célibataire. La veuve Kingsley avait beau citer Benjamin Franklin avec aplomb : « A mariage sans amour, amour sans mariage », ses amis, indignés, savaient bien qu'elle était une excentrique, qui aimait attirer l'attention par d'horrifiantes aberrations. Libre à elle de se faire remarquer par son attachement à cette femme de rien, au point d'être la marraine de son premier rejeton équivoque, et même du second. Il fallait fermer les yeux sur ses agissements.

Toutefois, par égard pour Jérôme qui tenait trop de gens en son pouvoir, « la vieille garde » se laissait fléchir à l'endroit des enfants Lindsey. On envoyait des invitations à la jeune Mary Maxwell-Lindsey, invitations auxquelles la maman de la jeune personne répondait invariablement : « Nous pensons que Mary n'est pas encore en âge de sortir dans le monde. » Néanmoins, ces démarches laissaient à penser que, plus tard, Mary serait reçue dans la bonne société, en dépit de l'interdit qui frappait sa mère. Jérôme n'était pas fou, se disaient les opportunistes, et il savait bien qu'il ne pourrait garder ses enfants à l'écart des compagnons de leur rang. Du reste, Mary serait une richissime héritière et c'était la préférée de son père, bien qu'il y eût un fils plus jeune.

Alfred Lindsey s'était fait bâtir une maison en vue de Hilltop, à flanc de colline, sur la gauche. Souvent, Amalie s'asseyait sur la terrasse et regardait cette nouvelle demeure, d'une élégance sévère, avec une expression étrange, mais placide. Un jour, Jérôme l'avait surprise ainsi et lui avait dit d'un ton désagréable :

— Je t'achèterai une paire de jumelles ; comme ça, tu les verras mieux.

D'un air sérieux, Amalie l'avait pris au mot, et quand il avait apporté les jumelles, elle l'avait remercié avec plus de chaleur qu'il n'aurait aimé. Il ne sut jamais si elle s'en servait ou non, mais il la soupçonnait d'en faire usage.

Il ne se trompait pas. Dissimulée dans le bois de sapins, Amalie restait de grands moments, les jumelles aux yeux. Elle voyait nettement Dorothée qui se promenait dans le jardin ; parfois Alfred l'accompagnait. (Alfred n'avait pas épousé Dorothée et ne s'était jamais remarié.) Les visages étaient flous, mais on suivait toutes les allées et venues. Pendant les vacances, Philippe s'asseyait à l'écart sous les saules, un livre sur les genoux, et rêvait, la tête levée. Amalie éprouvait alors les seules tristesses qu'elle eût et elle abandonnait les jumelles avec un soupir.

Jérôme et elle ne parlaient presque jamais de leurs parents et de la brouille. Mais parfois, quand ils étaient seuls devant le feu de la bibliothèque, Amalie voyait Jérôme lâcher son livre et regarder dans le vide avec une férocité froide. Alors, le sang affluait aux deux vilaines cicatrices comme si elle étaient toutes récentes. Amalie savait que Jérôme haïssait Alfred et Dorothée d'une haine inassouvie et qu'il souffrait de son impuissance à leur nuire. Qu'Alfred, avec une dignité hautaine et touchante, lui eût abandonné la maison, cela ne comptait pas. Alfred aurait pu compliquer la situation à plaisir, puisque le domaine était indivis. Mais, comme toujours, par esprit de justice, il s'était écarté devant le fils de William Lindsey. Jérôme avait offert d'acheter la part d'Alfred, mais celui-ci avait froidement décliné l'offre. Amalie éprouvait un secret malaise en pensant que cette mainmise sur la maison exaspérait son mari, et elle craignait, assez justement, que ce fût la raison pour laquelle Alfred tenait à garder sa part. Amalie et Jérôme pouvaient avoir la jouissance exclusive de la propriété ; mais leur ennemi, établi aux portes du domaine, leur rappelait fâcheusement qu'il en restait maître en partie, et que, seule, sa magnanimité méprisante leur permettait d'y vivre.

Certains s'étaient demandé pourquoi Alfred s'était installé si près de Hilltop. Dorothée croyait qu'il avait choisi ce site pour éviter la proximité de la ville et les promiscuités vulgaires. D'autres y voyaient l'intention de rappeler leur faute aux coupables. Quelques-uns, dans le secret de leur cœur, se disaient qu'ainsi il restait près d'Amalie et de la maison qu'il aimait.

257

Quoi qu'il en fût, Alfred n'avait jamais fourni d'éclaircissements à ce sujet.

Chaque année, il payait la moitié des impôts. Quand Jérôme fit exécuter d'importants travaux d'amélioration : installation du gaz et salles de bains, réfection de la toiture, forage d'un nouveau puits, embellissement du parc, il reçut la visite de l'homme d'affaires d'Alfred, qui l'informa que M. Lindsey voulait prendre à sa charge la moitié des frais.

— C'est son intérêt, voyez-vous. Il ne peut pas négliger ses intérêts.

Mais Jérôme repoussa l'offre et l'humiliation implicite.

Toutes ces pensées désolaient Amalie. Elle venait de remplir une corbeille des plus belles fleurs du jardin pour orner la tombe de M. Lindsey, car c'était l'anniversaire de sa mort.

Ce matin d'août ne rappelait en rien le jour funèbre, noyé de pluie, d'il y a dix ans. Le ciel était éblouissant. Les delphiniums dressaient des herses d'un bleu vif au long des murs de briques ; les chrysanthèmes précoces éclaboussaient les parterres de jaune, de rouge cuivré et de blanc ardent. Les roses flambaient de leurs derniers feux et la fontaine de marbre de Jérôme jetait dans l'air brûlant ses embruns de lumière.

Amalie rentra dans la maison et s'enquit de sa fille. Dans la fraîche pénombre de la bibliothèque, tous les fauteuils semblaient vides. Mais Amalie, instruite par l'expérience, en fit le tour. Mary lisait, pelotonnée dans le vieux fauteuil de cuir rouge de M. Lindsey.

— Tu es une vilaine petite fille. Je croyais que tu devais m'aider à cueillir des fleurs pour grand-père.

Mary déposa son livre et, sans mot dire, se déroula. Elle était très grande pour ses dix ans, et sa silencieuse réserve lui donnait plus que son âge. D'une voix douce, elle dit :

— Pardon, maman, je ne savais pas qu'il était si tard

— Tu ne sais jamais. Tu es assommante. Je pensais aller au cimetière à pied, maintenant il faudra prendre la voiture. Regarde ta robe. Par égard pour ton grand-père, tu aurais pu en changer.

L'enfant regarda sa robe d'un air troublé, mais ne répondit pas. Elle avait un peu peur de sa mère, qui n'était pas patiente avec elle. Mais quand Amalie passa la main sur les beaux cheveux en désordre, Mary sentit que c'était plus une caresse qu'un geste de reproche. Elle eut un sourire timide.

Amalie poussa un soupir.

— Tâche de trouver Jim et demande-lui s'il veut nous conduire au cimetière. N'oublie pas de mettre un grand chapeau, le soleil est chaud.

Elle posa sur la table la corbeille de fleurs et sortit.

Quand elle fut seule, l'enfant s'approcha de la corbeille et toucha les fleurs avec des gestes câlins. Elle souffrait de voir qu'on avait coupé ces belles fleurs pour orner une tombe insensible. Elle choisit un bouton de rose rouge sombre, le fourra sous son tablier et quitta la pièce en courant. Elle monta l'escalier en retenant son souffle. Personne. Elle jeta un coup d'œil dans la chambre de ses parents. Comme elle l'espérait, sa mère était déjà partie pour donner un dernier coup d'œil au petit William. Mary plaça la rose dans un verre d'eau sur la commode de son père. Elle la contempla un instant avec un plaisir ravi, puis déposa un baiser sur les pétales.

Mary se regarda ensuite dans la psyché de sa mère. Le petit visage aigu, dont la carnation exquise reflétait l'émotivité, donnait une curieuse impression de force intérieure. Ce n'était pas un visage mobile comme celui d'Amalie : malgré sa sensibilité et son enfantine fluidité, il avait quelque chose de rigide. Plus tard, ce serait peut-être un visage d'une froideur austère à l'image de celui de M. Lindsey. On n'en voyait maintenant que l'aimable pureté, invulnérable malgré la délicatesse patricienne des traits. Une lumière de prompte intelligence se jouait dans les yeux, les sinuosités de la bouche étroite, les minces narines du nez droit. Avec un orgueil qui flattait sa race, Jérôme l'appelait : « Ma petite Vestale de la Nouvelle-Angleterre » et, bien qu'il sourît à ces moments-là, elle n'était pas très sûre qu'il y eût de l'admiration dans sa voix, et elle en était intriguée.

D'un coup de tête, elle dégagea ses joues brûlantes de la masse lisse des cheveux de lin. Quelques bouclettes dorées collaient encore au front moite. Il lui faudrait se recoiffer. C'était ennuyeux.

De plus, comme maman l'avait dit, la robe de guingan rouge et bleu était froissée. Elle passa ses petits mains étroites pour la défriper. Elle étira les volants du tablier, puis, d'un geste d'impatience, elle le jeta sur le fauteuil favori de son père. Jérôme devait le trouver plus tard et le dérober vivement aux regards critiques d'Amalie. Il était touché et ravi de ces menus témoignages des visites secrètes de sa fille.

Oubliant qu'elle avait décidé de se recoiffer, Mary descendit en courant l'escalier à la recherche de Jim.

Cependant, Amalie était près du lit du petit William. Penchée sur lui, son cœur se fondait de tendresse. Si Mary était la favorite de Jérôme, William était l'enfant chéri de sa mère. Le petit garçon de cinq ans, robuste et vigoureux, avait encore les rondeurs replètes de la première enfance. Il dormait d'un sommeil parfait, ses boucles noires éparpillées sur l'oreiller, la joue rouge appuyée sur le tendre poing fermé. Des cils noirs frangeaient les paupières.

La bouche, grande et forte, obstinée même, ainsi que l'ensemble du visage, suggéraient déjà les traits maternels. L'enfant exhalait l'innocente odeur animale des jeunes chairs bien lavées.

Amalie éprouvait une plénitude et une satisfaction profondes. Passant par sa chambre pour mettre un chapeau, elle se regarda distraitement dans le miroir, mais non sans plaisir. Sa robe de batiste fleurie rehaussait son élégance naturelle et elle vit complaisamment la minceur de sa taille et les courbes pleines de la poitrine haute. Le cou s'élançait, ferme et sans rides, des ruchés de l'encolure. Elle avait bien quelque inquiétude à cause des cheveux blancs qui lui poussaient aux tempes, mais elle se disait qu'à quarante-cinq ans Jérôme était tout gris et cela ne faisait qu'accroître sa distinction. A la pensée de son mari, tout son visage s'adoucit et prit un air de palpitante jeunesse. Même les éclats de colère et les querelles qui troublaient parfois la paix familiale ne faisaient qu'augmenter leur mutuelle passion. Il pouvait y avoir des satisfactions dans cette vie, mais il y avait aussi de furieuses convulsions et jamais de tranquillité réelle. Amalie ne s'en plaignait pas.

Elle descendit dans le vestibule et passa chercher son panier de fleurs à la bibliothèque. Des ombres la hantaient parfois ; l'ombre de M. Lindsey était bonne et compréhensive et le souvenir de Philippe, aimable. Mais elle ne pouvait réprimer un petit serrement de cœur, chaque fois qu'elle franchissait, en hâtant le pas, le seuil de la chambre qu'elle partageait jadis avec Alfred. C'était Mary qui l'occupait maintenant. Jérôme, qui n'était pas sentimental, ne faisait aucun cas des répugnances d'Amalie à cet endroit. La chambre de M. Lindsey était devenue celle du petit William. Celle de Dorothée se trouvait, ainsi que deux autres, sur le même palier. On les réservait aux hôtes de passage, financiers ou industriels de New York. La chambre de Philippe était maintenant la « salle de jeu » de Mary. Le mobilier était en bois de rose, choisi avec amour par Jérôme.

Amalie devait sans cesse lutter contre un honteux et secret sentiment de jalousie. Après tout, il faudrait bien que Jérôme abandonnât son trésor, le jour où sa fille se marierait. Amalie se mit à rire malgré elle et, secouant ses volants, elle sortit.

La voiture attendait. Jim, plus noueux que jamais, ses derniers cheveux tout blancs, bavardait avec Mary. Il avait sorti le phaéton et Mary était assise devant, à côté de lui, les cheveux flottant au vent.

— Tu as oublié ton chapeau, petite étourdie. Va le chercher tout de suite. Tu vas prendre une insolation et ton père me fera des reproches. Tu as les joues toutes rouges déjà.

Jim sauta du siège avec raideur pour aider Amalie.

CHAPITRE XLIV

Un VENT chaud s'était levé qui tourmentait les arbres et pâlissait les herbes. Amalie et sa fille tenaient à deux mains leur chapeau, tandis que la voiture filait vers le cimetière. Quand elles descendirent, le grand vent plaqua leurs jupes en lignes sculpturales. Elles entrèrent, portant les fleurs, sous la colonnade d'ormes antiques.

Là, le vent était moins violent, brisé par les troncs vigoureux et les murs bas. Les dalles au soleil éclataient de blancheur. Les lapins et les écureuils détalaient dans l'herbe. La solitude de la mort était peuplée de vies, les tertres verdoyaient dans la lumière ou l'ombre épaisse, dans un silence à nul autre pareil.

Le tombeau des Lindsey était à l'autre bout du cimetière, près d'un mur couvert de lierre. Les jardiniers de Hilltop s'occupaient de ce secteur, qui était propre et bien aligné, les dalles soigneusement grattées. Un demi-cercle de grands saules frêles, gardiens des tombes, s'inclinaient vers la terre en abritant des bancs de marbre blanc. Des fougères, des géraniums et des phlox éclatants poussaient dans les urnes. Il y avait aussi un petit bassin où les oiseaux s'assemblaient pour se baigner en échangeant leurs propos mélodieux. Après la mort de sa femme bien-aimée, M. Lindsey avait fait exécuter une grande statue de pierre blanche, la figure voilée et les mains jointes. Les plis de la robe étaient verdis de lichen.

La tombe de M. Lindsey ne portait que cette seule inscription : « William Montgomery Lindsey, 1800-1870. » Du reste, il n'y avait pas de phrases grandiloquentes sur aucune des tombes des Lindsey. Amalie se pencha pour disposer les fleurs et, ce faisant, elle vit que quelqu'un l'avait précédée. Il y avait une gerbe de lis, au chevet de la dalle, juste quelques tiges d'une beauté exquise dans leur blancheur immobile.

— Quelles jolies fleurs ! dit Mary avec amour et regret. Quel dommage de les laisser mourir là, où personne ne peut les voir ! Si nous les emportions. Nous n'en avons pas de pareilles à la maison...

Amalie allait se lancer dans un sermon sur l'inviolabilité des tombes, mais elle se ravisa. Jérôme avait raison : c'était stupide de faire du sentiment avec les enfants. Ils finissaient toujours par y voir clair et se moquaient de vous en eux-mêmes.

— Si ça peut te faire plaisir, prends-en une ou deux et emporte-les.

Mary s'empressa d'en choisir deux qu'elle tint serrées avec adoration dans ses petites mains. Elle fourra son nez entre les pétales et le retira tout jaune du pollen.

— Grand-père ne trouvera pas que c'est mal, dit-elle.

— Non, tu as raison. Je crois qu'il aurait du plaisir à te les donner.

Mary lança vers sa mère un regard étrange, comme si ces paroles la surprenaient. Il y avait aussi une reconnaissance étonnée. C'était le regard d'un être perdu parmi des étrangers et qui entend soudain sa langue familière d'une source inattendue. Amalie en fut à la fois touchée et irritée. Elle ne se trouvait pas dépourvue de finesse ou de sensibilité. Cependant, sa fille n'était jamais à l'aise avec elle et se montrait sur la défensive. Ce n'était pas flatteur pour qui était doué de perceptions subtiles, et Amalie en souffrait dans sa vanité. Mary, intarissable en compagnie de Jim, de son père ou de son frère, était très réservée avec sa mère. Une fois, Jérôme lui avait dit :

— Tu n'es jamais toi-même avec Mary. Tu ne dis jamais ce que tu as l'intention de dire. Tu te crois obligée d'être uniquement « la mère ». Essaie donc de te rappeler que Mary n'est pas uniquement ton enfant, mais que c'est aussi un être humain.

Distinction bien subtile, pensait Amalie avec exaspération.

Cependant, elle observait sa fille. Le vent soulevait les pâles cheveux blonds et les éparpillait sur le visage et autour de la tête en une auréole qui lui donnait l'air étrange d'une créature d'un autre monde. Le petit visage rêveur contemplait les lis. L'enfant avait gagné la retraite où, seul, Jérôme savait la trouver.

Amalie dit tout doucement :

— J'aurais bien voulu que tu connaisses ton grand-père. Non seulement c'était une belle âme, mais c'était aussi un ami.

— Oh ! oui, je sais.

— Papa te l'a dit ?

— Non, mais je le sais. Je sens que grand-père est là.

Amalie ne répondit pas. Elle s'agenouilla pour arranger les fleurs. Les roses se flétrissaient déjà.

— Je n'apporterai plus de fleurs coupées, dit-elle. Des plantes en pot, peut-être, ou bien du lierre. Oui, c'est vraiment dommage de les laisser mourir ici.

Mary sourit d'un air de satisfaction en montrant le bassin.

— Elles vivraient plus longtemps si nous les plantions dans le bassin.

Amalie serra les lèvres et, prenant les fleurs y compris les lis, se dirigea vers le bassin. Elle plongea les longues tiges dans la vase. L'eau verte se troubla un instant. Amalie s'accusait de puérilité. Elle avait apporté des fleurs pour une tombe et maintenant elle leur donnait un bref sursis, loin de la tombe à laquelle elles étaient destinées. Mais, quand elle vit l'expression de Mary, elle n'eut plus de regrets. Elle regarda les fleurs d'un cœur léger.

— Les oiseaux seront heureux, dit Mary dans un de ses inexplicables retours vers le rêve.

Amalie pensa qu'il était inutile de chercher à comprendre, mais acquiesça.

Etait-ce Alfred qui avait apporté ces lis, ou bien Dorothée ? Est-ce que ces fleurs magnifiques venaient de leur jardin ? Dorothée n'aimait pas les lis, des fleurs de mort, comme elle les appelait autrefois. Quant à Alfred, il n'avait jamais montré de préférence pour aucune fleur.

— Je me demande qui a apporté ces lis.

— Je pense que c'est lui, dit tranquillement Mary en désignant un homme assis à l'écart dans l'ombre des saules.

Le cœur bondissant, Amalie se détourna. Quand l'homme se vit découvert, il se leva, silhouette trapue, et s'avança à pas lents.

— Philippe ! s'exclama Amalie en rougissant.

— Amalie, dit Philippe, très calme et souriant.

Il lui tendit la main et leva sur elle un regard curieux, mais plein de douceur.

Amalie hésita avant de prendre la main de Philippe, cordialement offerte. Elle balbutia :

— Il y a des années que je ne vous ai vu. Comment allez-vous ? Vous avez très bonne mine. Vous n'avez guère changé.

Mais Philippe avait changé. C'était un homme. Il avait vingt-quatre ans maintenant et, quoique sa taille déjetée n'eût guère augmenté, son visage indiquait la maturité. C'était le visage de Jérôme, mais un Jérôme meilleur, plus doux, plus méditatif et plus subtil, un Jérôme dépouillé de sa sombre arrogance et de sa cruauté froide. Philippe avait aussi quelque chose qui manquait à Jérôme : cette puissance de réflexion, pleine d'humour et de mélancolie. Les cheveux drus et noirs étaient les mêmes et le modelé de la tête suggérait l'orgueil de Jérôme, sans son intolérance. Il y avait chez Philippe la calme fermeté de l'homme qui a déjà parcouru, non sans tristesse, une longue route, avec l'aide d'un courage inébranlable et compatissant.

— Et vous, vous êtes toujours la même, Amalie, répondit

Philippe qui lui tenait toujours la main, et la regardait encore, de ses yeux noirs et décidés.

Amalie, très gênée, retira sa main.

— Voici Mary, ma fille.

— Oui, je sais.

Il se tourna vers l'enfant en souriant et il ajouta en évitant de regarder Amalie :

— J'ai des jumelles, moi aussi.

Amalie rougit jusqu'aux oreilles. Désemparée, elle se mit à rire.

— Vous n'allez pas me dire que... tout le monde est au courant.

— Non, rassurez-vous, dit-il, en continuant d'examiner Mary avec un bon sourire.

L'enfant le regardait avec de grands yeux candides et ravis. Elle demanda de but en blanc :

— Vous connaissez mon papa ? Est-ce que vous l'aimez ?

— Mais oui, Mary, répondit Philippe d'un ton sérieux, comme à un égal respecté. Je suis le cousin de votre papa. Je m'appelle Philippe, Philippe Lindsey.

— Pourquoi ne venez-vous pas nous voir ? J'aimerais bien vous voir.

Amalie attendait la réponse de Philippe. Il répondit prudemment :

— Je faisais mes études, Mary, et je viens juste de les terminer. Maintenant, je serai chez moi, tout le temps. Je viendrai vous voir bien volontiers, si cela vous fait plaisir.

— Où habitez-vous ?

— Au-dessous de Hilltop.

Les sourcils blonds de Mary se contractèrent.

— Vous voulez dire cette espèce de maison ?

Philippe eut fortement envie de rire, mais, par égard pour Amalie qui écoutait, consternée, il évita de la regarder.

— C'est comme ça que votre papa l'appelle ? Eh bien, oui, j'habite dans « cette espèce de maison ».

Mary, oublieuse de l'embarras de sa mère, continua avec intérêt :

— Papa dit que je ne dois pas y aller, parce qu'il y a des hommes gris, des hommes de pierre qui me changeraient en glaçon.

L'enfant sourit à Philippe comme si elle lui confiait un secret absurde.

— Mary, s'exclama Amalie, jamais je n'ai entendu ton père tenir de pareils propos. C'est pure imagination de ta part et c'est très impoli pour Philippe.

Mary se tourna vers elle avec un air grave :

— Ce n'est pas de l'imagination. Vous me dites toujours que j'invente, mais je n'invente pas. Papa m'a dit cela. Vous pouvez le lui demander.

Amalie ne répondit pas. Philippe regardait l'enfant avec tendresse.

— Vous ressemblez beaucoup à votre grand-père.

— Oui, je sais. Il devait être très bien.

Amalie et Philippe éclatèrent de rire, tandis que Mary les examinait, déconcertée. Puis elle dit d'un ton piqué :

— Philippe n'a pas l'air d'être en pierre. Vous êtes tous en train de vous moquer de moi.

— Il ne faut pas prendre les choses au pied de la lettre. dit Philippe avec tact. Votre papa a simplement employé une figure de langage, où les mots ont un sens différent.

Mary, satisfaite, acquiesça :

— Je sais, dit-elle, sans préciser.

Elle jeta un curieux regard vers sa mère qui ,heureusement, n'en vit rien, car elle était complètement démontée.

— Asseyons-nous un moment, dit Amalie. J'aimerais tant que vous me parliez de vous, de votre vie.

Tous les trois se dirigèrent vers le banc. Mary était fascinée par ce parent qu'elle ne connaissait pas. Elle s'assit près de lui et ne le quitta pas des yeux, tandis qu'il parlait avec Amalie.

Philippe, de cette voix calme dont elle se souvenait. mais qui avait pris la force et l'assurance de la maturité, parla de ses années d'études. Il venait de quitter Harvard et son père désirait maintenant qu'il entrât à la Banque.

— Mais votre musique ? Les livres que vous vouliez écrire ?

Amalie était désolée.

Philippe regarda ses pieds menus.

— Mon père n'a pas d'autre fils, Amalie. Si... s'il s'était remarié, et qu'il ait eu d'autres enfants, c'eût été différent. J'aurais pu suivre mes goûts.

Les yeux d'Amalie s'assombrirent. Encore un qu'elle avait blessé, sans le vouloir. Elle s'en attristait

— La Banque est moins importante que vous. Philippe.

Philippe ne répondit pas. Il songeait à son père meurtri, sombre, sans espoir. Philippe savait que la pitié dévore souvent celui qui l'éprouve. Mais il n'y avait pas d'autre solution pour lui.

— Le métier de banquier ne vous plaira pas.

Philippe leva les yeux sur les branches du saule qui retombaient comme un jet d'eau.

— Ça ne me prendra pas tout mon temps... Je ne suis pas féru de mon importance.

— Personne n'a le droit d'enterrer ses talents.

Philippe lui sourit pour la consoler.

— Je crois que je n'ai jamais été qu'un dilettante. Des talents d'amateur, sans plus. Rien ne m'empêche d'en jouir. Les dilettantes ont leur utilité dans la vie, mais il n'ont pas à convaincre autrui qu'ils sont des génies. — Il regarda Amalie, — Est-ce que Jérôme fait encore de la peinture ?

Amalie rougit.

— Seulement des portraits de famille. Il a fait des portraits de moi et des enfants.

— Eh bien, c'est ce que je vous disais. S'il avait été un génie, il n'aurait pas renoncé à la peinture. Le génie est inexorable. Je n'en ai pas et Jérôme non plus. Ce qui ne veut pas dire qu'il faille renoncer aux joies que nous procurent nos quelques dons. Rien ne nous empêche d'en jouir dans le particulier.

La main d'Amalie était sur le banc, à côté de lui. Il la pressa affectueusement dans la sienne. Les yeux d'Amalie se remplirent de larmes.

— Cher Philippe, ne parlez pas de vos quelques dons, vous aviez bien davantage.

Il sortit sa montre pour regarder l'heure. Une petite voix magique s'éleva de son ventre d'or. Aussitôt Mary s'extasia :

— Oh ! comme c'est joli. Faites-moi voir.

Elle prit l'objet dans ses fins doigts blancs et l'examina d'un air ravi. Philippe s'amusait, attendri. Elle retourna la montre et lut à haute voix.

« A Philippe. Sa maman, 29 janvier 1869. — Oh ! ça vient de votre mère ? Est-ce qu'elle est morte ?

— Oui, ma chérie, elle est morte.

Philippe remit la montre dans sa poche.

Amalie le regarda de ses grands yeux.

— Vous l'avez toujours gardée ?

— Mais oui. Pourquoi pas ? Puisque j'aimais celle qui me l'a donnée. Et que je l'aime toujours, ajouta-t-il tout bas.

Il parut méditer un moment. Il savait qu'elle désirait avoir des nouvelles des autres. Aussi, il se mit à parler sans hâte.

— Mon père va bien, dit-il. Lui non plus n'a guère changé, sauf qu'il a les cheveux presque complètement gris. Quant à ma tante, elle ne vieillit pas. Elle a de plus en plus d'énergie et de dévouement. Je crois que tous deux ont la vie qui leur plaît

— J'en suis très heureuse, murmura Amalie. Oui, très heureuse.

Il hocha gravement la tête :

— C'est ce que je pensais.

Mary écoutait cette conversation incompréhensible avec une profonde curiosité. Elle dit soudain :

266

— Est-ce que je pourrais aller vous voir, Philippe ? Est-ce qu'ils seront contents de me voir ?

Philippe la considéra avec cette attention courtoise que Mary appréciait tant.

— Je suis persuadé qu'ils seraient très heureux. Mais ils sont vieux. Il n'y a pas d'enfants dans cette maison. Ce ne serait pas un amusement pour vous.

— Mais je pourrais toujours vous voir, insista l'enfant.

Philippe prit encore le temps de la réflexion.

— Que diriez-vous si c'était moi qui allais vous voir ?

Amalie fut de nouveau gênée. Qu'allait dire Jérôme ? Au fond, il n'avait jamais eu d'hostilité pour Philippe. Malgré son insouciance et son égoïsme, il s'était montré bon à sa manière.

— Demain ? demanda Mary avec enthousiasme.

Philippe et Amalie se levèrent.

— Peut-être pas demain, dit Philippe. Mais bientôt. Je monterai un de ces jours. — Il se tourna vers Amalie. — Vous n'y voyez pas d'inconvénients ?

Amalie hésita, mais sa réponse fut nette :

— Non, aucun.

Ils se dirigèrent vers la grille. Mary tenait la main de Philippe. Ils gardèrent le silence jusqu'à la porte. Alors, Amalie jeta brusquement :

— Est-ce qu'ils me détestent encore ?

Philippe remit le gros loquet en place et dit sans lever les yeux :

— Je ne crois pas que mon père vous ait jamais détestée.

Il lui en voulait de ce manque de tact. Ce n'était pas une chose à dire. Mais il se souvint qu'Amalie était peu douée de ce côté-là et il sourit.

Il prit la main de Mary et mit un baiser sur la joue rose. Amalie fut surprise de voir que l'enfant ne s'en formalisait pas, car d'habitude elle tolérait mal la familiarité des étrangers. Elle rendit même son baiser à Philippe avec une simplicité prenante.

— J'ai un autre enfant, un garçon. Il s'appelle William, comme son grand-père.

Philippe pensa soudain à son père, qui n'avait d'autre enfant que lui, l'infirme. Ses yeux s'assombrirent.

— Ce doit être bien agréable pour Jérôme.

La voix avait une politesse froide qui glaça Amalie. Elle se sentit seule, et découragée. Elle savait que Philippe s'était, d'instinct, écarté d'elle. Est-ce qu'il lui en voulait ? Est-ce qu'il la méprisait ? Il fallait à tout prix qu'elle sache à quoi s'en tenir.

— M'avez-vous oubliée, Philippe ? demanda-t-elle avec plus d'empressement qu'elle n'en avait conscience.

Il posa sa main fine sur le bras d'Amalie et son sourire n'était

que tendresse. Il savait qu'elle voulait dire pardonnée, plutôt
qu'oubliée.

— Je ne vous ai jamais oubliée. Et rien au monde ne m'empê-
chera de vous aimer comme par le passé.

Jim, auprès de la voiture, n'en crut pas ses yeux quand il
les vit.

CHAPITRE XLV

CETTE espèce de maison »,
comme l'appelait Jérôme, avait, sans beaucoup d'imagination,
été baptisée : « Les Sapins », et s'élevait au milieu de cinq arpents
de colline. C'était une construction sévère, en brique rouge, ornée
d'un péristyle de quatre blanches colonnes qui montaient jusqu'au toit. Toutes les ouvertures, y compris la porte aux ornements de cuivre, étaient aussi peintes en blanc. Mais le toit rouge
et les grands arbres disséminés adoucissaient ce qui aurait pu
passer pour une sévérité excessive. Les jardins, qui manquaient
d'originalité, étaient fort beaux néanmoins. De classiques cor-
beilles, remplies de pensées, de géraniums et de feuillages nains,
ornaient les pelouses. Un rideau de sapins formaient en arrière
des jardins une clôture naturelle. Une perfection géométrique
régnait sur la maison et le domaine.

Le même caractère se retrouvait à l'intérieur, où Dorothée
avait présidé au choix de l'ameublement et des tentures. Elle
aimait les bois sombres ; elle méprisait les capitonnages, et les
sièges raides et de couleur sobre ne supportaient pas qu'on s'y
alanguît. Pas de draperies aux cheminées ; pas de potiches d'angle
remplies de plumes de paon ou de plumets — ornements à la
mode — qu'elle jugeait détestables. Pas de bric-à-brac, vitrages de
dentelle aux fenêtres, tentures légères et de couleur pâle. Le soleil
d'été et les ombres blanches de l'hiver entraient librement. Et si
les amies pensaient que ces flots de lumière blanche, ces étendues
de tapis démeublées manquaient d'intimité, ce dépouillement
voulu, à sa manière arctique, ne laissait pas d'être reposant.

Philippe trouvait parfois l'ensemble un peu déprimant et,
quand il revint de l'Université, il changea les meubles et la disposition de son appartement. Dorothée, déguisant son ressentiment,
se plaignit qu'il détruisait la symétrie de la maison et qu'il com-
pliquait la tâche des domestiques. Mais Philippe, avec une gentillesse irrésistible, lui expliqua que sa santé exigeait des meubles
plus confortables, une lumière tamisée et de la chaleur. C'était

pure hypocrisie, mais Philippe trouvait l'hypocrisie plus charitable que la vérité blessante. Philippe était le tact incarné.

Philippe savait que Dorothée l'adorait comme elle eût adoré son propre enfant. Elle était secrètement ravie qu'il fût de retour pour de bon. Elle rêvait de son mariage avec une fille de bonne famille, docile et bien dotée, qui se plierait à son autorité de maîtresse de maison. Une fille plutôt effacée, douce et tranquille, qui donnerait au moins des petits-enfants à Alfred. Ce cher Philippe était bossu, et après ? Il était beau de visage. Il appartenait au meilleur monde. Il était riche, cultivé. Il avait voyagé. C'était un excellent parti, malgré sa difformité. Elle était impatiente de voir Philippe marié. Sally Tayntor avait épousé le fils Kendrics, qui était déjà riche de son côté, et elle avait déjà trois belles petites filles.

Joséphine Tayntor n'était pas encore mariée. Avec sa grâce effacée, elle vieillissait en silence. Elle n'avait que trois ou quatre ans de plus que Philippe, et Dorothée ne négligeait jamais de l'inviter aux Sapins, quand il était à la maison. Dorothée avait ses projets.

Ç'avait été un grand chagrin pour elle quand Alfred avait annoncé son intention de ne pas se remarier. Dorothée avait finalement renoncé à tous ses espoirs personnels. Grâce à son bon sens inné, son aptitude à se faire une raison, elle avait su se contenter de créer un foyer pour Philippe et son cousin. Elle ne se sentait plus malheureuse. Sa passion pour Alfred s'était transformée en une affection strictement fraternelle.

Elle croyait Alfred en paix. Il approchait de la cinquantaine et se montrait en tout d'une rigidité ponctuelle. Ses cheveux châtains avaient blanchi et sa figure carrée avait des rides profondes ; les yeux d'ambre avaient perdu toute chaleur et s'étaient glacés de dure réserve. Elle ignorait qu'Alfred passait des heures à sa fenêtre, lumière éteinte, quand le clair de lune donnait sur Hilltop. Elle ignorait ses nuits sans sommeil où il se retournait sans trêve et soupirait en étendant la main vers la place toujours vide à son côté. Dans un coffret d'acier, caché dans son armoire, il gardait des souvenirs d'Amalie : un grand peigne de strass, un bout de ruban de velours rouge, un nœud de dentelle qu'elle portait au cou, les lettres qu'elle lui avait écrites, un bas de soie, son alliance. Dorothée eût pensé que c'étaient là des sentimentalités dangereuses.

Mais ce qui lui eût semblé le pire, c'était d'avoir gardé une charmante miniature qu'il avait fait peindre pendant leur voyage de noces à Saratoga. Il valait mieux, pour la tranquillité de Dorothée, qu'elle ignorât que le fond de velours noir était usé, à force d'avoir été manié, car Alfred s'endormait souvent le portrait à la main, après avoir longuement contemplé le beau visage pâle, les lèvres rouges et pleines, les yeux de violettes.

Dirigée de main de maître, la vie s'écoulait, paisible et silencieuse. Pas de courants fiévreux, pas d'alarmes, de réveils nocturnes, pas de perturbations. Tout n'était qu'ordre, courtoisies et aménités. On ne parlait jamais d'Amalie ; son image, au moins en ce qui concernait Dorothée, ne hantait pas les froids corridors, ni ne souriait aux miroirs. C'était comme un objet d'horreur, mort, enterré et oublié.

Si d'aventure, Dorothée regardait vers Hilltop, chenu et vénérable dans la chaleur de l'été, ou rougeoyant de toutes ses tuiles et de ses cheminées sur un ciel âpre d'hiver, elle s'était toujours défendue de penser à Amalie Maxwell ou à ses enfants. Hilltop était une maison de rêve, où vivait William Lindsey, emmuré et immuable. Dorothée avait supprimé ses souvenirs.

Philippe était devenu très cher à son père. Alfred ne sentait plus le chagrin d'avoir un fils infirme, bossu. Il ne voyait pas la ressemblance avec Jérôme, dans cette figure d'humeur douce et réfléchie, intègre, mais exorable. Le caractère de Philippe rappelait beaucoup celui de William Lindsey.

L'entrée de Philippe à la Banque avait été décidée pour le mois de septembre. En attendant, il se reposerait. Alfred découvrit bientôt que la présence de Philippe lui causait un agréable sentiment d'orgueil et de satisfaction, quand il rentrait chez lui. Lui, qui était devenu de plus en plus sombre et sévère au cours des dernières années, s'éclairait maintenant lorsqu'il trouvait son fils à la grille ou dans le carré nu de l'entrée. Ils se promenaient alors dans les stricts jardins, après le dîner, ou bien, assis près du feu dans la bibliothèque, ils devisaient de la Banque et des amis ou de l'avenir déconcertant de Riversend. Alfred, toujours si seul, toujours la proie d'un complexe d'infériorité, toujours avide de sympathie, trouvait un allégement énorme dans la présence de son fils. Il avait trouvé un ami.

Il ne se doutait pas que, dans sa compassion pour lui, dans sa résolution de ramener un peu de paix et de bonheur dans cette vie ingrate et dépouillée, Philippe sacrifiait volontairement sa propre vie et ses espoirs. Il connaissait tout ce qu'on pouvait savoir au sujet de son père et, parfois, sa pitié silencieuse lui causait de véritables angoisses.

Il n'y avait jamais eu de conflit entre Philippe et son père, mais il y en aurait un ce soir, car Philippe n'était pas porté à la ruse et à la cachotterie et, parfois, le tact devait céder le pas à l'honnêteté. Il faudrait, ce soir, arracher des fantômes à leur tombe. « Bien entendu, pensait Philippe, ce serait facile de ne rien dire de la rencontre au cimetière, et de monter en secret à Hilltop. » Mais les fantômes avaient la terrible habitude de sortir de leur tombe au moment où l'on s'y attendait le moins. De plus, il soupçonnait que la douleur toujours vivante de son père s'allégerait si l'on pouvait donner une certaine réalité aux habitants de Hilltop. Lui, connaissait les stations d'Alfred à sa fenêtre, pour contempler la colline. Dans ces conditions, Philippe se refusait à croire que la meilleure solution consistât à ne pas voir Amalie, à ne pas reconnaître son existence ou celle de ses enfants. Dans une certaine mesure, l'attitude de son père et de sa tante lui paraissait absurde. Si son père avait de temps à autre des nouvelles d'Amalie, la rigidité douloureuse de l'expression disparaîtrait peut-être. Mais Philippe se dit, avec un sourire triste, qu'il ne faisait que raisonner sur son propre désir de revoir Amalie. Il descendit vers la grille à la rencontre de son père.

Alfred, par souci de sa santé, faisait à pied les quelque deux milles qui séparaient « Les Sapins » de la Banque. Philippe vit, de loin, sa haute silhouette massive qui montait à pas raides la pente douce menant au domaine. Comme il ne se sentait plus tenu par la correction qu'exigeaient les rues de Riversend, il avait enlevé son chapeau. Dans la chaude brise d'août, la tête ronde, dont les cheveux en brosse paraissaient blancs dans la lumière rasante, avait un port altier. L'orgueil, de tout temps robuste chez Alfred, n'avait fait que s'affirmer à chaque nouveau coup. Il avait fait face avec un dur courage, inspirant ainsi le respect à ceux qui ne l'aimaient pas et se moquaient de lui en secret. Alfred n'avait que quarante-neuf ans et, si ses cheveux eussent été moins blancs, il eût paru beaucoup plus jeune, si grandes étaient la vigueur et la netteté de l'allure et des gestes, l'autorité de la voix.

A certains moments, Philippe se disait que son père, si terre-à-terre, si pompeux et si guindé d'attitude et de jugement, se mettait à penser. Le désespoir peut être un puissant stimulant de l'esprit. Alfred n'était pas d'un tempérament à s'adoucir avec l'âge ; il avait plutôt tendance à se cristalliser plus exactement, plus durement. Mais Philippe croyait entrevoir les doutes de plus en plus fréquents d'une nature qui mettait en question son omniscience et il s'en réjouissait, sachant que cette méfiance était le signe d'une âme qui croissait en stature et qui repoussait, non sans peine, mais avec vigueur, les bornes dures d'un ordre périmé.

CHAPITRE XLVI

PHILIPPE attendit qu'Alfred et Dorothée eussent leur sensibilité émoussée par le pesant repas avant de jeter son brandon.

— Qu'il faisait bon au cimetière, aujourd'hui ! Vos lis étaient ravissants, ma chère tante.

Dorothée refusa de se dérider.

— Oh ! si j'en ai, c'est uniquement pour te faire plaisir.

Philippe se pencha vers elle avec un sourire.

— Je sais. C'est d'autant plus aimable.

Dorothée montra une satisfaction revêche.

— J'aurais dû aller moi-même les porter. Mais j'avais trop de travail et, de toute manière, je ne peux me convaincre que mon père est là.

Le visage osseux et presque sans rides s'assombrit.

— J'aurais voulu que vous veniez, en effet. J'ai eu le plaisir de voir la fille de Jérôme. Une belle enfant. Elle ressemble beaucoup à son grand-père.

Alfred et Dorothée se retournèrent violemment. Leurs visages se raidirent et se rembrunirent sous le coup de l'émotion. Philippe buvait son café à petits coups, feignant de ne pas s'apercevoir du trouble qu'il venait de créer.

— J'espère, dit Dorothée d'une voix sourde, que tu ne lui as pas parlé.

Philippe simula un étonnement naïf.

— Mais pourquoi pas ? Une si jolie petite fille : on dirait une fée. D'ailleurs, il eût été impossible de ne pas lui parler. J'étais assis à l'ombre sous les saules et elle m'a découvert là.

Dorothée se rejeta avec raideur contre le dossier de sa chaise et regarda Alfred. Elle s'attendait à voir de la colère dans ses yeux, une fureur froide dans le pli de la bouche. Mais Alfred considérait son fils d'un air étrange.

— Il n'y avait personne d'autre, Philippe ?

La voix était sans timbre, comme désincarnée.

Philippe posa sa tasse et dit avec beaucoup de naturel :

— Si, sa mère.

Alfred se détourna sans rien dire en parcourant d'un doigt distrait le bord de la soucoupe. Il penchait la tête et son visage se perdait dans l'obscurité croissante de la pièce.

Voyant qu'Alfred ne parlerait pas, Dorothée s'écria avec colère :

— Philippe, tu ne vas pas me dire que tu as parlé à cette créature, qu'il y a eu quoi que ce soit entre elle et toi.

Philippe la regarda d'un air profondément surpris.

— Mais si, ma tante. Et pourquoi pas ? Elle a été très bonne pour moi quand j'étais enfant. En ce qui me concerne, je ne saurais lui en vouloir.

Dorothée était abasourdie. Elle se tourna vers Alfred. Mais Alfred gardait la tête baissée. C'était incroyable ! Ses pupilles noires dilatées, sa voix frémissante de colère, elle se retourna vers Philippe.

— Es-tu fou ? dit-elle durement. As-tu oublié ce qu'elle nous a fait ? Faut-il que je te rappelle toutes ses offenses ? Philippe, ça ne te ressemble pas. Comment peux-tu être si insensible, si obstiné, si aveugle ? C'est un manque de dignité.

— Je ne vois pas ce que la dignité vient faire dans cette affaire. Cette dame m'a adressé la parole la première, après que l'enfant m'eût découvert. Devais-je tourner le dos comme un malappris ? Je me flatte d'avoir quelques usages.

D'un œil amène, Philippe surveillait son père.

Dorothée écarta brusquement sa chaise de la table.

— Si tu manques à ce point de considération, d'amour-propre et d'orgueil, je n'ai plus rien à dire. J'ajouterai seulement que tu me déçois profondément.

La colère l'oppressait et elle était toute rouge des efforts qu'elle faisait pour se maîtriser.

Elle jeta un coup d'œil vers Alfred. Pourquoi ne parlait-il pas ? Haletante, elle continua :

— Tu n'as aucune considération pour ton père. Aucun égard. As-tu donc oublié la honte dont elle nous a tous couverts ? As-tu oublié qu'elle était la cause de la mort de mon père, la cause directe ?

Philippe était très calme.

— Je sais seulement qu'il y a eu une série d'événements malheureux, mais inévitables. Je ne crois pas qu'Amalie ait été la cause de la mort de l'oncle William. De toute manière, sa fin était proche. Et je ne crois pas qu'il en ait voulu à Jérôme ou à Amalie, si mes souvenirs sont exacts... En tout cas, Amalie a été bonne pour moi et j'ai eu beaucoup d'affection pour elle. La simple politesse voulait que je lui parle après qu'elle m'eût découvert. — Il haussa les épaules. — Après tout, c'est une vieille histoire et, à mon sens, il n'y a rien à regretter.

— Mais tu ne sais pas que...

La voix stridente s'arrêta brusquement. Elle avait failli clamer le fait abominable de l'adultère. Philippe avait vingt-quatre ans, mais elle était convaincue qu'il ignorait tout des aspects ténébreux de l'infamie humaine. Pour elle, c'était encore un adolescent, chaste et pur, qui ne connaissait rien de ces répugnantes aberrations charnelles.

Philippe lisait dans ses pensées et put à peine réprimer un sourire. Sa tante était d'une naïveté touchante et ridicule. C'était elle qui ne connaissait rien de la passion ni de la poussée irrésistible du désir. De plus, il était piqué de voir qu'elle refusait de le considérer comme un homme. Toutefois, il sut garder un calme raisonnable.

— J'ai toujours regretté ce qui s'était passé. Mais, je le répète, c'était inévitable, et le temps a passé. Je n'irai pas jusqu'à dire que j'envisage une tendre réconciliation générale, mais je crois fermement qu'il est absurde de persister en une attitude d'éternelle hostilité.

— Une éternelle hostilité! cria Dorothée. Et qui la maintient, cette hostilité, je te le demande? Ton père? Non, il n'y a qu'à regarder cette banque monstrueuse, à trois rues de la nôtre, pour s'en rendre compte. Banque du Commerce de Riversend. Vraiment! Ce monstre grimaçant qui est une insulte, une provocation pour nous tous! Chaque année, il a ajouté une nouvelle offense: notre Banque n'est plus qu'au second rang, quantité négligeable: il nous a amené des gens impossibles, il a massacré des quartiers entiers. Et tout ça, pour nous nuire. Il nous a enlevé nos meilleurs clients, tous les gros fermiers, et ne nous a laissé que les métayers et le petit commerce.

Dans l'ombre, Alfred sentait le sang lui monter à la tête.

— Pour nous nuire! répéta Dorothée avec véhémence. Pour humilier ton père, pour le ruiner, si possible!

— Un homme ne va pas créer un grand établissement bancaire par pure malice. C'est un raisonnement féminin, absolument illogique.

— Je ne vous comprends pas, Alfred, dit Dorothée sur le point de pleurer d'humiliation.

Il la regarda avec une douceur attristée.

— Soyons justes, j'ai beaucoup discuté de la question avec Jérôme, avant que... autrefois. Il a toujours eu le sentiment que j'avais tort. Dès le début, j'ai vu qu'il méditait quelque chose; je me suis douté qu'il avait entrepris de convaincre l'oncle

William. Quand le testament a été connu, je n'ai éprouvé ni surprise ni colère. C'était juste. Après tout, Jérôme était son fils et je m'étais douté que le testament avait été modifié. Mais je n'avais rien dit. C'était l'argent de l'oncle William, et Jérôme était le fils. L'oncle William s'était toujours montré équitable et je le savais. Jérôme et moi partagions par moitié tous les effets de la Banque, le domaine et tous les biens meubles.

Dorothée l'interrompit avec l'illogisme de la passion :

— Il n'a même pas voulu vous vendre sa part, ni pour la maison, ni pour la Banque. Et il a eu l'effronterie de vous demander la place de directeur, après tout ce que vous aviez fait.

Alfred sourit d'un air sombre.

— Mais je ne lui ai pas cédé et je ne lui ai pas vendu ma part de la maison. Peut-être par rancune. Je ne sais pas. Nos avoués respectifs sont arrivés à une solution très satisfaisante et il faut reconnaître que Jérôme s'est montré conciliant. Il aurait pu être beaucoup plus méchant s'il avait voulu. Soyons justes. Il a accepté que je lui rembourse sa part de placements, bien-fonds et autres valeurs, par des traites échelonnées, à des intervalles très raisonnables. Il aurait pu tout exiger d'un coup ; alors, j'aurais été ruiné, vraiment. Et pendant la crise, il n'a jamais exigé son dû et s'est contenté de ce que je pouvais mettre de côté. Il n'a plus rien à voir à la Banque maintenant, mais il aurait très bien pu y rester et m'en chasser à l'occasion. Il ne l'a pas fait.

Dorothée le regardait, stupéfaite, sans souffler mot. Elle n'avait rien su de tout cela. Mais ces révélations ne firent qu'augmenter son humiliation et sa haine pour son frère. Qu'un homme comme Alfred ait été à la merci d'un vaurien pareil, quelle humiliation ! Ce monstre aurait pu ruiner Alfred. Sa magnanimité était répugnante. Dorothée fit une grimace comme si elle venait de goûter à quelque chose d'innommable. Avec un geste raide, comme pour écarter une vision insupportable, elle balbutia :

— Et il a construit cette monstruosité qui offense vos regards tous les jours.

Alfred sourit d'un air las.

— Jérôme a ses goûts en architecture. C'est son droit, même si je ne les partage pas.

— Banque du Commerce de Riversend ! s'exclama Dorothée d'un air écœuré.

— Eh bien, c'est une banque pour aider le commerce.

Alfred soupira. Il semblait épuisé. Il se leva, regardant d'un œil terne Dorothée et Philippe.

— Philippe, je voudrais te parler quelques instants. Dans ta chambre.

CHAPITRE XLVII

ILS montèrent ensemble à l'appartement de Philippe. Les vases, les coupes, étaient remplis de fleurs. Les fenêtres, qui donnaient sur le jardin, étaient drapées d'imprimé aux couleurs vives.

Philippe avança avec prévenance un fauteuil pour son père et s'assit près de lui. Il ouvrit une boîte d'argent et prit une longue cigarette.

— Faite à la machine ? demanda Alfred.

Philippe sourit et fit oui de la tête. Alfred dit encore :

— On ne sait jamais ce qu'ils peuvent mettre dans toutes ces choses, fabriquées en usine. Du temps où on les faisait soi-même, on était certain de ce qu'on y mettait.

— Mais celles-ci sont excellentes, répliqua Philippe. Et si on y a mis des chiffons ou de vieux souliers, comme on le dit, voire, à l'occasion, un doigt ou deux de l'opérateur, ça ne fait qu'augmenter l'arôme.

Alfred sourit brusquement. « Il y a quelques années, pensa Philippe, il aurait pris un air réprobateur devant une sortie de ce genre. »

— Vous devriez en essayer une.

Alfred, non sans curiosité, se laissa convaincre. Il tira prudemment quelques bouffées et mit ses sourcils blancs en accent circonflexe.

— Très doux, pas mauvais du tout.

Philippe attendit, mais son père continuait à fumer, l'air sombre et préoccupé, en regardant distraitement par la fenêtre. Il dit enfin :

— Ta tante parle sans réfléchir et ne suit que son impulsion. Elle a des mots vifs qui dépassent la mesure. Tu me comprends ?

Philippe acquiesça gravement.

— Ce n'est pas pour faire de la peine. Mais son loyalisme

est très susceptible, ses sentiments aussi. Il ne faut pas oublier que nous lui devons beaucoup.

Alfred déposa sa cigarette.

— Je sais qu'on ne peut mettre en doute ton loyalisme. J'ai confiance en ton jugement. Quoi que tu fasses, ce ne sera jamais douteux du point de vue moral. C'est simplement une question de tact.

— Et vous ne croyez pas que c'eût été un manque de tact d'insulter un enfant, dit Philippe avec douceur, ou de me montrer grossier envers une femme qui m'a fait connaître ce qu'était l'amour maternel, ne fût-ce que peu de temps ?

— Tu as raison, dit Alfred à voix basse. C'est très difficile... Mais ce qu'on peut faire, c'est éviter les situations délicates et tout ce qui pourrait les provoquer. Dieu sait que l'on ne peut penser à tout. Mais de là à chercher l'occasion, à s'exposer, il y a loin.

— Je n'ai pas cherché cette rencontre. Si l'enfant ne m'avait pas trouvé, je n'aurais rien dit, je crois. On ne m'a pas découvert immédiatement.

Alfred pencha la tête.

— Oui, naturellement. Tu as agi en homme bien élevé. Et je suis certain qu'à l'avenir, tu éviteras de semblables occasions.

D'une voix posée, Philippe dit :

— J'ai été invité à Hilltop. J'ai accepté l'invitation.

Alfred sursauta :

— Est-ce que j'ai bien entendu, Philippe ?

— Je pense. Je me suis souvenu que vous aviez une part dans le domaine, part qui serait mienne un jour. C'est là que je suis né. Je m'y sens chez moi. C'est là que ma mère est morte. J'ai laissé dans cette maison mes meilleurs souvenirs. Parfois, je me sens en exil ici... Je veux revoir ma vieille maison. Je veux revoir l'aubépine que j'ai plantée dans le jardin. C'est notre maison autant que celle de Jérôme, davantage même...

Alfred, en plein désarroi, regardait son fils. Il se sentait submergé par des émotions contradictoires. L'image de Hilltop lui revint avec une nostalgie poignante.

— Je comprends tes sentiments, Philippe. Les instincts les plus profonds de l'homme ont leurs racines dans la maison natale. C'est naturel. J'essaie simplement de te rappeler qui l'occupe, cette maison.

— Ils n'ont aucun droit de nous en chasser, de nous en exclure, dit habilement Philippe. La maison nous appartient à nous aussi. Légalement, nous avons le droit d'y pénétrer si ça nous fait plaisir, grâce à votre sagesse, père, à refuser de vendre votre part.

Malgré son désarroi, Alfred éprouvait une satisfaction étrange.

Il était touché des paroles de Philippe et ses yeux las s'éclairèrent.

— Il fallait bien ménager tes droits et je ne laisserai personne s'en emparer.

— Père, je ne saurais trop vous en remercier.

Alfred ne savait pas s'il devait s'en réjouir ou non.

— Je ne te savais pas si implacable, mon petit.

— Oh! je sais me montrer raide en affaires. Je veux ce qui m'appartient et je l'aurai, et j'entends en jouir en maître.

Alfred se renversa dans son fauteuil et il retourna l'affligeante situation dans son esprit tourmenté, douloureux et incertain.

— Tu pourrais convenir avec eux de te laisser l'accès du parc et de la maison de temps en temps. Et sans doute seraient-ils assez discrets pour se retirer pendant quelques heures ou pour ne pas se montrer.

Philippe réprima un sourire. Comme d'habitude, la naïveté de son père était attendrissante.

— Ce serait gênant, dit-il. Certaines gens en profiteraient pour rire à nos dépens. Je crois que le mieux serait de monter tout simplement et de me promener, comme si de rien n'était, sans prévenir de ma visite.

— Ce serait plus adroit. Mais il y a autre chose : suppose que... lui soit là. Il pourrait t'insulter, essayer de te mettre à la porte. Je ne pourrais pas le supporter.

Ses deux grandes mains se crispèrent en poings menaçants et une lueur s'alluma brusquement dans ses yeux.

« Sa haine pour Jérôme ne s'éteindra pas, pensa Philippe. Et ce n'est pas seulement la question d'Amalie. Ça remonte à des années, des années remplies d'insultes, de jalousies, d'hostilité continuelle. C'est inhérent, instinctif. »

— Mais ça n'arrivera pas. Je ne monterai jamais quand Jérôme y sera. D'ailleurs, une fois par an, vous faites inspecter le domaine par vos hommes d'affaires. Je crois qu'en y allant moi-même, ce serait plus utile pour vous.

Alfred se leva pour aller à la fenêtre. Tournant le dos à son fils, il dit :

— Naturellement, tu n'as pas besoin de parler à quiconque, dans tes tournées d'inspection...

Philippe sentait qu'il attendait une réponse.

— Pas plus qu'en exige la courtoisie.

Il alluma une autre cigarette et dit d'un ton très naturel :

— La petite fille est très jolie. Elle a quelque chose qui rappelle beaucoup l'oncle William. Elle a les mêmes yeux, le même teint et l'expression de la bouche aussi. Elle a le type de la Nouvelle-

Angleterre. Elle ne ressemble pas du tout à sa mère, ni à son père, du reste.

Alfred avait toujours le dos tourné, mais Philippe le sentait tendu.

— Une enfant très calme et plutôt silencieuse. Une énigme pour sa mère. J'ai l'impression que le bonheur d'Amalie n'est pas sans mélange.

— Je ne vois pas en quoi ceci peut...

Alfred laissa sa phrase inachevée.

Philippe continua comme s'il n'avait pas entendu :

— Amalie n'a pas beaucoup changé. Quelques cheveux blancs. Mais qui peut se flatter d'être vraiment heureux ? Elle m'a parlé de son petit garçon, William.

Avec une hésitation feinte, il ajouta :

— Elle m'a supplié de lui dire si vous aviez encore de la haine contre elle.

Alfred fit un mouvement brusque, comme un sursaut de douleur, puis il reprit son immobilité. Philippe en fut touché.

— J'ai dit que je ne croyais pas que vous ayez jamais eu de la haine pour elle. Elle a paru heureuse alors et soulagée.

Philippe n'en était pas à un mensonge près, quand c'était un pieux mensonge.

— Elle s'est informée de vous, père. Je lui ai dit fort peu de chose, sinon que vous étiez en bonne santé et que vous paraissiez content. Cela aussi lui a manifestement fait plaisir. Elle m'a dit qu'elle n'avait pas oublié vos bontés pour elle. Saviez-vous qu'elle avait une paire de jumelles ?

— Des jumelles ?

Philippe se mit à rire.

— Oui, elle m'a avoué qu'elle passait de longs moments à regarder la maison. Je ne pense pas que ce soit moi qu'elle regarde.

Alfred fit brusquement demi-tour. Sa figure avait changé ; les traits reprenaient vie avec une espèce d'ardeur juvénile. Obéissant à une impulsion intérieure, il dit :

— Je n'oublierai jamais Amalie. Je ne l'ai jamais crue vraiment coupable.

« Bon Dieu ! pensa Philippe, est-ce qu'il croit que Jérôme l'a violée ? Enfin, si c'est un baume pour sa vanité d'amoureux dédaigné, laissons-le. »

L'air sombre et la lassitude d'Alfred s'étaient atténués. Il leva la tête et mit la main sur l'épaule de Philippe.

— Je sais que je peux compter sur ton tact et ta discrétion. Tu as toujours été si gentil. Je t'en suis reconnaissant. Ces dernières années nous ont beaucoup rapprochés.

Il pressa fortement l'épaule de Philippe et s'en alla en souriant. On entendit son pas vif et léger dans l'escalier.

« J'espère, pensa Philippe non sans inquiétude, que je n'en ai pas dit trop long. »

CHAPITRE XLVIII

LA BANQUE du Commerce était, sans contredit, le plus grand établissement de Riversend. Il avait fallu plus d'un an pour sa construction. Jérôme avait choisi un terrain d'un hectare, à moins de deux cents mètres de la vieille banque Lindsey. Il avait démoli toutes les petites boutiques et les remises sur cet espace et fait place nette. Alors, sur ce carré exposé aux quatre vents, la banque s'éleva. On amena un granit blanc pur du Vermont, par blocs énormes, qui, soigneusement ajustés, formèrent un cube austère et scintillant. Comme Jérôme détestait l'oblong étriqué des fenêtres de l'époque, il fit faire des ouvertures hautes et larges. Quatre colonnes colossales du même granit ornaient la façade sévère sur toute la hauteur des trois étages. Les gigantesques portes ajourées étaient de bronze poli.

L'espace libre alentour avait été ensemencé d'herbe et, le second été, le brillant édifice s'élevait sur un carré de velours vert vif. Pas une fleur. Pas d'arbre non plus, à l'exception de deux beaux cyprès au pied des trois degrés de granit blanc.

Riversend resta stupide devant cette création originale. Il lui fallut cinq ans pour en venir à l'admiration : l'altière blancheur de l'édifice se voyait de tous les coins de la ville. Mais, au bout de ces cinq ans, Jérôme était si solide, si puissant dans le pays, que même si la banque avait été « un monstre grimaçant », elle eût paru belle aux yeux des citadins.

L'inauguration avait eu lieu huit ans plus tôt. Jay Regan, Gordon Livingstone et autres financiers distingués de New York étaient venus pour la cérémonie. Jérôme avait invité une douzaine de petits banquiers des environs qui avaient répondu avec empressement, de même que les industriels avec lesquels Jérôme avait été en contact. Le général Tayntor, la veuve Kingsley et quelques autres amis réconciliés arrivèrent en grand équipage.

Jérôme avait le plaisir de voir l'étonnement respectueux de son entourage et de recevoir les sincères compliments des amis new-yorkais.

Après l'inauguration, Jérôme avait reçu à Hilltop ses amis et tous ceux qui l'avaient aidé. La réception dépassait tout ce qu'on avait vu jusqu'alors ; après huit ans, on ne se lassait pas d'en parler.

Jérôme non plus, du reste.

C'était agréable et réconfortant pour le moins d'être nanti d'une influence aussi formidable. Jérôme savait bien qu'il n'échappait pas au pathétique désir humain d'écrire un nom éphémère sur le marbre.

Riversend avait maintenant deux lignes de tramways à chevaux. Les becs de gaz avaient remplacé les vieilles lampes à huile dans les rues nouvelles, proprement pavées de brique rouge. De nouvelles boutiques s'étaient montées et il y avait maintenant un théâtre à Riversend. Deux hôtels étaient constamment remplis d'une foule de voyageurs de commerce. Tout cela était son œuvre, à lui, Jérôme, et il la contemplait avec satisfaction.

Parfois, Amalie soupçonnait que Jérôme perdait son sens de l'humour et, avec la candeur qui la caractérisait, elle lui fit part de son impression. L'irritation de Jérôme ne fit que la confirmer dans ses soupçons.

— L'humour est l'arme des gens voués au hasard, dit-il.

— C'est aussi une sauvegarde contre la fatuité, répliqua-t-elle.

Jérôme eût été furieux de savoir qu'Amalie commençait à penser qu'Alfred et lui avaient en commun beaucoup de choses qu'on n'eût pas soupçonnées autrefois. Elle songeait, non sans tristesse, qu'il suffisait à un homme de connaître le succès pour perdre une certaine vivacité d'esprit et d'imagination.

— Tu crois que je suis sans cesse à la poursuite de l'argent, disait-il sur un ton de reproche irrité. Mais personne ne désire moins que moi la grosse galette.

Et elle savait qu'il disait vrai.

Quand la voiture monta la côte par ce beau soir d'août, tout rouge et or, Jérôme se sentit soudain déprimé. Ces crises d'abattement devenaient de plus en plus fréquentes, sans qu'il en sût la cause. Il avait fait connaître à Riversend la prospérité et le progrès, les bons salaires et des perspectives d'avenir pour tous. Cependant, une inquiétude planait. Qu'était-ce donc ?

Jérôme était dangereusement enclin à projeter l'ombre de son propre malaise sur le monde extérieur et à le rendre responsable de sa mélancolie. C'est ainsi que lorsqu'il aperçut, au passage, l'austère maison de brique de son cousin, il se persuada que cet édifice était comme un chancre dans sa chair, source d'infection et de gêne perpétuelle. Ce même spectacle l'amusait, dans le passé ; maintenant, il l'irritait.

CHAPITRE XLIX

QUAND Jérôme arriva chez lui, Amalie et les deux enfants l'attendaient sur la pelouse. Avec la prescience des amoureuses, elle devina qu'il n'était pas de bonne humeur. Il y avait quelque chose dans l'aplomb des épaules, l'angle de la mâchoire arrogante et dure. Amalie se pencha sur sa fille et lui glissa :

— Chérie, ne parle pas de notre rencontre à papa. Je lui en parlerai plus tard.

Mary resta interloquée. Puis, rejetant sa crinière d'argent doré, elle s'élança sur la pelouse pour accueillir son père, dressant son visage aigu avec un air de petit faune. L'expression maussade de son père s'adoucit. Elle bondit dans les bras qu'il lui tendait, lui passa les bras autour du cou et pressa sa joue contre la sienne avec une espèce de passion.

Amalie s'approcha posément, en tenant le petit William par la main. Jérôme avait perdu son chapeau dans ses effusions paternelles. Les souples cheveux gris ajoutaient à la distinction du visage étroit, au teint mat. Quand Jérôme était heureux ou insouciant, les cicatrices du front et de la joue étaient presque invisibles.

Amalie, avec la ruse d'une femme aimante, voyait tout, sans qu'il y parût. Elle accepta calmement un baiser sur la bouche et poussa le petit William vers son père. Jérôme déposa sa fille à regret et prit l'enfant dans ses bras. Celui-ci reçut la caresse d'un air craintif ; ce fut un soulagement quand Jérôme le mit par terre et qu'il put retourner au sanctuaire des jupes maternelles.

— Quelle chaleur, aujourd'hui ! dit négligemment Amalie, tandis qu'ils remontaient en groupe l'allée pavée qui menait à la maison.

Jérôme lui jeta un rapide coup d'œil et réprima un sourire. Il savait que sa femme avait vu son irritation et qu'elle lui facilitait une explication. Il lui pinça l'oreille.

— Je n'ai rien du tout, dit-il. Il y a seulement que ça me fiche en rogne de voir cette espèce de maison, là, en bas.

— Après neuf ans ?

Amalie haussa ses noirs sourcils d'un air moqueur.

— Un ulcère ne s'améliore pas avec le temps, répliqua-t-il. — Puis il se sentit un peu sot et se mit à rire. — Ça me ferait plaisir d'y jeter une cartouche de dynamite, dit-il, mais le ton était sans acrimonie.

L'odorante et fraîche pénombre de la maison l'apaisa un peu, comme de coutume. Bras dessus, bras dessous, Amalie et lui montèrent dans leur chambre. Jérôme vit le bouton de rose sur la commode et son regard s'éclaira, mais il évita d'en parler. Tout en faisant sa toilette, il bavarda avec Amalie qui se montrait sous son jour le plus agréable. Elle lui fit son nœud de cravate, l'embrassa sur le menton. Puis, comme si elle n'avait rien remarqué encore, elle prit la rose et la lui passa à la boutonnière.

— Comme cette enfant t'aime ! murmura-t-elle.

L'humeur de Jérôme s'adoucit encore.

— C'est une petite futée, dit-il tendrement. Elle connaît toutes les roueries féminines. Je me demande ce qu'elle me veut.

— Rien, je crois. Les femmes sont-elles toujours intéressées ?

— Toujours.

Il lui pinça la joue. Ils se regardèrent, en retenant leur souffle, leur passion aussi vive que jamais.

Amalie, sentant que Jérôme n'était pas encore en état de supporter une nouvelle désagréable, se retira vers sa coiffeuse et se lissa les cheveux. Elle se pencha sur le miroir comme pour examiner une ride naissante. Elle surveillait Jérôme en train de se préparer un whisky-soda.

— Donne-moi un tout petit verre de vin, chéri.

Ils s'assirent pour déguster leurs breuvages. Quand Jérôme fut réconforté, Amalie dit d'un ton dégagé :

— Nous sommes allés sur la tombe de père, Mary et moi. Sais-tu qui j'ai rencontré ?... Philippe. Il venait de mettre des fleurs, lui aussi.

— Philippe !

Jérôme braqua son regard sur sa femme.

— J'espère qu'il n'a pas eu l'impudence de t'adresser la parole ?

Amalie haussa les sourcils. Jérôme trouva brusquement que c'était une manie irritante.

— Naturellement, il m'a parlé. En fait, c'est Mary qui l'a découvert. J'ai l'impression qu'il n'aurait rien dit s'il avait échappé aux regards de la petite curieuse... Impudence n'est vraiment pas le mot qui convient pour Philippe.

Elle eut des craintes en voyant les cicatrices rougir. D'une voix volontairement calme, il dit :

— Au fait, tu ne pouvais faire autrement que d'échanger quelques banalités. J'espère que tu as eu le bon goût de ne pas te lancer dans des conversations inutiles.

— Ça dépend de ce que tu entends par conversations inutiles. Nous avions certaines choses à nous dire. Philippe va entrer dans la Banque...

— Hein ? Et la musique ? Et ses talents d'écrivain ?

Malgré l'ironie, Jérôme montrait de l'intérêt.

— Il y renonce. Il comprend que c'est son devoir.

— Encore un ! — Jérôme eut un ricanement bref. — Extraordinaire, la hantise du « devoir », dans cette sacrée famille ! En tout cas, je n'avais jamais eu aussi grande confiance que toi en ses talents.

Amalie revit soudain la figure grave et réfléchie de Philippe et elle sentit monter la colère. Jérôme la dévisageait d'un air bizarre.

— Il a grandi, je suppose ? Est-ce qu'il a changé ?

— Il n'est guère plus grand, mais c'est un homme. Par le caractère et les manières, une certaine façon de parler aussi, il me rappelle beaucoup ton père.

Amalie avait parlé avec froideur ; aussi fut-elle surprise d'entendre Jérôme dire sur un ton presque bienveillant :

— En effet, ç'a toujours été mon avis. Pauvre diable... L'héritage de la Nouvelle-Angleterre reparaît dans le caractère d'une famille, comme le granit au milieu de terrains fertiles... Ainsi, il va entrer dans la Banque ? Ça ne s'accorde pas avec le souvenir que j'ai gardé de Philippe. Il a pris le genre gourmé, lui aussi, sans doute ?

— Non, tu te trompes, Jérôme. Il est comme il a toujours été ; seulement, il s'est affirmé. J'aime beaucoup Philippe. Toi-même, tu insistais autrefois sur la ressemblance avec ton père. Si Philippe se sacrifie, ce n'est pas par amour de la vertu, mais parce qu'il a pitié.

Jérôme se détourna d'un air sombre et presque hostile.

— Vous avez dû en faire une débauche de sentiment ! Quelle émotion ! Des trémolos. Des soupirs. Du sublime, quoi ! Mais un épisode suffit. N'en parlons plus.

La colère d'Amalie menaçait de franchir les limites de la prudence.

— Ça n'est pas si facile. Il a envie de revoir Hilltop, de temps en temps.

Le regard de Jérôme se fit méchant.

— Ah ! vraiment ? Eh bien ! je refuse.

— Tu oublies que tu n'es pas seul propriétaire.

Jérôme ne répondit pas. Les cicatrices rougissaient. Il finit par dire :

— Parfait ! Il viendra nous espionner.

— Philippe ? Espionner ? Toi qui le connais, comment peux-tu dire ça de lui ? Tu oublies que Hilltop a été sa maison et qu'il y a peut-être des souvenirs... Il est impossible de tenir Philippe à l'écart. A moins que tu ne lui demandes de ne pas venir. Si tu le lui demandes, je sais qu'il ne mettra pas les pieds ici. C'est ça que tu vas faire ?

Jérôme posa son verre, prit un cigare sur la table à côté de lui et l'alluma. Tous ses gestes étaient d'une lenteur voulue.

— Il respectera tes désirs, j'en suis sûre. — La voix d'Amalie se troublait. — Il a toujours eu de l'affection pour toi. Tu n'as qu'un mot à dire. Tu ne seras pas aussi mesquin, aussi cruel ?

— Quand je retranche une partie de ma vie, je fais l'ouvrage proprement. Je coupe tout ce qui pendouille.

Amalie sentit que l'horizon s'éclairait. Elle scruta le visage de son mari, puis elle dit doucement :

— Il n'y a rien eu entre Philippe et nous. Vous vous entendiez très bien tous les deux. Mais il prend les choses à cœur et je sais qu'il ne montera pas ici quand tu y seras, si c'est ça que tu veux.

Elle attendit en vain que Jérôme répondît. La colère d'Amalie menaça de nouveau :

— Je n'aurais pas cru que tu manques à ce point de sensibilité. Tu me déçois.

Amalie ne comprit pas pourquoi il éclata de rire brusquement.

— Tu me répètes ça au moins deux fois par semaine, dit-il. Vous, les femmes, vous éprouvez toujours le besoin de modeler les hommes sur vos désirs. J'ai fait de toi une honnête femme et tu as fait de moi un père de famille. Apparemment, ça ne suffit pas.

Elle allait répondre d'un air furieux, quand elle se ravisa. Jérôme était en train de réfléchir et ses pensées l'amusaient, car il avait un sourire ironique. Avec une feinte désinvolture, il dit :

— Mon Dieu, si ça lui fait plaisir, qu'il vienne, c'est son droit. Laissons-le venir, pauvre diable. J'imagine qu'il ne doit pas trouver la vie très gaie, au fond de son mausolée. Comment lui refuserais-je ce petit plaisir ?

Il sourit de son air déplaisant.

— As-tu pris un autre rendez-vous, mon chou ?

— Ne sois pas odieux, Jérôme. Il se peut que Philippe ne mette pas les pieds ici et ça ne sera pas parce qu'il pose à la vertu ni par peur de déplaire à son père. Il a trop de bon sens.

Le gong du dîner résonna dans la maison. Jérôme se leva et, par jeu, prit la main d'Amalie pour la sortir de son fauteuil. Il l'attira vers lui et l'embrassa de bon cœur.

— Je t'aime, même quand tu fais la sotte, dit-il en se frottant le menton sur sa chevelure.

La main dans la main, ils descendirent dîner.

Mais c'était le tour d'Amalie de se sentir déprimée. Toute sa vie, elle avait recherché la sécurité. Elle l'avait appelée de tous ses vœux. Et cette recherche lui avait fait commettre une erreur tragique. Elle était maintenant maîtresse de la robuste vieille demeure. Elle, épouse et mère, avait sa voiture, des robes somptueuses, des bijoux. Son portrait et celui de ses enfants étaient suspendus aux murs. Cependant, elle ne se sentait pas en sécurité. Sans cesse, elle vivait exposée à des courants instables, dans le sentiment du provisoire. Elle ne connaîtrait jamais la quiétude intérieure. Pourtant, elle n'était pas possédée, comme Jérôme, par cette fièvre du changement, jamais satisfaite, puisqu'elle aspirait au contraire de toutes ses forces au définitif.

Ils arrivèrent dans le vestibule. Jérôme jeta un coup d'œil dans la bibliothèque. Ils écoutèrent l'horloge plus que centenaire qui, inlassablement, filait son rouet.

— Il y a des avantages positifs à garder la tradition, dit Jérôme.

Alors, Amalie sut que Jérôme non plus ne se sentait pas en sécurité, qu'il avait l'impression que le moindre vent pourrait l'arracher à ces murs et le projeter dans le vide.

Ils passèrent dans la salle à manger où l'on n'avait rien changé depuis un siècle. Ils prirent place devant la vieille argenterie, le vieux Limoges, les fleurs. Amalie eut alors l'idée que ni Jérôme ni elle n'étaient responsables de cette instabilité, mais l'air même de l'Amérique. La tradition s'en allait, lentement, mais sûrement. Des facteurs permanents de la confiance disparaissaient. La religion cédait le pas au matérialisme préoccupé d'apparences. Les racines de l'Amérique bougeaient dans un sol friable. Jérôme dit :

— J'ai fait une tournée dans les usines, aujourd'hui, avec Munsey et les autres. Les choses vont vite. Parfois, je trouve qu'elles vont trop vite. J'ai l'impression que, dans ce pays, quelque chose est en train de pousser démesurément, qui pourrait bien nous échapper un jour. Maintenant, est-ce bon ? Est-ce mauvais ? Je n'en sais rien.

Amalie l'enveloppa d'un regard de gratitude, mais elle ne fut pas surprise. Ces phénomènes de sympathie étaient fréquents entre Jérôme et elle. Elle était émue. Elle tendit la main vers son mari et ils se regardèrent avec des yeux brillants.

— Je crois que je divague, dit Jérôme, mais j'aimerais que nos gaillards aillent de temps en temps à l'église pour s'instruire un peu de la religion. Oh ! rien de compliqué, un peu de *vaudoux* si tu veux, mais quand même... Oh ! puis, zut, après tout, je n'en sais rien.

CHAPITRE L

IL n'y eut d'embellie, dans l'humeur maussade de Jérôme, ni ce soir-là, ni le lendemain.

Ces périodes d'abattement s'accompagnaient toujours d'une espèce de dégoût pour lui-même, d'irritation furieuse. Il trouvait efféminé d'être victime de son humeur et s'inquiétait de voir les crises s'aggraver en se rapprochant. Il fit quelques tentatives pour raisonner son mal, qui lui parurent puériles.

Il y avait quelque chose de détraqué en lui ; il ne savait quoi. Au cours de sa vie, il avait été exultant, troublé, furieux, abattu, jubilant, désespéré, mais avait-il jamais été heureux ? Il avait une femme et des enfants qu'il aimait et, cependant, il lui arrivait, en les voyant, de se sentir plus triste encore. Il se prenait à les plaindre d'être affligés de sa personne. Il songeait parfois à tout quitter, à s'enfuir, à se perdre. Mais il savait qu'il ne parviendrait jamais à se fuir lui-même.

Il se rappelait sa vie antérieure, cette vie superficielle de non-chalance et de frivolité. Il comprenait maintenant qu'il avait peur alors, qu'il aurait toujours peur, mais peur de quoi ? Il y avait aussi en lui, et il y aurait toujours, une puissance de haine. Pour qui ? Pour quoi ? Il n'en savait rien.

Ce soir, comme la voiture l'emportait chez lui, il se sentait triste et d'esprit confus, ce qui était les signes avant-coureurs d'une crise d'humeur noire. Il ne voyait rien du paysage, il ne vit même pas la maison d'Alfred. Philippe se promenait au bord de la route en faisant jouer un petit chien blanc.

Le premier mouvement de Jérôme fut de poursuivre sa route en regardant droit devant lui. Le second fut de dire au cocher de s'arrêter. En entendant sa voix, Philippe se retourna ; puis, voyant l'occupant de la voiture, il sourit avec un franc plaisir, siffla son chien et revint sur ses pas.

— Eh bien, Philippe ? dit Jérôme, un peu gêné.

Il descendit de voiture et tendit la main au jeune homme. Philippe lui donna une cordiale poignée de main et lui sourit.

— Il y a longtemps que nous ne nous étions vus, Jérôme. Je suis heureux de vous revoir, dit Philippe avec un accent de sincérité profonde.

Jérôme fut tout surpris de s'apercevoir que lui aussi était heureux. Il regarda, d'un air étonné, Philippe qui était devenu un homme, son égal en fait. Ce n'était plus l'enfant pitoyable. Il regardait bien droit Jérôme, avec son sourire aimable et il y avait quelque chose dans ce sourire qui dissipa mystérieusement l'humeur sombre de Jérôme et allégea son malaise.

— Je suis content de te voir.

Etre ainsi en compagnie de Philippe, c'était comme retrouver un asile paisible après un orage. C'était un sentiment absurde, mais Jérôme s'y accrochait.

— Tu es de retour pour de bon ?

— Oui, c'est définitif maintenant.

— Ça me fait plaisir.

Ils s'examinèrent mutuellement. « Il y a quelque chose qui ne va pas chez Jérôme », pensa Philippe. « Il est plus inquiet et plus nerveux que jamais. Physiquement, il n'a pas beaucoup vieilli. Il y a autre chose. Quelque chose d'incurable, si je ne me trompe. Qu'est-ce qu'il cherche ? Qu'est-ce qu'il est en train de fuir ? » Le silence devenait un peu embarrassant. Mais Jérôme ne semblait pas pressé de partir.

— Amalie m'a dit que tu avais l'intention de monter à Hilltop. Peux-tu venir dîner demain soir ?

— Oui, certainement, je vous en remercie.

Il n'y avait pas la moindre gêne, ni dans ses paroles ni dans son expression. Une cordialité toute particulière acheva de dérider Jérôme.

— J'aimerais te montrer ma banque, dit-il, et les usines. Nous avons fait des progrès ces dernières années, tu sais.

Philippe surprit dans la voix une espèce de vantardise attendrissante.

— Oui, j'ai vu qu'il y avait beaucoup de changements. Je compte sur vous pour me renseigner.

Le visage de Philippe exprimait un intérêt poli, mais il y avait dans ses yeux une lueur d'ironie, qui évoqua soudain à l'esprit de Jérôme la figure de William Lindsey. C'était exact : Philippe, malgré son teint mat, ressemblait de manière frappante à son grand-oncle. Il y avait chez Philippe un calme, un équilibre, un humour et une profondeur de pensée qui accusèrent en Jérôme le sentiment de sa tristesse douloureuse en même temps que s'avivait la sympathie qu'il éprouvait à l'endroit du jeune homme. Jérôme eut un petit rire :

— Dis-moi, Philippe, est-ce que tu fais beaucoup de citations ?

Philippe ne fut ni intrigué ni déconcerté par cette extraordinaire remarque. Il comprit tout de suite. Son sourire fit briller ses yeux. Il se tourna légèrement et regarda la vallée où les cheminées d'usines fumaient sans trêve sur le ciel.

— Oui. Ça m'arrive. J'étais précisément en train de penser à ce que Franklin disait de la richesse naturelle, à savoir qu'il y a seulement trois moyens pour une nation d'acquérir la richesse. Le premier est la guerre, qui permet, comme le firent les Romains, de piller les voisins conquis. C'est du vol. Le second est le commerce, qui est généralement une escroquerie. Le troisième et seul honnête moyen est l'agriculture, par laquelle l'homme reçoit au centuple ce qu'il a donné à la terre, par une espèce de perpétuel miracle, accompli par Dieu en sa faveur, afin de le récompenser de sa vie innocente et de sa vertueuse activité.

Le ton était désinvolte, aisé, agréable... Jérôme rougit insensiblement.

— Je me suis souvent demandé, dit-il, comment mon père pouvait retenir de si nombreuses citations. Il semble que tu aies le même don. Est-ce le fait d'une mémoire prodigieuse ou l'incapacité à concevoir une pensée originale ? Après tout, il faut quelque chose pour combler le vide.

Philippe éclata de rire et Jérôme, qui commençait à bouillir de colère, l'imita.

— Si vous n'aimez pas Franklin, je pourrai vous régaler de Thoreau ou d'Emerson.

Jérôme leva la main en simulant la frayeur.

— Bon Dieu, non. Je peux les citer moi-même. *Ad nauseam*... On m'a dit que tu entrais à la Banque.

— Oui, en septembre.

Le ton était placide. Jérôme sentit son embarras renaître.

— Tu as bonne mine, fit-il.

— Je suis certainement d'un tempérament très robuste, malgré les tendres alarmes de mes amis.

Philippe était parfaitement à son aise. C'était Jérôme qui était gêné. Et cependant, il ne se résignait pas à quitter le jeune homme. Il jeta un regard vers la voiture.

— Alors, nous comptons sur toi demain soir ?

Philippe acquiesça.

— Si vous n'avez pas d'objection, demain également j'aimerais faire un tour à votre somptueux établissement, ainsi qu'aux usines. A moins que vous ne soyez trop occupé.

— Je tiens à te les montrer, dit Jérôme, montant en voiture. A demain.

Philippe le regarda partir, songeur. Il soupira, se frotta le menton du même geste que le vieux Lindsey, siffla son chien et continua sa promenade.

CHAPITRE LI

PHILIPPE fit sensation quand il pénétra dans l'enceinte de marbre de la Banque du Commerce. Mais il était plein de dignité et d'aisance quand il demanda d'une voix calme qu'on prévînt M. Lindsey de son arrivée.

Les conjectures allaient leur train parmi les quelques clients de la Banque, quand Philippe disparut dans le bureau de Jérôme. L'émotion fut à son comble, en les voyant reparaître l'un et l'autre avec tous les signes d'une entente amicale, et faire ensemble le tour de la Banque. Philippe, très intéressé, n'avait pas l'air de se douter de l'émoi que causait sa présence, ni des commentaires que soulevait irrésistiblement leur passage.

Ce fut un paroxysme de satisfaction, quand Jérôme, demandant sa voiture, y monta en compagnie de Philippe.

A deux heures, on les vit ensemble à l'hôtel s'installer à la table réservée, devant un repas sur commande. Les dîneurs les dévisageaient furtivement et essayaient de surprendre leur conversation. Mais Philippe et Jérôme paraissaient tout absorbés par leur entretien et aussi indifférents à l'entourage que s'ils étaient seuls. A deux heures et demie. Alfred eut connaissance de l'incroyable aventure. Il reçut la nouvelle d'un air impassible et sans manifester d'intérêt. Philippe l'avait informé de ses projets de la matinée et de l'invitation à dîner pour le même soir. Alfred n'avait fait aucun commentaire et s'était contenté de regarder son fils d'un air sombre. Toutefois, la grande confiance qu'il avait en Philippe l'empêchait de soupçonner des intentions secrètes pour l'avenir.

— Eh bien, dit Jérôme avec entrain, que penses-tu de tout ça ?

Philippe sourit.

— Je pensais que tu serais emballé par ce que tu as vu. Sûrement, tu en saisis la portée. L'avenir de l'Amérique est illimité. L'expansion industrielle finira par libérer l'homme d'un labeur abrutissant en lui donnant des loisirs pour se distraire, s'instruire, réfléchir à sa situation de citoyen. Il n'aura plus le souci du lendemain ; il vivra dans le confort et l'agrément.

Il attendit une réponse qui ne vint pas : Philippe buvait son apéritif, d'un air songeur. Jérôme s'énervait. Enfin, Philippe se décida :

— Je me suis souvent promené, ces temps-ci, à travers les jolies cités ouvrières. J'y ai vu des ouvriers qui passaient leur temps, assis sur leur terrasse à regarder dans le vide. Vous me direz que leurs enfants seront plus réceptifs et iront de l'avant... Mais je ne le crois pas. Vous me pardonnerez, mais il y a une lacune dans tout ceci. Je ne sais pas quoi, exactement, mais plus de loisirs, plus d'instruction, plus d'argent, ça n'est pas ça le remède. J'ai l'impression que les hommes comme vous sont en train de commettre une erreur énorme, effrayante... Pour le moment, je suis incapable de préciser laquelle.

Il s'attendait à une repartie cinglante et il fut surpris de voir que Jérôme le regardait avec une attention presque passionnée. Cependant il prit un ton désinvolte pour dire :

— Tu seras exactement comme mon père. Venons-en au fait. Tu es arrivé à des conclusions ? Qu'as-tu trouvé ?

— Vous avez la même impression que moi, n'est-ce pas, Jérôme ?

— Je ne sais pas de quoi tu parles.

— Eh bien, on produit des choses en quantité industrielle, c'est certain. Mais je ne pense pas que cette production massive comble les aspirations fondamentales de la nature humaine. C'est là où est l'erreur, à mon sens... J'ai le sentiment que la multiplicité d'inventions, le fracas croissant des machines qu'on entend d'un bout à l'autre du pays, dépouillent l'homme de quelque chose de vital ; et tous ceux qui pensent que l'argent et les biens matériels peuvent répondre à toutes les aspirations négligent un fait essentiel à leurs risques et périls.

— Te voilà dans la métaphysique, dit Jérôme. — Mais il n'en écoutait pas moins avec un extrême intérêt. — Continue. J'essaierai de me rappeler que tu es un intellectuel et pas encore un banquier pour de vrai.

Il sourit.

Philippe était en plein dans son sujet.

— Pendant notre tournée aux usines ce matin, vous avez dit, avec juste raison d'ailleurs, que l'époque était révolue de l'interminable travail à la main et des tâches pénibles. Or, dites ce que vous voudrez, — et je ne doute pas de votre sincérité, — je crois fermement que l'artisan des temps anciens était fier de l'objet qui sortait de ses mains et qui était le fruit de son imagination. Tout ce qu'il faisait était marqué au coin de sa personnalité, son esprit s'exprimait dans son travail, et quelle que fût l'expression et quel que fût l'acheteur, cela restait son œuvre.

« J'ai vraiment peur que l'usine ne dépouille, et continue à dépouiller de plus en plus, l'homme de son orgueil, du sentiment nécessaire de son importance, de sa foi en sa propre valeur. Je crois que c'était cet orgueil naturel qui, jadis, lui faisait accepter ce travail presque sans trêve de la terre ou de l'atelier ; et cela, sans révolte ni maussaderie, sans amertume ni vaine agitation. Jérôme, j'ai remarqué que les travailleurs d'aujourd'hui sont profondément malheureux.

Jérôme semblait absorbé par le repas.

— J'ai commandé ces grillades tout exprès.

Philippe regardait son cousin avec attention. « Tout ce que je lui raconte, il le sait déjà, pensa-t-il, et c'est ce qui le tracasse. »

Jérôme leva les yeux.

— Eh bien, continue. Les travailleurs sont profondément malheureux. Si je comprends bien, tu préfères la crasse, l'ignorance et la maladie à l'hygiène et aux lumières que dispense le progrès ?

Philippe eut un rire gentil.

— Non point, et vous le savez bien. Vous avez raison quant à l'avenir. Je m'en réjouis. Mais je ne pense pas qu'il soit inévitable d'avoir à choisir entre le bonheur et la fierté de l'individu d'une part, et la production massive et l'objectivisme matérialiste de l'autre. Je crois que la solution doit combiner les deux et c'est la tâche formidable de l'avenir.

Jérôme, accoudé sur la table, concentrait son regard sur Philippe, à travers un nuage de fumée.

Les rapports des deux hommes devenaient plus étroits. Jérôme s'excitait. Toute sa figure sombre s'animait :

— Moi aussi, j'ai eu mes craintes. J'ai senti comme toi que l'expansion du machinisme amoindrissait le sentiment de l'intégrité de la personne. Quelle est la solution ? Qu'est-ce que tu en penses, en définitive ?

Philippe soupira :

— Je ne saurais dire. Raviver l'activité religieuse en Amérique ? Aiguiser en tout homme l'intérêt pour la vie politique ? Faire un effort intellectuel, pour l'amener à comprendre qu'il est responsable pour sa part du bien-être de la communauté ? Développer l'instruction et les goûts artistiques ? Je ne peux encore me prononcer. Je sais seulement qu'il faudra trouver une vie active en dehors du travail rétribué, puisque ce travail a perdu son sens véritable. On ne peut indéfiniment supprimer la vie émotive. A mon avis, la première mesure à prendre est de diminuer sensiblement les heures de présence à l'usine, afin que la monotonie du travail ne rende pas les gens fous.

— Oui, je sais. Les hommes travaillent ici neuf heures par jour. J'ai obtenu ça. Mais tu as vu leurs figures pendant les loisirs... C'est bougrement compliqué.

Ils finirent leur café en silence. Puis Philippe dit :

— Je ne suis qu'un novice et je n'ai peut-être pas l'esprit pratique. Je connais mal le sujet. Je sens seulement une menace dans l'air. J'espère que je ne vous ai pas trop troublé ?

— Non, répondit Jérôme, l'air sombre. Tu n'as fait qu'exprimer ce que je sentais confusément.

CHAPITRE LII

PHILIPPE regardait les alentours avec une lenteur minutieuse, tandis que la voiture roulait vers Hilltop.

Il y avait dix ans qu'il n'avait parcouru ce chemin. Il se rappelait ce vieil orme en bordure de la route, au tronc chenu verdi de mousse, dont les lourdes branches s'étalaient parmi les feuillages comme des bras vigoureux. L'arbre avait grandi, grossi ; c'était un vieil ami. Philippe se souvenait aussi de ce creux entouré de chênes noueux : il se couchait dans l'herbe drue et regardait les oiseaux affairés autour des nids. Voici la source où il buvait, retenant en sa main l'eau claire et froide ou la regardant couler entre ses doigts en filets d'argent. Là-bas, c'était le bois de sapins, immobiles et solennels aux feux du couchant. Hilltop apparut enfin, rougeoyant de toutes ses fenêtres, grise et carrée au milieu de ses pelouses verdoyantes. Un chien aboyait dans les communs ; ç'aurait pu être Charlie. Mais Charlie était mort depuis longtemps.

Il se sentait chez lui. Il éprouva soudain une profonde gratitude pour son père, qui lui avait gardé sa part de la chère maison. Jérôme pouvait penser que c'était pure malice de sa part, mais lui savait que ce n'était pas vrai. Les racines de tous les Lindsey s'étaient enfoncées au sein de cette terre ; leurs pensées s'étaient attachées à ces lieux comme le lierre des façades. Philippe, qui, à l'inverse de Jérôme et d'Amalie, possédait le sens de la pérennité des choses, considérait la maison avec un bonheur intense. Un instinct profond l'avertissait qu'un jour il reviendrait vivre là.

Jérôme, toujours si clairvoyant pour lire dans les pensées d'autrui, sentait celles du jeune homme assis à côté de lui. Il sourit avec sympathie et laissa Philippe regarder à loisir, sans le troubler par des paroles ou le moindre geste.

Amalie, drapée dans une robe de taffetas gris perle à passementeries, les attendait en compagnie des enfants. Elle se sentait un peu nerveuse. Quand Jérôme l'avait informée, la veille, qu'il avait invité Philippe à dîner, elle l'avait regardé d'un air soupçonneux, car Jérôme n'agissait jamais à la légère, et elle pénétrait la plupart de ses intentions.

Mais elle vit, non sans quelque appréhension, que Jérôme était tout affabilité envers Philippe. Elle s'avança à pas lents, entre ses deux enfants. Philippe pensa : Le charmant tableau ! Mary, avec ses grands yeux bleus, qui paraissaient tenir tout le visage, et ses longs cheveux platinés, lui faisait penser à *Alice au pays des Merveilles*. Quant au garçon, c'était exactement la miniature de Jérôme à six ans, qui était l'un des trésors de M. Lindsey

On lui présenta les enfants, et il leur rendit leur salut avec une gravité courtoise. Le petit William, habituellement timide avec les étrangers, risqua un coup d'œil intéressé, tandis que Mary serrait la main de Philippe d'un air décidé. Une jeune personne qui sait ce qu'elle veut, pensa-t-il, mais capable de déchaîner en elle de secrètes tempêtes. Il regarda Jérôme embrasser très tendrement sa fille et n'accorder à son fils qu'un baiser indifférent.

Amalie dit simplement :

— Je suis heureuse de vous voir, Philippe.

— Rien n'a changé, murmura celui-ci.

L'horloge sonna sept heures. Philippe resta immobile à écouter tomber chaque note mélodieuse jusqu'à ce que le son s'évanouît. Que de fois il avait entendu cette voix et que de scènes elle lui remettait en mémoire ! A droite, c'était la bibliothèque : il n'eût pas été surpris d'y voir la longue silhouette maigre de M. Lindsey dans le vieux fauteuil de cuir rouge et d'entendre sa voix douce et mesurée. Une émotion dangereusement proche du chagrin voila un instant les yeux de Philippe. C'est ainsi que le regard d'intelligence qu'échangèrent Amalie et Jérôme fut perdu pour lui.

Ils bavardaient et riaient. Ces dix années passées étaient comme un rêve pour Philippe. Son père ou Dorothée allait entrer d'un moment à l'autre. Le gong du dîner ne le surprit pas. Il était naturel qu'il l'entendît. Il n'avait jamais quitté la maison.

Ce fut Jim qui ouvrit les portes de la salle à manger, et Philippe s'arrêta pour lui parler et lui serrer la main. Jim, comme le chêne, était seulement devenu plus sec et plus noir, avec le temps.

Philippe trouva étrange de ne voir que trois couverts sur la table, il en fut comme troublé. Jérôme occupait maintenant la place de M. Lindsey et Amalie celle de Dorothée. Philippe prit celle qu'avait son père autrefois ; il aurait préféré s'asseoir à la place qu'on lui assignait jadis. Alors, il aurait pu voir le lourd buffet d'acajou et l'argenterie dont il se souvenait toujours.

C'était la première impression d'étrangeté qu'il avait, et elle le déprimait par son caractère insolite. Mais il fixa son attention sur le vieux surtout d'argent rempli de roses. au centre de la table. C'étaient les roses qu'il avait connues ; elles ne s'étaient jamais fanées. Il sourit.

Amalie, qui s'attendait à trouver de la contrainte entre les deux hommes, fut heureuse de voir que ses craintes étaient vaines. Il fallait reconnaître que Philippe avait un tact de diplomate ; il savait toujours répondre avec une grâce parfaite aux exigences du moment. C'est un gentilhomme, pensa Amalie avec gratitude. Elle n'avait jamais éprouvé de répugnance pour sa difformité ; à vrai dire, comme tous ceux qui le connaissaient, elle ne la voyait pas. Elle ne voyait que la belle tête bien faite, avec ses noirs cheveux ondulés, comme ceux de son fils ; le noble front, les yeux sombres enfoncés dans leurs larges orbites ; la bouche, ferme et bonne, qui annonçait l'humour et la tolérance.

Cette nature de Philippe, soucieuse d'autrui, douce et pourtant si profonde, son esprit si tolérant, si juste et si subtil, remplissaient Amalie d'un bonheur paisible. Il était de ceux qui cherchent à comprendre plutôt qu'à blâmer. C'était un homme de cœur. Amalie s'aperçut avec étonnement que c'était une chose extraordinaire et excellente de connaître un homme de cœur.

Elle se rendit compte que Jérôme n'était pas insensible aux qualités de Philippe. Il lui parlait avec une simplicité, une sincérité qu'elle ne lui connaissait plus depuis longtemps, qu'elle ne lui avait peut-être même jamais vues. Il avait l'air d'apprécier la compagnie de son cousin. Un peu de l'inquiétude fiévreuse avait disparu de son regard. Elle prenait plaisir à écouter leurs voix, tout en regrettant que Philippe ne puisse toujours s'asseoir à cette table. Ce serait un bienfait pour Jérôme.

Ils passèrent la soirée sur la terrasse. Philippe regardait les ombres bleues s'allonger sur la terre. Bientôt, un croissant de lune s'éleva au-dessus du bois de sapins. Le murmure des arbres était une musique à ses oreilles. Il lui semblait impossible qu'il dût quitter ces lieux aimés pour retourner... chez lui ! C'était Hilltop, son « chez lui » !

Il lui faudrait bientôt partir en exil. Il écoutait courtoisement Jérôme qui lui parlait de ses enfants et de Mary en particulier.

— Cette petite friponne est très douée pour la musique, dit-il, sur un ton de plaisanterie affectée.

Philippe fut immédiatement intéressé.

— J'aimerais l'entendre jouer. Mais c'est trop tard, certainement.

Jérôme se leva avec empressement.

— Je ne pense pas. Est-elle déjà couchée ? demanda-t-il à Amalie.

Mary avait gagné son lit, mais sa mère alla la chercher. L'enfant descendit en robe de chambre, perdue dans des flots de soie blanche, ouvrant tout grand des yeux brillants. Philippe lui prit la main et, s'excusant du même ton qu'il eût employé avec une femme, lui dit :

— Mary, je suis navré de vous déranger, mais on m'a dit que vous saviez jouer remarquablement. Serait-ce trop vous demander de me jouer un morceau, avant que je m'en aille ?

L'enfant rougit insensiblement et fit la révérence.

— Je vous remercie. Ce sera un plaisir pour moi, répondit-elle avec l'aisance d'une jeune fille bien élevée.

Sûre d'elle, elle sourit à Philippe et s'assit au piano sans le moindre embarras. Le grand lustre de la salle de musique était allumé. Philippe regretta que le gaz eût remplacé le doux éclat des bougies parmi les cristaux. Cette lumière crue, un peu papillotante, lui déplaisait.

Mary rejeta ses cheveux avec la raideur précise que Philippe trouvait si charmante. Puis une expression rêveuse, absorbée, parut sur son visage. Ses petites mains blanches se déplacèrent sur le clavier, préludant en sourdine. Philippe reconnut un thème de Chopin. Mais l'enfant improvisait ; c'était comme si son esprit, errant parmi de beaux souvenirs, en tirait une invention propre.

Philippe écoutait, étonné. La technique était à la fois puérile et sûre : ici, une petite cascade de notes simples, infiniment harmonieuses, mais incertaines, et là, quelques sûrs accords d'une originalité robuste, s'échappaient du clavier avec une ferveur triomphante. On avait peine à croire que ce mélodieux volume de notes sortît de mains si fragiles. Philippe se rapprocha ; il regardait l'enfant avec une attention intense.

La musique résonnait, au-delà des fenêtres, dans la nuit immobile et chaude. Puis, brusquement, le piano fut silencieux, comme si quelque méditation violente et splendide n'avait pas atteint sa conclusion. Mary se détourna, dérobant un visage timide sous le voile des cheveux clairs. Elle jeta un regard vers son père. Jérôme lui sourit avec orgueil et, s'adressant à Philippe, dit :

— Aucune technique, bien entendu, mais son professeur prétend qu'elle a du talent. Qu'en penses-tu ?

— Elle est extraordinaire.

Il regarda la petite fille d'un air grave et n'en dit pas davantage. Elle se leva, hésitante, et dit de sa voix pure :

— Maman m'a dit que vous jouez, vous aussi. Voulez-vous me jouer quelque chose ?

— Bien volontiers, ma chérie.

Il s'assit au piano. Il se rappelait l'encoche, sous le « do » du médium ; le vieil acajou portait toujours l'entaille profonde, d'obscure origine. Les trois touches de l'octave suivante avaient jauni. Il se souvenait qu'un domestique avait essayé de les blanchir avec du lait de chaux. Il posa les mains sur le clavier et les touches s'animèrent comme en une vibrante réponse à l'appel d'un ami.

Il se mit à jouer l'*allegro moderato* du premier mouvement de la 8ᵉ *Symphonie* de Schubert. Les notes éclatèrent en une longue clameur, une supplication discordante et désordonnée qui poignait le cœur humain comme une incantation menaçante et sauvage à l'adresse des divinités premières, une protestation de terreur et de défi, à la fois héroïque et désespérée. Alors, se mêlant à ces cris, un thème se développa, d'une majesté plus sereine, d'une douceur miséricordieuse.

Mary s'était rapprochée de Philippe au point qu'elle le touchait presque. Elle avait les yeux fixés sur lui, les lèvres entrouvertes, penchant la tête si fort qu'une mèche de cheveux effleura l'épaule de Philippe. Quand il eut donné la dernière note, il se tourna vers elle en souriant, et elle le regarda dans les yeux. Le sourire de Philippe s'éteignit brusquement. Il étendit la main, comme pour la toucher, mais elle recula et, avec un cri plaintif, s'enfuit.

— J'ai fait peur à cette pauvre enfant.

Philippe se leva et regarda les parents avec inquiétude.

— Pas du tout, répondit Amalie. Elle est sensible, et la musique la trouble souvent. Mais je ne l'ai jamais vue si émue ; elle est très renfermée d'habitude.

— Tout à fait Nouvelle-Angleterre, dit Jérôme.

Il paraissait absorbé.

— Tu n'as rien perdu de tes talents, Philippe. Penser que tu vas te mettre dans la peau d'un banquier !

Avec une politesse froide, Philippe répondit :

— Il faut bien mettre la main à la pâte.

Amalie et Jérôme le regardaient, troublés et indécis. Il sortit sa montre.

— Il est temps que je m'en aille, dit-il. Merci infiniment pour cette soirée... Vous êtes sûrs que je n'ai pas fait peur à Mary ?

Ils le rassurèrent sur un ton affectueux. Jérôme demanda la voiture. Philippe fit ses adieux.

— Ta visite m'a fait plaisir, dit Jérôme. Reviens souvent. Il y a beaucoup de choses dont nous avons à discuter. Et, en attendant, pense à la solution de notre problème.

CHAPITRE LIII

QUAND Philippe arriva aux « Sapins », il trouva son père en train de lire dans la bibliothèque glaciale où la chaleur de l'été ne semblait jamais pénétrer.

Alfred déposa son livre, les *Méditations* de Marc-Aurèle, et fit à son fils un accueil affectueux. Philippe s'assit sur l'un des sièges raides auxquels il ne parvenait pas à s'habituer. Alfred proposa un verre de vin, ce qui sortait de son ordinaire. Philippe accepta. Son père paraissait morne et las, mais affable.

— Tu m'as manqué, ce soir, dit-il.

Il parcourut du regard les austères lambris de noyer, le rectangle sinistre des fenêtres étriquées, la moquette rouge sombre. Il ajouta en baissant la voix :

— Ça a été dur de revenir, n'est-ce pas ?

Secrètement ému, Philippe lança un regard vers Alfred. Il sentait croître son amour à mesure que le caractère de son père mûrissait ; sous l'influence du chagrin, de l'incertitude et des méditations solitaires, il perdait sa rigueur et gagnait en sensibilité.

— Non, pas trop dur, répondit-il simplement. Vous étiez là, qui m'attendiez.

Alfred fit tourner son verre entre ses doigts qui tremblaient un peu.

— Merci, Philippe, dit-il à voix basse.

— Où que vous soyez, père, ce sera toujours la maison pour moi.

Alfred ne répondit pas, incapable de parler. Au bout d'un moment, il déposa son verre presque intact.

— Je n'aime pas cette maison. Je ne sais pas ce qu'il m'arrive. Quand je l'ai fait construire, je croyais que c'était vraiment ce que je voulais.

— Il n'y a pas assez de monde ici, dit Philippe. Mais me voilà de retour définitivement. Il faudra donner quelques réceptions, inviter de la jeunesse. Il faut qu'une maison soit animée.

— Par ses habitants, d'abord.

Alfred poussa un nouveau soupir.

— Je crois, Philippe, que je n'ai jamais été quelqu'un de très vivant.

« Mais vous l'êtes, maintenant », pensa Philippe avec un sentiment de tendresse attristée.

— Hilltop n'a pas changé ?

— Pas du tout. Je m'attendais à vous voir entrer dans la bibliothèque ou la salle à manger. Ça me semblait bizarre que vous ne soyez pas là. J'occupais votre place.

Philippe, d'abord étonné de voir le regard vif et le sourire de son père, revint rapidement de sa surprise.

— Parfait, dit Alfred. J'en suis heureux, Philippe, très heureux. C'était la chose à faire.

La grande figure carrée s'éclairait les yeux las rayonnaient.

— C'est sans doute un hasard... Je n'irai pas jusqu'à croire que ç'ait été voulu.

Philippe fit un pieux mensonge :

— Détrompez-vous. On me l'a fait remarquer.

La joie parut dans les yeux d'Alfred.

— Ah ! c'est bien d'elle. Ça lui ressemble. Elle a toujours compris. Moi, je ne comprenais pas, dans ce temps-là. Mais on pouvait compter sur elle, sur Amalie, pour l'attention délicate, qui vient du cœur... Elle a toujours compris.

Philippe n'avait jamais été de cet avis, mais maintenant il se demandait s'il avait raison.

Alfred reprit avec une animation croissante :

— L'oncle William parlait sans cesse de la finesse d'Amalie. Je ne comprenais pas ce qu'il voulait dire. Je devais être un triste imbécile. Si j'avais eu un peu de flair, un peu de tact, les choses auraient pu...

Son visage s'assombrit de chagrin. Il se leva et se mit à marcher à pas pesants, les mains dans les poches.

— Dans ce temps-là, je ne pensais qu'au succès, à l'argent. Je ne pensais qu'à me...

Il regarda son fils comme s'il était surpris par ses propres paroles.

— Je ne pensais qu'à me justifier, à faire mes preuves... Ce que j'essayais de prouver ? Ça me semble très vague maintenant et très puéril. Vois-tu, j'ai toujours eu si peu de confiance en moi ; toujours ce sentiment d'infériorité. Je crois que je voulais prouver à l'oncle William qu'il ne se trompait pas sur mon compte.

Il s'arrêta près de la table et but son verre d'un trait. Philippe voyait que sa surexcitation répondait à une impulsion irrésistible.

— J'étais incapable d'oublier la pauvreté de mon père, son air falot, ses insuccès chroniques. Je ne pouvais pas oublier non plus qu'il était l'obligé de l'oncle William. Je me souviens de ma honte, quand j'étais enfant, d'avoir un père qui recevait pratiquement la charité de son frère. Quand l'oncle s'est intéressé à moi, j'ai eu à cœur de lui montrer que je tenais, non pas de mon père, mais de lui. J'ai fait des efforts, des efforts désespérés, Philippe. Je n'ai jamais pu oublier. Je n'avais plus qu'une seule idée. Je suis parti à fond de train. Je me suis mené dur, trop dur...

Il saisit la carafe à vin et remplit son verre. Il regarda son fils avec d'étranges yeux fiévreux.

— Toutes mes autres possibilités, je les ai sacrifiées au désir de plaire à l'oncle William, de le dédommager de la déception que lui causait Jérôme. C'est tout au moins ce que je croyais. Je sais maintenant que cela cachait ma peur de trahir mon manque de confiance en moi et en mon avenir, de trahir l'opinion que j'avais de moi : que j'étais un pauvre type, après tout. Pas au-dessus de la moyenne comme intelligence. Dépourvu d'imagination. Oui, seulement un pauvre, pauvre type, dans son entêtement et sa cupidité.

Philippe, profondément attentif, écoutait avec calme. Alfred, qui voyait l'affection et la sympathie du regard, sentit sa gorge se serrer. Il s'efforça de sourire.

— C'est sans doute parce que je me fais vieux, mon petit, ou peut-être parce que je me sens très las...

— Vous n'avez pas encore cinquante ans. Vous n'êtes ni vieux ni las. C'est simplement parce que vous entrez dans la force et la sagesse, cette force et cette sagesse que possédait l'oncle William.

Il y eut un instant de silence, puis Alfred dit :

— Merci, Philippe, merci. On ne m'a jamais dit une parole qui me fasse tant de bien.

Il y eut un bruissement sec à la porte et Dorothée entra. Philippe se leva, mais Dorothée, qui était encore sous le coup de l'outrage, fit comme s'il n'existait pas.

— Il est tard, Alfred. Vous savez que vous aurez la migraine si vous n'allez pas vous coucher tout de suite. Il ne faut pas vous laisser importuner par ceux qui montrent si peu d'égards à vos désirs et à vos sentiments.

Grande, sèche, imposante, fixant son regard implacable sur Alfred pris en faute, elle attendait. La coutume voulait qu'Alfred répondît avec humilité : « Vous avez raison, Dorothée. » Mais Alfred se contenta d'un sourire affectueux à son adresse.

— Je ne suis pas le moins du monde fatigué, dit-il. Il n'est pas encore onze heures.

Dorothée eut un battement de paupières. Philippe s'amusait à l'observer.

— Et Philippe n'est nullement importun. Nous avions une conversation des plus intéressantes.

— Je n'en doute pas. Mais moi, je ne discute pas avec les gens qui manquent aux plus élémentaires convenances. Leur existence ne m'intéresse pas. Je me refuse à comprendre.

Philippe, avec son tact coutumier, n'éleva aucune protestation. Il savait que Dorothée n'attendait qu'une occasion pour lui tenir tête et le tancer d'importance. Quand elle vit qu'il ne lui offrait aucune prise, elle resta perplexe, avec sa colère.

— Est-ce que vous allez monter, Alfred ? Je voudrais éteindre le gaz. On ne peut laisser ce soin à des domestiques ignorants.

Philippe attendit la réponse avec une inquiétude ridicule. Est-ce que, comme à l'accoutumée, son père allait reconnaître « le bien-fondé » de l'observation de Dorothée et plier l'échine ? Philippe éprouva un soulagement presque aussi ridicule quand son père répondit :

— Il me semble, Dorothée, que je suis assez grand pour m'occuper du gaz. Je ne me contenterai pas de souffler. Je vous le promets. Philippe et moi n'avons pas encore terminé Mais, je vous en prie, ne prenez pas la peine de nous attendre. Vous vous levez de bon matin. Vous feriez mieux de monter maintenant.

Dorothée pinça les lèvres et, digne et raide, se retira.

Alfred la regarda partir avec un sourire.

— Dorothée est une brave fille, mais, Dieu me pardonne, quelque peu autoritaire. Assieds-toi, Philippe, et parle-moi encore un peu de Hilltop. Est-ce qu'on a changé les jardins et y a-t-il toujours le vieil orme qui raclait le toit par les nuits de vent ?

CHAPITRE LIV

LE JOUR d'hiver était d'azur vif et d'argent. Les fêtes étaient depuis longtemps passées et oubliées ; les citadins pensaient au printemps. De la fenêtre de son bureau, Jérôme pouvait voir l'épaisse peluche blanche qui recouvrait les pelouses autour de la Banque.

Il faisait bon dans la pièce, où des bûches de pommier crachotaient dans un feu d'enfer. Jérôme, Philippe et le général Tayntor étaient assis à une petite table, en train de boire de l'eau-de-vie. La table était jonchée de papiers, que le général regardait d'un air sceptique, ses sourcils en accent circonflexe touchant presque les cheveux blancs clairsemés au-dessus du front ridé.

Le général s'était racorni, plutôt qu'il n'avait vieilli. Grand et maigre, il n'avait guère perdu de sa carrure et de sa sécheresse martiales. Sa figure rougeaude de paillard s'était étriquée, mais elle gardait toute sa verve roublarde, et les petits yeux bleus étaient toujours aussi vifs et pétillants.

La Banque n'était pas achevée que le vieux malin s'était déjà réconcilié avec Jérôme. Il était maintenant l'un des administrateurs. Il tapota les papiers d'un doigt sec :

— Ça va coûter les yeux de la tête, votre sacré projet « Centre d'Entraide de Riversend ». Qui est-ce qui paiera la note ? Hein ? On s'en fout de votre Entraide.

Il se pencha vers Philippe pour allumer son cigare.

— Les yeux de la tête. La Banque ne peut pas se permettre ça. Ni celle-ci, ni une autre.

— Mais l'argent ne vous manque pas, mon général, dit Jérôme.

Philippe lui lança un regard amusé.

— Vous voulez dire que, pour un vieux, j'en ai assez ? Personne n'en a jamais assez. L'argent, ça remplace bougrement les enfants et toutes les balivernes qu'on raconte à leur sujet. Si seulement je l'avais su plus tôt ! Les enfants ! Ça ne sert à rien, qu'à vous faire perdre votre temps.

Il se tourna vers Philippe.

— Enfin, qu'est-ce que ça signifie, tout ça ? Qu'est-ce que pense votre père de vous voir installé ici comme un pou dans une perruque ? Il ne trouve rien à redire à toutes ces amitiés ?

Jérôme fronça le sourcil, mais Philippe s'amusait.

— Mon père respecte mes opinions.

— C'est la première fois que j'entends dire d'Alfred Lindsey qu'il respecte une autre opinion que la sienne. Il faudra que j'en touche un mot au juge d'instruction.

D'un geste, Philippe indiqua les papiers.

— Je m'inscris pour vingt mille dollars ; je ne les prends pas à la Banque, mais sur ma fortune personnelle. Jérôme souscrit pour autant, sinon davantage. Nous pensions que vous ne refuseriez pas de contribuer au bien de la communauté. La veuve Kingsley veut bien mettre dix mille dollars et elle n'est pas seule. Si l'on va au-delà de l'immédiat, l'affaire est rentable. Comme Jérôme vous l'a montré, les ouvriers représentent un placement. Je suis surpris que les patrons n'aient pas déjà compris ça.

— C'est de l'utopie, de l'anarchisme. Bon Dieu, à quoi ça sert, un ouvrier ? A travailler et, après ça, qu'il nous foute la paix.

Sans se démonter, Philippe dit :

— Nous faisons une expérience de coopération humaine.

— Au diable l'humanité ! Je l'ai dit toute ma vie et je le répète. C'est du joli : on paye l'ouvrier plus que ce qu'il vaut et il faut encore s'inquiéter de son âme. Son âme ! Mais, Bon Dieu, ce bétail n'a pas d'âme ! Ça ne leur suffit donc pas que Jérôme ait botté les fesses des patrons pour leur faire réduire les heures de travail à neuf, au lieu des dix ou douze habituelles ? Qu'est-ce qu'ils veulent encore ?

— Ils veulent vivre aussi.

Le général regardait tour à tour Jérôme et Philippe de son air soupçonneux, les yeux plissés.

— Mais vous allez avoir tous les saints synodes et la finance sur le dos. Est-ce que la Bible ne dit pas que l'homme a été chassé du Paradis pour gagner son pain dans les champs à la sueur de son front ?

— C'est exactement ça que nous voulons faire, dit Philippe. Merci, mon général, vous venez d'exprimer parfaitement notre idée. Nous nous proposons d'offrir aux travailleurs l'occasion de gagner leur pain à la sueur de leur front, et dans les champs. Comme dérivatif à l'usine. C'est l'un de nos projets. Jérôme va acheter cent hectares à l'ouest de la ville. Les ouvriers pourront acheter du terrain, grâce aux facilités que leur accorde la Banque. Eux et leur famille pourront faire ce qu'ils voudront de leur terrain, y mettre des fleurs, des légumes, élever de la volaille.

Ils ne seront pas séparés de la terre, ce qui est un divorce dangereux. Si des hommes sont obligés de travailler en usine, il faut qu'ils retrouvent la terre en sortant, leur terre. L'expansion indéfinie de la civilisation urbaine mène au cannibalisme. C'est une menace pour la paix du monde.

Philippe et Jérôme échangèrent un regard d'affectueuse sympathie. Le général s'en aperçut et s'en gaussa, mais sans beaucoup de méchanceté. Il tapa de nouveau sur les papiers.

— Pour ce qui est de la terre, je suis de votre avis. Mais qu'est-ce que c'est que cette histoire d'enseignement à donner à vos prolétaires ? Leur donner le goût de la lecture. Ah ! nom de Dieu ! Leur apprendre ce que c'est que d'être citoyen américain ! Demander le concours des pasteurs et des curés ! Ils vous laisseront tomber.

— Pas du tout, affirma Philippe. C'est avec les prêtres que nous avons eu le moins de mal. L'Eglise catholique comprend que l'homme ne vit pas seulement de pain. Tous ces braves gens vont nous aider. Ils donneront des cours dans l'un de nos bâtiments, pas exactement des cours d'instruction religieuse, mais de morale, très intéressants. Ils parleront de la place de l'homme dans le monde, de ses devoirs, de ses responsabilités envers autrui.

Le général hochait la tête en silence. Philippe, pris par son sujet, continua avec calme et confiance :

— Nous aurons aussi des cours techniques pour le travail des métaux, du bois. Nous aurons des ateliers de ferblanterie et de charpentage. Tous les ans, nous offrirons des prix pour les meilleures réalisations, les plus beaux jardins.

« Des concerts sont également prévus, qui réuniront les ouvriers qui auront pu apprendre à jouer d'un instrument.

« Des réunions où l'on discutera de politique. On leur montrera la nécessité d'être un électeur averti.

« Tout cela se fera en dehors des heures de travail. On utilisera tous les loisirs.

— Utopie ! Foutaise !

— Des terrains de jeu que les ouvriers feront pour leurs enfants. Et, pour les femmes, des cours d'enseignement ménager, de puériculture, de couture, de cuisine et participation aux expositions, dit Philippe.

— Utopie ! vous dis-je. Vous aurez tout le pays sur le dos. Ça ne tient pas debout. Ça n'intéresse personne, votre bétail ! On se foutra de vous. Vous n'oserez plus vous montrer.

— Que décidez-vous, mon général ? dit Philippe qui venait d'échanger un regard d'intelligence avec Jérôme. Voulez-vous vous inscrire pour quelques milliers de dollars ? Pensez que votre nom sera dans les journaux, comme bienfaiteur. Nous allons faire une publicité énorme.

Le général eut un geste comme pour écarter une mouche.

— Qui est-ce qui construira vos locaux pour vos cours et vos ateliers ?

— Les ouvriers. Il y a de bons maçons et de bons charpentiers parmi eux. Nous leur en avons parlé. Je n'avais jamais vu pareille effervescence.

— Et l'argent ? Qu'est-ce qu'il vous faudra comme pognon !

— Je vous l'ai dit : Jérôme et moi mettons vingt mille dollars chacun, ou davantage si c'est nécessaire. Et nous espérons que d'autres comme vous nous aideront.

Le général se leva pour défroisser les basques de son manteau.

— Vous êtes fou ! — Il bougonna. — Combien voulez-vous ? Je vous donne cinq mille dollars, pas plus.

Jérôme et Philippe se bousculèrent dans leur hâte à féliciter le général, qui les regarda d'un air furieux.

— Un peu d'alcool, mon général, suggéra Philippe. Et un autre cigare. Nous allons faire venir des journalistes de tous les coins du pays. Vous ferez les honneurs, n'est-ce pas ? Vous serez notre porte-parole. Je sais qu'un auteur célèbre va écrire un livre sur nos expériences. Votre nom figurera en bonne place.

— Le Centre d'Entraide de Riversend ! grommela le général, la figure congestionnée.

— Dont vous serez l'un des directeurs, dit aimablement Philippe.

Le vieux militaire but son eau-de-vie et laissa Philippe lui allumer son cigare. Alors, il se mit à considérer le jeune homme. Difforme, le pauvre diable, mais de bonne race et sa bosse n'était pas héréditaire. Il serait très riche un jour avec la Banque d'Alfred. Les Lindsey tenaient le haut du pavé.

Avec sa candeur désarmante, il dit :

— Il serait temps de vous marier, jeune Machiavel. Que diriez-vous de ma Joséphine ? Elle me met dans du coton. Je déteste ça. Je ne suis pas près de mourir encore. Holà ! Quel âge avez-vous ? Vingt-cinq ans ? Hé ! elle n'a pas beaucoup plus. D'accord ?

CHAPITRE LV

ICI, au moins, rien ne change »,
pensait Dorothée.

Elle émondait avec rigueur les fleurs sèches des lilas.

Le jardin n'avait que treize ans d'existence et Alfred avait
dit qu'il fallait bien plus pour faire un jardin. Dorothée ne reconnaissait pas Alfred dans une réflexion de ce genre ; ce n'étaient
pas tellement les mots eux-mêmes, mais l'expression, qui leur
donnait depuis quelque temps une résonance intime. Quelque
temps ? Dorothée réfléchit, le sécateur à la main : au fond, il y
avait longtemps que cela durait. Etrange qu'elle ne l'eût pas déjà
remarqué.

« Tout change », pensa-t-elle, se sentant malheureuse. Alfred
avait changé. Il était devenu indifférent, plus mélancolique et
distrait, pesant sans fin le pour et le contre, alors que, autrefois,
il était l'homme des jugements immédiats et tranchants. Il était
las, très las : elle s'en était aperçue.

Elle se sentit mal à l'aise, tourmentée dans son affection.

Le petit chien blanc de Philippe, qui reniflait d'un air affairé
parmi les buissons, émergea soudain en lançant des aboiements
aigus. Très excité, il se précipita vers la grille et s'y posta en
faisant un fâcheux vacarme. Dorothée le rappela vivement.
L'animal tourna la tête vers elle, mais continua d'aboyer. Une
jeune fille était appuyée à la grille et regardait avec aplomb dans
le jardin.

A pas mesurés, Dorothée se dirigea vers la grille. C'était sans
doute une de ces effrontées de la vallée. Dorothée décida sur-le-
champ de la renvoyer et rondement. Elle dit d'un ton sec :

— Que voulez-vous ?

Elle se pencha pour prendre le petit chien dans ses bras.

La jeune fille était grande et mince dans sa robe de mousseline imprimée. Ses cheveux de lin étaient retenus par un ruban
de la couleur de ses yeux. Le visage, plein d'assurance, était d'un
dessin ferme et délicat.

— Philippe habite ici, n'est-ce pas ?

— Philippe ?

Dorothée fronça le sourcil et lança à l'intruse un regard glacial. Mais son cœur s'était mis à battre d'étrange façon, comme s'il répondait à une perception immédiate, dont Dorothée n'avait pas encore clairement conscience.

— Qui êtes-vous, ma petite ?

La jeune fille sourit. Dorothée fut stupéfaite et bouleversée. Elle connaissait déjà ce sourire réfléchi, lent à éclore. Où l'avait-elle vu ?

— Je suis Mary Lindsey. Vous êtes sans doute tante Dorothée.

Elle passa la main entre les barreaux pour ouvrir la grille et entra avec une calme aisance. Dorothée la regardait faire, comme engourdie.

Mary rejeta sa crinière pâle qui brilla d'un éclat soudain comme le soleil sortait de derrière un nuage. La chevelure descendait bien au-dessous de la taille.

— Comment allez-vous, tante Dorothée ? demanda poliment la jeune fille.

« C'est le portrait de mon père, pensa Dorothée. Ce sont les mêmes yeux, les mêmes gestes. C'est ma nièce ; elle est de mon sang. » Dorothée était devenue blafarde, sous le coup de l'émotion.

Mary examinait le jardin ; puis son regard se tourna gravement vers la maison.

— Je me demande pourquoi on m'a défendu de venir ici ? dit-elle d'une voix rêveuse, au timbre neutre.

Dorothée retrouva l'usage de la parole.

— Vous vous êtes informée auprès de votre père ?

Sa voix, mal assurée, était empreinte d'amertume.

Mary sourit.

— Oui. Il n'a rien précisé. Philippe excepté, il semble qu'il n'aime personne ici.

Elle dévisagea Dorothée.

— Vous n'avez pas l'air bien terrible.

Dorothée posa le chien par terre. Il se mit à gambader autour de Mary et à renifler avec empressement. Mary le frôla de son pied mince.

— Je reviens de la pension de miss Finch, au bord de l'Hudson. J'ai pensé que je pourrais voir si Philippe était de retour.

— Philippe n'est pas là. Il est à la Banque de son père.

Elle hésita. Ses yeux s'embuaient d'une manière inexplicable.

— Ainsi, c'est vous Mary ?

— Mais oui.

Le sourire, un peu froid, était charmant néanmoins.

— Voyons. Vous avez dans les quatorze ans, n'est-ce pas, mon enfant ?

— Pas tout à fait. Je ne les aurai qu'en février.

— Une jeune fille, murmura Dorothée.

Mary inclina la tête avec une grâce altière.

— Oui. J'épouserai Philippe quand j'aurai dix-sept ou dix-huit ans.

Dorothée fut abasourdie. Elle écarquilla les yeux.

— Naturellement, je ne lui en ai pas encore parlé. Mais je ne tarderai pas. C'est pourquoi je suis venue ici. C'est stupide que je ne connaisse pas ma tante, ni le père de Philippe.

Dorothée regarda instinctivement vers la maison. Par hasard, Alfred était là, retenu par une de ses migraines coutumières. Dorothée fut prise d'inquiétude. Il ne fallait pas qu'Alfred vît cette étrangère. Elle se retourna brusquement vers Mary. Mais quand elle vit l'assurance du jeune et beau visage, elle fut incapable de dire ce qu'elle avait l'intention d'exprimer.

— Je crois, dit-elle, que vous auriez dû demander la permission de venir ici à votre père.

— Il ne me l'aurait pas donnée, répondit Mary en souriant. Je le sais. C'est vraiment stupide. Est-ce que vous n'allez pas m'embrasser, tante Dorothée ?

Elle s'avança, presque aussi grande que sa tante. Dorothée était stupéfaite. Elle vit Mary tendre sa joue : la peau, délicatement pigmentée, était d'une blancheur vibrante. Sa stupeur augmenta quand elle s'aperçut qu'elle répondait à l'invite par un baiser : ses lèvres touchèrent un visage qui avait la douceur des roses.

Alors, il y eut quelque chose d'inattendu chez Dorothée : quelque chose fondit en elle et coula comme un flot de larmes, irrésistiblement. Elle mit la main sur l'épaule de Mary et plongea son regard dans les yeux bleus hautains.

— Mary, dit-elle, Mary !

Sentant des larmes lui brûler les yeux, elle ajouta en hâte :

— Ma chère petite, il ne faut plus revenir ici, sans la permission formelle de votre père. Ce serait mal de désobéir.

— Mais j'ai bien l'intention de le dire à papa, dit Mary d'un ton décidé. Mais il n'était pas à la maison, ce matin, je n'ai pas pu lui demander.

« Voilà ce que mon père eût appelé un argument captieux », pensa Dorothée avec une ironie mélancolique. Puis elle comprit brusquement, non sans plaisir, qu'elle avait devant elle une enfant décidée, douée de force tranquille, de volonté et d'esprit indépendants. Mary était l'image de la pureté intacte, mais elle n'avait rien d'insipide. Il y avait en elle de l'acier des Lindsey.

« J'étais comme ça, à son âge », commenta Dorothée pour elle-même.

Elle scruta le jeune visage pour trouver quelque ressemblance avec Amalie ou Jérôme. Elle n'en vit point. « C'est davantage la fille de mon père que la leur », pensa-t-elle avec gratitude.

— Vous avez un petit frère, n'est-ce pas, ma chérie ?

Mary inclina la tête, d'un geste si familier pour Dorothée que son cœur s'ouvrit dans l'éclair poignant du souvenir.

— Il s'appelle William. Il a huit ans et il est assommant. Les petits garçons peuvent être bien ennuyeux et, lui, c'est le chouchou de maman, ce qui le rend pire.

Mary avait un air de candeur désarmante, mais Dorothée ne s'y trompait pas : l'enfant ne parlait pas par impulsion, bien que ses propos fussent surprenants.

— Je suis sûre qu'une mère ne fait pas de différence entre ses enfants, affirma Dorothée du même ton tranchant que Mary.

Mary se mit à rire.

— Tant que je suis la préférée de papa, ça m'est égal.

Dorothée se reprit à étudier l'enfant avec intérêt. Quelle netteté, quelle fraîcheur chez cette petite ! On ne l'imaginait pas déconcertée ou confuse. En dépit de son apparence fragile, elle serait à la hauteur de toutes les circonstances.

Avec une soudaine désinvolture, Dorothée dit :

— J'allais passer à table. Voulez-vous déjeuner avec moi ?

Qu'importait, après tout, qu'Alfred vît cette belle jeune fille ? Dorothée eut l'étrange intuition qu'il n'en serait pas fâché ni troublé. Cela cadrait avec le changement survenu en lui.

Mary accepta l'invitation avec une parfaite aisance. Tout en suivant Dorothée dans la maison, elle examina les lieux avec un intérêt courtois.

— Ça ne ressemble pas à Hilltop, n'est-ce pas ? dit Dorothée avec une pointe d'amertume.

— Hilltop est un endroit délicieux. Mais ça pourrait être très joli ici, s'il y avait un peu plus de soleil dans les pièces.

— Les tissus et les tapis ne sont pas ce qu'ils étaient. Ils pourraient se faner, si je laisse entrer trop de soleil.

— A Hilltop, tout est fané et je trouve cela charmant.

— Asseyez-vous, ma chère petite. Je vais demander qu'on ajoute un couvert.

Mary inclina la tête de ce même geste poignant. La main sur le dossier du siège, elle attendit pour s'asseoir que Dorothée quittât la pièce. Une rougeur de plaisir colora le visage las et ridé. Dorothée gravit l'escalier d'un pas plus vif que de coutume. Elle se sentait émue, heureuse. Elle frappa à la porte d'Alfred.

Pâle, les traits tirés, il était à son bureau, en train de faire ses comptes personnels. Il sourit à sa cousine.

— Alfred, nous avons une visite. Quelqu'un qui est arrivé sans qu'on l'invite et sans demander la permission. Cela ne vous contrarie pas, j'espère ?

Dorothée parlait d'une voix calme, mais sans parvenir à cacher sa surexcitation. Elle lança vers Alfred un regard chargé d'instance.

— C'est Mary, la fille de Jérôme.

Alfred posa si brusquement sa plume qu'elle heurta d'un bruit sec l'acajou du bureau.

— Je l'ai invitée à déjeuner. Elle est charmante. Mais il n'est pas nécessaire que vous descendiez. Si vous y tenez, je vous ferai monter un plateau.

Alfred remarqua l'agitation et la rougeur de Dorothée. Il ne se souvenait pas de l'avoir jamais vue ainsi. Il eut un sourire douloureux.

— Ce n'est pas la peine, dit-il, je me ferai un plaisir de déjeuner avec vous deux.

— C'est très gentil de votre part, Alfred. Elle s'est informée de vous et elle a exprimé le désir, notez bien : le désir de vous connaître. Tel est le front de cette jeune personne.

Dorothée poussa un soupir et lissa son tablier d'un geste nerveux.

— Je descends tout de suite, dit Alfred. Il ne faut pas laisser notre visiteuse trop longtemps seule.

— Moi, je vais dire à Elsie d'ajouter un couvert, dit Dorothée, tout d'un trait, en quittant la pièce.

A pas lents et pesants, Alfred descendit l'escalier et entra dans le salon. Il vit le lumineux contour d'une chevelure lisse, puis Mary tourna vers lui son beau visage serein, et se leva pour faire la révérence.

Alfred resta cloué sur place. La fille d'Amalie. Cette ravissante créature, dont le regard bleu lui était si étrangement familier, aurait pu être sa fille, à lui. Il se sentait volé.

— Je suis Mary Lindsey, monsieur. Vous êtes sans doute le père de Philippe ?

— Oui, mon enfant.

Alfred parlait bas, d'une voix hésitante. Mary prit avec assurance la main qu'il lui tendait. Elle examina Alfred avec une franchise non déguisée. Le résultat fut sans doute satisfaisant, car elle sourit de la manière la plus gracieuse.

— Nous sommes cousins, n'est-ce pas, monsieur ?

— Cousins issus de germains, c'est exact, Mary. Votre grand-père m'a adopté, si bien que je suis votre oncle adoptif aussi. Vous pouvez m'appeler oncle Alfred.

Il avait gardé la longue main douce de Mary dans la sienne. C'était la main ferme et souple de sa mère ; Alfred serrait cette main plus qu'il ne s'en doutait et Mary, avec sa sagacité habituelle, attendit posément qu'il la relâchât. Elle comprenait que ce contact troublait profondément ce vieux monsieur correct. Mais elle en ignorait la raison.

— Je suis très heureux de vous connaître, Mary. J'espère que vous reviendrez souvent. Il est regrettable que Philippe ne déjeune pas à la maison, mais j'espère que vous ne vous ennuierez pas trop en notre compagnie.

— Oh ! certainement pas, assura-t-elle gravement. Philippe m'a si souvent parlé de vous et de tante Dorothée, que je vous connais déjà.

Elle se souvint des principes qu'on lui inculquait assidûment dans l'établissement de miss Finch et ajouta :

— J'espère que vous ne me trouverez pas assommante et que vous ne jugerez pas trop présomptueux de ma part d'être venue ici, sans invitation.

— Ce n'est pas nécessaire pour vous, répliqua Alfred avec une égale politesse. Au contraire, venez quand vous voudrez. Nous serons ravis de vous voir.

Elle attendit qu'Alfred ait pris un siège pour s'installer près de lui, les pieds modestement joints, les mains croisées sur sa robe de mousseline. Alfred était ému par l'aimable et ferme dessin du menton, l'éclat des calmes yeux bleus. Oui, Mary eût été son enfant d'élection, son réconfort, sa fille bien-aimée, sa favorite. « Au fond, pensa-t-il, c'est la petite-fille de mon oncle. C'est une Lindsey. » Il ne pensait pas, en la regardant, que c'était aussi la fille de Jérôme. Il y avait longtemps du reste qu'il n'avait éprouvé de haine ou de fureur pour Jérôme. Mary était la fille d'Amalie et la petite-fille de William Lindsey ; c'était suffisant pour Alfred.

Il pria Mary de lui parler de son école. La voix de Mary, qui manquait un peu d'expression, avait un timbre cristallin qui charmait l'oreille d'Alfred. Il écoutait, captivé. Mary détourna un instant la tête et Alfred eut un serrement de cœur en voyant le pur et calme profil : c'était celui de William Lindsey. Mais il y avait autre chose aussi : un certain port de tête, un modelé adouci autour des pommettes, qui suggéraient les traits d'Amalie.

— J'ai habité Hilltop autrefois, Mary. Avant votre naissance. J'aime Hilltop que je n'ai jamais oublié.

Mary considéra Alfred d'un air grave.

— Je ne savais pas. Pourquoi êtes-vous parti ? La maison est si vaste... Comme j'aurais aimé vivre avec Philippe !

Alfred gardait le silence, mais voyant que Mary attendait une réponse, il dit :

— Voyez-vous, il vaut mieux être chacun chez soi. Deux familles sous le même toit peuvent s'importuner mutuellement. J'ai pensé que le mieux était d'emmener ma famille et de faire construire une maison pour nous trois.

— Mais tante Dorothée est la sœur de mon père, dit Mary d'un air intrigué. Elle aurait dû rester avec nous.

— Mais votre père avait votre mère, mon petit. Il avait votre mère, lui, et moi, je n'avais personne. C'est pourquoi Dorothée est venue avec nous.

Mary fixa sur lui un regard pénétrant. Elle savait qu'il ne lui disait pas tout et elle avait une curiosité naturelle aux enfants qui n'avait fait que croître avec les années.

— Vous ne venez jamais à Hilltop. Vous n'aimez pas papa alors, ni maman ?

Alfred se leva sous la morsure de la douleur. Il jeta un coup d'œil vers la porte en souhaitant désespérément le retour de Dorothée. D'une voix étouffée, il dit :

— Ma chère enfant, votre père et moi n'avions pas beaucoup de sympathie l'un pour l'autre.

Il s'interrompit, incapable de continuer pendant quelques instants, et Mary l'entendit à peine quand il reprit :

— J'aimais beaucoup votre mère. Beaucoup. Mais il arrive que les familles ne s'entendent pas...

Ce fut un vif soulagement pour lui quand il entendit le bruissement de la robe de Dorothée. Regardant tour à tour Alfred et Mary, Dorothée se rendit compte du trouble extrême d'Alfred. Qu'avait bien pu lui dire l'étrange enfant ? Cependant, Mary, imperturbable et gracieuse, s'était levée à l'entrée de sa tante.

Mary trouva le déjeuner d'une simplicité insipide, tout à l'opposé des fastes culinaires de Hilltop. De plus, il régnait un silence anormal dans cette maison. On n'entendait pas s'élever la voix familière des domestiques derrière les portes ; les pendules ne sonnaient pas. Il devait y avoir des chevaux ; il y avait, en tout cas, le petit chien de Philippe ; mais on n'entendit ni hennissements ni aboiements. Les fenêtres de l'austère salle à manger donnaient au Nord. Mary sentit une espèce d'humidité dans l'atmosphère et frissonna. Il ne fallait pas s'étonner si ce cher Philippe venait si souvent à Hilltop. Le silence glacial devait lui être fort désagréable, à lui aussi.

Dorothée fut soudain prise d'inquiétude.

— Est-ce que votre mère ne va pas se tourmenter en ne vous voyant pas rentrer pour le déjeuner ?

— Non. Maman reçoit Mrs. Kingsley aujourd'hui et elle pense que je suis auprès de William pour l'empêcher d'aller les ennuyer. Mrs. Kingsley n'aime pas les enfants. Elle préfère les animaux. — Mary réfléchit un instant. — Vraiment, on ne peut lui en vouloir. Les petits garçons peuvent être si fatigants !

Dorothée se souvint aussitôt de l'époque lointaine où le turbulent Jérôme était sous sa tutelle. Elle aussi avait souvent reçu l'ordre d'aider les bonnes à garder Jérôme, quand il y avait des invités. Ses yeux s'humectèrent.

— Est-ce que votre frère est très bruyant, ma chérie ? Est-ce qu'il vous donne beaucoup de mal ?

— Il se tient très bien quand papa est là. Papa est quelquefois sévère avec lui. Mais quand maman est toute seule. il lui donne souvent du fil à retordre. Il profite de la situation. Il fait des caprices.

Jérôme aussi profitait de la situation et faisait souvent des caprices. Dorothée s'en souvenait. Elle sourit à Mary avec sympathie. Etranges, ces retours de l'histoire dans une même famille. Elle sentit qu'un lien se nouait entre elle et cette calme jeune fille. Elle savait d'instinct que, sans grand effort, Mary pouvait mettre William au pas comme elle-même l'avait fait pour Jérôme.

Dorothée se tourna vers Alfred qui lui souriait. Lui aussi pensait aux mêmes choses. Il y avait longtemps que Dorothée n'avait eu semblable impression de sympathie chaleureuse, d'intimité.

— Mais, en somme, vous avez laissé votre frère tout seul, dit Dorothée en se rappelant que Mary avait manqué à ses devoirs. C'est très mal, conclut-elle, sur un ton qui voulait être sévère.

Mary n'en fut pas déconcertée.

— Je l'ai gardé pendant deux heures, j'en avais assez. J'ai donné à Margie, sa gouvernante, un de mes vieux médaillons, à condition qu'il n'approche pas de maman et de Mrs. Kingsley. Elle a dit qu'elle l'attacherait plutôt. Naturellement, il se mettra à hurler... Mais Margie pourra toujours fermer les portes.

Une fois. Dorothée avait enfermé Jérôme dans un placard. C'était quand leur mère était si malade. Jérôme n'avait pas eu peur. Il avait enfoncé le panneau à coups de pied... Dorothée, une tasse de thé à la main, oubliait de boire. Les yeux fixés sur la nappe, elle se souvenait.

Ce ne fut que plus tard qu'elle s'aperçut qu'elle avait évoqué ces souvenirs de Jérôme, sans haine et sans amertume.

Mary refusa la voiture. Elle préférait marcher. Elle laissa ses recommandations pour Philippe : qu'il n'oublie pas qu'il dînait à

Hilltop le lendemain ; elle espérait qu'il apporterait le volume de Shelley qu'il lui avait promis.

Mary embrassa tranquillement sa tante, puis son oncle, et s'en alla à pas posés. Ils l'accompagnèrent jusqu'à la grille. Ils regardèrent la mince silhouette élancée gravir la colline. A un moment, elle se retourna en faisant de la main un signe d'adieu. Ils eurent le sentiment navrant de l'irrémédiable. Ce départ de Mary n'était pas dans l'ordre des choses. Ils regardèrent la chevelure qui brillait au soleil d'un éclat métallique jusqu'à ce qu'un tournant de la route la dérobât à leurs yeux.

« Elle aurait dû s'appeler Elisabeth, pensa Alfred, du nom de ma mère. »

CHAPITRE LVI

INQUIETE et exaspérée. Amalie s'écria :

— Vraiment, Mary, tu dépasses la mesure. Je ne sais pas ce que ton père va dire, quand il faudra le mettre au courant. A moins qu'on ne lui dise rien.

— Pourtant, j'en ai bien l'intention, dit Mary avec calme. Il est inutile de se cacher.

Elle regarda sa mère d'un air pensif.

— Il ne m'a jamais expressément défendu de voir oncle Alfred et tante Dorothée.

Amalie poussa un soupir résigné.

— Des arguments de ce genre ne prennent pas avec moi, ma petite. Tu savais pertinemment qu'il ne fallait pas y aller. Tu n'es pas sans connaître les sentiments de ton père à l'égard de cette famille.

Mary se lissa les cheveux, puis les rejeta en arrière.

— Maman, j'ai presque quatorze ans, je ne suis plus une enfant. Ne croyez-vous pas que je pourrais en connaître la raison ? Tout cela est tellement mystérieux.

Amalie ne répondit pas. Mary avait raison. Un jour, proche peut-être, elle entendrait parler de l'histoire, qui pourrait être dénaturée. Le mieux était, en quelques mots habilement choisis, de mettre Mary au courant. Jérôme serait furieux, tant pis.

— Après tout, Mary, tu es une jeune fille raisonnable et il vaut mieux que tu saches à quoi t'en tenir, j'en conviens. D'autres pourraient t'en parler, et sans bienveillance.

Amalie hésita. Tout de même, Mary n'avait pas quatorze ans. Que savait-elle des passions humaines ? Allait-elle leur en vouloir ? N'allait-elle pas se faire des idées extravagantes ?

Désemparée, Amalie reprit :

— Autrefois, Mary, j'ai été mariée avec Alfred Lindsey.

Mary tressaillit. Elle se retourna sur sa chaise et regarda attentivement sa mère, sans mot dire.

Amalie se tordait nerveusement les doigts et se mordait la lèvre. Mary attendait.

— A cette époque, nous vivions tous ensemble à Hilltop. Ton père est arrivé de New York pour le mariage.

Seigneur, c'était plus difficile à dire qu'elle ne l'avait cru !

— Ce fut très regrettable sans doute, mais ton papa et moi... nous nous sommes aperçus que... nous nous aimions. Aussi, quelques mois plus tard, le divorce fut prononcé et ton papa a pu m'épouser.

— Divorce, dit Mary, comme pour elle-même.

Amalie fronça le sourcil :

— Voyons, Mary, tu sais certainement ce que ça signifie. Bien entendu, le divorce est plutôt... exceptionnel, mais, parfois, c'est nécessaire. Je m'étais rendu compte que je n'aimais pas vraiment Alfred Lindsey. C'était la meilleure solution pour tous.

Elle ne pouvait lire dans le regard bleu de Mary fixé sur elle. Puis, tout d'un coup, elle eut une révélation : sa fille l'admirait.

— Eh bien, maman, dit Mary, comme émerveillée, il vous en a fallu du courage.

Amalie en resta bouche bée. Mary examinait sa mère avec un profond intérêt. Ainsi, maman n'était pas seulement une dame comme-il-faut. Maman avait été jeune, forte, audacieuse. Elle avait eu le courage d'affronter l'aventure et le scandale. Elle avait dû faire face à une tempête de critiques. Le romanesque naissant s'exaltait en Mary. Et papa ? Comme il avait dû être séduisant, irrésistible ! Ce n'était pas seulement le père de ses enfants : il y avait en lui la brillante désinvolture, la fougue d'un personnage romantique. Mary s'aperçut qu'elle n'avait jamais autant aimé ses parents. Elle n'avait jamais éprouvé autant d'affection pour sa mère qui s'était toujours montrée si stricte et rigide envers elle.

— Alors, c'est pourquoi nos familles ne se voient pas ? dit Mary d'un air songeur. Oncle Alfred a dû avoir beaucoup de peine ?

— Cerainement, dit Amalie, qui n'était pas encore revenue de sa surprise. Mais c'est un homme de bon sens et je suis persuadée qu'il ne nous en veut plus. Néanmoins, la situation reste délicate. C'est pourquoi nous préférons ne pas avoir de relations...

— Oui, je crois que je comprends, dit Mary, les yeux dans le vague. Oncle Alfred est très gentil. Il n'a pas l'air d'en vouloir à personne. Il m'a demandé de vos nouvelles, maman. Des tas de questions... Pourquoi ne s'est-il pas remarié, lui aussi ?

— Ça, je n'en sais rien... Il s'était déjà marié deux fois. Il a dû trouver que ça suffisait. Qu'est-ce qu'il t'a demandé à propos de moi ?

— Il voulait savoir si vous étiez toujours jolie.

Mary regarda sa mère avec des yeux neufs. Mary n'avait jamais songé que sa mère pût être belle ou laide. C'était maman, sans plus. Mais maintenant, pour la première fois, Mary voyait la beauté de sa mère, et elle sentit une timidité étrange l'envahir. Maintenant, aussi, elle voyait la femme à travers la mère.

— Oncle Alfred voulait savoir si vous aimiez toujours le jardin et si votre couleur préférée était toujours le vert.

Les yeux d'Amalie s'assombrirent et elle baissa légèrement la tête.

— Je n'ai pas compris sur le moment, poursuivit l'enfant terrible, mais, à présent, je sais : il vous aime toujours, maman.

Amalie se leva. Elle dit d'une voix étrange :

— Mary, je me demande ce que nous allons faire. Ton papa va être très en colère. A mon avis, c'est toi qui devrais le lui dire, et lui dire aussi ce que je t'ai raconté. Mais fais-le quand je ne serai pas là.

Mary approuva, un énigmatique sourire de femme sur son visage.

— Je pense qu'il te défendra d'y retourner et il faudra que tu lui obéisses.

— Il me semble qu'on ne devrait pas forcer les enfants à obéir à des ordres stupides, déclara Mary.

Amalie en eut le souffle coupé et se tourna brusquement vers sa fille :

— Voyons, Mary, comment peux-tu parler de la sorte ? Ne peux-tu comprendre que les parents peuvent donner des ordres dont la portée échappe à de petites sottes ?

— Non. Après tout, je ne suis plus une enfant ; je suis d'âge à juger par moi-même et à décider ce que bon me semble. Je crois que papa comprendra ça : il m'écoute toujours.

Jérôme était pâle de rage. Mary l'avait invité à monter dans sa chambre après le dîner. (Mary avait souvent de ces tête-à-tête avec son père.) Ils avaient quitté ensemble la bibliothèque, selon leur habitude, Jérôme souriant de son air indulgent, comme pour s'excuser auprès de sa femme, avant de s'en aller avec Mary pour l'un de leurs « entretiens ». Si Jérôme était en rage, par contre Mary montrait un calme parfait.

— Il ne faut pas en vouloir à maman, disait Mary. Elle ne savait pas que je partais. En fait, j'ai quitté la maison sans qu'elle s'en aperçoive. J'avais la ferme intention de me rendre chez Philippe. A mon retour, maman s'est montrée très fâchée contre moi. J'ai insisté pour qu'elle me dise tout. C'est ce qu'elle a fait. Je ne suis pas le moins du monde scandalisée. Je trouve ça passionnant. Maintenant, je comprends et je me demande pourquoi on ne me l'a pas dit plus tôt.

Mary était songeuse. Si elle était le moindrement troublée par la pâleur inhumaine de son père, et le rouge vif de ses cicatrices, elle n'en montrait rien. Elle ne l'avait jamais vu dans un tel état ; il ne l'avait jamais regardée de cette manière. Mais elle ne bronchait pas. Elle dit d'un ton pensif :

— Naturellement, j'aurais très bien pu ne pas vous parler de maman. Mais je trouve que ça aurait été mal. A quoi sert d'être malhonnête et sournois ?

Jérôme éprouva un violent désir de gifler sa fille, ce qui ne lui était jamais arrivé. Pourtant, il ne bougea pas et se contenta de dire grossièrement :

— Petite garce ! Tu savais que je ne voulais pas que tu y ailles jamais. Je te l'avais dit d'une façon précise, mais tu as désobéi sciemment.

Mary marqua le coup et, pour la première fois de sa vie, elle eut peur de son père. Elle crâna, mais elle était blême. Jérôme sentit que ses cicatrices enflaient, brûlantes. Sa fureur contre Mary augmenta. Il se leva, fit un pas vers sa fille et la frappa violemment au visage. Mary resta muette, impassible. Elle ne fit pas un geste. Elle releva seulement la tête davantage. La marque des doigts de Jérôme s'inscrivit en rouge sur la joue blanche. Cette attitude fit hésiter Jérôme : c'était celle de son père. Il eut brusquement honte de cette gifle. Cependant, sa voix mal assurée gardait une intonation brutale :

— Comprends-moi bien, ma petite. Je te défends de retourner là-bas. Sinon, tu me le paieras.

Mary rétorqua calmement :

— Il y a quelque chose que je ne comprends pas : s'il y en a un de vous deux qui puisse se mettre en colère, c'est oncle Alfred et non pas vous. C'est vous qui lui avez pris maman.

Etait-ce du mépris qui brillait de manière si éclatante dans ces jeunes yeux ? Jérôme, dans sa fureur, sentit la tête qui lui tournait.

— Ta mère est stupide de t'avoir raconté ça. Elle aurait dû se rendre compte que tu n'étais pas à même de comprendre, qu'il ne fallait rien te dire, à aucun prix.

Jérôme ne se possédait plus. Il passa la main sur ses cicatrices.

— Tu vois ça, petite imbécile ? Eh bien, c'est ton cher oncle Alfred qui m'a fait ça.

Mary se leva, incapable de détourner son regard. Elle était plus blême que jamais. Elle murmura :

— Quand il s'est aperçu... que maman et vous...

— Tu l'as dit, cria Jérôme.

— Ça ne rime à rien, dit Mary, toujours à voix basse. Il aurait dû comprendre que maman et vous n'y pouviez rien.

Elle porta la main à sa joue cuisante et ses yeux reprirent leur éclat extraordinaire.

— De même que vous, papa, n'auriez pas dû vous emporter.

La dignité de Mary réduisit Jérôme au silence. Il se sentit accablé de honte et se mordit la lèvre. Puis, il tendit la main à sa fille, qui la prit sans hésitation.

— Mary, tu es trop jeune pour tout comprendre. Plus tard, tu seras peut-être à même de voir pourquoi j'exige que tu ne remettes plus jamais les pieds dans cette maison... Je le regrette, mon petit.

Il avait toujours eu la haute main sur Mary. Il y avait entre eux une sympathie complète. Maintenant, Jérôme savait que le lien robuste, l'espèce de cordon ombilical, qui les unissait, venait de se rompre. Il en était tout chagrin.

— Si c'est votre désir exprès, papa, alors j'obéirai.

Elle avait désormais une fierté, une dignité de femme. Oui, c'était bien du mépris qu'il y avait dans ses yeux, du mépris pour lui, qui ne savait pas se maîtriser et prenait des décisions puériles, inexcusables.

— Merci, mon petit, dit Jérôme, et il quitta la pièce.

Il avait eu l'intention de faire monter Amalie pour la tancer d'importance ; mais il n'y avait plus en lui que de la tristesse et le sentiment d'une perte qui allait en grandissant.

CHAPITRE LVII

QUAND Philippe vint dîner, le lendemain soir, il eut hâte de voir s'il y avait quelque contrainte chez ses hôtes. Il constata, non sans appréhension, que Jérôme prenait un air hostile chaque fois qu'il regardait sa femme et que l'amabilité de celle-ci était surtout de commande. Toutefois, Jérôme se montrait, envers Philippe, aussi à l'aise, aussi empressé qu'à l'ordinaire.

Ils passèrent à table. Philippe s'aperçut qu'Amalie avait fait de son mieux pour amadouer Jérôme en lui servant ses plats favoris. Philippe complimenta la maîtresse de maison sur leur perfection.

— Où trouvez-vous de la viande pareille ? demanda-t-il.

Ce fut Jérôme qui répondit :

— Je l'achète à l'un des mécaniciens de chez Munsey. Il m'a encore acheté deux hectares de terrain pour élever du bétail.

Jérôme parla d'abondance de l'expérience réussie par le Centre d'Entraide, qui était en pleine prospérité depuis plus d'un an. Industriels, banquiers, grands propriétaires, philanthropes, venaient en foule à Riversend, d'abord sceptiques et soupçonneux, puis stupéfaits. Philippe, bien que directeur auxiliaire de la banque de son père, avait trouvé le temps d'établir les plans et d'en assurer l'exécution. En trois ans, six grands bâtiments s'étaient élevés sur le terrain acheté par Jérôme, près du chemin de fer.

Tout à l'entour de Riversend, le pays, comme disait un reporter enthousiaste, avait « fleuri comme la rose ». Les lots de terrain, consacré à l'élevage de bétail ou de volailles ou à la culture des fleurs, avaient remplacé les pâtis abandonnés depuis de longues années. Le dimanche et les jours de fête, à la belle saison, les ouvriers et leurs familles se réunissaient pour des feux de camp et des agapes en plein air. De plus en plus, les ouvriers se rendaient acquéreurs de jolies petites maisons où ils habitaient. Certains construisaient eux-mêmes leur logis, comme ils avaient construit les bâtiments du Centre.

Tout cela ne s'était pas accompli sans lutte et sans inquiétude pour les initiateurs. Les ouvriers avaient mis du temps à se laisser convaincre qu'on s'intéressait à leur bien-être et à leur bonheur au même titre qu'à leur travail.

Des sociologues étaient venus de New York et de Chicago pour étudier cette entreprise révolutionnaire et s'étaient efforcés de persuader les dirigeants de leurs villes d'en faire autant. Les journaux, renonçant à leurs brocards, consacraient au Centre de massifs articles de fond.

Mais la partie n'était pas encore gagnée, Jérôme et Philippe le savaient. Le combat pour la justice, pour la dignité humaine, n'avait pas de fin. Philippe, en dehors de son travail à la Banque, donnait tout son temps à leur œuvre commune. Alfred et lui n'avaient jamais discuté du Centre ; Philippe espérait toutefois que son père commençait à s'y intéresser. Une fois, un samedi après-midi où Alfred était certain de ne pas rencontrer Jérôme, il avait accompagné son fils pour visiter les bâtiments et il avait pu voir les ouvriers en train de cultiver leurs terrains.

— Vous voyez, père, nous avons prévenu les dangers de la concentration industrielle dans ce district. Les ouvriers n'ont pas perdu le contact de la terre.

— Je me suis toujours élevé contre le divorce d'avec la terre, répondit Alfred d'un ton digne. Je suis heureux que d'autres soient de mon avis.

Philippe avait souri, mais d'un air affectueux.

Une semaine plus tard, Alfred avait remis à Philippe un chèque de trois mille dollars pour la construction d'une petite clinique dont Philippe lui avait parlé.

— Toutefois, avait dit Alfred d'un ton rogue, je tiens à ce que ce don reste anonyme.

Et Philippe avait été profondément touché par ce geste.

CHAPITRE LVIII

PHILIPPE ouvrit la porte du petit salon de Mary et dit d'un ton joyeux :

— Je peux entrer ?

Mary était assise à son bureau en bois de rose en train d'écrire dans son journal. Elle se leva en souriant. La lampe du bureau jetait une lumière douce sur son visage.

— Je vous apporte le Shelley et aussi quelques airs de Brahms. On prétend que c'est un exemplaire signé par l'auteur. Je l'ai acheté il y a un mois à New York et il n'est arrivé que ce matin, avec d'autres choses. J'ai joué les airs et j'ai pensé que ça vous conviendrait tout à fait.

Philippe lui tendit le paquet et observa Mary sans en avoir l'air. C'est alors qu'il vit les traces sur la joue. Bien qu'il continuât à sourire, il fut glacé de saisissement. Il sentit à peine les mains empressées s'emparer du paquet. Malgré le froid qui l'envahissait, il sentait une brûlure en lui, plus forte qu'une simple colère.

La jeune fille s'assit avec sa grâce tranquille. Elle défit le paquet et leva un regard radieux sur Philippe :

— Comme vous êtes gentil !

— Pas tant que vous, chère Mary. — La voix de Philippe tremblait malgré ses efforts et menaçait de le trahir. — C'était une attention exquise d'être allée, hier, voir ma tante et mon père. Ils m'ont chargé de vous dire comme ils ont été heureux de votre visite. Je crois qu'ils vous aiment beaucoup.

Une rougeur colora le visage de Mary et les marques s'avivèrent. Mais elle ne détourna pas son regard et dit simplement :

— Je les aime, moi aussi. Je voulais les connaître à cause de vous, Philippe.

Philippe se souvint du ton affectueux de Dorothée, lorsqu'elle lui avait dit que « cette chère enfant avait résolu de l'épouser dans trois ou quatre ans ». Ils en avaient ri ; Philippe n'avait jamais entendu Dorothée rire de si bon cœur.

— Ils tiennent à vous revoir bientôt, Mary.

Mary pencha légèrement la tête sur les livres. Une longue mèche de cheveux lui balaya la joue.

· — Je voudrais bien, Philippe, mais je crois qu'il vaut mieux pas.

Il y eut un silence. Puis Philippe dit tout bas :

— Votre père vous l'a défendu ?

Toujours penchée sur les livres, Mary fit « oui » de la tête.

Philippe soupira. La brûlure se faisait plus intense en lui. Jérôme ! D'un ton qu'il espérait raisonnable, il dit :

— Tant pis, je le regrette. Il a probablement ses raisons.

Mary releva la tête. Son regard franc était sans peur, mais il parut à Philippe plus mûr qu'il ne l'avait jamais vu.

— J'aurais dû demander la permission d'abord. Voyez-vous, Philippe, il y avait des choses que j'ignorais. Je ne savais pas que maman avait été mariée à votre père. Je ne savais pas qu'elle avait divorcé pour épouser papa. Si j'avais réfléchi un seul instant, sachant que papa ne voulait pas que j'y aille, j'aurais compris qu'il devait avoir de bonnes raisons pour m'en empêcher. Il me semble que j'ai grandi depuis hier.

Cette jeune voix, maîtresse d'elle-même, était navrante pour Philippe.

— Chère petite, dit-il, comme s'il voulait la défendre contre la vérité cruelle.

Mary, continua, comme si elle n'avait rien entendu :

— Maman m'a tout dit. Elle était bouleversée. J'ai agi bien étourdiment. — Elle soupira. — Comme ce dut être pénible pour vous tous de quitter Hilltop !

— Oui, très pénible, avoua-t-il, pleinement conscient que Mary n'était plus une enfant. Nous avions tant de souvenirs à Hilltop. Et puis, j'aimais beaucoup votre maman. C'est grâce à elle que j'ai su ce que c'était que d'avoir une mère. C'est elle qui m'a donné ma montre.

— C'est étrange, dit Mary, comme un peu étonnée de sa découverte, c'est étonnant qu'on ne pense jamais que nos parents aient pu avoir une vie à eux, avant notre naissance. Et c'est stupide aussi. Maman vous paraissait belle et bonne, n'est-ce pas, Philippe ?

— Oh ! oui, Mary, dit-il, sentant ses yeux s'embuer.

Mary le regardait d'un air rêveur.

— Il y a des choses que je ne sais pas encore, n'est-ce pas ?

Il fut très embarrassé et inquiet.

— Je suis sûr que votre mère vous a dit tout ce qu'il y avait lieu de savoir. Je dirais qu'entre votre père et le mien, c'est une question d'incompatibilité d'humeur. Ce sont des ennemis de toujours. Ils n'ont jamais pu se comprendre. Ce n'est pas seulement votre mère...

Il s'arrêta. Il n'aimait pas discuter des autres en leur absence. C'était manquer de loyauté.

Mary le regardait d'un air sérieux.

— Je crois que je comprends. Mais votre père ne paraissait pas avoir de ressentiment pour le mien. Papa m'a dit que ses blessures lui venaient d'oncle Alfred. Sans cela, papa aurait pu oublier aussi. Mais ses cicatrices l'en empêchent. Pauvre papa ! Il a dû être terriblement humilié.

Philippe se leva rapidement.

— Votre père a beaucoup d'orgueil, Mary...

Quel esprit pénétrant avait cette enfant ! Il l'examina avec une espèce de ferveur et fut saisi d'une étrange et poignante émotion.

— Oui, beaucoup d'orgueil. Je le sais maintenant. Vous voyez comme j'ai eu tort. Je sais qu'il y a quelque chose d'autre que l'on ne m'a pas expliqué. Pouvez-vous me dire ce que c'est ?

Philippe était consterné. Avec plus de sévérité qu'il n'en éprouvait, il dit :

— Ma chère Mary, ne croyez-vous pas qu'il est impertinent de discuter ainsi de votre père ? Croyez-vous que ça lui plairait ?

— Certes pas. Vous avez raison, Philippe.

Elle déposa les livres. Elle était si calme qu'elle paraissait impassible.

— Vous essayerez d'oublier tout cela. Cela ne change rien entre vous et moi, n'est-ce pas, Mary ?

Elle se leva. Elle était plus grande que Philippe. Ses yeux étaient redevenus candides et très bleus.

— Absolument rien, Philippe.

Elle lui tendit la main. Il la sentit fraîche et souple dans la sienne.

— Vous direz à votre père et à tante Dorothée que je ne les oublie pas, et que je reviendrai les voir un jour, mais pas tout de suite...

Pauvre, pauvre enfant. Mais ce n'était plus une enfant.

Il descendit lentement l'escalier et se composa un visage souriant avant d'entrer dans la bibliothèque. Il éprouva encore cette brûlure intense en revoyant Jérôme. Il vit aussi l'inquiétude sur le visage pâle d'Amalie. Il dit d'un ton de bonne humeur :

— Mary est ravie des livres, et elle vous jouera les airs de Brahms dès demain, Jérôme.

CHAPITRE LIX

JEROME et Philippe brassaient un nouveau projet grandiose. Ecœurés par l'état d'esprit qui régnait dans trop de grandes écoles et d'universités, où il n'était question que « d'affaires », où — déjà ! chez des êtres jeunes — l'argent était roi, où la philosophie, les arts, les belles-lettres, le goût du social et du civique étaient presque ouvertement tournés en ridicule, les deux hommes résolurent d'entreprendre, sur le plan intellectuel, spirituel et moral, une œuvre analogue à celle qu'ils avaient si brillamment réussie. Cette nouvelle Entraide de Riversend allait se réaliser sous forme de bourses. Des élèves, désignés parmi les plus capables de réflexion, de profondeur, de désintéressement, allaient être expédiés dans des écoles judicieusement choisies, où ils seraient formés en vue non seulement de leur propre avenir, mais de l'avenir du pays. On en ferait des moniteurs qui seraient sans cesse à l'affût d'enfants, de jeunes hommes qui, indépendamment de toute considération de famille ou de milieu, feraient preuve d'intelligence, d'intégrité, de délicatesse intuitive.

A ceux-là, on accorderait l'accès des meilleures universités en attendant que puissent être fondées pour eux des écoles gouvernementales de sciences politiques. C'est parmi eux, et parmi eux seulement, imbus de leur mission et qui ne se laisseraient pas suborner par les intrigues de couloirs, que se recruteraient députés, sénateurs, hauts fonctionnaires, officiers. Ce serait cela, la véritable démocratie : le gouvernement par les meilleurs !

— Tout cela revient à lutter perpétuellement contre les « hommes gris », résuma Jérôme.

— Oui, à lutter contre ceux qui n'aiment que leur compte en banque, contre ceux qui voient dans l'accumulation des biens l'unique raison de vivre.

Philippe s'interrompit et regarda Jérôme d'un air bizarre.

— Vous avez tort, vous savez, dit-il. Mon père n'est pas un « homme gris ». Seulement, on aurait dû lui dire, dans ses débuts, qu'un homme n'a pas besoin de prouver sa compétence et de justifier son existence en gagnant de l'argent. Maintenant, il a compris. Oui, vous avez tort.

Jérôme se leva brusquement.

— Allons déjeuner, dit-il.

Philippe soupira. Ils sortirent.

Jérôme ne reprit pas la discussion, mais Philippe savait qu'il y pensait et il en était content.

Jérôme se mit à parler de Mary. Amalie et sa fille allaient rentrer après plusieurs mois en Europe. Elles avaient assisté au jubilé de la reine Victoria. Des amis de Jérôme s'étaient entremis pour qu'Amalie et Mary fussent présentées à la cour.

— Je tiens à ce que Mary acquière le sentiment de la stabilité, de la continuité sans défaillance de l'histoire, dit Jérôme. Elle a dix-sept ans et elle est très douée. A son retour, elle veut entrer à l'Université de Cornell. Je ne croyais pas que je verrais jamais la coéducation en Amérique !

— Mary est une belle âme, dit Philippe. J'espère qu'elle épousera un homme qui la vaille.

— Oh ! j'ai des projets, dit Jérôme d'un air suffisant.

Il rayonnait d'orgueil paternel.

— Mais j'ai un fils aussi. Il va entrer à Groton bientôt. Seigneur, comme le temps file ! Ce n'est pas une réflexion originale. n'est-ce pas ? Will a douze ans maintenant, et il a l'étoffe d'un homme d'affaires étourdissant. Mais sa mère lui redit sans cesse qu'il a des devoirs envers les autres qui dépassent ses devoirs envers lui-même. S'il a pris la leçon à cœur ou non, l'avenir seul nous le dira.

Avec un petit rire sec, il ajouta :

— Il a déjà une somme rondelette à son compte.

Après le repas, Philippe revint à la Banque de son père. Comme à son habitude, Alfred parut heureux de revoir son fils.

— J'ai parlé avec Jérôme de ce dont nous discutions hier soir, dit Philippe en s'asseyant. Je crois qu'il va fonder quelques bourses. Avec ce que nous apportons, vous et moi, le résultat devrait être impressionnant.

— Tu n'as pas parlé de moi, au moins ? dit Alfred vivement.

Philippe mentit et dit que non.

— Voilà des années que je n'ai plus de haine pour Jérôme. Bien entendu, je ne pense pas que nous puissions jamais être amis, ni même arriver à nous parler. Je n'ai pas oublié Amalie. Je n'ai pas oublié la traîtrise de Jérôme. Mais maintenant, je ne leur en veux plus ni à l'un ni à l'autre. Peut-être simplement parce que je suis fatigué... J'ai l'impression que l'un de ces jours, Jérôme et moi, nous allons nous rencontrer et que... l'horizon s'éclaircira.

— Oui, dit Philippe. Je le crois.

— Tu sais, Philippe, dit Alfred avec une certaine tristesse, je trouve Jérôme bien vindicatif de ne pas permettre à Mary de venir nous voir. Cette enfant m'a plu et elle a plu à Dorothée également. Quel mal pouvions-nous lui faire ?

— Mais vous l'avez souvent rencontrée sur la route, tout à fait par hasard. Et chez des amis discrets également. Mary est une fine mouche, à l'occasion.

— Je n'ai jamais trouvé cela parfaitement honnête, dit Alfred d'un air gêné. Si son père lui a interdit les visites, elle aurait peut-être dû obéir à l'esprit aussi bien qu'à la lettre.

— Mary est une jeune fille raisonnable et qui a beaucoup de bon sens, répliqua Philippe.

Il parla à son père du proche retour de Mary.

— J'ai eu une lettre d'elle ce matin. Et une photographie.

Il sortit une enveloppe de sa poche et Alfred se saisit avec empressement de l'image.

Il vit le fin visage, hautain dans sa jeunesse et sa beauté. les grands yeux au regard volontaire plein d'une lumière spirituelle. Les cheveux pâles dessinaient les contours de la tête en grandes ondes souples et se nouaient sur la nuque en un épais chignon luisant.

— Quelle enfant exquise ! dit Alfred.

— Elle a dix-sept ans. Ce n'est plus une enfant, ni par les années ni par le caractère.

Alfred mit ses lunettes pour lire la dédicace écrite en caractères pointus et très menus : « A mon cher Philippe, très affectueusement. Mary. »

— On sent que sous cette beauté froide, il y a un cœur vraiment affectueux, dit Alfred. Elle t'est très attachée.

Philippe reprit la photo. Son expression était des plus étranges.

— J'aime beaucoup Mary, moi aussi.

— Qui ne l'aimerait pas ? dit Alfred en pensant à autre chose. Philippe, tu as maintenant plus de trente ans. Tu ne parles jamais de te marier. Tu devrais songer au mariage, tu sais. Tout ce que j'ai sera pour toi. Il faut que tu aies des enfants.

Philippe sourit.

— Je vous promets que je serai marié d'ici deux ans.

Alfred se montra ravi.

— Ce sera Joséphine Tayntor, j'espère. Elle a trois ou quatre ans de plus que toi, mais elle fait très jeune. Ou bien la fille de Goodwin ? Elle n'a que vingt-deux ans et tu la vois beaucoup. Elle n'a pas la fortune de Joséphine, mais ça ne me paraît pas avoir beaucoup d'importance.

— J'ai déjà fait mon choix. Maintenant, père, ne m'en demandez pas plus long, mais je crois que vous ne serez pas déçu.

CHAPITRE LX

LA CRÉATION de douze bourses par Jérôme Lindsey fit sensation dans Riversend. On s'en réjouit beaucoup jusqu'à ce qu'on découvrît que ces bourses n'étaient pas réservées aux fils des « vieilles familles » de Riversend. L'indignation fut vive dans certains quartiers quand on s'aperçut que sept de ces bourses allaient aux enfants d'un mécanicien, de deux fermiers, d'un maçon, d'un boutiquier, d'une couturière veuve et, enfin, au fils de l'ivrogne de la ville. Les cinq autres étaient réparties entre trois fils de respectables bourgeois ; deux seulement allaient à des « fils de famille ».

On cria au nihilisme, au socialisme, à la révolution.

Jérôme reçut la visite d'amis scandalisés. Le général Tayntor fut le seul à comprendre. Les autres s'en allèrent convaincus que Jérôme se livrait à des tentatives infâmes pour saper l'ordre établi.

Comme Jérôme aimait la lutte, il appréciait ces assauts. Il n'eût guère été pacifié si Philippe lui avait dit qu'Alfred avait donné les fonds pour deux bourses.

Jérôme avait fait choix de bonnes écoles pour ses boursiers, ce qui lui valut de nouvelles difficultés. Les bonnes écoles s'opposèrent d'abord formellement à prendre sur leurs bancs des fils d'inconnus, ouvriers et ivrognes. Jérôme eut recours à l'aide de ses puissants amis de Boston et de New York. Il eut gain de cause, mais les journaux se livrèrent encore à d'aigres commentaires.

Amalie et Mary étaient de retour à Hilltop. Jérôme invita Philippe à dîner pour célébrer leur arrivée. Il était d'humeur exubérante et fut contrarié de voir l'air morne et étrangement apathique de sa femme.

— Je croyais que tu avais du plaisir à voir Philippe, dit-il, d'un ton agacé en voyant sa froideur. Si tu veux, nous serons grossiers et nous lui dirons de ne pas venir.

— Ne sois pas stupide. Naturellement, j'aime beaucoup Philippe et je serai très heureuse de le voir. Je me sens simplement un peu déprimée. Est-ce que tu es le seul dans cette maison, qui ait le droit d'être mal luné ?

Jérôme eut un large sourire.

— La maison n'est pas assez grande pour qu'on se permette de me contrarier. J'aime que l'humeur des autres coïncide avec la mienne.

« Il ne pense qu'à lui, comme d'habitude », se dit Amalie en s'animant un peu.

— Ne t'occupe pas de moi. Est-ce que je ne t'ai jamais dit que je ne pouvais pas souffrir cette ville de Riversend ? Je ne devrais jamais y mettre les pieds. Mais j'avais besoin de dentelle et il s'est trouvé que Roger était le seul à avoir ce que je voulais.

Jérôme lui jeta un regard pénétrant. Cette pauvre chérie avait dû encore subir quelque affront. Il était puéril de sa part de croire qu'un affront pouvait démonter quelqu'un d'aussi fort qu'Amalie, mais il le crut cependant. Il l'embrassa tendrement pour la consoler et ne comprit pas pourquoi elle se mit à pleurer en se cramponnant à lui. Il eût été bien étonné de savoir que ses caresses n'apportaient aucun réconfort.

Car, cet après-midi, Amalie s'était trouvée face à face avec Alfred.

Elle était bien allée chez Roger. Elle avait quitté le magasin, retroussant d'une main sa jupe de soie mauve, élevant de l'autre son ombrelle de dentelle noire. Avec sa capote de soie jaune nouée de rubans mauves, elle avait un air d'élégance et de jeunesse extraordinaires. Elle traversait le trottoir pour rejoindre sa voiture lorsqu'elle se heurta violemment contre un passant.

— Je vous demande pardon, madame, dit-il, courtois et désolé. C'est entièrement ma faute.

— Très étourdi de ma part, répondit Amalie avec bonne grâce.

Elle leva les yeux en souriant et rencontra le regard bouleversé d'Alfred.

Ils restèrent ainsi à se regarder, comme paralysés, oublieux des rares passants qui circulaient autour d'eux.

Alfred n'avait qu'à saluer poliment et à poursuivre son chemin. Amalie n'avait qu'à monter en voiture. Mais ils étaient l'un et l'autre incapables de bouger, et se regardaient seulement sans rien dire. Amalie devint toute pâle sous son ombrelle ; ses lèvres même se décolorèrent. Alfred était blême.

Dix-huit ans, comme un torrent infranchissable, les avaient séparés, dix-huit ans de souffrances et de solitude pour Alfred, dix-huit ans d'agitation fiévreuse, de troubles et d'inquiétudes pour Amalie.

Elle aurait pu briser le charme et fit du reste une tentative à

335

cet effet. Mais les yeux d'Alfred la tenaient captive. Ils étaient chargés de chagrin, de désir et de passion sans espoir et d'une espèce de tendresse instante et pathétique.

Très émue, elle lui tendit la main ; ce ne fut pas tellement une mesure de courtoisie, mais plutôt un geste implorant, tout à fait impulsif et involontaire. Alfred regarda cette main d'un air incrédule. Puis il la prit et la garda.

— Vous n'avez pas changé, Amalie, dit-il d'une voix défaillante.

— Mais si, j'ai changé, j'ai bien changé.

Elle était un peu haletante. Son visage s'empourpra.

Il l'écouta gravement, comme si ce qu'elle disait était d'une profonde importance pour lui.

— J'ai changé, moi aussi, dit-il au bout d'un moment.

Sa main était chaude, forte et douce. Il lâcha celle d'Amalie qui garda l'impression de chaleur, de force et de douceur.

Elle vit qu'il avait vieilli, mais il possédait maintenant la dignité et la sagesse au lieu de la dignité guindée qu'il avait autrefois, quand il doutait de lui.

— Vous avez une fille charmante, dit-il. Mary est une enfant bien attachante. Elle doit vous rendre heureuse.

— Oui, murmura-t-elle. Mais vous, vous avez Philippe.

Que se disaient-ils ? Ils parlaient sur un ton de condoléances.

Amalie sentait son cœur qui battait trop vite. La chaleur de la main d'Alfred persistait dans la sienne. Les paupières lui brûlaient. Maintenant, Alfred la prenait doucement par le coude en disant :

— C'est votre voiture ?

Il l'aida à monter. Il attendit qu'elle fût installée. Tête nue, au soleil, ses cheveux paraissaient tout blancs. Il ne la quittait pas des yeux. Elle lui dit au revoir en s'efforçant de sourire.

Il suivit la voiture du regard. La rue paraissait s'être assombrie autour de lui. Au coin de la rue, Amalie se retourna. Il fit un geste d'adieu avec son chapeau, auquel elle répondit en élevant son ombrelle.

L'émotion persista en elle jusqu'à Hilltop. Une torpeur s'était emparée de ses nerfs ; une nuée obscurcissait son esprit.

CHAPITRE LXI

JÉROME était en verve, ce soir-là. Philippe l'écoutait avec sympathie, un air de bonté pensive sur son visage. Amalie, qui, d'habitude, prenait part aux conversations avec entrain, se montrait réservée, comme si elle était très lasse. Mary, qui fixait de temps en temps ses beaux yeux bleus sur son père ou sur Philippe, paraissait absorbée. Toutefois, son regard s'arrêtait plus souvent sur le jeune homme et, parfois, sa bouche avait une expression volontaire et inflexible, qui se fondait immédiatement en un chaud sourire quand Philippe se tournait vers elle.

Amalie mit un certain temps à s'apercevoir du manège. Elle en fut stupéfaite, incrédule. Ce n'était pas possible. Mary n'était qu'une enfant. Elle vit le regard affectueux et tendre que Philippe lançait à la jeune fille, mais il n'y avait rien dans ses yeux qui vînt confirmer l'absurde soupçon. Toutefois, elle n'était qu'à demi rassurée. Philippe pouvait à volonté prendre l'air distrait ou détaché.

Amalie s'alarma et se sentit envahie par une sollicitude maternelle. Elle connaissait bien Mary maintenant. Elle savait que sa fille n'était pas sujette aux caprices, et qu'une fois la décision prise elle demeurait inébranlable. Si Mary aimait Philippe, elle ne l'oublierait jamais. De plus, elle ne ferait pas un secret de son amour. Amalie ne put s'empêcher de sourire. Même si Philippe ne l'aimait pas en retour, il aurait beau faire, il n'échapperait pas à Mary. Ou bien, s'il réussissait, Mary en resterait amoindrie, dépouillée à jamais d'une façon certaine.

« Elle est très jeune », pensait Amalie pour se rassurer. « Elle pourrait l'oublier. En somme, elle connaît peu de jeunes gens. Elle n'a pu se faire une opinion. »

Pour échapper à ces pensées inquiétantes, elle essaya de s'intéresser à la conversation. Jérôme venait de raconter à Philippe sa conquête de bonnets carrés à propos des bourses. Amalie commença de se sentir gênée. Quelle conquête dérisoire ! Elle imaginait ces timides fossiles finalement bousculés par la brillante et irrésistible offensive d'un Jérôme emballé. Etait-il possible que Jérôme eût perdu ce sens délicat de la mesure qui semblait être l'une de ses vertus les plus marquantes ? Ou bien était-ce un sort qui altérait cette vertu, et presque toujours pour des motifs futiles ?

Ils passèrent dans la bibliothèque pour le café et les liqueurs. Des ombres mauves remplissaient la pièce paisible. Une servante entra, portant une lampe pareille à une lune d'ambre. La pluie avait cessé : le jardin s'égouttait doucement, tout harmonieux de bruits frais. Le ciel nocturne se teintait de lilas et d'argent.

Ce fut alors que Mary proposa que Philippe fît une promenade avec elle, avant de partir. Philippe acquiesça et demanda du regard la permission d'Amalie, qui l'accorda en esquissant un sourire. Mais elle les regarda partir, inquiète au fond d'elle-même. Quelque chose dans le clair visage de Mary venait de raviver ses appréhensions.

Au bout d'un moment, Jérôme dit :

— Parfois, Philippe m'agace. Je crains qu'il ne soit un peu pédant.

« Ce n'est pas Philippe, mais ta conscience, pensa Amalie avec une intuition pénétrante. Philippe représente ce que tu as sur le cœur. »

Cependant Philippe et Mary descendaient à pas lents le chemin de Hilltop. Ils atteignirent un bosquet de sapins odorants et d'épicéas. Au-dessus de leurs têtes, le ciel vaste et calme était d'un violet tendre. La lune au blanc visage montait à travers des brumes irisées.

Le bois était très paisible. Philippe et Mary marchaient la main dans la main. Elle était plus grande que lui et relevait la tête avec cette grâce altière qu'il aimait tant. Il y avait une telle probité tranquille chez Mary ! Philippe serra la main dans la sienne. Avec une tendresse passionnée, il pensa : « Que rien ne la blesse jamais. Elle n'est pas d'une nature à supporter les duretés du sort sans être mutilée. Ma chérie, mon cher amour. »

Ils arrivèrent à une petite clairière où se trouvait une grande pierre plate où ils aimaient à s'asseoir. Ils s'installèrent et restèrent silencieux pendant un long moment. Enfin, Mary dit doucement :

— En février, j'aurai dix-huit ans.

Elle secoua la tête comme si sa crinière argentée flottait encore sur ses épaules au lieu d'être ramenée en torsade luisante sur la nuque.

— Oui, je sais, ma chérie.

— J'ai décidé de ne pas aller à Cornell. Je pensais y aller et papa était content. Mais, maintenant, je veux autre chose.

Philippe éleva la main de Mary et lissa chaque doigt blanc l'un après l'autre. Mary regardait la tête penchée de Philippe. Son mince visage s'anima et, rayonnant, se détendit soudain.

— Que voulez-vous donc, Mary ?

— Vous, Philippe.

Sa voix sonnait claire.

Philippe lui lâcha la main. Il regarda Mary, blême de stupeur incrédule. Il fit un geste comme pour se lever, mais elle lui mit la main sur le bras :

— Vous ne me le demanderez jamais, mon chéri, dit-elle. Je ne sais pas pourquoi. Alors, il faut bien que je vous le demande. Voulez-vous m'épouser, Philippe ?

Il vit ses yeux brillants, son sourire, l'éclat de ses cheveux pâles. Il pensa : « Je ne savais pas qu'on pût souffrir à ce point sans en mourir. » Puis il dit :

— Mary, regardez-moi.

Elle lui obéit et se mit à l'examiner sans hâte, avec une attention profonde et tendre. Puis elle sourit comme s'il venait de dire quelque attendrissante puérilité.

— Je vous vois.

Philippe soupira en se détournant.

— Vous êtes stupide, mon pauvre Philippe. — Sa voix, sans inflexion, tremblait. — Vous vouliez que je voie votre dos, n'est-ce pas ? Bien sûr, je le vois. Mais je vois aussi votre visage. Je vois tout de vous.

Elle lui prit le bras et le força à se retourner vers elle. Le regard sombre de Philippe ne cachait rien de sa peine.

— J'ai quinze ans de plus que vous, Mary.

— Quinze ans ? dit-elle, rêveuse. Qu'est-ce que quinze ans ? Je ne suis pas une enfant, cher. Je ne pense pas l'avoir jamais été.

Il vit sa bouche tout près de la sienne. Il pensa : « Il n'y aurait aucun mal à l'embrasser. Une fois, rien qu'une fois. » Il s'écarta d'elle.

— Mary, je vous ai toujours aimée. Cela n'a plus d'importance que je vous le dise aujourd'hui. Du moins, je l'espère. Mais vous êtes si jeune, ma chérie. Il faut que je vous fasse comprendre. Vous ne savez vraiment pas ce que vous dites.

Il dut s'arrêter pour reprendre son souffle, car sa gorge se serrait.

— J'ai déjà réfléchi à tout cela, une fois... Mais je me rends compte à quel point l'idée même est grotesque... — Le désespoir l'égarait. — Pensez à vos parents, ajouta-t-il, n'en pouvant plus.

Mary regardait au loin, comme distraite.

— Philippe, je sais beaucoup de choses, à présent. Je sais que maman avait épousé votre père parce qu'il lui apportait ce qu'elle désirait. Je connais toute sa vie. Pendant notre séjour en Europe, elle m'a tout raconté. Maman et moi sommes devenues très amies et nous nous sommes comprises. Maman vous aime. Papa vous admire et il a beaucoup d'affection pour vous. Ils seront contents.

Philippe eut un cri de protestation douloureuse. Mary prit ses deux mains dans les siennes et le regarda bien en face.

— Toute ma vie, depuis que je vous connais, je vous ai aimé, Philippe. Papa et moi, nous nous comprenions, et, maintenant, nous sommes amies, maman et moi, mais ni l'un ni l'autre n'a toute ma confiance comme vous l'avez. Vous faites partie de moi, Philippe. Je n'ai jamais pu voir ou désirer quelqu'un d'autre. Maman l'a compris et c'est pourquoi elle m'a emmenée en Europe, je suppose. Mais c'est comme si j'avais eu une armure sur le cœur. Je ne pensais qu'à vous. Aussi, n'ayez pas peur, vous êtes tout pour moi, tout ce que je peux désirer.

Elle attendit, mais Philippe resta silencieux. Elle vit sa souffrance, sa sévère maîtrise, son refus de l'offrande, sa détresse. Elle dit :

— Il faut me faire confiance, Philippe.

Elle lui tendit les mains, paumes offertes en un geste touchant d'abandon suppliant. Il les saisit avec la force du désespoir.

— Comment pourrais-je accepter ? Vous êtes si jeune, si dépourvue d'expérience. Ce serait un crime.

— Mais pourquoi ? s'écria-t-elle d'un ton impatient. C'est insultant, Philippe. Regardez-moi. Regardez-moi bien.

— Je passe ma vie à vous regarder. J'ai fait des projets, des châteaux en Espagne. Mais j'ai eu aussi le temps de réfléchir.

Elle dit doucement, sûre de sa victoire :

— Vous pensez trop. Etes-vous décidé à m'épouser ? Ou bien serai-je obligée de vous poursuivre dans les rues de Riversend, jusqu'à ce que l'opinion publique vous y contraigne ?

Elle attendit en vain une réponse. Philippe, immobile, se contentait de la regarder, les yeux pleins de détresse et de désir passionné. Alors, avec un soupir impatient, mais indulgent, elle lui passa les bras autour du cou et, penchant la tête, baisa Philippe à la bouche.

Pendant un long moment encore, Philippe ne fit aucun geste, puis il la saisit et pressa son visage dans sa chevelure avec une espèce d'abandon furieux.

CHAPITRE LXII

QU'EST-CE que tu racontes ? demanda Amalie, incrédule.

— J'ai demandé à Philippe de m'épouser, répondit Mary avec son calme et sa limpidité coutumiers.

— Amalie, je demande la parole, dit Philippe. Ça n'est pas tout à fait cela. Mary dit ça si crûment, parce qu'elle va toujours droit au fait.

Amalie commença à sourire.

— Vous ne me comprenez pas, Philippe. J'ai été surprise que vous n'ayez pas demandé Mary et que vous l'ayez obligée à se charger de la démarche.

Son sourire persistait, mais son regard était inquiet et distrait. Ils était réunis tous les trois dans le boudoir d'Amalie. Au-delà des hautes fenêtres, le crépuscule d'août se teintait d'ombres violettes.

— Je savais que Philippe ne me demanderait jamais . Ce n'était pas la peine d'attendre.

— Mais ça ne se fait pas, murmura Amalie.

La tête appuyée sur la tapisserie rouge et noire du fauteuil, elle semblait lasse. Elle avait quarante ans et sa majesté naturelle n'avait fait que croître avec les années. Une surprenante mèche blanche sillonnait la masse de ses cheveux noirs depuis la pointe du front jusqu'à la nuque. Son visage de statue était à peine marqué par l'âge. Les yeux violets avaient l'assurance et la vigueur de la jeunesse. Seule, la bouche trahissait une tristesse chronique et un découragement inquiet. Un sourire les effaçait-il, tout le visage rayonnait alors de bonne humeur.

Philippe trouvait que même Mary n'avait pas cette splendeur. Grande et droite, non sans raideur, elle avait l'extrême minceur de l'adolescence, dans sa robe de voile bleu aux plis classiques;

si sa mère avait la splendeur, Mary avait en revanche la limpidité, la vaillance, la grâce patriciennes.

« Il y a du bon à ne pas douter de soi », pensait Philippe. Mary livrerait souvent bataille, mais elle posséderait toujours la paix intérieure — cette paix qu'Amalie n'avait jamais connue, parce qu'elle avait trop d'imagination.

— Je ne vois pas ce qu'il y a d'incorrect, dit Mary. Il fallait que quelqu'un parle. Il a fallu que ce soit moi.

Philippe se mit à rire, un peu gêné, et dit :

— Je suis tellement heureux, Amalie, que vous n'ayez pas d'objections.

— Des objections ? Je suis très fière, au contraire. J'ai toujours eu beaucoup d'affection pour vous. Toutefois, je vais vous demander une chose : ne parlez pas de vos projets à Jérôme ou à votre père, jusqu'à ce que Mary ait ses dix-huit ans. Elle les aura en février.

— Mais pourquoi, maman ?

Amalie lança un regard vers Philippe et dit d'un ton pas très sincère :

— Mary, tu n'as que dix-sept ans. A cet âge, une fille est encore une enfant pour son père. Il serait scandalisé que tu penses déjà au mariage.

— C'est tout à fait mon avis, dit Philippe.

Amalie, levant les yeux malgré elle, rencontra le regard de Mary. Et ses yeux disaient :

— A dix-huit ans, tu pourras agir à ton gré.

Mary comprit.

— Si tel est votre avis, c'est certainement la meilleure chose à faire, dit Philippe. — Il hésita : — Croyez-vous que Jérôme fasse des objections ? Après tout, j'ai quinze ans de plus que Mary. — Il ajouta, après une hésitation pénible : — Et naturellement, il y a d'autres choses aussi.

— Il n'y a pas d'objections valables, répondit Amalie, si ce n'est dans votre esprit.

Son visage se rembrunit. Elle se leva brusquement et Philippe l'imita. Amalie lui prit la main et l'embrassa.

— Cher Philippe, dit-elle d'une voix qui tremblait.

Puis elle alla embrasser Mary et lui passa tendrement la main sur la tête.

— Il me semble que c'était hier que j'avais une petite fille bien exaspérante, Mary.

Elle avait les larmes aux yeux. Et le trouble et la crainte s'avivèrent en son cœur.

Philippe regagna les « Sapins » à pas lents, par un clair de lune qui argentait la campagne tranquille.

342

La nuit était chaude, douce et paisible. Mais Philippe était en proie à un curieux malaise, à une espèce de pressentiment. Il venait de se fiancer à celle qu'il avait toujours aimée. Pour la première fois de sa vie, l'avenir s'ouvrait devant lui en lui offrant la beauté, la plénitude, l'émotion. Il était un homme au lieu d'un spectateur érudit. Cependant, il se sentait troublé. Il craignait de plus en plus les réactions de Jérôme quand il apprendrait ses fiançailles. Quelles que fussent l'estime, la confiance, l'affection de Jérôme, Mary était l'enfant chérie de son père. Philippe songea froidement à lui-même. Il se voyait tel que Jérôme le verrait.

Il avait tout d'abord pensé ne rien dire à son père, puis il en décida autrement. Il avait besoin qu'on le rassurât.

Il trouva Alfred en train de lire dans la petite bibliothèque glaciale. Il se montra heureux comme de coutume en voyant rentrer son fils. « Il est si seul, pensa Philippe. Je le délaisse trop. Je suis toujours à Hilltop. »

— Il faut que je vous confie quelque chose qui restera un secret entre nous, dit-il. Quand Mary aura dix-huit ans, nous nous marierons.

Alfred laissa échapper son livre. Son visage flétri devint tout pâle de stupeur.

— Tu dis que tu vas épouser Mary ?

— Oui. Nous avons parlé à Amalie. Elle a paru heureuse. Elle semblait s'y attendre.

Alfred ne répondit pas.

— Vous me désapprouvez, père ?

La question de Philippe avait plutôt l'air d'une exclamation.

— Non, pas du tout. Je suis heureux, Philippe. Mais qu'en dira Jérôme ?

— Nous lui en parlerons en février seulement.

Philippe attendit, mais Alfred était retombé dans son silence et regardait son fils. N'y tenant plus, Philippe s'écria :

— Vous trouvez ça répugnant de ma part ? Vous me regardez en pensant : « Ce pauvre garçon prétend épouser cette ravissante jeune fille, une enfant ? »

Alfred tressaillit comme si quelque chose venait de le brûler. Il se leva.

— Non, Philippe, ce n'est pas ce que je pense. Comment peux-tu croire une chose pareille ? Tu es mon fils et, pour moi, tu es parfait ; non seulement parce que tu es mon fils, mais parce que c'est la vérité.

Philippe soupira.

— C'est à Jérôme que je pense, ajouta Alfred.

— Moi aussi, j'ai pensé à Jérôme...

Philippe entendit la voix de son père qui résonnait ferme et forte, comme elle ne l'avait plus été depuis des années.

— Ça n'a pas d'importance, dit-il, nous trouverons un moyen. — Il s'interrompit. Soudain, il lança : — Mais c'est magnifique. Je ne peux pas y croire. Cette chère petite. Ma fille ! Philippe, regarde-moi.

CHAPITRE LXIII

CE FUT le 4 janvier 1889 que Dorothée Lindsey mourut.

Il n'y avait eu aucun signe prémonitoire, n'était que la veille Dorothée, qui ne se plaignait jamais, avait dit à Alfred qu'elle se sentait très lasse. C'était l'effet des vacances, disait-elle, ajoutant en manière de plaisanterie qu'il était pardonnable à une femme de cinquante-quatre ans de sentir son âge.

Alfred avait répété après elle : « Cinquante-quatre ans. » Il n'avait jamais songé au temps écoulé. Eh quoi ! c'était hier que Dorothée et lui s'entretenaient gravement en se promenant dans le parc de Hilltop. Dorothée avait dix-huit ans et lui dix-neuf. Lui pensait à l'avenir et Dorothée s'intéressait à ses projets avec gentillesse. Les années qui s'étaient écoulées depuis étaient comme une brume, à travers laquelle il se voyait avec Dorothée dans la fraîcheur et la force de la jeunesse.

Au matin, une bonne les informa que Mademoiselle était souffrante et qu'elle s'était fait monter un plateau.

Alfred exprima ses regrets et Philippe et lui se préparèrent à partir à la Banque. Le traîneau les attendait avec un chargement de couvertures de fourrure. Un ciel bleu splendide commençait d'illuminer la campagne enneigée. Alfred s'aperçut qu'il avait oublié sa serviette sur la table du vestibule. Philippe était déjà dans le traîneau et le premier mouvement d'Alfred fut d'envoyer le cocher chercher l'objet ; puis, sans savoir pourquoi, il se ravisa et y alla lui-même.

Le vestibule triste n'était éclairé que par la réverbération de l'extérieur. Alfred prit sa serviette. Alors quelque chose d'étrange arriva. Il sentit que quelqu'un était avec lui dans la pièce.

Immobile, il écouta. Il n'entendit rien que les battements accélérés de son cœur. Il n'y avait aucun bruit dans toute cette sinistre maison. Et pourtant, il y avait une présence dans la pièce. « Oncle William ! » pensa-t-il de la façon la plus inattendue.

Il regarda autour de lui. Telle était la force de l'influence qui émanait de l'invisible, qu'Alfred n'eût éprouvé ni surprise ni terreur en voyant apparaître M. Lindsey, mais seulement de la joie. Il eut l'impression d'un rire aimable près de lui, bien que l'oreille ne pût rien percevoir.

Alors, quelque chose le poussa à monter l'escalier avec la hâte de la jeunesse.

Une bonne, qui portait des draps, allait justement entrer dans la chambre d'Alfred. Elle le regarda, surprise et effrayée de sa pâleur. Le maître était là en chapeau et pardessus, ganté, sa serviette à la main, tel qu'elle l'avait vu quelques minutes auparavant. Maintenant, il la regardait comme quelqu'un qui n'a pas tous ses esprits.

— Miss Dorothée ? s'écria-t-il. Comment va miss Dorothée ?

La servante, surprise, balbutia :

— Miss Dorothée ? J'ai emporté son plateau, il n'y a qu'un instant. Elle dormait. Elle n'a pas touché à son déjeuner.

Alfred fit demi-tour et ouvrit, en hâte, la porte de Dorothée. Celle-ci gisait sur ses oreillers, immobile, les yeux clos. On n'entendait pas son souffle. Sa figure était couleur de cire, avec des ombres verdâtres.

Alfred, debout près du lit, la regardait. Il resta longtemps ainsi. Il y avait un vague sourire sur le visage de Dorothée. Ses nattes grises étaient étalées sur l'oreiller, comme les tresses d'une jeune fille. Le temps passait. Alfred ne sentait rien d'autre qu'une quiétude engourdie.

Enfin, il eut conscience que Philippe était près de lui et lui parlait doucement, la main posée sur son bras. Alfred se retourna avec l'air de quelqu'un qui s'éveille.

— L'oncle William est venu, dit-il. Il est venu chercher Dorothée.

CHAPITRE LXIV

TU VAS pourtant aller à l'enterrement, Jérôme ? dit Amalie.

— Non, je n'y vais pas. Pourquoi irais-je ?

Amalie était stupéfaite. Elle jeta un coup d'œil à Mary qui se trouvait à sa droite, à la table du déjeuner. La jeune fille regardait fixement son père. Elle était très pâle et sa robe de laine rouge la faisait paraître encore plus blanche.

— Tante Dorothée est votre sœur, papa.

Jérôme, impassible, buvait son café. Amalie savait qu'il était en colère. Il posa sa tasse et cligna les paupières, le regard durci de méchanceté.

— Ecoute, ma fille, il est inutile de faire du sentiment. Je n'ai pas vu Dorothée depuis plus de dix-huit ans. Je n'ai pas envie de la voir, maintenant qu'elle est morte. Je ne suis pas de ces pieux imbéciles qui vont pleurnicher aux funérailles de leurs ennemis.

Mary et Amalie continuèrent à le regarder en silence, sans rien dire.

— De plus, je tiens à ce qu'aucun membre de la famille n'y assiste.

Mary dit tranquillement :

— Nous devons à Philippe d'y aller. Il avait beaucoup d'affection pour elle.

Jérôme frappa la table de sa main brune.

— Nous n'avons rien à voir dans les affections de Philippe. Il n'est pas bête et il comprendra. Sur ce, n'en parlons plus.

Amalie éleva la voix, mais c'étaient des mots tremblants et assourdis qui sortaient des lèvres pâles :

— Ta sœur ne t'a jamais fait de mal, Jérôme. Elle a remplacé ta mère. Elle a essayé de t'aimer, mais tu l'as toujours détestée. Tu n'as donc aucun sentiment humain, aucune bonté ?

Jérôme se leva, braquant sur sa femme un regard presque haineux.

— Balivernes sentimentales ! Pas de sentiments humains, je

vous demande ! Parce que je refuse de m'attendrir, vous venez faire vos jérémiades. Je ne veux plus entendre parler de cette histoires, vous m'avez compris, toutes les deux ?

Mary se leva en silence et quitta la pièce. Jérôme la regarda partir, puis, se tournant d'un air sauvage vers sa femme :

— Ah ! tu as réussi à dresser ma fille contre moi ! Tu es satisfaite, je suppose. Tu as fait tout ce que tu as pu pour nous séparer, en lui donnant des idées fausses sur moi. Je présume que tu es heureuse enfin.

Amalie était incrédule, stupéfaite. Etait-ce Jérôme, son mari, l'homme qu'elle aimait, cet étranger à l'œil torve, avec cette figure en lame de couteau ? Etait-ce vraiment de la haine qu'elle voyait dans son regard, comme une flambée implacable ? Comment avait-elle pu ignorer sa cruauté ? Mais non, de tout temps, elle l'avait su, mais elle avait étouffé cette connaissance. Maintenant, elle ne le pouvait plus. Elle reprenait de l'assurance et elle le regarda sans broncher.

— Tu es cruel, Jérôme. Je crois que je me suis toujours refusée à le reconnaître. Je peux pardonner n'importe quoi, Jérôme, n'importe quoi, sauf la cruauté.

L'esprit torturé, Amalie faisait une rapide revue des années. Elle pensait à tout le bien que Jérôme avait fait à des milliers d'hommes et de femmes désespérés. Pourquoi avait-il accompli cette œuvre, s'il était vraiment cruel ? Et soudain, elle eut la réponse. Il avait fait cela par haine d'Alfred. Les fruits de l'arbre empoisonné avaient été excellents. Etait-ce possible ? Le bien qu'avait fait Jérôme n'avait pas touché son cœur, parce qu'il ne venait pas du cœur, mais de son âme inquiète et impitoyable.

Elle savait qu'il n'était pas heureux, parce qu'il ne possédait aucune capacité pour le bonheur. Il était agité parce qu'il n'était pas en mesure de connaître la paix. Il n'y avait pas de solution pour Jérôme et c'est pourquoi il était cruel. Amalie était terrifiée. Serait-ce possible de vivre avec Jérôme, sans affection ni amitié, maintenant qu'elle le savait cruel et qu'elle l'avait reconnu ?

— Ainsi, je suis cruel, dit Jérôme d'une voix contenue. C'est ce que tu as raconté à Mary, n'est-ce pas ?

— Tu as tort, dit Amalie qui tremblait. Je n'ai pas dressé Mary contre toi. Si elle n'est plus ce qu'elle était, toi seul en es responsable, mais pas moi.

Et elle pensait : « Comme je suis naïve ! Comme je connais mal les sentiers tortueux de l'âme humaine ! Je ne sais rien, mais rien du tout. »

— Sans aucun doute, tu regrettes la tendresse de ton premier époux que tu as si facilement trahi et abandonné. Si tu le lui disais ? Ça lui ferait très grand plaisir, j'en suis certain.

Sa figure, son œil brillant, son air, étaient abominables et trahissaient une crainte mystérieuse.

Pendant toutes ces années, Amalie avait cru que des deux, c'était Alfred qui était assiégé par un secret sentiment d'infériorité et par le doute de soi. Mais, dans une intuition soudaine, elle comprenait maintenant qu'elle s'était en grande partie trompée. Le doute de soi, l'inquiétude, chez Alfred, provenaient de la gratitude passionnée qu'il témoignait à William Lindsey. En dehors de cela, il était fort et il avait acquis la sagesse. Philippe le lui avait dit.

Jérôme n'aurait jamais de sagesse. Jérôme serait toujours en désaccord avec le monde. Il haïssait parce qu'il avait peur. Il haïssait parce qu'il n'avait jamais confiance.

La pitié déferla sur Amalie comme une grande vague qui l'emporta. Elle tendit les mains vers Jérôme.

— Cher, je t'en prie, je suis navrée.

Mais Jérôme ne se laissa pas émouvoir. Il lui lança un autre regard maléfique et quitta la pièce.

Amalie resta seule et il lui sembla qu'elle était seule depuis bien longtemps. Elle l'avait toujours été. Elle était remplie de désolation, de cette désolation terrible qui vient et qui accepte avec lucidité un jugement implacable.

« Je suis lasse, pensa-t-elle. Lasse d'essayer de comprendre, d'essayer d'être heureuse. Il n'y a pas de solution pour moi non plus. »

CHAPITRE LXV

LES querelles entre Jérôme et Amalie était habituellement orageuses et brèves et se terminaient par une réconciliation et des éclats de rire. Mais cette fois, malgré une détente apparente, il n'y eut pas d'éclats de rire. Un silence étrange succéda, comme une suspension d'armes.

Amalie, avec son esprit pénétrant, savait qu'elle avait profondément blessé Jérôme en l'accusant de cruauté. Il ne pouvait lui pardonner parce qu'il savait que c'était la vérité. Elle avait creusé entre eux un fossé que rien ne pourrait combler.

Les jours sombres de janvier et de février furent misérables. Jérôme alla seul à New York, pour affaires. Il ne demanda pas à Amalie de l'accompagner, cette fois. Il emmena son fils pour le mettre au collège.

— Au moins, dit-il à Amalie, tu n'auras pas beaucoup d'occasions de dresser William contre moi.

Amalie ne répondit pas. Elle se sentait en proie à une extrême lassitude et ne sortait pas d'un silence découragé. Son fils lui manquait, mais il lui manquait aussi quelque chose de plus vital et de plus pressant : l'image qu'elle s'était faite de Jérôme. Peu lui importait qu'il n'eût jamais existé tel quel. Elle en sentait la perte comme s'il était mort et qu'un étranger eût pris sa place. Bien qu'elle sût Jérôme aussi malheureux qu'elle, elle était impuissante à y remédier. Elle était trop lasse.

Mary était son réconfort maintenant, la douce, la calme Mary, avec sa voix paisible et ses yeux que l'émotion ne troublait jamais pour longtemps. Quand Philippe revint, elle l'accueillit avec un visage radieux. Amalie observait Philippe et sa fille avec un contentement qu'elle n'avait pas connu depuis des années.

Dans quelques jours, Jérôme serait de retour. Mary et Philippe avaient décidé de le mettre au courant de leurs projets d'avenir. Mary ne montrait aucun trouble. Elle savait ce qu'elle voulait. Sa ligne de conduite était fixée. Avec un esprit aussi net, il n'y avait pas de place pour la peur ou même l'appréhen-

sion. Cependant, son calme et son esprit de décision étaient contagieux et, malgré eux, Philippe et Amalie en arrivaient à croire
que Jérôme accepterait facilement la chose.

« Après tout, pensait Amalie quand elle était seule, pendant la
nuit, Philippe est l'ami de Jérôme et son unique confident. Ils
se comprennent et il y a entre eux une réelle affection. Quelles
objections pourrait soulever Jérôme ? L'âge ? La difformité ? Ce
n'était rien. Jérôme était intelligent et passerait sur ces détails.
L'argent ? Philippe en avait déjà beaucoup et en aurait davantage. »

Mais il y avait Alfred. Jérôme ne passerait pas sur ce point.
Amalie savait que Jérôme pensait à son cousin chaque fois qu'il
voyait ses cicatrices dans une glace. Si, en cette terrible soirée
dans la bibliothèque de Hilltop, Alfred avait rencontré Jérôme
d'homme à homme ; si Jérôme avait été à même de se défendre,
alors il aurait pu oublier. Mais Alfred avait attaqué Jérôme à
l'improviste, il avait levé sa canne sur lui, l'avait battu, comme
un chien méprisable.

C'était bizarre. Alfred avait subi la pire des offenses ; Jérôme
avait été victorieux dans sa trahison et, cependant, Amalie, tout
en s'étonnant de sa perversité, comprenait que Jérôme avait en
quelque sorte été lésé. C'était à n'y rien comprendre.

Jérôme revint de son voyage de bien meilleure humeur. Il rap-
portait à sa femme un beau camée monté en broche et, à sa fille,
une veste d'hermine avec la toque et le manchon assortis.

Il salua sa femme avec cette désinvolture joviale qu'elle avait
appris à connaître comme la réaction habituelle d'une mauvaise
conscience. Et suivant d'instinct le principe qui veut qu'on serve
au condamné ses plats favoris, elle avait donné ses ordres pour
un menu soigné. Jérôme regarda Mary et sa mère d'un air
narquois :

— Est-ce simplement pour fêter mon retour ou bien est-ce pour
que j'accorde quelque chose ou encore pour que je ferme les
yeux sur quelque chose ? demanda-t-il en attaquant l'oie farcie.

Amalie se sentit rougir, mais Mary dit avec un sourire affectueux :

— C'est tout cela à la fois, papa.

Jérôme s'arrêta de découper et, le couteau en l'air, se mit à
rire. Puis, posant le couteau, il pinça la joue de Mary.

— En tout cas, je suis sûr que si mon petit chou me demande
quelque chose, ce doit être bien innocent. Qu'est-ce que tu vas
me demander, cette fois ?

Amalie jeta un coup d'œil à Mary, mais la jeune fille gardait
son calme.

— Je propose que nous finissions de dîner d'abord, dit-elle.

Un instant, ses yeux s'adoucirent avec une nuance de regret en se posant sur son père. Elle tapota la main de Jérôme. Il fut flatté et très amusé par ce geste maternel et il essaya de rencontrer le regard d'Amalie pour qu'elle lui sourît. Mais Amalie avait les yeux baissés.

Jérôme, d'excellente humeur, leur transmit les pensées affectueuses de William.

— Ce garçon s'est installé dans son école comme un rat dans un fromage. Quand je l'ai laissé, il était en train de bousculer d'autres garçons. Et moi qui ai toujours cru que c'était un timide ! Il ne ressemble pas à mon père, ni à moi, ni à toi, Amalie. A qui, alors, je me le demande ?

— A tante Dorothée, suggéra Mary tranquillement.

« Quelle gaffe ! » pensa Amalie. Elle fut surprise de voir Jérôme sourire.

— Comment peux-tu savoir ? demanda-t-il d'un air indulgent. Pardieu, mon chou, je crois que tu as raison. J'ai toujours été intrigué par une certaine ressemblance... Il doit y avoir un brigand ou quelqu'un de ce genre dans l'arbre généalogique.

Amalie fut très étonnée. Cette fois, Jérôme n'avait manifesté aucune colère en entendant parler de sa sœur et cette ressemblance entre Dorothée et le jeune William paraissait fort le divertir. Ainsi, il avait dû admirer sa sœur en secret. Et cela, en dépit de l'opposition des caractères, de l'animosité, des soupçons, de la haine. L'admirait-il pour son caractère inflexible ? Parce que cette inflexibilité lui manquait ? Amalie, se sentit prise de tendresse et de pitié pour lui.

Jérôme parlait de sa visite à Jay Regan. Il avait aussi dîné chez le gouverneur. Son auditoire féminin l'écoutait avec une attention et une courtoisie extraordinaires.

— Philippe m'avait demandé de faire une commission pour lui à New York. Je croyais le trouver là, ce soir : je l'avais averti de mon retour.

— Il n'a pas pu venir ce soir, papa. Il a beaucoup regretté.

— Moi aussi, je regrette. Et je suis déçu.

Mary lança un regard vers sa mère.

— Vous aimez beaucoup Philippe, n'est-ce pas, papa ?

— Avec mon père, c'est le seul homme en qui j'aie jamais eu confiance. La même logique et la même subtilité, le même calme et la même intégrité. On peut compter sur Philippe, lui faire confiance sans réserve. Il me manque, ce soir. J'avais beaucoup de choses à lui dire.

— Et vous ne trouvez rien de désagréable chez lui, en aucune manière ?

Jérôme releva la tête et regarda sa fille en fronçant les sourcils.

— Tu veux parler de sa difformité ? Je n'aurais pas cru que tu t'attacherais à des futilités. Ça me surprend de ta part. Philippe est un homme au sens supérieur du mot. Mais tu es jeune et portée naturellement à mettre l'accent sur les apparences. Seul, le caractère de Philippe m'a frappé.

Amalie déposa sa fourchette. Elle écoutait avec une attention angoissée. Elle étouffa un soupir et son regard rencontra de nouveau celui de Mary.

— Vous avez tout à fait raison, papa, dit Mary comme une enfant sage. C'est peut-être de la frivolité de ma part. Ah ! j'allais oublier. J'ai un message de Philippe pour vous. J'aimerais vous en parler seule à seul, si maman n'y voit pas d'inconvénient.

Très nerveuse, Amalie se hâta de dire :

— Oh ! pas le moins du monde, Mary. C'est certainement très personnel.

— J'imagine mal un message de Philippe qui ne pourrait être transmis devant ta mère.

— Philippe n'avait pas l'intention de blesser personne. Il a simplement dit que c'était personnel. Et il n'a pas parlé de maman.

— Comme tu es pointilleuse, chérie ! Parce qu'il n'a pas parlé de la présence de ta maman, tu en conclus qu'il ne veut pas qu'elle soit au courant. Quelle rigueur d'esprit, Mary !

— La rigueur de la Nouvelle-Angleterre, papa. Aussi, après dîner, voulez-vous monter chez moi pour que je vous fasse part du message de Philippe ?

Jérôme était content. Mary ne l'avait pas invité depuis longtemps pour « des entretiens particuliers ». Il jeta vers sa femme un regard où se lisaient la suffisance satisfaite et un air de triomphe puéril. Amalie soupira en esquissant un sourire.

Jérôme ne remarqua pas que sa femme ne mangeait presque rien de l'excellent dîner. mais Amalie observa que Mary n'avait rien perdu de son appétit habituel. Il en faudrait beaucoup pour ébranler cette enfant. Etait-ce dû à un manque de sensibilité ou à l'intrépidité qui l'empêchait de s'écarter de la route choisie ? Enviant presque sa fille, Amalie décida que la dernière supposition était la bonne.

Le repas fini, Jérôme suivit Mary dans son joli salon bien chauffé. Mary avança pour son père un fauteuil confortable et lui alluma un cigare. Il l'observait d'un air attendri. Sa robe brun foncé était très sobre avec son col et ses poignets d'irlande. Les pâles cheveux lisses luisaient dans la lumière de la lampe. Le délicat visage exprimait la sérénité ; les yeux bleus souriaient, sûrs d'eux. Jérôme fut encore frappé de la singulière ressemblance avec son père. « Elle est de pur granit blanc, comme lui », pensa Jérôme. Sa main tremblait un peu en tenant son cigare.

— Comme tu ressembles à ton grand-père, ma chérie !

— Vous me le dites souvent, papa.

— Mais tu ne fais pas de citations. Il en faisait à tout bout de champ.

— C'est peut-être plus facile que de trouver des mots à soi. Ou bien, quand on est plus vieux, on se rappelle peut-être plus facilement les pensées des autres que les siennes propres. Ou bien encore, en faisant des citations, grand-père mettait-il carrément la critique ou la louange sur le dos des autres, ce qui lui permettait d'échapper au blâme comme à l'admiration. Grand-père devait être un monsieur très modeste et peut-être un tant soit peu timide.

Jérôme n'était pas très sûr d'apprécier ces commentaires, mais il était étonné de la sagacité de Mary.

— Les explications ne sont pas toujours bienveillantes, mon petit. Que voulais-tu me dire au sujet de Philippe ?

Mary lissa ses cheveux à deux mains, puis arrangea sa robe. Elle regarda son père bien en face et, sans la moindre altération dans la voix, elle dit :

— Philippe et moi voulons nous marier, papa. Nous avons pensé qu'il fallait tout de suite vous mettre au courant.

Jérôme avait son cigare à la bouche. Il éleva la main pour l'enlever. Il lui échappa des doigts et roula vers le foyer. Mary le poussa vers le feu de la pointe de son soulier. Lentement, Jérôme se redressait dans son fauteuil. Ses traits s'assombrissaient ; ses yeux n'étaient plus que des fentes brillantes.

— Es-tu folle ? — La voix de Jérôme n'était plus qu'une espèce de murmure étouffé. — Sais-tu bien ce que tu dis ?

— Oui, papa, je sais bien ce que je dis. — Mary afficha un air surpris et perplexe. — Avez-vous des objections, papa ?

Il se leva brusquement et dut s'appuyer de la main au fauteuil pour s'empêcher de tituber.

— Es-tu folle ? répéta-t-il.

Il éprouvait de la difficulté à respirer. L'angoisse lui serrait la poitrine et son cœur battait à se rompre.

Mary se leva, elle aussi, et lui fit face de l'autre côté de la cheminée. De sa voix calme, elle dit :

— Papa, vous avez parlé de Philippe, ce soir. Vous croyiez que je parlais de... sa difformité à la légère. En réalité, je voulais savoir ce que vous pensiez. Ainsi, votre objection ne peut venir de là. Qu'est-ce donc ?

Jérôme serra les poings. Son expression se fit plus mauvaise.

— Qui est-ce qui se cache derrière tout ça ?

Les mots avaient l'air de lui coûter un effort énorme.

— Personne. Il n'y a que Philippe et moi.

— Cet ignoble bossu !

L'expression parut plus terrible à Mary à cause de la voix sourde qui s'entendait à peine. Très droite devant la cheminée, elle rejeta la tête en arrière et on eût dit qu'une lueur passait sur son visage.

— Ce que vous dites est révoltant, papa. — Un dur mépris résonnait dans la jeune voix. — Mais vous ne le pensez pas. C'est impossible.

Même à travers sa rage, incrédule, Jérôme saisit ce mépris. Il vit aussi la rigidité et la pâleur de Mary. Il porta la main à la gorge et avala péniblement sa salive.

— Ta mère est au courant ?

— Oui, nous lui avons dit. Elle en est heureuse.

— La garce !

Mary changea d'expression. Elle recula d'un pas, non par peur, mais par répulsion. Elle ferma les yeux pour ne plus voir la figure de son père, mais son visage restait invulnérable.

— On n'a jamais pu avoir confiance en elle. Je n'ai jamais eu confiance. Aucune dignité, aucun sens de l'honneur ni de la mesure. — Il haletait et ses paroles étaient presque incohérentes.

— Et elle m'a fait ça, à moi et à ma fille.

Mary lui coupa la parole d'une voix cinglante :

— Ma mère n'a rien à voir là-dedans. Elle a été malheureuse en se demandant ce que vous alliez dire. Nous avons parlé de mes projets, tout récemment. Elle m'a dit que je n'avais pas le droit de prendre mon bonheur, si cela devait vous offenser. Je lui ai répondu que vous n'aviez le droit ni de vous sentir offensé, ni d'empêcher mon bonheur.

Jérôme ne se possédait plus.

— Je vois maintenant pourquoi il venait à la maison, avec ses paroles mielleuses. Il était en chasse ; il courait après toi, ce répugnant personnage. Il a osé jeter les yeux sur ma fille, penser qu'il pouvait apporter ses saletés dans cette maison.

Mary eut un sourire étrange, mais ne dit rien.

— S'il songe jamais à remettre les pieds ici, je le tuerai. Tu peux lui écrire à cet effet, à ce rejeton répugnant d'un père méprisable. Quant à toi, je vais t'expédier tout de suite, jusqu'à ce que tu te souviennes de qui tu es et de ce que tu es. Jusqu'à ce que te soit passée ta maladie. Sale petit animal !

Mary vit qu'il n'y avait pas à raisonner avec lui, que quoi qu'elle pût dire ne ferait qu'accroître sa fureur démente. Il n'était plus en mesure de comprendre. Aussi, elle se contentait de le regarder fixement, en silence.

Il leva le poing.

— Tu resteras ici, dans cette chambre, jusqu'à ce que je sache ce que je vais faire de toi. Tu ne mettras pas le nez dehors, pas même dans le couloir. Tu ne parleras à personne...

Une lueur passa dans les yeux de Mary, mais elle serra les lèvres sans rien dire.

— Quant à ta mère et à l'autre, j'en fais mon affaire.

Lentement, comme s'il était aveugle, il se détourna. Il mit les mains en avant pour se guider parmi les guéridons et les lampes. Mary le regardait faire. Son jeune cœur, si frais, sembla s'ouvrir en une angoisse mortelle. Elle fit un pas vers son père, puis s'arrêta. Il ferma doucement la porte derrière lui.

Mary se mit les mains sur les yeux et prit une profonde inspiration.

CHAPITRE LXVI

AMALIE attendait dans sa chambre. Un bon feu brûlait dans la cheminée, mais elle se sentait glacée. Elle frissonnait, puis se passait son mouchoir sur le front et la lèvre supérieure où perlait la sueur.

La maison était très paisible. Elle entendit l'horloge sonner le quart, puis la demie. Un brillant croissant de lune se montrait à la fenêtre.

— Comment puis-je supporter d'attendre ? pensait Amalie. Peut-être aurais-je dû monter avec eux ? »

Le silence se fit plus profond. Amalie avait l'impression qu'elle était perdue dans le vide, impuissante. Elle se souvenait de pareils moments d'abandon. Alors, elle sentit que cette demeure ne l'avait jamais acceptée et que c'était pourquoi elle n'avait jamais trouvé la paix.

Mon Dieu, combien de fois avait-elle eu cette idée ? Comme elle était lasse ! Lasse de toutes les années de tourments douloureux, d'incertitude confuse. Lasse de l'instabilité et de l'inquiétude. Que lui arrivait-il donc ?

Elle écouta. Il y avait longtemps que Jérôme et Mary étaient en tête à tête. Que se passait-il ? Amalie n'avait entendu ni un éclat de voix ni une exclamation. L'horloge sonna de nouveau.

La porte s'ouvrit. Jérôme parut sur le seuil et la regarda. Elle lança les mains en avant comme pour se défendre. Mais ce n'était pas un geste de défense. C'était pour cacher le visage de Jérôme, un visage hideux.

— Tu m'as fait ça à moi ! dit-il, à voix presque basse. J'aurais dû me douter qu'une femme comme toi, sans tradition, sans honneur, sans moralité, était capable d'un coup pareil, dans mon dos. Eh bien ! c'est raté.

Amalie se redressa et parut très grande. Elle ne se sentait plus accablée. Elle n'avait plus peur. Elle regarda Jérôme sans broncher, puis, sans hâte, passa devant lui et sortit.

Elle alla chez Mary qu'elle trouva assise, immobile, devant un petit feu ; elle était très pâle.

— Ne vous inquiétez pas, maman. J'épouserai Philippe. Rien ne peut m'en empêcher.

Ses yeux luisaient, intrépides.

Elle enlaça Amalie qui ne fit aucun geste. Elle n'avait pas de larmes ; elle avait, cependant, cette douleur affreuse au cœur.

— Restez avec moi ce soir, maman. Vous passerez la nuit avec moi, dit Mary qui avait compris la situation.

Amalie s'appuya lourdement sur sa fille.

Mary la guida vers un fauteuil, puis s'agenouilla près d'elle et lui réchauffa les mains qu'elle avait glacées. Au bout d'un moment, Amalie put parler :

— Je ne sais que faire, dit-elle. C'était sa figure... Il me déteste. Je pourrais tout supporter, mais pas ça.

Mary souleva les mains de sa mère et les pressa contre sa joue.

— Non, maman, il n'a pas de haine pour vous, pour personne, sinon pour lui-même peut-être. Il ne sait plus où il en est.

— Pourtant, nous avons été heureux. J'en suis sûre. Mais il y avait toujours une menace quelque part. C'était en nous-mêmes. Quelque chose de détraqué, depuis toujours.

Mary, accroupie sur ses talons, regardait sa mère avec compassion. Amalie avait l'air égarée.

— Nous voulions la sécurité et la paix et nous ne pouvions les trouver. Je ne sais pas pourquoi. Mary, souviens-toi de ceci, à propos de ton père : il a été cruel parce qu'il avait peur. Sais-tu ce que c'est : avoir peur ?

— Non, maman. Je n'ai jamais eu peur, parce que je n'en ai jamais eu l'occasion comme vous.

La pitié compréhensive de Mary donnait à sa voix des inflexions plus profondes et plus riches.

— Pauvre maman. Pauvre papa, ajouta-t-elle.

— Tu ne peux pas savoir, Mary. Tu ne peux pas savoir.

Avec une nervosité soudaine, Amalie empoigna l'épaule de Mary.

— Il ne faut pas que tu épouses Philippe. Pas d'ici longtemps. Il faut penser à ton père. Promets-le-moi.

Mary se leva.

— Maman, il ne faut pas laisser papa suivre sa déraison. Au fond de vous-même, vous le savez. Aussi ne devez-vous pas me le demander.

CHAPITRE LXVII

LE GRAND froid cessa pendant la nuit et fut suivi d'une violente tempête, d'un blizzard hurlant qui arriva du Nord, dans un vol d'ailes blanches.

Au jour, le monde était un tourbillon de vent et de neige. En quelques endroits, les routes étaient dégagées jusqu'au sol ; en d'autres, elles disparaissaient sous les amas de neige. Riversend se fit toute petite dans ce déchaînement. A midi, il faisait assez sombre pour qu'on allumât les lampes. Les becs de gaz papillotaient de leurs lumières jaunes et blafardes, mais les rues étaient vides.

Philippe était assis en compagnie de son père dans le bureau de la Banque. Ils parlaient depuis une heure, mais ce n'était pas une conversation d'affaires.

— Oui, dit Alfred. Va le trouver à la Banque vers trois heures. Naturellement, il se peut qu'il n'ait pu venir de Hilltop ce matin. C'est la pire tempête que j'ai vue depuis près de vingt ans.

Il pensait à la tempête qui sévissait le soir où Jérôme était revenu pour apporter tant de dévastation et de tristesse à Hilltop. C'était une tempête semblable, pleine de turbulence et de clameurs sauvages. Alfred, inquiet, ne cessait de regarder par la fenêtre. De gros flocons de neige s'y écrasaient un instant, puis, balayés par le vent, étaient remplacés par d'autres. Les bûches crachaient, pétillaient.

— J'aurais dû aller là-bas hier soir, dit Philippe. Mais Mary et sa mère m'avaient prié de ne pas venir. Maintenant, ça me paraît lâche de les laisser faire front toutes seules.

Alfred se tourna vers son fils et ses yeux pâles prirent soudain une expression sévère.

— Il me semble que ce serait à moi de voir des empêchements et non pas à Jérôme.

— C'est toujours pénible pour un homme de se séparer d'une fille qu'il adore, même quand... quand tout le reste est satisfaisant, dit Philippe d'un air triste. On ne peut pas beaucoup en vouloir à Jérôme s'il fait quelques difficultés. Je compte, toutefois, sur nos années de sympathie et d'amitié et de travail en commun. Sûrement, il ne peut faire abstraction de tout cela.

— Tu serais surpris si je te disais ce qu'on peut oublier sous le coup de l'émotion. On peut oublier l'amour, la décence, l'honneur, la raison. On peut dire et faire des choses qui sont par la suite impardonnables. Impardonnables.

Il s'arrêta un peu avant de reprendre :

— Aux yeux de beaucoup, Dorothée pouvait sembler dure, implacable. Mais elle ne l'était pas vraiment. J'aurais voulu qu'elle vive assez longtemps pour vous voir mariés tous les deux. Elle en aurait été heureuse.

— Vous auriez dû épouser tante Dorothée, père.

Alfred eut l'air gêné. Il rougit.

— J'y ai pensé quelquefois, je l'avoue. Il y a toujours eu beaucoup d'affection entre nous. J'ai l'impression qu'elle l'espérait. Mais ce n'aurait pas été bien agir à son égard. Vois-tu, mon cher enfant, je ne pouvais oublier Amalie. — Il regarda la tempête. — J'aime toujours Amalie. Je crois que je l'aimerai toujours.

Comme s'il se parlait à lui-même, il continua :

— J'ai aperçu Amalie quelquefois. Il m'a semblé qu'elle avait l'air préoccupé et malheureux. Je ne t'en ai jamais parlé avant. Mais, maintenant, il faut que je pose la question carrément : est-elle vraiment heureuse avec Jérôme ? J'aurais un peu de paix si j'en avais la certitude.

Philippe prit son temps avant de répondre :

— Je ne sais pas si Amalie a, en elle, la possibilité d'être heureuse. Peut-être n'est-ce pas la faute de Jérôme ?

— Tu dis donc qu'elle n'est pas heureuse, dit vivement Alfred.

— Si elle ne l'est pas, ce n'est pas la faute de Jérôme, à mon avis.

— C'est qu'il ne la comprend pas, alors, conclut Alfred, très ému. Moi non plus, je ne la comprenais pas, autrefois. Mais les années m'ont fait comprendre. Ce dont Amalie a besoin, c'est le sentiment de la permanence, de la sécurité. Elle ne l'a jamais eu. Ni l'un ni l'autre n'avons pu le lui donner. Je ne sais pourquoi. Je crois que j'aurais pu si les choses avaient tourné autrement.

L'émotion altérait sa voix.

— Oui, je suis sûr que j'aurais pu le lui donner. Dans les années qui auraient suivi. Quand je n'aurais plus douté de moi. Mais je n'ai pas eu le temps.

Philippe écoutait avec une espèce de pitié triste. Il se mit à parler, puis s'arrêta brusquement. Ebahi, il regarda son père : il venait d'avoir une intuition fulgurante de la vérité. C'était exact. Alfred aurait pu rendre Amalie heureuse, heureuse comme elle ne l'avait jamais été. Quelques années seulement auraient suffit. Alfred eût gagné en sagesse, en tranquillité, pacifié par la joie de posséder Amalie. Certains caractères étaient lents à mûrir et d'autres ne mûrissaient jamais. Alfred appartenait aux premiers et Jérôme aux seconds. Si Jérôme n'était jamais revenu à Hilltop, alors, au bout de quelques années, le ménage aurait connu la paix et le bonheur.

Philippe souffrait. Puis il se dit : « S'il en avait été ainsi, Mary eût été ma sœur. »

Pouvait-il s'attrister qu'il en eût été autrement ? Le souhaiterait-il s'il avait le choix ?

La porte s'ouvrit et un employé apparut, tout en émoi :

— M. Jérôme Lindsey est ici et demande à vous parler ainsi qu'à M. Philippe.

— Jérôme ! s'exclama Alfred en se levant comme un ressort.

Puis, sans rien ajouter, il se tourna vers Philippe.

Celui-ci avait pâli.

— Faites-le entrer, dit-il.

L'employé sortit. Philippe mit la main sur le bras de son père.

— Je vous en prie, soyons aussi calmes que possible. Il est évident que Jérôme ne l'est pas. Autrement, il ne serait jamais venu ici. Je compte sur vous pour garder votre calme, même s'il vous provoque, n'est-ce pas, père ?

Alfred baissa la tête et se rassit. Ses mains tremblaient ; il les joignit fortement sur son bureau. Philippe, debout, attendait.

La porte s'ouvrit de nouveau. Jérôme parut sur le seuil, le bord de son chapeau et ses épaules blancs de neige.

Il ne regarda pas Philippe, mais Alfred, et ferma la porte derrière lui. Séparés par l'épais et sombre tapis, séparés par les années de haine, de rage, d'amertume, les deux hommes se mesuraient du regard en silence.

Ni l'un ni l'autre ne voyaient de changement dans l'adversaire. Ils se revoyaient dans le passé, enfants, jeunes gens, jeunes hommes, en un tumultueux défilé d'images. Mille choses fulgurèrent en leur mémoire, toutes les années de mésentente, d'animosité, de jalousie, d'humiliations et de défaites, de mesquins triomphes et de ruineuses victoires. Leurs natures hostiles se dressaient face à face, dans les remous des ans qui les laissaient inchangés.

Philippe, toujours si compétent dans les situations difficiles, ne trouvait pas un mot. Il avait vaguement conscience que le feu flambait par à-coups, que la flamme des lampes vacillait et que le vent hurlait aux fenêtres. Mais il était fasciné par le regard que Jérôme braquait sur Alfred et dont toute saine raison avait disparu.

Mais Alfred soutenait très calmement l'implacable et maléfique regard. Il avait les traits crispés et terreux comme si ce qu'il voyait en esprit le bouleversait. Mais il n'avait pas peur ; il n'était même pas inquiet. Son calme rigoureux ne fléchit que lorsqu'il regarda les cicatrices sur la figure de Jérôme. Ce fut comme un choc pour lui. Il fit un geste comme pour ne plus voir ces cicatrices, puis il laissa lourdement retomber sa main sur la table.

Jérôme resta où il était, adossé à la porte, le souffle court. Sans élever la voix, il dit :

— Ecoutez-moi bien, je n'ai qu'un mot à dire : non.

Philippe eut un mouvement involontaire qu'aperçut Jérôme. Il se tourna vers le jeune homme et Philippe vit luire ses dents.

— Toi, méprisable bossu, dit Jérôme d'un même ton plein de dégoût, infâme, ignoble individu, que je ne te retrouve plus sur mon chemin. Sinon, je te tue.

Il ne se possédait plus.

— Il a osé regarder ma fille. Lui ! Lui !

Alfred n'avait encore jamais vu Philippe reculer ou faiblir devant quoi que ce fût. Les yeux du jeune homme parurent s'éteindre. Alfred oublia tout alors et ne vit plus que l'angoisse qui torturait son fils, l'humiliation, le désespoir écrasants. Il oublia tout, sinon que c'était là son fils, qu'on venait d'attaquer de manière odieuse et qui était sans défense. Alfred se leva, contourna son bureau et s'arrêta à un mètre de Jérôme. Ses jambes robustes le soutenaient mal, mais un feu lui brûlait la poitrine.

— Ecoutez-moi, Jérôme Lindsey. Moi aussi, j'ai quelques mots à vous dire. Je vous informe que j'interdis à mon fils d'épouser votre fille. J'aurais dû m'y prendre avant. Je ne veux pas introduire votre méchanceté dans ma famille. J'aurais peur. Je ne veux rien qui me rappelle votre nature mauvaise et votre langue diabolique. Vous m'avez tout pris. Je vous ai pardonné et j'avais l'espoir d'oublier, mais vous avez rendu la chose impossible.

Il se tourna vers son fils. C'était intolérable de le voir dans cet état. Mais, forçant sa voix, il dit avec sévérité :

— Tu m'as compris, Philippe ? Je t'interdis d'épouser la fille de cet homme. Si tu passes outre à mes désirs et à mes ordres, tu ne seras plus mon fils.

Il était résolu et d'une dignité parfaite, mais il sentait qu'il lui devenait impossible de supporter le spectacle de la souffrance de Philippe.

— Réponds-moi, Philippe. Promets-moi de m'obéir ?

Philippe s'appuya fortement au bureau. Il dit :

— Je vous le promets, père.

« Mon fils, pensait douloureusement Alfred. Mon fils. » Il fit un pas vers lui et Philippe essaya de s'avancer. D'une voix qui sortait de sa souffrance intime et qui troubla à peine le silence, il dit à son père :

— Ne vous inquiétez pas. Ne soyez pas si malheureux pour moi. Ça va. Nous nous ferons une vie à tous les deux.

Et Alfred restait là, une main à demi tendue vers Philippe. Il écoutait, trop ému pour parler.

Jérôme regardait l'un, puis l'autre. Soudain, il éclata d'un rire brutal et véhément. Alfred et Philippe ne parurent pas entendre. Philippe essayait même de sourire à son père, en guise d'affectueux encouragement.

Jérôme cessa de rire brusquement. Quelque chose venait d'arriver, qui le troublait grandement et le tourmentait de manière étrange. Il dit d'une voix presque cordiale :

— Ainsi, l'affaire est réglée, sans perte ni fracas. J'aime voir des gens raisonnables. C'est tellement plus agréable.

« Père, ne vous inquiétez pas de moi, semblait dire le regard de Philippe. Ne vous inquiétez pas. Je ne vais pas en mourir. On ne meurt pas de ces choses-là. Nous finirons par oublier un jour. »

— Oui, disait Jérôme, ça me fait grand plaisir. Il y avait longtemps que j'attendais ce moment. Vous croyiez remettre la main sur Hilltop, grâce à votre avorton, n'est-ce pas ? Vous croyiez pouvoir vous faufiler dans ma vie, venir fouiner alentour et nous espionner ? Un joli petit coup, mais ça n'a pas rendu ce que vous pensiez. C'était puéril et dérisoire.

Alfred se tourna lentement vers lui, comme s'il avait oublié qu'il était là et qu'il était surpris de l'y voir. Au bout d'un instant, il dit dit d'une voix sourde, mais inflexible :

— Il n'y a jamais eu de coup monté, sinon dans votre imagination. Je n'ai aucun désir de revoir Hilltop. Vous en avez fait un endroit sinistre pour moi. Je n'avais aucun désir de vous revoir non plus, ni vous ni votre famille.

Il fit une pause, puis il reprit sur un ton qui trahissait l'étonnement :

— Je vous ai observé pendant toutes ces années. J'ai vu ce que vous avez fait. Et j'avais pensé que vous étiez devenu un homme différent, un homme meilleur. Je ne comprends pas, pas du tout.

Toute sa maîtrise lui était revenue. Il ajouta :

— Je crois que nous n'avons plus rien à nous dire. Si, encore une chose. Je vous demande instamment de ne pas vous montrer trop dur pour cette belle jeune fille. Elle est jeune. Ceci fut une erreur. Je souhaite qu'elle oublie.

Jérôme ne répondit pas. Alfred, soudain mal à l'aise et déconcerté, se pencha pour le regarder. Il s'aperçut qu'il avait une expression qu'il ne lui avait encore jamais vue. Il avait l'air ébranlé par de sombres pensées, il était solitaire et misérable, absolument sans défense.

Alors Jérôme se détourna, ouvrit la porte et la referma doucement derrière lui.

Philippe s'était assis, les coudes appuyés sur le bureau, le visage enfoui dans les mains. Alfred l'observait en pensant que c'était la plus grande souffrance qu'il eût jamais endurée et qu'il était plus facile de supporter ses propres tourments que ceux d'un être aimé. Il appela :

— Philippe, mon fils.

Philippe retira ses mains et regarda Alfred avec fermeté.

— Oui, père ?

Alfred lui mit la main sur l'épaule, dans un silence triste. Longtemps, il regarda la fenêtre sous son linceul de neige, puis il dit, presque avec douceur :

— Ne sois pas trop malheureux. Je sais que tout finira par s'arranger. Quand j'ai regardé Jérôme, juste avant qu'il sorte, j'ai vu quelque chose d'étrange. Comme si, pour la première fois, quelqu'un sortait de derrière des ombres déformantes. Il n'avait plus de haine pour moi. Oui, j'en suis sûr : il ne me hait plus. Philippe, je ne peux pas te dire, mais je sais que les choses vont s'arranger pour toi, mon cher enfant. Encore un peu de temps, encore un peu de patience.

CHAPITRE LXVIII

JIM attendait Jérôme dans le traîneau, emmitouflé dans les fourrures. Le petit vieux était inquiet et mal à l'aise. « Pas moyen de résister à ce temps de chien », pensait-il. C'était comme le soir où il était arrivé à Hilltop avec M. Jérôme. Il était encore tôt, mais la tempête avait tellement obscurci le ciel qu'on aurait pu se croire à la tombée de la nuit.

Jim n'était pas tranquille. Qu'est-ce que M. Jérôme était allé faire à la banque des autres Lindsey ? Il n'avait pas desserré les dents depuis le départ. On aurait dit une statue, une statue qui regardait droit devant, avec des yeux brillants comme des agates. Quelque chose qui n'allait pas. Il y avait toujours quelque chose qui n'allait pas depuis qu'ils avaient quitté New York, dix-neuf ans plus tôt. Bon Dieu, déjà dix-neuf ans ! Drôle comme le temps passait.

Les voiles gris des rafales de neige s'épaissirent et la rue fut plongée dans un flot d'obscurité mouvante. Jim entendit Jérôme monter dans le traîneau.

— A la maison, directement, dit-il en remontant ses fourrures jusqu'au menton.

Jim fit tourner les chevaux. Le traîneau cahotant écrasa des tas de neige. Les becs de gaz papillotaient. La bise lacérait les visages, s'attaquait aux chapeaux, aux couvertures. Jim ne sentait plus son nez. Il reniflait et clignait ses paupières rougies.

On ne voyait presque rien. Jim lâcha la bride aux chevaux. Les bêtes reconnaîtraient leur chemin. Les patins grinçaient en broyant la neige ; le véhicule était déjeté de côté et d'autre. Jim, souffleté par le vent, commençait à suffoquer. Jérôme, enfoncé dans le traîneau, restait immobile, sans dire un mot.

Amalie. Mary. Jérôme essuya la neige de dessus son visage. Il s'agita un peu.

— Tu ne peux pas aller plus vite ? demanda-t-il.

— Pas moyen, monsieur. Ça me dépasse, un temps pareil. Les bêtes font tout ce qu'elles peuvent.

— Il faut que je sois à la maison le plus tôt possible.

Jim fit claquer les rênes. Les clochettes tintèrent. Les chevaux, inquiets, affrontèrent la montée.

« Rentrer tout de suite, pensa Jérôme. Ma femme. Ma fille. Mes chéries. »

— Plus vite ! cria-t-il.

— Faites excuse, monsieur, mais j'peux pas. Y a un coin qu'est traître, juste par ici. Un fossé qué'que part. Peux pas voir où il est.

L'obscurité était presque complète ; l'épaisse grisaille se faisait plus impénétrable. Le vent mugissait dans les sapins invisibles au long de la montée. Le traîneau avançait lourdement. Les chevaux peinaient, haletants. Pour Jérôme, rien n'était visible, pas même Jim assis devant lui et qui encourageait désespérément ses bêtes.

« Amalie. Je veux aller trouver Amalie et je lui dirai. Que lui dirai-je ? Je ne peux que lui demander pardon. Que de choses elle savait sur moi et que j'ignorais totalement ! Rien de moi ne lui était étranger, mais je ne l'ai compris que maintenant. »

Il savait maintenant qu'il avait été le jouet d'une peur inavouée : la peur de ne pouvoir répondre à ses rêves et à ses aspirations. En toutes choses, il n'avait été qu'un amateur. Son imagination, qui seule faisait de lui un homme supérieur, l'avait conduit à l'échec, en l'empêchant de se contenter de ce qui était à sa portée. Sans se l'avouer, il avait eu la sotte idée que des gens comme Alfred, « les hommes gris », étaient compétents et invincibles et c'est pourquoi il les avait détestés. Eux s'étaient contentés de petites victoires ; pour lui, il fallait un triomphe. Eux n'avaient pas eu peur de combattre ; lui, dans sa jeunesse, avait eu peur du combat par crainte de la défaite. Le peu de joie qu'il eût connu lui était venu en ces vingt dernières années, quand il avait réussi à accomplir quelque chose de grand et à prouver sa compétence. Il eût bien mieux valu pour lui qu'il se connût alors comme il se connaissait maintenant.

Il était resté à Hilltop, non pas seulement à cause d'Amalie, comme il l'avait pensé, mais parce que la vieille demeure était comme un refuge où il trouvait la sérénité, la paix, un sentiment d'efficience, qui dissipaient un peu de sa fièvre et de sa fatigue.

S'il avait seulement pu s'abandonner complètement, en toute sympathie, à ces murs vénérables ! Il eût pu faire davantage et sans avoir cette impression d'y être poussé, bon gré, mal gré, qui l'avait fait haïr autrui et se débattre et se détruire lui-même. Sa vie eût été plus heureuse et celle des autres aussi.

Il se rendait compte qu'il avait fait le malheur de sa femme par ses propres tourments, sans issue possible. Il revit les erreurs exécrables qu'il avait commises dans son aveuglement. « Mary, ton père est un sot », pensa-t-il.

— Qu'est-ce qui se passe ? cria-t-il, comme le traîneau s'arrêtait.

La voix de Jim lui parvint, assourdie par le vent :

— Un tas de neige. Ça paraît mauvais. On dirait une montagne. Les chevaux ont de la peine. Là ! Les voilà qui se dégagent.

Comme il ferait bon dans la maison chaude et bien close ! Il allait rentrer, rétabli dans son intégrité spirituelle, guéri. Il appellerait Amalie et lui dirait : « Pardonne-moi si tu peux. Pardonne-moi toutes ces années de folie et de sottise, toutes les offenses dont je suis coupable, non seulement envers toi, mais envers moi-même... » Amalie l'embrasserait et elle lui dirait... Que dirait-elle ? Depuis longtemps, son visage était empreint de lassitude et c'était sa faute. S'éclairerait-il, ce visage, lorsqu'il lui parlerait ?

Bientôt, ils pourraient parler tous les trois, Amalie. Mary et lui, réunis devant le feu. Il dirait :

« Mary, j'ai eu tort. Pardonne-moi. Envoie quelqu'un chercher Philippe. »

Philippe savait faire la lumière. Il avait orienté l'énergie concentrée de Jérôme vers autrui. Maintenant, Jérôme se rappelait le regard calme et compatissant de son ami. Oui, il avait compris. Par lui, Jérôme avait connu ce que pouvait être la victoire. Si l'œuvre accomplie à Riversend était durable, c'était grâce à Philippe.

« Comment ai-je pu parler ainsi ? pensait Jérôme. Quel démon me possédait ? Je devais être fou. J'ai dû l'être toute ma vie. Demain, j'écrirai à Alfred. Pas question d'amitié entre nous, c'est impossible aussi longtemps que nous vivrons. Mais je peux lui écrire : « Essayez d'oublier ce que j'ai fait, ce que j'ai dit. Tout cela est du passé. »

Ses joues étaient engourdies ; il ne sentait plus ses pieds ni ses mains. Le traîneau cahotait violemment. Jim jurait. D'après l'inclinaison du véhicule, on devait être sur une pente raide. Jérôme eut alors une pensée étrange. Son père l'attendait à Hilltop. Il le trouverait dans la bibliothèque, en train de lire. Il lèverait les yeux en souriant et déposerait son livre. Qui allait-il citer ? Jérôme sourit d'avance. Addison ? Thoreau ? Whitman ? Emerson ? Emerson, sans doute, celui des premières œuvres. Jérôme entendit la voix de son père, haute et claire dans le vent :

« Jérôme. Jérôme. Mon cher enfant. »

Amalie entendit la porte d'entrée s'ouvrir. Un grand cri retentit. Elle sortit en hâte et rencontra des domestiques qui couraient. Mary arrivait, elle aussi.

Jim était dans l'entrée, couvert de neige, une énorme entaille à la joue, sanglant, tremblant de tout son corps, fou de terreur.

Il vit Amalie vivement éclairée par le lampadaire. Elle venait de s'arrêter sur les marches. Elle porta soudain la main à la bouche et ses yeux s'agrandirent de désespoir. Elle s'accrocha à la balustrade. Mary était derrière elle, très pâle, immobile.

CHAPITRE LXIX

PHILIPPE descendit assez tard par ce matin d'automne. La lassitude, qui l'avait graduellement affaibli au cours de l'été, lui semblait particulièrement lourde aujourd'hui. Alfred était parti pour la Banque et Philippe déjeuna seul, sans appétit. Il avait du courrier pour lui qu'il examina rapidement jusqu'à ce qu'il aperçût une enveloppe qu'il ouvrit avec empressement. C'était une lettre de Mary, timbrée de New York.

Cher Philippe, écrivait-elle. Vous serez sans doute surpris de nous savoir à New York, maman et moi. Nous avons dû quitter La Nouvelle-Orléans pour ramener William à son collège. Mais ce n'est pas l'unique raison. Maman s'est aperçue tout d'un coup qu'elle était fatiguée et qu'elle voulait retourner à Hilltop. D'ailleurs, elle n'est pas bien du tout et je suis très inquiète à son sujet. Cependant, elle n'a plus cette apathie muette qu'elle a eue pendant des mois après la mort de papa.

Philippe parcourut avidement les pages de menus caractères pointus, mais nets et lisibles.

C'est peut-être pure imagination, continuait Mary, mais vos lettres sont si courtes et d'un ton si distant, si froid. Est-ce parce que vous travaillez trop ? Papa a été bon et prévoyant de faire de vous son exécuteur testamentaire et de vous mettre à la tête de la Banque. Il savait que le général Tayntor et vous étiez bons amis et que vous n'auriez pas d'accrochages avec lui comme vice-président.

Philippe interrompit sa lecture. « Ça ne peut pas continuer », pensa-t-il. Mais il savait que c'était son devoir. Il ne pouvait abandonner Amalie et Mary. L'affection qu'il leur portait, les devoirs qu'il avait envers elles, lui commandaient, comme le lui faisait remarquer son père, de rester à la tête de la Banque de Jérôme jusqu'à ce que le jeune William ait atteint sa majorité. Même alors, il présiderait le Conseil d'administration selon les termes du testament. Les années s'étendaient devant Philippe, comme un grand désert morne sous des yeux épuisés.

Il n'y avait pas que la Banque : Philippe était également directeur du Centre de Riversend ; trop de choses dépendaient de lui. « Je n'ai pas la force », pensait-il. Mais il savait que s'il n'avait pas la force, c'est parce qu'il n'avait plus le courage. Il ne voulait plus rien parce que la seule chose qu'il désirait lui était refusée.

Philippe reprit la lettre.

Cher Philippe, je compte les jours qui nous séparent. Ce sera merveilleux et nous pourrons faire des projets. Je sais que vous n'avez parlé de rien parce que la mort de papa était trop récente, mais maman pense qu'il n'y a rien d'incorrect à parler de mariage maintenant. Je ne peux vous dire la date exacte de notre retour, mais je sais que nous ne tarderons pas.

Philippe déposa la lettre. Il se remit à contempler le jardin. Mary... Ce mariage était impossible. Jérôme lui avait trop bien fait sentir le contraste qu'il présentait avec cette fille adorable. Elle était jeune. Elle oublierait vite. En son humilité volontaire, il ne pouvait se faire accroire qu'elle se souviendrait de lui longtemps. Un jour, elle lui serait reconnaissante d'avoir renoncé à l'épouser.

Il frotta ses yeux las. Ce n'avait pas été trop dur, tant que Mary était au loin et que Hilltop était inhabité. Mais Mary et sa mère allaient revenir. Hilltop revivrait sur sa colline verdoyante. Comment supporterait-il de ne jamais y aller, de ne jamais voir Mary, sinon par accident, de ne jamais parler à Amalie ?

Mary... Mary... Quand il pensait à elle, il pensait à Jérôme.

Alfred avait longuement plaidé :

— Philippe, lui avait-il dit, tu es trop sensitif, tu as trop d'imagination. Si Jérôme avait vraiment pensé toutes les méchancetés qu'il t'a dites, il n'eût pas fait un testament comme il l'a fait. Chaque ligne révèle la confiance et l'affection qu'il avait envers toi. Pauvre Jérôme ! Si étrange que cela puisse paraître, je suis convaincu que, dans les dernières minutes de notre entretien, quelque chose s'est passé dans son âme. Ses yeux ont brusquement changé. Il n'y avait plus de haine sur sa figure. Quand il nous a quittés, j'ai eu la certitude qu'il retournait vers sa fille et sa femme sans fureur, mais avec amour et une vision nouvelle.

Philippe avait souri avec une tristesse désabusée.

Alfred avait conclu son plaidoyer en l'exhortant à voir Mary dès son retour et à envisager la vie commune.

— Epargne tes incertitudes à cette pauvre fille. Tu peux la rendre heureuse et Amalie du même coup. Ton devoir envers elles ne se borne pas à mener la Banque de Jérôme de main de maître et à veiller au domaine.

« Mais il n'a jamais songé à ce que j'épouse sa fille, pensait Philippe. J'étais son ami, son confident, son conseiller, mais son gendre, jamais. On ne peut pas oublier ça.

« Pas plus qu'on ne peut oublier que Mary mérite mieux qu'un infirme. Elle mérite la splendeur de la jeunesse, le bonheur, la gaieté. Rien que je puisse lui donner. Quel imbécile j'ai été depuis le commencement ! Si j'avais réfléchi un peu, je l'aurais vu. Mais je la désirais et ça me paraissait suffisant. »

Il sortit. La pesanteur qu'il ressentait à la poitrine s'étendait maintenant à tout son corps. Il s'arrêta sur la route et porta ses regards sur la colline, vers la maison de Mary. Il voyait le reflet lointain des fenêtres supérieures et le toit rouge à travers les arbres. Tout d'un coup, son instinct lui dicta de monter là-haut, une dernière fois. Il n'y avait aucun mal à cela. Passé aujourd'hui, il n'y remonterait plus, jamais.

Sa lassitude disparut. Un désir passionné le poussait. Une fois encore, juste une fois, il reverrait la bibliothèque où l'oncle William avait passé tant d'heures. Il reverrait les écuries, les jardins. Il ne demandait pas grand-chose. Il n'y avait personne, à part les domestiques.

Il se sentait l'esprit clair et dégagé. Pour la première fois, il pensait à son cousin avec un chagrin profond. « Je n'oublierai pas, dit-il à voix haute. J'essaierai de réaliser ce que vous vouliez faire, même si vous ne le saviez que confusément. »

Son pas s'allégea. Il se sentait moins las. Il éprouvait une espèce d'étonnement. Maintenant, il pouvait relever la tête et aller de l'avant avec plus de force. C'était surprenant.

Il approchait de Hilltop. Robuste et grise, la maison se détachait sur le ciel de cobalt, dominant de sa hauteur. C'était un visage ami. Philippe s'aperçut que les fenêtres étaient ouvertes et que la fumée sortait d'une ou deux cheminées. On préparait le retour des voyageuses.

Tout en regardant ces chères murailles, Philippe se disait :

Je peux être fort, même sans Mary. J'aurai même un peu de bonheur plus tard, quand je saurai qu'elle a trouvé la jeunesse, l'amour, la gaieté et que ses enfants animeront cette demeure. »

Il contourna silencieusement la maison pour voir les jardins une dernière fois. Il n'y avait personne, mais il entendit des chevaux hennir.

L'azur du jour d'octobre était tout limpide et tranquille. La masse automnale des arbres faisait une tapisserie de vert sombre et de vert clair où flambaient les érables, les ormes et les chênes. Jamais Philippe n'avait trouvé un ciel si vaste, si radieux, si tendre.

Un profond réconfort emplit Philippe, un réconfort qui avait la richesse et la plénitude de ce jour d'octobre. Quoi qu'il advînt, il pourrait affronter l'avenir dans la force et la paix. Quelque part en Amérique, les sages sèmeraient leurs pensées en un terrain fertile. Un jour, cette semence lèverait en des frondaisons magnifiques, irrésistibles, qui tiendraient en échec le désert du matérialisme, qui protégeraient le sol de l'érosion et offriraient un asile aux âmes lasses et étancheraient leur soif.

Il se pencha pour cueillir un bouton de rose-thé et il en respira l'odeur. Il promena un regard pacifié sur ce jardin ; il ne le reverrait plus, mais il s'en souviendrait toujours. C'était un lieu sacré pour lui.

Il sentit une touche légère sur le bras, Il se retourna brusquement et vit Mary. Elle était là, tête nue au soleil ; son clair et fin visage lui souriait, mais les yeux bleus étaient pleins de larmes. Elle attendait qu'il parlât et retenait son souffle, toute douceur et vaillance.

— Mary, murmura-t-il. Mary, ma chérie.

Elle se mit à rire doucement.

— Philippe, nous sommes arrivées hier soir. Comment avez-vous pu savoir ?...

« Il n'en savait rien, pensa-t-il, ou bien son instinct l'avait-il averti ? »

Elle vit qu'il la regardait d'un air grave, ses yeux noirs volontaires et distants ; elle sut qu'il était dans la peine et comprit pleinement la raison. Elle lui prit la main et, le regardant droit dans les yeux, lui dit :

— Vous savez que papa n'est pas mort sur le coup et qu'avant de mourir il a murmuré pour moi seule : « Envoie chercher Philippe. Je veux le voir. Je veux vous voir tous les deux ensemble, Philippe et toi. »

Ses yeux s'agrandirent.

— Vous ne saviez pas ? Je croyais vous l'avoir fait comprendre.

Elle serrait la main de Philippe dans les siennes et il sentait la douceur de cette chair émue. Elle s'écria :

— C'est pour cela que vos lettres étaient si étranges.

— Je ne savais pas, dit-il. Non, je n'avais pas compris.

Le ciel prit un éclat qui l'aveugla presque. Il lui baisa les mains et les poignets, tout en pensant : « C'est impossible, impossible. » Puis, tout d'un coup, il sut qu'il était au bout de ses peines.

— Mary !

Elle se pencha sur lui et le baisa aux lèvres.

— Rentrez avec moi, cher. Maman veut vous voir. Elle a quelque chose à vous dire.

CHAPITRE LXX

PEINÉ, Alfred s'exclama :

— Non, Amalie ne doit pas faire cela. Quitter Hilltop, c'est impossible. C'est son foyer. La maison est assez grande pour vous trois.

— C'est ce que je lui ai dit, dit Philippe, mais en pure perte. Elle prétend que cette maison ne l'a jamais « acceptée », qu'elle n'a jamais trouvé la paix dans ses murs. Aussi insiste-t-elle pour me donner sa part en cadeau de noces. Elle s'installera dans une petite maison à Riversend.

Philippe et son père étaient assis au jardin dans le crépuscule mauve.

— Vous auriez peine à reconnaître Amalie, tant elle est pâle, maigre et fébrile. Elle est calme, mais c'est le calme du désespoir. Il y a du reste autre chose que du chagrin pour Jérôme. Parfois, on la voit partir dans une espèce d'apathie. Pauvre Amalie ! Je ne me souviens pas de l'avoir vue vraiment heureuse. Je me demande si elle l'a jamais été.

— Mais il ne peut être question pour elle de quitter Hilltop, dit Alfred.

Et il ajouta avec une simplicité touchante :

— Ce me serait trop pénible de penser à Hilltop sans Amalie... Dis-moi, Philippe, souffre-t-elle beaucoup de la perte de Jérôme ?

Philippe soupira :

— Je ne sais pas. Elle a du chagrin, c'est certain. Mais il y a autre chose. La mort de Jérôme a mis le comble à toute une vie d'insécurité et de troubles, une vie désorientée. Je ne saurais vous en dire davantage.

Alfred était silencieux. Dans la nuit tombante, il sentait plutôt qu'il ne voyait son fils. Il sentait le bonheur de Philippe comme une chaleur rayonnante et aussi ce renouveau de force et de vie en lui. Dieu soit loué et Dieu bénisse cette charmante petite ! Il irait les voir, Philippe et elle, quand ils seraient installés à Hilltop. Cette pensée lui donna une espèce d'allégresse.

Il se leva : en clignant des yeux, il pouvait apercevoir au

loin, sur la colline, Hilltop! En un sens, Hilltop redevenait son chez lui. Il s'immobilisa, le cœur battant. D'une voix étouffée, il dit à brûle-pourpoint :

— Il faut que je sorte un moment, Philippe. Juste une heure. Attends-moi ici.

Il n'y avait pas de lune, mais les étoiles étaient si brillantes qu'il y avait comme une phosphorescence argentée sur la terre. Alfred monta lentement la pente. Il dut s'arrêter pour reposer son cœur qui persistait à battre à tout rompre. Le chemin était familier. Il connaissait tous les grands arbres dont les contours palpitaient vaguement en bordure de la route. Il dépassa le profond fossé où Jérôme avait trouvé la mort. Il s'arrêta pour regarder et il se sentit envahi de douleur et de regret.

Les fenêtres de Hilltop brillaient d'un éclat plus précis. Combien de fois les avait-il ainsi contemplés, ces rectangles d'or? Jamais il ne pourrait les oublier. Il eut l'impression qu'il allait retrouver son oncle là-haut. Philippe lui avait dit si souvent que le cadre n'avait guère changé. C'était comme un retour chez soi.

Le bruit du marteau de cuivre sur la porte de chêne lui revint en mémoire du fond des années. Il passa la main sur la pierre grise du porche, vénérable et dure et tiède.

La porte s'ouvrit. Du feu brûlait dans le grand vestibule. On le conduisit dans la bibliothèque où il retrouva les rangées de livres, les grands fauteuils de cuir. Quelque chose de refoulé se détendit en lui, se réchauffa. Debout, devant la cheminée, il vit les chenets d'autrefois. Rien n'avait changé. Pourquoi aurait-ce changé, du reste? Il était chez lui.

Il entendit un bruissement et son cœur se remit à battre. Il se tourna lentement. Amalie était près de lui. Mais c'était une Amalie toute pâle et amaigrie, lointaine, avec ce visage las et ses yeux mauves qui avaient trop pleuré. Une grande mèche blanche courait du front à la nuque.

Ils se regardèrent en silence. La robe noire d'Amalie se moirait des reflets de la lampe et mettait en valeur une silhouette très belle encore, empreinte de grâce et de dignité. Elle lui tendit la main et il n'y avait aucune émotion dans ses yeux, rien qu'une lassitude et une tristesse infinies.

Alfred prit cette main et il se sentit comme étourdi, submergé d'amour et de compassion.

— Asseyez-vous, Alfred, je vous prie.

La voix n'avait plus ces sonorités chaudes qu'elle possédait autrefois.

Amalie s'assit en face de lui, près de la cheminée, comme elle le faisait au temps de leur mariage, et ils se regardèrent, muets.

D'abord, les yeux d'Amalie restèrent vides d'expression, puis ils commencèrent à s'intéresser à Alfred. Elle vit sa force et sa sagesse elle comprit la paix qui était en lui et qui lui était venue après des années de souffrances et d'efforts pour comprendre. Il y eut comme un reflet émerveillé sur son visage, qui ressembla à celui d'un enfant las. Une espèce de fluide émanait de lui et allait vers elle, fidèle, rassurant, chargé de sympathie et de compassion.

Sans attacher beaucoup de sens à ses paroles, elle dit :

— Vous avez changé, Alfred.

— Oui, je crois que j'ai changé, dit-il doucement.

C'était intolérable de la voir dans cet état. Il aurait voulu aller vers elle, presser son visage immobile contre son épaule, la serrer tout entière contre lui, la réconforter.

— Voyez-vous, Amalie, il y a tant de choses que je ne savais pas... avant.

Elle enlaça nerveusement ses mains sur ses genoux et il se rappela ce signe d'agitation chez elle. Il vit la poitrine se gonfler comme pour une profonde inspiration :

— Alfred, je crois savoir le motif de votre visite : c'est pour me dire que vous ne voulez pas du mariage de Philippe avec Mary ?

Il était si surpris qu'il ne put parler. Maintenant, elle se penchait vers lui avec des yeux suppliants.

— Ne dites rien, Alfred. Laissez-les à leur bonheur. Ils s'aiment.

Sa voix tremblait quand il répondit :

— Ma chère Amalie, ce n'est pas pour cela que je suis venu. Je suis heureux de ce mariage et j'espère que vous en êtes heureuse aussi.

Etonnée, elle se laissa retomber contre le dossier du fauteuil. Il vit des larmes dans ses yeux, bien qu'elle essayât de sourire.

— Oh ! oui, je suis heureuse, Alfred, heureuse. — Elle détourna la tête. — Et je sais que Jérôme aussi est heureux.

— Oui, j'en ai la certitude, dit Alfred.

Il y eut de nouveau un silence. Le feu pétillait. La branche du vieil ormeau caressait le toit. Alfred tressaillit. C'était comme si un ami frappait à une porte oubliée.

— Amalie, je suis venu ce soir pour vous persuader de rester à Hilltop.

Elle tourna son visage vers lui, un peu surprise. Elle fit non de la tête.

— Il faut que je parte, Alfred. Il le faut. Voyez-vous, je ne me suis jamais vraiment sentie chez moi ici. C'est la maison de Philippe et de Mary... Et puis, c'est la vôtre aussi, cria-t-elle. Je n'ai pas le droit d'être là.

Il alla vers elle et lui prit la main, qui était froide et moite, et la tint fortement.

— Vous êtes chez vous, Amalie. La pensée de votre absence me serait insupportable. Restez là, ne serait-ce que pour me faire plaisir. Laissez-moi penser à vous, dans cette pièce, ou bien en train de vous promener dans les jardins, ou de regarder par ces fenêtres.

Sa voix défaillait, si bien qu'il ajouta dans un murmure :

— Vous ne savez pas quel réconfort ce fut pour moi, durant toutes ces années, de vous imaginer ici.

La main était chaude et ferme, qui tenait la sienne, et cette force était un réconfort pour Amalie. Elle s'accrochait à cette main et ses larmes coulaient. Elle fit encore un effort pour sourire.

— Alfred, c'est seulement une gentillesse de votre part.

— Non, ce n'est pas cela. J'essaye seulement de garder votre souvenir. C'est tout.

Remplie d'un étonnement incrédule, elle leva les yeux vers lui. Leurs regards se soudèrent. On n'entendait plus que le bruit du feu et de la branche d'orme dans le silence.

Il courba la tête :

— C'est la stricte vérité, Amalie.

S'appuyant sur la main d'Alfred, elle se dressa lentement, sans pouvoir détacher son regard. Elle fit un effort pour parler, mais ses lèvres tremblèrent, elle ne put que murmurer :

— Alfred, vous...

— Me permettez-vous de revenir ? Un jour ? Bientôt ? Amalie, vous me permettez de vous revoir ?

Avait-elle fait un geste ? S'était-elle rapprochée de lui ? Il voyait maintenant l'iris brillant, le violet humide des yeux.

— Oui, vous pourrez revenir, revenir bientôt... Il faut que vous reveniez, Alfred, que vous reveniez souvent.

« Oui, pensa-t-il avec une profonde certitude. Et, un jour, je ne repartirai plus. »

FIN

Achevé d'imprimer sur les presses
de Métropole Litho Inc.